ÉXITO

QUINTA EDICIÓN

COMERCIAL

Prácticas administrativas
y contextos culturales

Michael Scott Doyle

University of North Carolina at Charlotte

T. Bruce Fryer

University of South Carolina, Columbia
University of South Carolina, Beaufort

Ronald Cere

Eastern Michigan University

D1399759

HEINLE
CENGAGE Learning

Australia • Brazil • Japan • Korea • Mexico • Singapore • Spain • United Kingdom • United States

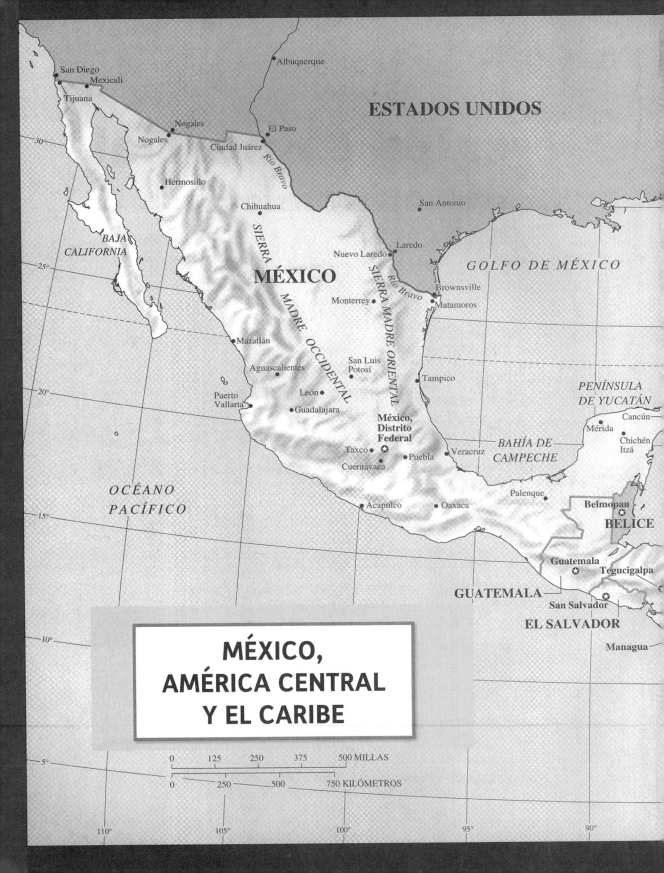

ESTADOS UNIDOS

San Diego
Mexicali
Tijuana

Albuquerque

Nogales
Nogales
Ciudad Juárez
El Paso

Río Bravo

Hermosillo

Chihuahua

San Antonio

BAJA
CALIFORNIA

SIERRA

MÉXICO

Nuevo Laredo
Laredo

GOLFO DE MÉXICO

MADRE

SIERRA MADRE ORIENTAL

Río Bravo

Brownsville
Monterrey
Matamoros

OCCIDENTAL

Mazatlán

Aguascalientes

San Luis
Potosí

Tampico

PENÍNSULA
DE YUCATÁN

Puerto
Vallarta

León

Guadalajara

México,
Distrito
Federal

Cancún
Mérida
Chichén
Itzá

Taxco
Cuernavaca

Puebla
Veracruz

BAHÍA DE
CAMPECHE

OCÉANO
PACÍFICO

Acapulco

Oaxaca

Palenque

Belmopan

BELICE

Guatemala
Tegucigalpa

GUATEMALA

San Salvador

EL SALVADOR

Managua

MÉXICO, AMÉRICA CENTRAL Y EL CARIBE

| 0 | 125 | 250 | 375 | 500 MILLAS |

| 0 | 250 | 500 | 750 KILÓMETROS |

30°
25°
20°
15°
10°
5°

110°
105°
100°
95°
90°

0   125   250   375   500 MILLAS

0   250   500   750 KILÓMETROS

Washington

Montana

Dakota del Norte

Idaho

Oregón

Dakota del Sur

Wyoming

Nebraska

Nevada

Utah

Colorado

Kansas

California

Arizona

Nuevo México

Oklahoma

OCÉANO PACÍFICO

Tejas

70°   150°   140°   130°

160°   155°

Hawai

20°   20°

Alaska

MILLAS

0   100

KILÓMETROS

0   150

160°   155°

MILLAS

0   500

KILÓMETROS

0   750

170°   160°   150°   140°

MÉXICO

LOS HISPANOHABLANTES EN LOS ESTADOS UNIDOS

CANADÁ

Maine

Minnesota

Vermont

New
Hampshire

Wisconsin

Mass.

Nueva
York

Conn.

Rhode Island

Michigan

Pennsylvania

Nueva Jersey

Iowa

Delaware

Illinois

Indiana

Ohio

Virginia
Occidental

Washington, D.C.

Misuri

Kentucky

Virginia

Maryland

Carolina
del Norte

Tenesí

Arkansas

Carolina del
Sur

OCÉANO ATLÁNTICO

Misisipí

Georgia

Alabama

Porcentaje de población
hispana

Raíces

20 o más

10–19,9

México

Cuba

3–9,9

0–2,9

Puerto
Rico

Otros

Luisiana

Total EE.UU.
población hispana

Florida

GOLFO DE MÉXICO

45°

40°

35°

30°

70°

25°

95°

90°

85°

80°

75°

HEINLE
CENGAGE Learning™

Éxito comercial: Prácticas administrativas y contextos culturales, Quinta Edición
Doyle, Fryer, Cere

Publisher: Beth Kramer

Acquisitions Editor: Heather Bradley Cole

Development Editor: Kim Beuttler

Editorial Assistant: Sara Dyer

Senior Media Editor: Morgen Murphy

Senior Marketing Manager: Ben Rivera

Marketing Assistant: Janine Enos

Senior Marketing Communications Manager: Stacey Purviance

Senior Content Project Manager: Aileen Mason

Senior Art Director: Linda Jurras

Senior Print Buyer: Betsy Donaghey

Text Permission Account Manager: Margaret Chamberlain-Gaston

Senior Photo Editor: Jennifer Meyer Dare

Photo Researcher: Julie Low

Text Designer: Carol Maglitta/One Visual Mind

Cover Designer: Carol Maglitta/One Visual Mind

Production Service: Pre-Press PMG

Cover image: © Juice images/Corbis and © iStock

Compositor: Pre-Press PMG

Library of Congress Control Number: 2010921899

International Edition:
ISBN-13: 978-1-4390-8613-1
ISBN-10: 1-4390-8613-3

Cengage Learning International Offices

Asia
cengageasia.com
tel: (65) 6410 1200

Australia/New Zealand
cengage.com.au
tel: (61) 3 9685 4111

Brazil
cengage.com.br
tel.: (011) 3665 9900

India
cengage.co.in
tel: (91) 11 30484837/38

Latin America
cengage.com.mx
tel: +52 (55) 1500 6000

UK/Europe/Middle East/Africa
cengage.co.uk
tel: (44) 207 067 2500

Represented in Canada by Nelson Education, Ltd.
tel: (416) 752 9100 / (800) 668 0671
nelson.com

Cengage Learning is a leading provider of customized learning solutions with office locations around the globe, including Singapore, the United Kingdom, Australia, Mexico, Brazil, and Japan. Locate your local office at:
www.cengage.com/global

Cengage Learning products are represented in Canada by Nelson Education, Ltd.

For product information: **www.cengage.com/international**
Visit your local office: **www.cengage.com/global**
Visit our corporate website: **www.cengage.com**

Disclaimer: Availability of resources may differ by region. Check with your local Cengage Learning representative for details.

Printed in the United States of America.
1 2 3 4 5 6 7 14 13 12 11 10

Índice

CAPÍTULO 1

El comercio global y el contexto hispano: Geografía, demografía, idioma y cultura   1

CAPÍTULO 2

La empresa   25

CAPÍTULO
9

Marketing I: Mercados y publicidad 251

CAPÍTULO
10

Marketing II: Compraventa, transporte y almacenaje 281

Índice temático

Índice de tablas informativas sobre países hispanoparlantes, Brasil y Estados Unidos de América

To the Student

Éxito comercial is designed to give advanced-intermediate and advanced-level students of Spanish a solid foundation in business vocabulary, basic business and cultural concepts, and situational practice that will help prepare you for success in today's Spanish-speaking business world.

In the fifth edition, the socioeconomic data for each of the 21 Spanish-speaking countries, Brazil, and the United States has been updated. Other modifications place an even greater premium on critical thinking, problem solving, and practice with the Internet technology used daily in the business world. These skills are increasingly in demand in today's 24/7 global economy. The fifth edition is accompanied by a DVD video component, an audio CD, and an enriched companion site. Other enhancements include a new business ethics feature, titled **Integridad y ética empresariales**; updated **Lectura comercial, Vista panorámica**, and **Lectura cultural** sections; seven new **Minicaso práctico** sections; six new authentic **Para pensar** readings; the addition of a new video segment for **Chapter 14, Las perspectivas para el futuro**; a revised, more comprehensive **Apéndice 4: La entrevista de trabajo**, with corresponding new video segments; and a new **Apéndice 5: Comparación de tendencias culturales en los negocios: EUA (tradición anglo-norteamericana), los países hispanos y Brasil**.

Business topics reflect the typical curriculum of a U.S. business school. Students with a background in business or international studies will find that the descriptive readings reinforce their knowledge of business theory and principles. Both native speakers of Spanish and English without prior knowledge of business will find the readings informative and useful. Previous editions of *Éxito comercial* have proven useful for students in the following disciplines:

- Spanish and Latin American Studies majors
- Business and International Business majors planning to interact with a rapidly growing and influential number of Hispanic coworkers, clients, and consumers, both abroad and within the United States
- International Studies or Government majors
- Undergraduate liberal arts majors wishing to expand their awareness of the Spanish language or seeking positions with the growing number of companies needing to conduct business in Spanish
- Majors in science, technology, and communications fields, including translation and interpreting, who plan to work in international business
- Graduate students of Spanish, including those preparing to design and teach Business Spanish courses

Whether your goal is to become a global manager, translator, interpreter, or teacher, or to use your Spanish for other pursuits, *Éxito comercial* seeks to foster and enhance the skills, creativity, leadership, and cooperation essential to you as a lifelong learner of language and culture.

> What I predict for the next century is that everyone will speak Spanish. Quit whining and get used to it! If you don't know it by now, start practicando; el español es el futuro.
>
> — Dr. David T. Gies, Commonwealth Professor of Spanish, University of Virginia, Arts & Sciences July 2000

Acknowledgments

Many talented individuals have contributed their expertise and timely constructive criticism to *Éxito comercial*, which now enters its fifth edition. We are greatly indebted to Heather Bradley, Kim Beuttler, and Aileen Mason at Cengage. We greatly appreciate their enthusiastic support, good ideas, and hard work as *Éxito comercial* enters its twentieth year in print. We very much appreciate the expert assistance provided by our copyeditor Jonathan Jucker and by our proofreader Pilar Acevedo, and the reviewers whose feedback was thoughtful and most beneficial in preparing the final manuscript. We again thank Nick Riccelli of Riccelli Creative for his earlier production of the video that accompanied the third edition, and Chris Johnson for his production (casts, records, edits) of the audio CD.

We also wish to thank the late Dr. Alvord Branan, and Drs. C. Ben Christensen and Gustavo Segade at San Diego State University; the late Jeffrey Arpan, Randy Folks, Fitz Beazley, Maria Mabrey, and Alejandro Bernal at the University of South Carolina; Graciela Tissera at Clemson University; Chris Korth at Western Michigan University; the late Frank W. Medley, Jr.; Luis Acosta at Eastern Michigan University; Brian Toyne and Zaida Martínez at St. Marys University (TX); Ben Kedia and the inimitable Felipe Lapuente at the University of Memphis; Roberta Lavine at the University of Maryland; Babet Villena Alvarez at the University of South Carolina-Beaufort; Jorge Valdivieso, Prof. Emeritus from the American Graduate School of International Management (Thunderbird); María Antonia Cowles, former Language Programs Director at the Lauder Language and Cultural Perspectives Program at the Wharton School School of Business of the University of Pennsylvania; Amy Pitts, former director of the Mayor's International Cabinet, Charlotte, NC; and Lynn Sandstedt (professor emeritus from University of Northern Colorado), John Gutiérrez (University of Mississippi), and the American Association of Teachers of Spanish and Portuguese.

We wish to express our sincere gratitude to the Business Spanish students at the University of North Carolina at Charlotte, the University of South Carolina, and Eastern Michigan University for their input. A special recognition goes to graduate student assistant Erin DeBell (UNC Charlotte) for her assistance with updating the numeric data in the country tables. For their useful observations, we also thank the many participants at the annual Faculty Development for International Business (FDIB) Workshops at the University of South Carolina from 1990–2010; the many who participated over the years in the CIBER-Eastern Michigan Annual Conference on Languages and Communication for World Business and the Professions; and the many participants in other workshops we have conducted in forums such as the annual International Business and Foreign Language Workshop for Foreign Language Educators at the University of Memphis (1995–2010), and the Annual Conference of the American Association of Teachers of Spanish and Portuguese.

We are also very grateful to the following fifth edition reviewers for their very useful comments and suggestions, as we strive to improve this project called *Éxito comercial*:

Enrica J. Ardemagni
Indiana University—Purdue University Indianapolis

Adriana Cabeza
University of Colorado at Boulder

Juan Carlos Chaves
University of Wisconsin–River Falls

Domnita Dumitrescu
California State University, Los Angeles

Chad M. Gasta
Iowa State University

Pedro G. Koo
Missouri State University

Roberta Lavine
University of Maryland

Mary Long
University of Colorado at Boulder

Graciela E. Tissera
Clemson University

Kelly Washbourne
Kent State University

We would like to extend an extra special thanks to our cultural council for the fifth edition, which comprises both seasoned international business professionals and members of the international academic community, each of whom has reviewed updates to the **Vista panorámica** features in the chapters for accuracy and cultural authenticity.

Javier Arellano is the president of Cengage Learning Latin America, based in Mexico City.

Eduardo Brenes Jiménez is a manager for Western Union's international office in San José, Costa Rica.

Samuel T. Céspedes Jr. is Chairman of the Corporate Practice Group at McConnell Valdés LLC, Puerto Rico.

Jorge Errázuriz is an executive with Honduras's telecommunications agency HONDUTEL in Tegucigalpa.

Lucia F. Epstein is a member of the angel investor group Golden Seeds and works with companies in Boston, MA as well as Quito, Ecuador.

Thaddeus Fox of TB Fox Consulting provides strategic support and timely execution of business and technology tactics for client companies worldwide.

Xiora Martinez is Creative Director of Mosaico Producciones Creativos in Managua, Nicaragua.

Jorge E. Mastellari is Vice President of Operations and Director of ARGO Consulting in Chicago and Panama City.

Carme Miró i Aspa works with the information and management consulting services group for Industry and Shipping, Chamber of Commerce of Barcelona.

Diego Mora Otegui earned an MBA in Global Management at Thunderbird University and now heads up development for an agribusiness firm in Montevideo, Uruguay.

M'bare N'gom is Chairperson of the Department of World Languages and International studies, Director of the African Studies Program, and Director of the Latin American and Caribbean Studies Program at Morgan State University, Baltimore, Maryland.

Dorothy Nebel de Mello is a partner at Nebel & Mello Consultores Associados in São Paulo, Brazil and a faculty member of the Babson Executive Education program, B.I. International.

Juan C. Ordoñez is an attorney and native of Guatemala.

Miyoshi Otsu, RN, CRA, works with Discovery Labs, Inc., in Santiago, Chile, as a regional project coordinator for Latin America.

Sergio A. Pombo is an Investment Officer with the International Finance Corporation (IFC), the private sector investing arm of the World Bank Group, in Washington, DC, and a native of Colombia.

Alejandro Razzotti is the Executive Director, Latin American Public Sector, of the auditing and professional services firm BDO in Buenos Aires.

Mercedes Séeligman is an instructor at Universidad Francisco Gavidia, San Salvador, El Salvador.

Paul Tori holds a Masters degree in International Politics and an MBA in Finance from Columbia University, and is a native of Perú.

We would also like to thank everyone at Cengage Learning Latin America as well as Diana Arce, Ray Hays and Lauri Meizler for their invaluable assistance in contacting individuals with the appropriate expertise to review the country profiles covered in *Éxito comercial*.

A special acknowledgment goes to the Centers for International Business Education and Research (CIBERs) at the University of South Carolina and the University of Memphis for their support of our ongoing work in Business Language Studies and in Spanish for Business and International Trade.

We greatly appreciate the support of family and friends as we have further developed and refined the *Éxito comercial* project over the years.

Any errors of fact or interpretation in this text are attributable solely to the authors.

M.S.D.
T.B.F.
R.C.

El comercio global y el contexto hispano: Geografía, demografía, idioma y cultura

© T. Bruce Fryer

Se ha dicho que el mundo está irremediablemente conectado por el comercio y que el comercio ayuda a mantener la paz entre las naciones. ¿Qué opina Ud.? ¿Cuándo llegaron los españoles a Santa Elena, Carolina del Sur (Estados Unidos de América, EUA)? ¿Por qué vinieron? ¿Quiénes les hicieron este tributo? ¿En qué fecha? Según el texto, ¿qué tienen en común España y EUA? Comente. Siguiendo este mismo contexto histórico, ¿en qué otros lugares estuvo España?

Commerce links all mankind in one common brotherhood of mutual dependence and interests.

— JAMES A. GARFIELD

When goods do not cross borders, soldiers will.

— FRÉDÉRIC BASTIAT

Spanish: Bestow great attention on this & endeavor to acquire an accurate knowledge of it. Our future connections with Spain and Spanish America will render that language a valuable acquisition.

— THOMAS JEFFERSON, 1787

1-1 ## Preguntas de orientación

Al hacer la «Lectura comercial», piense Ud. en las respuestas a las siguientes preguntas.

1. ¿Qué diferencias hay entre economía y comercio? ¿Y entre el significado de las palabras *economizar* y *comerciar*? ¿Qué quieren decir las siguientes frases: *tiene un precio muy económico, ha sido un verdadero éxito comercial, hoy no hay comercio*?

2. ¿En qué se diferencian el comercio nacional y el internacional? ¿Cuáles serían algunos ejemplos de cada tipo de comercio?

3. ¿Qué son el comercio «verde», el comercio sostenible y la ética empresarial?

4. ¿Cuáles serían algunos ejemplos de los siguientes términos: *bienes, casa matriz, distribución de recursos, escasez, inflación, mano de obra, materia prima, mercado, trabajo*?

5. ¿Qué son la exportación y la importación? Además de importar productos, ¿piensa Ud. que los países también importan mano de obra y trabajo intelectual? Comente con ejemplos.

6. Las industrias mineras, manufactureras y de construcción se dedican a la producción de bienes tangibles. ¿Cuáles son las diferencias entre estas industrias y el sector económico de servicios o de información e informática? ¿Qué diferencia hay entre un producto y un servicio? Dé algunos ejemplos con una explicación.

7. ¿Qué es el comercio electrónico? ¿Usa Ud. la computadora para hacer compras? Comente y explique cómo funciona.

8. Dé algunos ejemplos de «prácticas administrativas» o pasantías que Ud. conoce en el mundo de los negocios. ¿Cuáles son algunas profesiones que exigen un período de práctica antes de certificarse o titularse uno? ¿Lo exige o lo ha exigido su propia carrera universitaria? ¿Cuáles son las ventajas de hacer una práctica profesional antes de graduarse o licenciarse?

9. ¿Cómo se escribiría el número mil en Colombia, México, Perú, Argentina, España y Guatemala? ¿Cómo se puede expresar de otra manera las 16 horas con 30 minutos, las 22 horas con 15 minutos, las cinco de la tarde y las nueve y media de la noche? ¿Cómo se escribiría con cifras la fecha el 5 de mayo de 2010 en México, el 8 de septiembre de 2011 en Bolivia y el 9 de agosto de 2012 en los Estados Unidos? ¿Cuántos kilos pesaría una máquina de 300 libras? ¿Cuántos kilómetros hay en un viaje de negocios de 500 millas? ¿Cuál es la temperatura típica en Asunción o en Buenos Aires durante el mes de diciembre?

10. ¿Cuándo se celebra «*April Fools' Day*» y qué nombre tiene en el mundo hispano? En la cultura hispana, ¿qué día de la semana normalmente equivale al día de la mala suerte, el viernes 13, en los Estados Unidos?

LECTURA COMERCIAL

Los contextos del comercio global

La información presentada en este primer capítulo panorámico es importante puesto que establece el contexto macroeconómico, geográfico, demográfico, lingüístico y cultural de los temas de comercio y de los países que luego se tratarán a lo largo del texto. Nuestro gran tema es el mundo hispano y el idioma español (el castellano) para los negocios en la economía global, tanto a nivel nacional como internacional. Al referirnos a lo nacional, se tratará no sólo de cada uno de los veinte países hispanohablantes del mundo, y de Puerto Rico, estado libre asociado (*commonwealth*) de los Estados Unidos, sino también de la realidad económica hispana en los Estados Unidos de América (EUA, EU, EEUU o EE.UU.), donde la población hispana estadounidense cobra cada día mayor importancia económica y sociopolítica.

La economía global

La economía global, un fenómeno que sigue en plena marcha, define nuestra época actual. La globalización o mundialización se ve todos los días en el comercio, las comunicaciones electrónicas (el Internet y las páginas web), la producción internacional (ya se hace difícil hablar de un producto fabricado en un solo país o con componentes manufacturados y ensamblados en un solo país) y la oferta de bienes y servicios a consumidores y a usuarios de todas partes del mundo. Puesto que los vendedores (exportadores), compradores (importadores) e intermediarios comercializan un sinfín de artículos para satisfacer las necesidades y los deseos de los consumidores y usuarios, el transporte o la distribución internacional de mercaderías va cobrando mayor volumen cada año. Los recursos naturales y las materias primas de un país originario se elaboran, transforman o ensamblan en otro país diferente que luego los comercia con aún más países. En el mundo de los negocios, la escasez de cualquier recurso, producto o servicio en cierto lugar se resuelve por la disponibilidad o la abundancia del mismo en otra parte. La demanda determina los precios de los bienes y mercancías. Es decir, si hay escasez de petróleo, trigo o automóviles, suben los precios de estos productos, porque los consumidores están dispuestos a pagar más para conseguirlos en el gran mercado caracterizado por la oferta y la demanda.

Hay un movimiento internacional de mercadería, servicios, capital, trabajo y trabajadores, como la mano de obra que importan ciertos países para ayudar con sectores nacionales tales como el agrícola o el manufacturero. La eficaz administración de empresas y de recursos humanos llega a representar un desafío más apremiante para los gerentes en la época global, ya que es necesario comunicarse en otras lenguas, lo cual conlleva comprender otras culturas. Las diferentes industrias compiten y se complementan a nivel de mercado mundial, donde las monedas nacionales de los diferentes países (y el cambio de divisas) son factores muy importantes cuando se considera el riesgo de la inflación y de la hiperinflación. En fin, el comercio nacional o subnacional (regional, estatal o local) opera como

Para pensar

Uno de los aspectos más significantes y a veces muy controvertido para el comercio internacional es el nivel de pobreza de un país, lo cual aumenta y disminuye según el éxito del mismo. La pobreza no es una condición que sólo existe en los llamados «países pobres», sino que también existe en los ricos, aunque de manera menos visible. El Banco Interamericano de Desarrollo (BID) trata el tema del reto de la pobreza en los siguientes dos párrafos.

Para analizar claramente el problema de la pobreza debe, primero, acordarse qué se entiende por pobreza. Según la definición básica, es la falta de acceso o dominio de los requisitos básicos para mantener un nivel de vida aceptable. Esto significa que una persona es pobre si no tiene suficiente comida o carece de acceso a una combinación de servicios básicos de educación, atención de salud, agua potable, sistemas de saneamiento adecuados y un lugar de residencia seguro. Generalmente los economistas usan el ingreso como medida representativa de la pobreza porque brinda los medios para asegurar la atención debida a las demás necesidades básicas. Por tal razón, la mayoría de las estrategias para combatir la pobreza, incluida ésta, dedican suma atención a la generación de ingresos como la principal solución del problema.

Desde el punto de vista del ingreso, la estrategia básica de eliminación de la pobreza consiste en ayudar a los pobres a ganar lo necesario para salir de esa situación. Para lograrlo, la economía debe aumentar el número de empleos disponibles y la productividad o el potencial de ingresos de los pobres que acceden a esos empleos. La mayoría de esos empleos se suscitará en el sector privado y corresponde al gobierno elegir las políticas que inclinen al sector privado a crear empleos mejor remunerados para los pobres. (De «Estrategia para reducir la pobreza», Banco Interamericano de Desarrollo [BID], Departamento de Desarrollo Sostenible. Reimpreso con permiso.)

1. ¿Cómo define el BID la pobreza?

2. ¿Cuáles son algunos indicadores clave de que una persona es pobre? ¿Puede usted nombrar otros indicadores que no se señalan en la lectura arriba?

3. ¿Por qué usan los economistas políticos el ingreso como medida de la pobreza?

4. Según el pasaje arriba, ¿qué debe producir en mayor número la economía y cuál es el papel del gobierno?

5. ¿Dónde y por qué existe la pobreza en América Latina? ¿Existe en un país «rico» como EUA, Francia o Alemania? ¿Se da más entre los inmigrantes? Comente.

6. ¿Piensa Ud. que la pobreza afecta with a más a ciertos sectores de la población, como las mujeres, los niños y los indígenas? Comente.

7. ¿Se puede hallar una solución para la pobreza mundial? Comente.

8. ¿Qué quiere decir «desarrollo sostenible» y por qué es importante este concepto al hablar del problema de la pobreza?

9. ¿Qué responsabilidad tienen las naciones ricas con las naciones pobres?

parte de la economía global, es decir, que lo que antes era nacional, se ha convertido en una actividad multinacional, transnacional o supranacional, de forma que impera una nueva realidad comercial que se puede caracterizar como «glocal», es decir, una combinación de «global» y «local». La casa matriz de una empresa puede tener varias sedes, sucursales y filiales en diferentes lugares del mundo. Y en el futuro siempre se vislumbran mayores cambios tecnológicos, mejoras de infraestructura y de capacidades logísticas, mayor desarrollo del comercio electrónico y el crecimiento de la población mundial, la cual empieza a aumentar por mil millones de personas cada quince años, con aún más retos y oportunidades para los gerentes del futuro global. También existen los retos del comercio «verde» (ecológico) y sostenible, y las consideraciones de la ética empresarial, la cual se puede definir como los principios o el código de integridad que rigen la conducta tanto personal como de la empresa misma. La ética empresarial se basa en un conocimiento moral entre el bien y el mal y se demuestra con decisiones que favorecen el bien. Lo legal no es sinónimo de lo ético. En fin, asegurarse hoy en día del éxito comercial en la economía «glocal» requiere un buen conocimiento de las prácticas administrativas del mundo de los negocios, tanto como de los diferentes contextos lingüísticos y culturales en los cuales se realiza el comercio.

El comercio y los números

Los números constituyen la *lingua franca* o universal del comercio y de la economía. Permiten medir, calcular, comparar, informar, planear, asesorar y tomar decisiones con respecto a las diferentes situaciones comerciales y económicas. Pero la representación numérica en el inglés de EUA puede variar bastante de los modos de presentación usados en el mundo hispano. Se trata de una importante diferencia cultural. Por ejemplo, para indicar la fecha de un envío de mercancía o de un documento comercial, la fecha del día 4 de mayo del año 2011 se escribiría en EUA como 5/4/11 (mes/día/año). En el mundo hispano se escribiría 4/5/11,[1] es decir, primero se indica el día y luego el mes. Otro ejemplo sería el día el 10 de noviembre del año 2011, el cual se expresaría en EUA como 11-10-11 y en España o en Hispanoamérica como 10-11-11.

La diferencia de expresión numérica también se puede ver con los horarios y la programación. En un viaje de negocios en EUA, por ejemplo, la hora de salida del vuelo o tren se expresaría normalmente en términos de las nueve de la mañana (9 A.M.), las tres de la tarde (3 P.M.) o las ocho y cuarto de la noche (8:15 P.M.). En el mundo hispano, a menudo se usa en el aeropuerto o en la estación de trenes (ferrocarril) o de autobuses el horario militar de 24 horas, tal como se hace en España; es decir, las tres de la tarde se anunciarían como las 15 horas y las ocho de la noche serían las 20 horas. De manera semejante, una reunión de negocios programada para las 5:30 de la tarde en EUA se podría expresar en español como las 17:30 o 17,30 (o incluso 17'30).

También existen notables diferencias al hablar de pesos y medidas. En EUA se usa el sistema inglés, mientras que en los países hispanos se usa el sistema métrico decimal (europeo). En el sistema métrico decimal, la unidad básica es el número diez y sus múltiplos o partitivos: 10, 100, 1,000 y 10,000, 1/10, 1/100, etc. En EUA el peso se expresa en libras y onzas (la computadora pesa sólo cinco libras, ese hombre pesa 180 libras), mientras que en los países hispanos se usan gramos y kilogramos (1 gramo = 0.035 onzas y 1 kilogramo = 2.2 libras). Así que la computadora arriba mencionada pesaría 2.3 kilogramos o kilos y el hombre pesaría 82 kilos. En EUA la capacidad se mide en galones, cuartos y pintas, mientras que en los países hispanos se usa el litro. Y las distancias y los tamaños (la longitud, altitud, altura, talla, estatura) se expresan en EUA en pulgadas, pies,

---

[1]También, 4-5-11, 4.5.11, or 4-V-11.

yardas y millas, mientras que en los países hispanos se usa el metro. Por ejemplo, una distancia de cinco millas se traduciría a 8.1 kilómetros (1 milla = 1.61 kilómetros). Al conducir un coche en España o un carro o auto en Hispanoamérica, en lugar de ver una indicación de velocidad máxima de 60 millas por hora, típicamente se vería una señal de carreteras indicando 100 km/h. (Véase el Apéndice 3 para más información sobre las medidas.)

Otro ejemplo se encuentra en la expresión de la temperatura. Supongamos que en el mes de enero Ud. hace un viaje de negocios desde Boston a Buenos Aires. Al aterrizar el avión, anuncia el piloto una temperatura de 30 °C. Usted se felicita por haber traído un buen abrigo de invierno. Sin embargo, al desembarcar Ud. nota inmediatamente el calor que hace. ¿Qué ocurre aquí? En primer lugar, el invierno del hemisferio norte se da en los meses de diciembre, enero y febrero. Por eso hace frío en estos meses en ciudades como Boston, Minneapolis o Madrid. Sin embargo, en las ciudades del hemisferio sur, como Montevideo, Buenos Aires o Santiago, el invierno tiene lugar en los meses de junio, julio y agosto. También resulta que el piloto anunció la temperatura usando la escala de grados centígrados, de modo que los 30 °C eran 90 °F, ¡un calor agobiante! Hay que recordar que en EUA se usa el sistema Fahrenheit para las temperaturas, mientras que en los países hispanos se usan los grados centígrados. Por cada 9 grados en la escala Fahrenheit, hay 5 centígrados. La fórmula para hacer la conversión de Fahrenheit a centígrados es la siguiente: (F° − 32°) × 5/9 = C°, ó (F − 32°) × 0.56 = C°. Para hacer la conversión de centígrados a Fahrenheit, la fórmula es: (C° × 9/5) + 32° = F°, ó (C° × 1.8) + 32° = F°. Así que las temperaturas medias de México, D.F. (Distrito Federal, la capital) serían 55 °F ó 13 °C en enero y 70 °F ó 21 °C en julio. En Madrid, en el mes de enero, serían 42 °F ó 6 °C y en julio 80 °F ó 27 °C.

El hombre o la mujer de negocios que viaja internacionalmente también tiene que percatarse de diferencias culturales en el uso y el simbolismo de los números, como las que se dan en el calendario. Por ejemplo, el día de la mala suerte en EUA es el viernes 13 de cualquier mes, pero en los países hispanos suele ser el martes 13 (como dice el refrán «En martes 13, ni te cases ni te embarques»). El «*April Fools' Day*», que se celebra en EUA el primero de abril, se celebra en el mundo hispano como el Día de los Santos Inocentes, el 28 de diciembre. Y, por supuesto, el «*Independence Day*» norteamericano del 4 de julio no es la fecha celebrada como el día de la independencia en el mundo hispano. Por ejemplo, en México es el 16 de septiembre, en Ecuador, el 10 de agosto y en Paraguay, el 14 de mayo.

Otra importante diferencia cultural sería la expresión de los números grandes como *billion* y *trillion* al hablar del producto interno bruto (PIB) o producto nacional bruto (PNB) de los países. En el inglés de EUA, el número 1,000,000,000 se expresa como *billion*, pero en español normalmente se dice mil millones. En el inglés de EUA, el número 1,000,000,000,000 se expresa como *trillion*, pero en español se expresa normalmente como un billón ó millón de millones. Así que, hablar del PIB de un país—13.8 billones para EUA en 2007 ó 893 mil millones para México en 2007—requiere prestar atención al contexto cultural en el cual se indican los grandes números. Para resumir:

Número	En inglés (EUA)	Normalmente en español
1,000,000 (seis ceros)	*million*	millón (millones)
1,000,000,000 (nueve ceros)	*billion*	mil millones o millar(es) de millones
1,000,000,000,000 (doce ceros)	*trillion*	billón (billones) o millón de millones (millones de millones)

Y finalmente, hay otra consideración importante en la expresión numérica. Aquí se trata de diferencias en el uso de la coma y el punto para indicar los grandes números (miles, millones, miles de millones, etc.) y los decimales. En EUA, el número mil se escribe 1,000 con una coma, un millón con dos comas (1,000,000), etc. y los decimales y las cifras de dinero con un punto ($1.00, $10.00 ó $100.00). En español, según el país, se puede expresar de modo contrario: 1,000 (mil en EUA) se escribe como 1.000 (con punto) y $10.00 (diez dólares en EUA) se escribe $10,00 (con coma). Algunos países hispanos usan el mismo sistema que EUA, otros no. En general, en América del Norte y en Centroamérica se usa el sistema de EUA: la coma para indicar miles y el punto para indicar decimales. Al contrario, en América del Sur y en España se suele usar el sistema europeo: el punto para indicar miles y la coma para indicar decimales. A continuación se da un resumen del uso en los diferentes países hispanos.

Mil 1,000 (con coma) $10.50 (con punto)	Mil 1.000 (con punto) $10,50 (con coma)
EUA	Argentina
El Salvador	Bolivia
Guatemala	Chile
Honduras	Colombia
México	Costa Rica
Nicaragua	Cuba
Panamá	Ecuador
Perú	España
Puerto Rico	Guinea Ecuatorial
República Dominicana	Paraguay
	Uruguay
	Venezuela

FUENTE: Angel Rivera, CATI Quarterly, Primavera 1995
En este libro se usará el sistema de la primera columna—la de EUA y México—por ser México el país hispanohablante más grande del mundo.

1-2 Actividades

Vuelva a las «Preguntas de orientación» que se hicieron al principio del capítulo y a las que acompañan la foto de la primera página, y comente sobre las respuestas con sus compañeros de clase. Use la lectura, sus conocimientos personales y el vocabulario que aparece al final del capítulo para confirmar las respuestas.

1-3 Al teléfono

1. Lea las siguientes preguntas. Después escuche atentamente la conversación telefónica del Capítulo 1 en línea o en el disco compacto (también llamado «CD» [pronunciado cedé] en español) y conteste las preguntas. Puesto que la comprensión auditiva es una destreza comunicativa sumamente importante, se recomienda escuchar la conversación varias veces.

   a. ¿Cuál es el proyecto en equipo que tienen que entregar la Srta. Estévez y el Sr. Romero?

   b. ¿Cuáles son los países que les corresponden a los dos representantes?

   c. ¿Cuántos hispanos vivirán en los Estados Unidos en el año 2025?

   d. ¿Cuáles son las tres regiones que tienen poblaciones casi iguales?

   e. ¿Cómo se comparan los PIB y las poblaciones de estas tres regiones?

2. Basando sus comentarios en la conversación telefónica del ejercicio anterior, haga una de las siguientes llamadas telefónicas a otro/a estudiante de la clase. Cada persona deberá participar activamente en la conversación. Si necesita ayuda con esta actividad, véase el Apéndice 1, «Protocolo telefónico», página 457.

   a. Ud. es la Srta. Ana Estévez Montalbán. Su jefe/a en otra oficina de Inversionistas en México, D.F., ya está enterado/a de la información que Ud. consiguió sobre las poblaciones y los PIB en México, el Caribe y EUA. Llame Ud. a su jefe/a para informarle sobre las investigaciones adicionales que hizo Ernesto Romero Palmero en Buenos Aires acerca de América del Sur y Brasil.

   b. Ud. es el Sr. Ernesto Romero Palmero. Su jefe/a en otra oficina de Inversionistas, S.A. en Buenos Aires ya está enterado/a de la información que Ud. consiguió sobre las poblaciones y los PIB en América del Sur y Brasil. Llame usted a su jefe/a para informarle sobre las investigaciones adicionales que hizo la Srta. Ana Estévez Montalbán en el D.F. acerca de México, el Caribe y EUA.

La geografía y la población mundial

Geográficamente, el Medio Oriente se considera como parte de Asia; México y América Central forman parte de América del Norte, la cual va desde Canadá hasta Panamá; y Rusia y las otras repúblicas de la antigua Unión Soviética al oeste de los Urales se consideran como parte de Europa, mientras que al este de los Urales, son parte de Asia. Culturalmente se divide el mundo en otras regiones que no siempre coinciden exactamente con la identificación geográfica: Norteamérica, Sudamérica, Europa Occidental, la antigua Unión Soviética, el norte de África, el sudoeste asiático, el sur de Asia, el sudeste asiático, el Asia oriental, África y Australia, Nueva

Figura 1-1 Los continentes y comparación de superficie terrestre

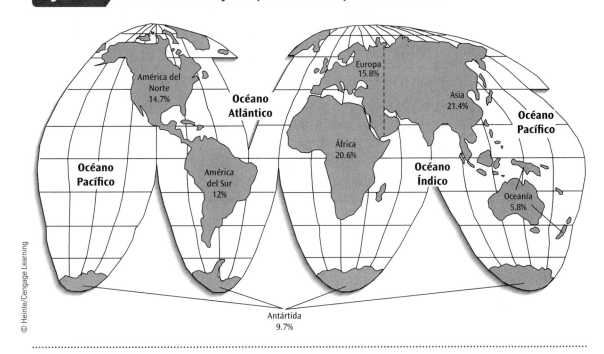

© Heinle/Cengage Learning

Zelanda y el Pacífico. El término «Hispanoamérica» se refiere a los países hispano-hablantes de las Américas, mientras que Latinoamérica es un término más amplio que abarca también países como Brasil, cuya lengua nacional es el portugués. (Se verá más sobre este importante país, «El Coloso del Sur», en el Capítulo 12).

1-4 Actividades

Use las Figuras 1-1, 1-2 y 1-3 y sus conocimientos personales para hacer los siguientes ejercicios.

1. ¿Cuáles son los cuatro continentes con el mayor porcentaje de superficie de la tierra? ¿Con el mayor porcentaje de la población mundial? ¿Qué dos continentes tienen un porcentaje de población mundial mayor que el porcentaje de la superficie terrestre que ocupan?

2. En cifras absolutas y en porcentajes, ¿cuánto aumentará la población mundial entre el año 2010 y el año 2025? ¿Entre 2025 y 2050? ¿Entre 2010 y 2050?

3. ¿En qué fecha sobrepasó por primera vez la población mundial la cifra de seis mil millones de habitantes?

4. ¿Cómo se relaciona la tasa de crecimiento poblacional con la disponibilidad, la oferta y la distribución de recursos?

Figura 1-2 ▶ **Población mundial en 2010: Millones de personas y porcentajes (%) continentales de la población mundial total (www.census.gov)** *Los datos de las Naciones Unidas indican que el 12 octubre 1999 la población mundial alcanzó por primera vez la cifra de seis mil millones de personas (6,000,000,000 = six billion). Para 2010 ya había aumentado a más de 6.8 mil millones. (Nota: La población de América del Norte incluye la de América Central y la del Caribe, los cuales geográficamente forman parte de América del Norte. Las cifras del siguiente mapa se refieren a la población total de cada continente/región en millones de personas y al % de la población mundial representada por cada continente/región.)*

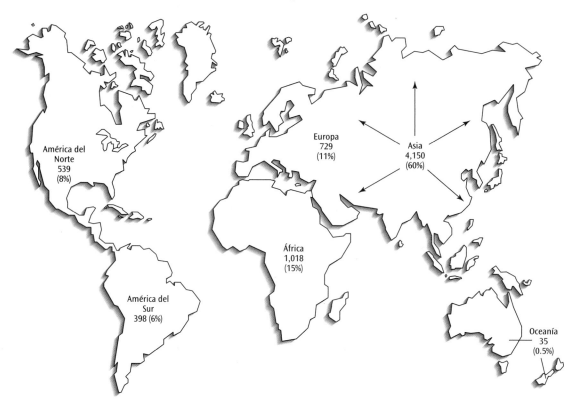

Población mundial (en millones) en:	Población regional (en millones) en 2010	
1990: 4,452	África	1,018 (15%)
2000: 6,084	Am. del Norte	539 (8%)
2010: 6,867	Am. del Sur	398 (6%)
2030: 8,378	Asia	4,150 (60%)
2050: 9,539	Europa	729 (11%)
	Oceanía	35 (0.5%)
	TOTAL	6,869

FUENTE: U.S. Census Bureau, International Data Base

....

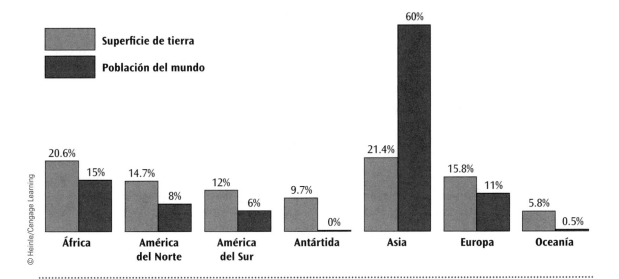

Figura 1-3 Comparación de la superficie terrestre y la población de los continentes

Superficie de tierra
Población del mundo

© Heinle/Cengage Learning

| África | América del Norte | América del Sur | Antártida | Asia | Europa | Oceanía |

África: 20.6% / 15%
América del Norte: 14.7% / 8%
América del Sur: 12% / 6%
Antártida: 9.7% / 0%
Asia: 21.4% / 60%
Europa: 15.8% / 11%
Oceanía: 5.8% / 0.5%

5. ¿Cuáles son las regiones del mundo con mayor escasez de alimento (comida), agua potable, vivienda (casa) e indumentaria (ropa)? ¿Por qué?

6. En el mundo de los negocios, ¿piensa Ud. que es mejor dividir el mundo en regiones geográficas o culturales? Comente.

Los idiomas del mundo y la creciente importancia del español

Sin saber a ciencia cierta el número exacto, se calcula que hay entre 6,700 y 10,000 lenguas en el mundo.

El *U.S. Census Bureau* y el *Ethnologue, 15th ed. 2008* nos informan que a partir de 2005 había más de 6.6 mil millones de personas en el mundo, unas 6,912 lenguas vivas y 33 lenguas con más de 20 millones de hablantes cada una. Doce de estas lenguas eran habladas por casi dos tercios de la población mundial en el año 2005, o sea, por unos 4,000 millones de personas en unos 193 países.

Desde la década de los noventa, ya se había documentado en EUA la creciente importancia del español, especialmente como lengua de los negocios. Por ejemplo, en 1991 el *Wall Street Journal* informó que los empresarios profesionales y de la manufactura norteamericana ya consideraban que el español era «la lengua más importante para los que se matriculan en programas de comercio internacional». En la publicación *Recruiting Trends* 1997–98, se dio a conocer que el español era la segunda lengua (después del inglés) que buscaban las empresas entre sus empleados. Y en febrero de 1997, Accountemps (de Nueva York) informó que en una encuesta nacional, dos tercios de los ejecutivos señalaron que el español era el segundo idioma más valorado (después del inglés) para los negocios. Una década más tarde, en 2006 *Newsweek* declara que «las instituciones financieras se apresuran a aprender español y a atraer el creciente mercado latino, el cual se

espera que genere $200 mil millones para las empresas bancarias para 2015»
(http://www.newsweek.com/id/44715?tid=relatedcl). En su informe, titulado
*Enrollments in Languages Other Than English in United States Institutions of Higher
Education, Fall 2006*, la Modern Language Association of America (MLA) indicó
que el 54% de los universitarios de pregrado, o sea, unos 823 mil estudiantes, es-
tudiaban el español, con un aumento de casi 77 mil estudiantes entre 2002 y 2006
(http://www.mla.org/2006_flenrollmentsurvey, 8).

1-5 Actividades

Use la Tabla 1-1 y la Figura 1-4, la breve lectura anterior y sus conocimientos
personales para hacer los siguientes ejercicios.

1. ¿Cuántos idiomas había en el año 2000 en el mundo? ¿Cuántos tenían más
   de 100 millones de hablantes cada uno? ¿Más de diez millones? ¿Más de dos
   millones?

Tabla 1-1 | Las doce lenguas más habladas del mundo en 2005 (población mundial de 6.6 mil millones de personas)

Idioma	Clasificación mundial	N° de países en que se habla	Hablantes (millones) primer idioma	% Población mundial (2005)	Hablantes (millones) segundo idioma	Total hablantes	% Población mundial (2005)
Mandarín	1	16	873	13%	178	1051	16%
Inglés	2	118	340	5%	168	508	8%
Español	3	43	322	5%	224	466	7%
Hindi	4	18	242	4%	246	452	7%
Árabe (moderno)	5	24	206	3%	60	382	6%
Portugués	6	36	177	3%	110	255	4%
Bengalí	7	8	171	3%	34	211	3%
Ruso	8	31	145	2%	15	192	3%
Japonés	9	25	122	2%	140	163	3%
Alemán	10	41	95	1%	28	123	2%
Francés	11	57	65	1%	1	123	2%
Indonesio	12	7	23	0%	50	115	2%

NOTA: La categoría «Primer idioma» se refiere a hablantes nativos y se define como las personas que hablan una lengua como lengua materna, es decir, que se han criado hablando una sola lengua principal. El total de hablantes incluye a las personas que también hablan una lengua como segundo idioma o como idioma co-nacional. Las cifras representan una aproximación cuyas fuentes incluyen el *U.S. Bureau of the Census* y *Ethnologue*, 15th ed., 2005.

Figura 1-4 **Resumen de las lenguas habladas en el mundo en el año 2000**

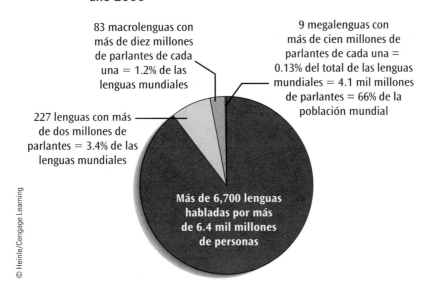

83 macrolenguas con más de diez millones de parlantes de cada una = 1.2% de las lenguas mundiales

9 megalenguas con más de cien millones de parlantes de cada una = 0.13% del total de las lenguas mundiales = 4.1 mil millones de parlantes = 66% de la población mundial

227 lenguas con más de dos millones de parlantes = 3.4% de las lenguas mundiales

Más de 6,700 lenguas habladas por más de 6.4 mil millones de personas

© Heinle/Cengage Learning

2. En 2005, ¿cuáles eran las cuatro lenguas con más hablantes nativos? ¿Las cuatro lenguas más habladas en total? ¿Tuvieron la misma clasificación mundial (primero, segundo, etc.) estos cuatro idiomas en ambas categorías? Explique.

3. ¿Por qué hay más hablantes de una misma lengua en la categoría «total de hablantes» que en la de «Primer Idioma»? ¿Cómo se define un «hablante nativo»? ¿Cuál es su propia lengua nativa? ¿Sabe Ud. más de una lengua o conoce a alguien que sepa más de una? ¿Se ve con más frecuencia en EUA a personas que hablan más de una sola lengua? Comente.

4. ¿Cuáles idiomas se enseñan más frecuentemente en las escuelas y universidades de EUA? ¿Por qué piensa Ud. que es así?

5. ¿Cuáles han sido las lenguas de comercio más importantes del mundo en los últimos dos mil años? ¿A qué se debe su importancia?

6. ¿Cuáles son algunas de los lenguas más importantes en el mundo actual de los negocios? En el mundo de los negocios, ¿qué lenguas predominan en EUA? En su opinión, ¿cuáles serán los idiomas más importantes del siglo XXI?

7. ¿Qué opinan los empresarios y los gerentes norteamericanos de la importancia del idioma español como lengua comercial? ¿Quién fue Thomas Jefferson? ¿Qué opinaba él en el epígrafe que aparece al principio de este capítulo? ¿Qué opina Ud.?

Use la Figura 1-5 y las Tablas 1-2 y 1-3 para hacer los siguientes ejercicios.

1. En el año 2010, ¿cuántos hispanohablantes hay en el mundo?

2. ¿Cuál de los países hispanohablantes tiene la mayor población?

3. ¿Cuántos hispanohablantes hay en el Caribe? ¿En América Central (o Centroamérica)? ¿En América del Sur (o Suramérica/Sudamérica)? ¿En los países andinos y en los del Cono Sur? (Véase la Figura 1-5 para ver cuáles son estos países.)

Figura 1-5 **Población hispanohablante (en millones de personas), incluyendo EUA**
Al publicarse este libro en el año 2010, se calcula que hay aproximadamente 467 millones de hispanohablantes en el mundo.

© Heinle/Cengage Learning

FUENTE: U.S. Census Bureau

País	Clasificación mundial en 2010	Población en 2010	Población en millones 2010	Clasificación mundial en 2015	Población en 2015	Población en millones 2015	Clasificación mundial en 2025	Población en 2025	Población en millones 2025
Estados Unidos de América	3	309,162,581	309.2	3	322,592,787	322.6	3	349,666,199	348.7
EUA hispanos	*24*	*49,726,000*	*49.7*	*23*	*57,711,000*	*57.7*	*19*	*75,772,000*	*75.8*
Brasil	5	201,103,330	201.1	5	212,346,063	212.3	5	231,886,946	231.9
México	11	112,468,855	112.5	11	118,689,157	118.7	10	130,198,692	130.2
Colombia	27	46,270,565	46.3	25	49,365,901	49.4	26	55,270,899	55.3
Argentina	31	41,343,201	41.3	32	43,431,886	43.4	33	47,164,630	47.2
España	32	40,548,753	40.5	33	40,481,759	40.5	40	39,578,066	39.6
Perú	41	29,907,003	29.9	42	31,630,842	31.6	44	34,678,113	34.7
Venezuela	45	27,223,228	27.2	44	29,275,460	29.3	45	33,188,608	33.2
Chile	60	16,746,491	16.7	60	17,434,684	17.4	65	18,585,122	18.6
Ecuador	65	14,244,746	14.2	67	15,205,799	15.2	66	17,564,073	17.6
Guatemala	67	13,550,440	13.6	69	14,918,999	14.9	70	17,099,305	17.1
Cuba	73	11,477,459	11.5	77	11,581,698	11.6	81	11,922,144	11.9
República Dominicana	85	9,794,487	9.8	83	10,520,639	10.5	82	11,649,747	11.6
Bolivia	87	9,499,287	9.5	88	10,121,046	10.1	83	11,369,857	11.4
Honduras	94	7,944,012	7.9	93	8,673,909	8.7	88	10,004,876	10.0
El Salvador	98	7,304,333	7.3	98	7,905,003	7.9	97	9,135,049	9.1
Paraguay	99	7,162,084	7.2	96	8,023,468	8.0	89	9,864,987	9.9
Nicaragua	108	5,995,928	6.0	109	6,517,365	6.5	107	7,523,244	7.5
Costa Rica	123	4,311,254	4.3	121	4,590,771	4.6	121	5,086,916	5.1
Puerto Rico	128	3,986,126	4.0	130	4,043,791	4.0	133	4,092,359	4.1
Uruguay	134	3,510,386	3.5	134	3,584,855	3.6	136	3,715,772	3.7
Panamá	135	3,410,676	3.4	133	3,657,024	3.7	132	4,117,882	4.1
Guinea Ecuatorial	164	650,702	0.7	163	740,743	0.7	158	935,553	0.9
TOTAL		**928**			**975**			**1,064**	

FUENTE: U.S. Department of the Census.

NOTA: Se presenta también la clasificación mundial de cada país, entre los 227 países que se incluyen en el informe. Para EUA se incluye la subcategoría demográfica de hispanos norteamericanos para poder comparar esta población con la mundial y con la de los otros países hispanoparlantes.

El comercio global y el contexto hispano: Geografía, demografía, idioma y cultura 15

Tabla 1-3 Comparación de población hispana de EUA con los principales países hispanoparlantes

País	Clasificación entre países hispanos 2010	Población en millones 2010	Clasificación entre países hispanos 2015	Población en millones 2015	Clasificación entre países hispanos 2025	Población en millones 2025
EUA hispanos	2	49.7	2	57.7	2	75.8
México	1	112.5	1	118.7	1	130.2
Colombia	3	46.3	3	49.4	3	55.3
España	4	41.3	4	43.4	4	47.2
Argentina	5	40.5	5	40.5	5	39.6

FUENTE: U.S. Census Bureau. <http://www.census.gov/ipc/www/idb/ranks.html>

4. ¿Cuál de los países hispanos tiene la población más grande y cuál la más pequeña?

5. Si la población hispana de EUA constituyera un país independiente, ¿cuál sería su clasificación mundial entre los países hispanohablantes en 2010, 2015 y 2025? ¿Qué indican estos cambios de clasificación con respecto al comercio y la lengua española en EUA?

6. ¿Cuánto aumentará la población hispanohablante total entre el año 2010 y el año 2015? ¿Entre 2015 y 2025? ¿Entre 2010 y 2025? En números absolutos y en porcentaje, ¿cuál será el país de mayor aumento?

7. En grupos de tres o cuatro estudiantes, háganse las siguientes preguntas, turnándose para que participen todos. ¿Dónde está situada geográficamente Colombia? ¿Cuáles son sus países vecinos? ¿Argentina? ¿España? ¿México? ¿Cuba? ¿Honduras? ¿Y Paraguay?

El comercio entre EUA e Hispanoamérica

Según el *U.S. Census Bureau,* en el año 2007 EUA realizó un total de $335 mil millones ($EUA) de comercio con Hispanoamérica y España, unos $136 mil millones en exportaciones y unos $198 mil millones en importaciones. En 2007 México se clasificó como el segundo país del mundo, después de Canadá, con el mayor comercio con EUA y Venezuela se clasificó como el país número 20.

1-7 Actividades

Use la Tabla 1-4, las Figuras 1-6 y 1-7 y el glosario en la página 23 para hacer los siguientes ejercicios.

1. ¿Qué es el PIB? ¿En qué se diferencia del PNB?

2. ¿Qué es el PIB per cápita? ¿Qué revela una comparación del PIB per cápita de dos naciones?

Tabla 1-4	**Resumen de comercio de EUA con países hispanos en 2007** *(en millones $EUA)*			
País	Comercio total	Importaciones desde EUA	Exportaciones a EUA	Balanza
México	346,806.1	136,092.1	210,714.0	74,621.9
Venezuela	50,110.1	10,200.5	39,909.6	29,709.1
España	20,360.0	9,861.9	10,498.1	636.2
Colombia	17,991.3	8,557.7	9,433.6	875.9
Chile	17,313.6	8,314.8	8,998.8	684.0
Argentina	10,342.8	5,855.9	4,486.9	−1,369.0
Rep. Dom.	10,299.7	6,084.1	4,215.6	−1,868.5
Perú	9,391.4	4,119.8	5,271.6	1,151.8
Ecuador	9,070.6	2,935.6	6,135.0	3,199.4
Costa Rica	8,522.0	4,580.5	3,941.5	−639.0
Honduras	8,373.5	4,461.4	3,912.1	−549.3
Guatemala	7,091.2	4,065.1	3,026.1	−1,039.0
El Salvador	4,356.6	2,313.1	2,043.5	−269.6
Panamá	4,105.0	3,739.8	365.2	−3,374.6
Nicaragua	2,493.5	890.0	1,603.5	713.5
Guinea Ec.	2,013.3	236.4	1,776.9	1,540.5
Paraguay	1,304.7	1,236.7	68.0	−1,168.7
Uruguay	1,132.7	640.8	491.9	−148.9
Bolivia	640.3	277.7	362.6	84.9
Cuba	447.4	447.1	0.3	−446.8
Total	**532,165.8**	**214,911.0**	**317,254.8**	**102,343.8**

FUENTE: www.census.gov/foreign-trade/balance/index.html

3. En las clasificaciones del PIB de los países hispanos mencionados arriba, ¿cómo se clasifican (1^0, 2^0, etc.) México, Costa Rica, España, Colombia, Argentina y Chile?

4. ¿A cuánto ascendería el PIB conjunto (regional) de los países hispanohablantes del Caribe? ¿El de los países hispanoparlantes de Centroamérica? ¿El de los países andinos? ¿El de los países del Cono Sur? ¿Cómo sería la clasificación (de 1ª a 4ª) de estas cuatro regiones?

5. Al usar los datos demográficos y económicos de la Tabla 1-2 y las Figuras 1-5 y 1-6, calcule el PIB per cápita de México, Venezuela, Panamá, Uruguay y España. Luego, compárelos entre sí en términos de porcentajes.

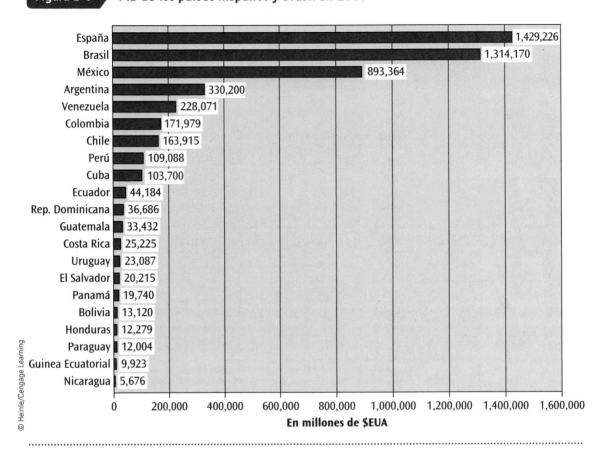

Figura 1-6 PIB de los países hispanos y Brasil en 2007

País	PIB
España	1,429,226
Brasil	1,314,170
México	893,364
Argentina	330,200
Venezuela	228,071
Colombia	171,979
Chile	163,915
Perú	109,088
Cuba	103,700
Ecuador	44,184
Rep. Dominicana	36,686
Guatemala	33,432
Costa Rica	25,225
Uruguay	23,087
El Salvador	20,215
Panamá	19,740
Bolivia	13,120
Honduras	12,279
Paraguay	12,004
Guinea Ecuatorial	9,923
Nicaragua	5,676

En millones de $EUA

© Heinle/Cengage Learning

6. ¿Cuánto comercio hubo en 2007 entre EUA e Hispanoamérica? ¿Hubo un equilibrio entre las importaciones y las exportaciones de EUA? Explique. (Véase Tabla 1-4, página 17.)

7. ¿Cuál es el sentido socioeconómico y político del epígrafe «Commerce links all mankind in one common brotherhood of mutual dependence and interests»? Coméntelo con sus compañeros de clase.

Otros países donde se habla español

Como se ha demostrado, la lengua española va teniendo un impacto enorme en el mundo. Se calcula que en el año 2010 había unos 466 millones de hispanos y que el español, tercer idioma del mundo en cuanto a hablantes nativos, era la lengua materna de casi 7% de la población mundial. Cuando se trata del idioma español, rápidamente vienen a la mente países como España, México, Cuba, Colombia, Argentina y los demás países hispanohablantes de América Central y del Sur. Ya hemos visto también la creciente importancia del español en los Estados Unidos,

Figura 1-7

Producto Interno Bruto (PIB) en 2007 en millones de $EUA: EUA, México, el Caribe hispanoparlante y las naciones hispanas de Centroamérica y Sudamérica *El PIB es el valor de mercado de los bienes y servicios producidos dentro del territorio nacional. El PIB de España tenía un valor de $1,429,226 millones de dólares, es decir, de un billón 429,226 millones de dólares, y el de Guinea Ecuatorial $9.9 mil millones de dólares.*

País	Clasificación mundial de PIB en 2007	PIB en 2007 (millones de $EUA)
EUA	1	13,811,200
España	8	1,429,226
México	14	893,364
Venezuela	34	228,071
Colombia	38	171,979

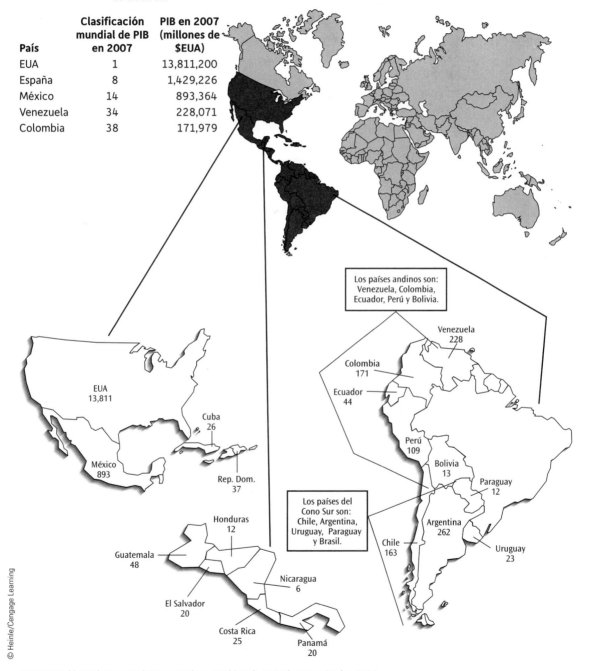

Los países andinos son: Venezuela, Colombia, Ecuador, Perú y Bolivia.

Venezuela 228

Colombia 171

Ecuador 44

Perú 109

Bolivia 13

Paraguay 12

Los países del Cono Sur son: Chile, Argentina, Uruguay, Paraguay y Brasil.

Argentina 262

Chile 163

Uruguay 23

EUA 13,811

Cuba 26

México 893

Rep. Dom. 37

Honduras 12

Guatemala 48

Nicaragua 6

El Salvador 20

Costa Rica 25

Panamá 20

© Heinle/Cengage Learning

FUENTE: World Development Indicators Database, World Bank, revisado 10 septiembre 2008 cuya población hispana de por sí constituiría el segundo país de hispanoparlantes del mundo en 2010. Pero cabe señalar que el español tiene aún mayor extensión mundial de lo que hemos visto hasta ahora.

Hay hispanos en todas partes del mundo. Por ejemplo, Australia, un país angloparlante, cuenta con una población de casi 100,000 hispanos. El español fue hasta 1898 la lengua oficial de las Islas Filipinas, por ser éstas una colonia española. Brasil, país de habla portuguesa, tiene sus raíces históricas en Portugal y la Península Ibérica. Al tener como vecinos a siete países hispanoparlantes, en Brasil a veces se usa en las zonas fronterizas lo que algunos llaman el «portuñol» o «portañol», una mezcla del portugués y del español, algo parecido al fenómeno del «Spanglish» (el «espanglés») en muchas partes de EUA, especialmente en la frontera con México. En Belice, país centroamericano cuyo idioma oficial es el inglés, el 50% de los habitantes habla español puesto que los países vecinos son México y Guatemala, y el Caribe hispanohablante queda muy cerca. Otra nación con el español como lengua oficial es Guinea Ecuatorial, un país afrohispano que se estudiará en el próximo capítulo.

El idioma y la cultura en los negocios

El español, hablado en tantos países, es verdaderamente una lengua mundial. Sin embargo, según una encuesta en 1998, el estadounidense promedio pensaba que más de 50% del mundo hablaba y vivía en inglés («*Americans Believe That Over Half the World's Population Speaks English [Actually about 20% Do So].*» *The Harris Poll #61:* November 4, 1998). De hecho, en el año 2007 seis de cada diez usuarios de Internet hablaban otro idioma que no fuera el inglés. El inglés seguirá siendo una importantísima lengua de los negocios, pero otros idiomas como el español continuarán cobrando mayor importancia. La verdad es que no se pueden vender los productos y servicios a los consumidores en una lengua que no entiendan. Tal como afirmó el senador Paul Simon en su libro *The Tongue-Tied American*, la lengua más importante para el comercio es siempre la del cliente. Esto explica por qué hoy en día se ven muchos más anuncios, letreros y páginas web en español en todas partes de EUA.

No obstante, puede haber grandes diferencias entre el español (el castellano) que se habla en un lugar y el que se habla en otro; por ejemplo, entre el español de España, México, Cuba, Puerto Rico, Argentina y el de California o Florida. No sólo es diferente el acento o el dejo (la dejación), sino que también existen diferencias del vocabulario que se usa, como decir «guajolote» en México en lugar de usar la palabra «pavo». En fin, no hay una sola lengua española, sino variaciones dialectales. También hace falta recordar que en muchos de los países hispanoparlantes se hablan otros idiomas, además del español. Algunos ejemplos serían el catalán, el gallego y el euskera (vasco o vascuence) en España; el náhuatl, el maya y el tarahumara en México; el maya en Guatemala; el quechua en Ecuador y Perú (donde el quechua es también una lengua oficial); el guaraní en Paraguay (también lengua oficial del país); el aimara en Perú y Bolivia; el fang y el bubi en Guinea Ecuatorial; y el garífuna en Honduras y Panamá.

Cada idioma reside en una realidad cultural y la refleja; es decir, la cultura es el hogar del idioma. La gente se comporta según las tradiciones y las normas de su sociedad, o según los conceptos de familia, escuela, religión, ciudad, región o país. Estas costumbres forman la base de todos los aspectos de la vida humana y, por supuesto, de la vida económica y comercial de la región considerada.

Hay muchas anécdotas acerca de los intentos fracasados del mercadeo estadounidense en otras partes del mundo. Por ejemplo, en la década de los setenta la empresa estadounidense General Motors vendió su coche con la marca «Nova» en Hispanoamérica. Según esta leyenda urbana (www.snopes.com), el intento fracasó debido al doble sentido de las palabras porque un carro que «no va», tal como lo anuncia su nombre de venta Nova, no va a tener éxito en los mercados de habla española. Para resolver esta situación perjudicial (según la leyenda), los directores le cambiaron el nombre a «Caribe».

Otra anécdota relata que en los años setenta, en la ciudad tradicional de Medellín, Colombia, en el departamento de Antioquia, había una empresa llamada «Éxito», parecida a la compañía estadounidense Wal-Mart. Los gerentes de «Éxito» eran colombianos y conocían bien las prácticas de márketing apropiadas para los clientes antioqueños, gente muy conservadora que solía comerciar solamente con las empresas ya conocidas de esa región. No se fiaban de las empresas dirigidas por forasteros o extranjeros, gerentes de otras regiones o países. Cuando se abrió en Medellín una nueva sucursal de la multinacional Sears, Roebuck & Co., los antioqueños bromeaban entre sí que pronto Sears sería un «Éxito». Estos usos de la palabra "éxito" representaban un juego de palabras. Cuando Sears no tuvo «éxito», debido a la falta de aceptación de sus prácticas administrativas y comerciales por parte de la gente local, la empresa que llegó a ocupar el edificio pocos meses después fue un auténtico «Éxito», dirigido por gerentes que habían sabido observar las normas comerciales vigentes de Medellín. ¿Pues quién conocerá mejor el mercado local que la gente de ese mismo lugar? Por eso la investigación y la cooperación internacional son tan importantes en el mundo actual de los negocios.

Estos dos ejemplos demuestran que las compañías que ignoren el idioma y las normas culturales de un mercado particular tendrán dificultades para triunfar allí. También pueden surgir otros problemas a consecuencia de los estereotipos o las reacciones inmediatas basadas en ideas preconcebidas acerca de un grupo o mercado comercial. Para tener éxito en la economía global se requiere la buena fe y la atención a los detalles; el conocimiento y la apreciación de otras lenguas y culturas; el deseo de aprender continuamente; y mucho trabajo y suerte. Pero ya se sabe que la «buena suerte» ocurre cuando coinciden la preparación y la oportunidad.

1-8 Actividades

Haga los siguientes ejercicios.

1. En lo que se refiere a los idiomas usados para la comunicación internacional, ¿qué ocurrirá con el creciente uso de Internet?

2. Comente y discuta con sus compañeros de clase las diferencias que pueden encontrarse en el idioma español de los diferentes países o lugares.

3. ¿Qué opina Ud. de la frase «la cultura es el hogar del idioma»?

4. ¿Qué es un estereotipo? ¿Cuáles son algunos ejemplos de estereotipos positivos y negativos que conoce Ud. o que ha oído mencionar alguna vez? ¿Cuál sería un estereotipo del estadounidense? ¿del mexicano? ¿del español? ¿del argentino? ¿del francés? ¿del alemán? ¿del japonés?, etc. ¿Piensa Ud. que tales generalizaciones tengan fundamento? Explique.

5. Explique el supuesto problema que encontró General Motors con la venta de su carro «Nova» en Hispanoamérica. ¿Cómo ejemplifica un problema lingüístico o cultural este caso de leyenda urbana?

6. Explique la dificultad de Sears con su sucursal en Medellín. ¿Por qué se convirtió en una anécdota lingüística?

7. ¿Cómo piensa Ud. que se logra el éxito en la economía global de hoy? ¿Cómo se puede preparar mejor el gerente para esta nueva realidad mundial?

Navegando por Internet

Para hacer este ejercicio de Internet, visite la página web del libro: **www.cengage.com/spanish/exito.**

GeoReconocimiento

Mire los mapas del Capítulo 1 en la página web del libro y haga los ejercicios indicados en ella.

Posibilidades profesionales

En esta sección del presente y de los siguientes capítulos, se van a señalar brevemente algunos aspectos del planeamiento de carreras y la búsqueda de empleo así como una lista de posibles trabajos profesionales en el mundo internacional de los negocios. Luego, en la página web de *Éxito comercial*, en los capítulos correspondientes a los de este libro, se proporcionará más información sobre las «posibilidades profesionales» así como algunos ejercicios que ayudarán a planear y seleccionar su carrera profesional y a buscar trabajo.

Este primer capítulo trata de la planificación requerida para determinar y seleccionar la(s) carrera(s) internacional(es) de los negocios que mejor corresponda(n) a su personalidad, sus habilidades y sus conocimientos generales, profesionales, lingüísticos y transculturales. Para más información, véase el primer capítulo de «Posibilidades profesionales» que se encuentra en www.cengage.com/spanish/exito.

GLOSARIO DE TÉRMINOS Y CONCEPTOS FUNDAMENTALES

administración: decisiones y acciones tomadas en la dirección de una empresa o de cualquier organización.

agrícola (no cambia de forma): relacionado con la agricultura.

comercio: negociación para la compra, venta o cambio (permuta) de bienes con el objetivo de ganar dinero; comunicación y trato de unos pueblos o individuos con otros.

comercio internacional: el que se realiza con otros países fuera del territorio nacional.

comercio multinacional: tiene operaciones internacionales, pero con una perspectiva global y sin deber lealtad a ningún país.

comercio nacional: el que ocurre dentro del territorio nacional de un país.

consumidor/a: persona que compra o que usa bienes y servicios para satisfacer sus necesidades.

contrato: pacto o convenio escrito u oral entre personas que se comprometen a algo determinado, y a cuyo cumplimiento pueden ser obligadas legalmente.

cultura: todo lo que se aprende, comparte y comunica de una generación a otra por medio de los padres, las organizaciones sociales, los gobiernos, las escuelas, las iglesias (los templos, las mezquitas) y los grupos informales; un sistema de conducta y de costumbres, tradiciones, ideas y creencias aprendidas que caracteriza a los miembros de una sociedad.

dejo: modo particular de pronunciación o acento particular de determinada región.

demanda: mercancías y servicios que necesitan o desean los consumidores en un momento y a un precio determinado.

demografía: estudio científico de las poblaciones según su número, composición (por sexo, grupos etarios, etnicidad, etc.), distribución, desarrollo y otras características.

distribución: asignación a cada uno de lo que le corresponde; transporte de bienes y servicios.

economía: administración razonable de los recursos y bienes; el conjunto de actividades respecto a la producción y al consumo de riquezas; se caracteriza por la escasez de bienes y recursos y por la oferta y demanda; en otras palabras, se trata de cómo abastecer y satisfacer las necesidades y los deseos de los consumidores y usuarios.

economía global: conjunto de relaciones comerciales y económicas de los países del mundo.

ensamblar: unir o juntar partes de algo (como las piezas de un automóvil o de un mueble).

escasez (f): falta de una cosa.

filial (f): compañía subsidiaria.

gerencia: administración o dirección de los negocios.

gerente (m/f): persona que dirige un negocio.

globalización: actividad económica y comercial a nivel mundial.

hiperinflación: tasa de inflación anual mayor de 25%.

industria: conjunto de operaciones destinadas a transformar materias primas en productos útiles para los consumidores y usuarios; se refiere especialmente a la minería, la manufactura y la construcción.

inflación: desequilibrio económico caracterizado por la subida general de precios y que proviene de la circulación excesiva de papel moneda.

materia prima: materiales (vegetales, animales, minerales) que se transforman por medio de la elaboración industrial.

mercadería: cualquier género vendible; artículos que se pueden comprar y vender.

mercado: lugar público designado para vender, comprar o cambiar mercancías; país (o región) con el cual comercia otro país.

población: número de personas que constituyen un pueblo o una nación.

(continúa)

GLOSARIO DE TÉRMINOS Y CONCEPTOS FUNDAMENTALES *(continuación)*

Producto Interno Bruto (PIB): suma de la riqueza nacional producida dentro del territorio nacional (se relaciona con el comercio interior).

Producto Interno o Nacional Bruto per cápita: PIB o PNB dividido por el número de habitantes del país.

Producto Nacional Bruto (PNB): suma de la riqueza total producida por una nación (PIB más las exportaciones e importaciones, comercio interior y exterior).

sede (f): oficina central.

servicio: ayuda o atención concedida por una persona u organización; es algo intangible.

sucursal (f): un establecimiento situado en distinto lugar que la oficina central o casa matriz de la cual depende.

supranacional: empresa que verdaderamente haya superado toda vinculación nacional.

trabajo: labor humana aplicada a la producción de riqueza.

transnacional: empresa caracterizada por una administración compartida por representantes de varios países.

usuario/a: persona que usa algo.

La empresa

Una empresa estatal—el correo. Madrid, España. ¿Puede Ud. dar otros ejemplos de empresas estatales y los servicios que ofrecen?

Keep thy shop and thy shop will keep thee.
— PROVERBIO INGLÉS

Opportunity is luck's entrepreneur.
— ANÓNIMO

Lo que mucho vale, mucho cuesta.
— PROVERBIO

2-1 Preguntas de orientación

Al hacer la «Lectura comercial», piense en las respuestas a las siguientes preguntas.

1. ¿Qué es una empresa?
2. ¿Cómo se clasifican las empresas?
3. ¿Cuáles son las características de la empresa pública? ¿privada? ¿mixta? Busque en Internet un ejemplo de cada tipo de empresa en algún país hispano (España, México, etc.)
4. ¿Cuáles son las distintas formas jurídicas de las empresas de lucro? Busque en Internet un ejemplo de una empresa de cada forma jurídica en algún país hispano (España, México, etc.) y explique brevemente por qué la empresa seleccionada es una empresa simple, una sociedad en nombre colectivo, una sociedad en comandita o una sociedad anónima.
5. ¿Qué clases de empresas predominan en el mundo hispano?
6. ¿Quiénes son los dueños de las diferentes empresas privadas, y cuáles son sus actividades y responsabilidades individuales y sociales?
7. ¿Cómo se clasifican las empresas por actividad?
8. ¿A qué actividades económicas se dedica la mayoría de las empresas?
9. ¿Cómo se puede medir el tamaño de una empresa en EUA y en España?
10. ¿Cómo se constituye una empresa?

LECTURA COMERCIAL

Organización y clasificación de la empresa comercial

En los países capitalistas, entre los cuales figuran todos los países hispanohablantes menos Cuba, la empresa es la organización jurídica y social que dirige la mayor parte de la actividad económica. Reúne los recursos productivos (capital, materias primas, equipo, materiales, trabajadores) bajo la dirección, responsabilidad y control de uno o más empresarios para producir e intercambiar los bienes y servicios. Las empresas se clasifican según lo siguiente:

1. función social
2. forma jurídica
3. actividad particular
4. control legal
5. tamaño

Función social

En general, las empresas son públicas (estatales), privadas o mixtas. En los Estados Unidos y en algunos países hispanos (Argentina, Chile, España y México) predominan las privadas, mientras que en otros países hispanos han abundado hasta hace poco las estatales. Las empresas o instituciones públicas suelen ser estatales, benéficas, educacionales o religiosas. Reciben sus fondos de fuentes públicas, privadas o estatales, pero no funcionan con fines lucrativos. Usan el dinero recibido para ofrecer servicios al público o para financiar sus propias operaciones. En la mayoría de los casos, quedan bajo el control de órganos especiales, como el estado, y tienen ciertos privilegios económicos y legales. Las más típicas de estas instituciones son las agencias de gobierno, los ayuntamientos, correos, las escuelas y universidades, y las iglesias y los templos. Es preciso decir que en los países hispanos hay empresas estatales que sí operan con fines de lucro, pero remiten sus ingresos a la tesorería nacional, bien para realizar obras públicas o para financiar sus propias operaciones. Las más representativas de estas empresas han sido las compañías telefónicas, petroleras, aéreas, ferroviarias, etc. Algunas de éstas se han privatizado recientemente en países como México, Chile, España, Colombia, Perú y Argentina por falta de capital y para conseguir una administración más eficaz. Otras están en camino de la privatización pero todavía les hacen falta capital y una gerencia empresarial más eficiente y especializada.

Las empresas comerciales privadas, en cambio, son las que contribuyen a la producción y al fomento de las economías capitalistas. Por lo general, suelen ser:

1. privadas por función social
2. productoras, comerciales o de servicios por actividad económica
3. pequeñas, medianas, grandes o multinacionales por el volumen de operaciones

En la mayoría de los casos funcionan con fines de lucro. Su organización social y administrativa puede ser sencilla o compleja, según su tamaño, actividad y número de propietarios, gerentes y empleados. Se constituyen legalmente y tienen responsabilidad social, es decir, los dueños tienen que responder y satisfacer tanto al público consumidor como a sus acreedores respecto de la calidad, seguridad y utilidad de los bienes y servicios que producen y venden. Las empresas mixtas también ofrecen productos y servicios al público, pero son semiprivadas, o sea, están controladas tanto por el gobierno como por una o más empresas particulares. Usan los fondos recibidos de subvenciones gubernamentales, donativos y otras fuentes para vender o proporcionar algún bien material o servicio al público, y a menudo operan con fines de lucro. Suelen figurar entre ellas las compañías de servicios públicos, pero también algunas de comercio y de manufactura como, por ejemplo, la SEAT (Sociedad Española de Automóviles de Turismo), la cual está dirigida por el Volkswagenwerk alemán y por el gobierno español.

Forma jurídica

Las empresas privadas suelen tener dos formas jurídicas: individuales o sociales. La empresa individual o simple pertenece a un solo empresario que aporta el capital, dirige el negocio y recibe todo el beneficio comercial. Su operación y sus ganancias son generalmente pequeñas y su constitución y disolución, por los pocos

---

BREVE VOCABULARIO ÚTIL

dueño/a *owner*

empresa *company, enterprise*

individual / simple *sole proprietorship*

lucro *gain, profit*

responsabilidad social *company liability*

sociedad *company, firm*

anónima *corporation*

colectiva / en nombre colectivo *(joint) partnership*

comanditaria / en comandita *silent partnership*

de capital *capital company*

de responsabilidad limitada *limited liability company*

mercantil *commercial or trading company*

socio/a *partner*

requisitos legales exigidos, fáciles de lograr. Sin embargo, a pesar de la libertad de que goza, la responsabilidad del propietario es ilimitada y solidaria; es decir, el dueño puede perder todo su patrimonio o bienes materiales si fracasa en el negocio o acumula deudas que no logra solventar, puesto que no existe una separación entre el patrimonio empresarial y el personal. Aunque numerosas, estas empresas (al menos en los EUA) a menudo tienen una vida corta, debido a su pequeño tamaño y a la competencia de otras compañías más grandes. Algunos ejemplos de empresas individuales son las barberías, carnicerías, farmacias, florerías, etc.

Las empresas sociales o las sociedades, en cambio, son propiedad de un mínimo de dos individuos llamados socios. Éstos, generalmente con la ayuda de un abogado, se ponen de acuerdo acerca de la división del trabajo, los derechos sociales, las obligaciones empresariales y financieras, los modos de realizar las operaciones y los demás quehaceres de la firma. Su operación e ingresos, por el número de socios y el volumen de actividades, son más grandes que los de la empresa individual, y su gestión más compleja. La sociedad también tiene, por el número y la pericia del personal, una capacidad administrativa superior a la de la empresa individual y ofrece más oportunidades salariales y de ascenso a sus empleados.

Existen varias formas jurídicas de sociedades mercantiles. Las más importantes son las de personas: la *Sociedad Colectiva* o *en Nombre Colectivo* (*S. en N.C.*) y la *Sociedad Comanditaria* o *en Comandita* (*S. en C.*), y las de capital: la *Sociedad de Responsabilidad Limitada* (*S. de R.L.*), la más común en España, y la *Sociedad Anónima* (*S.A.*). En las sociedades *personalistas* lo que determina la asociación mercantil es la «persona» del socio, mientras que en las sociedades *de capital* lo determinante es la «aportación» del socio. En la sociedad anónima, también llamada *corporación*, los accionistas son los verdaderos propietarios de la compañía, y su responsabilidad está limitada sólo a las inversiones directas que han hecho en la empresa. La Tabla 2-1 resume las características de estas sociedades mercantiles. Cabe añadir que también existen otras formas jurídicas como la *Sociedad Civil* (*S.C.*), usada normalmente por contadores, abogados y consultores, y la *Sociedad Cooperativa*, constituida entre productores, vendedores o consumidores, para la utilidad común de los socios.

En los países de habla española predominan las empresas individuales y las sociedades colectivas. En México y España, por ejemplo, constituyen la gran mayoría de todas las firmas, las cuales también suelen ser familiares. En cuanto a la actividad económica, son industriales, mercantiles o de servicios, y sus directores son generalmente hombres, aunque participan cada año más mujeres a todos los niveles administrativos. Generalmente las empresas hispanas son bastante tradicionales y conservadoras en sus tratos personales, operaciones y tecnologías, y buscan desarrollar más sus productos, mercados, operación, administración y recursos humanos. Esta realidad está cambiando al crecer muchas empresas y al mejorar la calidad de administración, personal, planta y equipo, y al ofrecer a la mujer más oportunidades gerenciales. Además, al capitalizarse y al fusionarse, muchas empresas pequeñas y medianas están extendiendo sus operaciones y

Tabla 2-1 **Descripción y comparación de algunas de las sociedades mercantiles más típicas**

Asunto	Sociedades de personas		Sociedades de capital	
Clasificación	Sociedad Colectiva o en Nombre Colectivo (S. en N.C.)	Sociedad Comanditaria o en Comandita (S. en C.)	Sociedad de Responsabilidad Limitada (S. de R.L.) o Sociedad Limitada (S.L.)	Sociedad Anónima (S.A.)
Constitución legal	Requiere a menudo un abogado o notario para precisar los artículos de constitución		Requiere los derechos de incorporación y ayuda legal	
Número y clasificación de propietarios	Al menos dos: llamados socios *colectivos* o *activos* que comparten los derechos y las obligaciones empresariales precisados contractualmente	Al menos dos: unos llamados *socios colectivos* o *activos* que dirigen la empresa, y otros, *comanditarios*, que aportan capital	Menos de cincuenta socios colectivos o el número fijado por la ley mercantil del país	Al menos uno llamado *accionista*; el número de accionistas puede ascender a miles
Responsabilidad social de propietarios (frente a terceros)	Ilimitada y solidaria con todo su patrimonio	Los socios colectivos responden ilimitada y solidariamente; los comanditarios sólo con el capital aportado (limitada)	Limitada al capital aportado por los socios colectivos	Limitada al capital aportado por los accionistas
Gestión (Gerencia)	Colectiva	En manos de socios colectivos	En manos de junta directiva nombrada o elegida por socios colectivos	
Razón social (Nombre oficial de la empresa)	Determinada por los socios		Determinada por los socios colectivos	Determinada por los incorporadores
Financiamiento	Capital aportado por todos los socios		Mediante participaciones de cada socio	Mediante venta de acciones o bonos
Distribución de ganancias	Ganancias proporcionadas según el contrato de constitución		Ganancias distribuidas a base de las participaciones de cada socio	Ganancias distribuidas mediante dividendos

(continúa)

Tabla 2-1 (continuación)

Asunto	Sociedades de personas	Sociedades de capital
Ventajas	Mayor disponibilidad de capital y crédito que la empresa individual; interés personal y habilidades particulares de los socios colectivos; facilidad de constituir la empresa e interés en conservar a los empleados capacitados	Máxima disponibilidad de capital; responsabilidad social limitada; facilidad de extender la empresa y de transferir o ceder los derechos de propiedad; tamaño y duración de la empresa
Desventajas	Responsabilidad ilimitada y solidaria de los socios generales y colectivos o activos; dificultad de administrar, disolver, transferir y ceder los derechos de propietarios; tamaño pequeño y breve duración	Restricciones legales respecto a la monopolización; impuestos bastante altos
Impuestos	Obligadas a pagar impuestos federales, regionales y locales, además de otros como el IVA, muchas empresas reciben exenciones tributarias; el impuesto de valor añadido (o de valor agregado) es aquel que se impone sobre el trabajo o la mano de obra que interviene en cada proceso o etapa de elaborarse o distribuirse un producto o servicio	

mercados a los países más desarrollados del mundo como EUA, Canadá, Francia, Alemania, Japón, etc. Las más conocidas entre estas empresas son las de cemento, telecomunicaciones, bebidas alcohólicas (licores), indumentaria (ropa) y alimentos. Tampoco hay que olvidar las numerosas empresas pequeñas y medianas de las comunidades hispanas (y no hispanas) de EUA, que también están experimentando el mismo desarrollo que en los países hispanohablantes pero que a menudo perciben ingresos que superan a éstos.

Actividad particular

La actividad comercial de una empresa puede ser la de fabricar productos, comercializar (compraventa) bienes materiales, prestar servicios o ser una combinación de las tres posibilidades. La Tabla 2-2 resume la clasificación de la empresa según su actividad. Tanto en Latinoamérica como en España, predominan las empresas que se dedican a la explotación de materias primas, la construcción, la cultivación y elaboración de comida, la confección de ropa y de zapatos, las telecomunicaciones y el turismo.

Control legal

Las leyes que rigen la actividad económica de un país pertenecen mayormente al derecho mercantil. Éste «tiene por objeto regular las relaciones de los particulares como comerciantes, y de aquellas personas que sin ser comerciantes ejecutan actos de comercio, además de reglamentar los actos de comercio» (Alejandro Ramírez Valenzuela, *Derecho Civil,* pág. 29). El código mercantil puede

Tabla 2-2 Clasificación de la empresa por actividad

Producción	Comercio	Servicios
Industria extractiva: cobre, hierro, plomo, oro, plata, etc.	Mayoristas: compran del productor para vender al minorista o directamente al consumidor	Banca y otros servicios financieros
Industria agropecuaria: cultivación de granos, frutas, etc. y ganadería (ganado mayor: vacas, mulas, caballos; y menor: cabras, etc.)	Minoristas o detallistas: venden directamente al consumidor o al usuario	Públicos: seguridad, transporte, etc. Información: periódicos, radio, televisión, internet
Industria constructora: vivienda y edificios		Enseñanza
Industria transformadora: automóviles, comida, ropa, etc.		Asesoramiento: legal, técnico, etc. Asistencia social y servicios médicos Hostelería Secretariales

variar de región a región y de país a país, y puede complementar los derechos o las leyes civiles que tratan temas tales como la discriminación en el trabajo, los problemas ambientales (por ejemplo, la contaminación del aire y del agua) y la estructuración ilegal de precios. Cuando surgen temas de derecho mercantil internacional, operan las leyes y los reglamentos acordados por los países firmantes en un convenio, pacto o tratado particular. Estos acuerdos abarcan tanto cuestiones de importación y exportación como asuntos financieros, intelectuales (derechos y patentes), industriales y económicos.

Tamaño

El tamaño se refiere al volumen de las operaciones, al total de las ventas o al número de empleados de una empresa. Ésta puede ser pequeña, mediana, grande o multinacional. En los EUA, por ejemplo, la empresa se considera pequeña si sus rentas anuales son menos de 150 millones de dólares, mediana si no alcanzan los 500 millones de dólares y grande si exceden los mil millones (*one billion*) de dólares. En los países hispanos las rentas anuales para la clasificación de cada empresa varían. En España en 2008, por ejemplo, según el Ministerio de Economía (www.ipyme.org), donde hay 7.4 Micro, Pequeñas y Medianas Empresas (MIPYME) por cada 100 habitantes, las MIPYME constituyeron más del 99% del total nacional de 3,419,491 empresas:

3,217,052 microempresas de 0–9 empleados

171,833 pequeñas empresas de 10–49 empleados

25.894 empresas medianas de 50–249 empleados

4.712 grandes empresas de 250 o más empleados

Una empresa llega a ser multinacional no sólo al establecer filiales en otros países, sino al concederles un tratamiento igual al que rige en la casa matriz. Algunos ejemplos de compañías multinacionales son General Electric, Microsoft y Exxon Mobil en EUA, Dina en México y Telefónica, S.A., en España.

CONSTITUCIÓN DE LA EMPRESA

La información referente a las distintas clases de empresas y a las decisiones que tienen que tomar los futuros administradores, sirve de base para uno de los pasos más importantes al emprender un negocio: la constitución de la empresa. Según los deseos y planes de los dueños y el tipo de compañía que piensan establecer, este proceso puede variar pero, por lo general, consta de los siguientes pasos y son casi los mismos tanto en España y en los países hispanoparlantes como en EUA.

1. Nombrar a las personas interesadas en formar la empresa.
2. Determinar la actividad comercial y los objetivos de la empresa.
3. Decidir su forma jurídica.
4. Establecer el número y la clase de propietarios.
5. Seleccionar la razón social (el nombre) de la empresa.
6. Fijar la organización de la empresa.
7. Especificar la fuente, forma, cantidad, proporción y distribución del capital aportado y de las ganancias previstas.
8. Detallar los derechos y las obligaciones, tanto de los propietarios como de los empleados.
9. Constituir la compañía legalmente e inscribirla en el Registro Público de Comercio (en España se llama Registro Mercantil) o en un documento oficial semejante, con lo cual se le asigna un número de identidad para los impuestos, llamado en España, por ejemplo, Código de Identificación Fiscal.
10. Disponer del terreno, edificios y equipo, y contratar al personal necesario.
11. Poner en marcha la empresa, planeando todo lo necesario para facilitar la compraventa y para satisfacer a los clientes.

Analice el siguiente gráfico de la Encuesta de Innovación de la Comisión Europea. El 35% de las empresas españolas realizaron actividades innovadoras en 2004, frente al 42% europeo. (http://www.ipyme.org/IPYME/en-US/)

Según datos de la última encuesta de innovación de la Comisión Europea (CIS41*), el 35% de las empresas españolas realizaron actividades innovadoras en el año 2004, dos puntos porcentuales más que en el año 2000. En Europa, esta proporción ascendió al 42%, siendo Alemania el país con mayor proporción de empresas innovadoras (un 65%) y Bulgaria el de menor proporción (un 16%).

Como muestra la siguiente tabla, las empresas de menor tamaño son menos propicias a realizar innovaciones que las que cuentan con un mayor número de empleados. La proporción de empresas españolas que realizaron innovaciones es similar a la de las empresas francesas e italianas, aunque aún se encuentra a cierta distancia de la de las empresas alemanas. En estos cuatro países, son las empresas medianas (50-249 empleados) las que más han aumentado su actividad innovadora entre 2000 y 2004.

Por sectores, el industrial es más proclive a la innovación que el de servicios.

Proporción de empresas que realizaron actividades innovadoras, por tamaño empresarial

1. En esta encuesta, ¿cómo se define una actividad innovadora?
2. ¿Piensa Ud. que la innovación es importante para las empresas? ¿Por qué? ¿En cuáles áreas? Dé ejemplos.
3. ¿Por qué piensa que Alemania es el país con mayor proporción de empresas innovadoras?
4. ¿Por qué serán las empresas de menor tamaño las menos propicias para realizar innovaciones?
5. En términos de porcentaje, ¿cuánto cambió cada país de 2000 a 2004 en la categoría de actividades innovadoras en las empresas medianas?
6. ¿Por qué piensa Ud. que el sector de servicios tiende menos a la innovación que el industrial? Dé algunos ejemplos de innovaciones recientes en ambos sectores.
7. ¿Cómo se relacionan la innovación y la iniciativa empresarial con los riesgos y beneficios (*risk and reward*) en el mundo de los negocios?

*Esta encuesta (Community Innovation Survey) combina datos de las encuestas nacionales de innovación de los estados miembro de la Unión Europea (UE). En esta encuesta se tienen en cuenta sólo las empresas de 10 o más trabajadores. Se define actividad innovadora como la introducción en el mercado de nuevos o significativamente mejorados productos o procesos.

	País	Alemania	España	Francia	Italia
	TOTAL	61	33	41	36
CIS3:	Empresas pequeñas (10–49)	55	30	31	33
año	Empresas medianas (50–249)	59	32	38	36
2000	Empresas grandes (250 y más)	86	68	76	71
	TOTAL	65	35	32	36
CIS4:	Empresas pequeñas (10–49)	60	32	27	33
año	Empresas medianas (50–249)	75	44	51	53
2004	Empresas grandes (250 y más)	89	66	73	69

2-2 Actividades

1. **¿Qué sabe Ud. de negocios?** Vuelva a las «Preguntas de orientación» que se hicieron al principio del capítulo y a las preguntas que acompañan las fotos y contéstelas en oraciones completas en español.

2. **¿Qué recuerda Ud.?** Indique si las siguientes oraciones son *verdaderas* o *falsas* y explique por qué.

   a. La empresa es la organización que dirige la mayor parte de la actividad económica y política en los países capitalistas.

   b. Las empresas estatales obtienen sus fondos mediante las aportaciones de sus propietarios.

   c. Los socios comanditarios son los gerentes de una sociedad anónima.

   d. La sociedad colectiva tiene el menor número de propietarios.

   e. La empresa individual es la más común, pero la menos especializada y lucrativa.

   f. La distribución de ganancias de la S. de R.L. se realiza por medio de dividendos.

   g. Las empresas multinacionales predominan en el mundo hispánico.

   h. Todas las formas jurídicas comerciales implican una responsabilidad ilimitada y solidaria de los socios.

3. **Exploración.** Haga los siguientes ejercicios, usando sus propios conocimientos y opiniones personales.

   a. ¿Cuáles son las ventajas de las distintas empresas descritas en este capítulo? Explique.

   b. ¿Cuáles propietarios tienen mayor responsabilidad social?

   c. De las sociedades mercantiles, ¿cuál le parece la más eficaz en cuanto a la administración y a la competencia comercial? ¿Por qué?

   d. Si Ud. tuviera que formar una empresa, ¿cuál elegiría? ¿Cuál sería la principal actividad y el tamaño? ¿Por qué?

   e. ¿Cómo se relacionan los dichos al principio del capítulo con los temas tratados?

Pistas
3 y 4

2-3 Al teléfono

1. Lea las siguientes preguntas. Después, escuche atentamente la conversación telefónica del Capítulo 2 y conteste las preguntas. Puesto que la comprensión auditiva es una destreza comunicativa sumamente importante, se recomienda escuchar la conversación varias veces.

   a. ¿Cuál es el tema de esta conversación telefónica?

   b. A su parecer, ¿a qué se debe la diferencia de opinión entre los dos hombres?

c. ¿En qué quedan ambos comerciantes al despedirse? ¿Por qué no hablan más?

d. ¿Qué les recomendaría usted a los dueños como posible solución al problema?

 2. Basando sus comentarios en la conversación telefónica, haga la siguiente llamada telefónica a otro/a estudiante de la clase. Cada persona deberá participar activamente en la conversación. Si necesita ayuda con esta actividad, véase el Apéndice 1, «Protocolo telefónico», página 457.

Ud. es Juan de la Cava Vinbuenos, dueño de Vinbuenos de Jerez de la Frontera. Llame a su abogada Teresa Valdepeñas y comente con ella las ventajas y las desventajas de poner en práctica una fusión con Wines, Inc. para formar una sociedad anónima o una sociedad limitada. Consideren Uds. el posible funcionamiento de la empresa, la responsabilidad y el ambiente de trabajo que desean crear en una nueva empresa.

 3. Haga la siguiente llamada telefónica a otro/a estudiante de la clase. Cada persona deberá participar activamente en la conversación. Si necesita ayuda con esta actividad, véase el Apéndice 1, «Protocolo telefónico», página 457.

Ud. y un/a amigo/a de habla española discuten por teléfono la posibilidad de formar una sociedad mercantil. Usted, como estadounidense, quiere establecer una sociedad anónima, mientras que su compañero/a prefiere la constitución colectiva. Cada uno de Uds. ofrece sus razones desde la perspectiva cultural apropiada.

2-4 Navegando por Internet

Para hacer este ejercicio de Internet, visite la página web del libro: www.cengage .com/spanish/exito

2-5 Ejercicios de vocabulario

 Si le es necesario, consulte la «Lectura comercial» o la lista de vocabulario al final del capítulo para completar estos ejercicios.

1. **¡A ver si me acuerdo!** Al pensar en la posibilidad de establecer una relación comercial, Ud. va a tener una conversación con una persona de negocios de un país hispano. Sin embargo, se le olvidan los siguientes términos en español. Un/a compañero/a lo/la ayuda a recordarlos al pedirle que se los traduzca.

a. *corporation*

b. *liability*

c. *shareholder*

d. *retailer*

e. *main office*

f. *small business*

g. *silent partnership*

h. *board of directors*

i. *limited liability*

j. *law*

2. **¿Qué significan?** A usted le interesa la posibilidad de establecer su propia empresa en un país hispanoparlante. Sin embargo, no sabe lo que significan ciertos términos que se usan frecuentemente en el comercio. Decide consultarlos con un/a amigo/a. Pídale a un/a compañero/a de clase que le explique los siguientes términos y que le dé algunos sinónimos si puede.

   a. sociedad
   b. comanditario
   c. ganancia
   d. solidario
   e. propietario
   f. razón social
   g. patrimonio
   h. MIPYME

3. **Entrevista profesional.** Ud. quiere toda la información posible sobre las empresas hispanas porque quiere formar la suya en España. Por lo tanto, Ud. entrevista a un experto en derecho mercantil y le hace las siguientes preguntas. Haga la entrevista con un/a compañero/a de clase. No olviden el protocolo ni las cortesías.

   a. ¿Cómo se clasifican las empresas?
   b. ¿Cuáles son dos tipos principales de sociedad mercantil?
   c. ¿Cómo se diferencian los socios colectivos o generales de los socios comanditarios?
   d. ¿Cómo se financian las sociedades de capital?
   e. ¿Cómo consiguen fondos las sociedades limitadas y anónimas?
   f. ¿Cuáles son algunas de las ventajas y desventajas de las sociedades de personas?

4. **Traducciones.** Un/a amigo/a con el/la cual Ud. quiere formar una empresa acaba de empezar a estudiar el español y los negocios. Él/Ella sabe poco de las empresas y el comercio. Usted lo/la ayuda al pedirle que él/ella traduzca las siguientes oraciones que informan sobre el tema.

   a. *The sole proprietorship has great potential for individual satisfaction and profit but at the same time a higher risk of unlimited liability for the owner.*
   b. *Joint partnerships have two types of partners, active and silent, while corporations have shareholders and a board of directors.*
   c. *Active partners have joint and unlimited liability, while silent partners, like shareholders, have only limited liability.*
   d. *The financing and profits of partnerships are based on the owners' capital and the company's profits, while those of capital companies are based on shares, dividends, and interest on bonds.*
   e. *Corporations are characterized by having limited liability stockholders who realize earnings through the receipt of dividends.*

UNA VISTA PANORÁMICA DE ESPAÑA

FUENTES: *CIA Factbook Online, City Population,* United Nations Department of Economic and Social Affairs, U.S. Census Bureau—International Data Base (IDB), World Development Indicators Database, Banco Mundial, actualizado 10 de septiembre de 2008, Organismo Público Puertos del Estado—Consejo de Usuarios del Transporte Marítimo, España

Nombre oficial:	Reino de España
Gentilicio:	español/a
Capital y población:	Madrid (metro): 6.1 millones (2008)
Sistema de gobierno:	Monarquía parlamentaria
Jefe de Estado:	Rey Juan Carlos I de Borbón y Borbón
Jefe de Gobierno:	Presidente José Luis Rodríguez Zapatero
Fiesta nacional:	12 de octubre, Día Nacional (también llamado Día de la Hispanidad y Nuestra Señora del Pilar)

España

GEOGRAFÍA Y CLIMA

Área nacional en millas² y kilómetros²	Tamaño (comparado con EUA)	División administrativa	Otras ciudades principales	Puertos principales	Clima	Tierra cultivable
194,897 m² 504,782 km²	Dos veces el tamaño de Oregón	17 comunidades autónomas y 50 provincias (subdivisiones); y dos ciudades (Ceuta y Melilla) y tres islas en la costa de Marruecos	Barcelona, Valencia, Sevilla, Zaragoza, Málaga	Barcelona, Valencia, Bilbao, Cartagena, La Coruña, Gijón, Cádiz, Vigo	Templado y mediterráneo en la costa, verano caluroso en el interior	27.18% (2005)

DEMOGRAFÍA

Año y población en millones			% urbana	Distribución etaria		% de analfabetismo	Grupos étnicos
2008	2015	2025		<15 años	65+		
40.5	40.5	39.5	77% (2010)	14% (2008)	18% (2008)	2.1% (2003)	Combinación de mediterráneos y nórdicos con grupos distintos como los catalanes, vascos y gallegos

ECONOMÍA Y COMERCIO

Moneda nacional	Tasa de inflación 2007	N° de trabajadores (en millones) y tasa de desempleo (2007)	PIB 2008 en millones $EUA	PIB 2008 per cápita	Distribución de PIB y de trabajadores por sector (2007)*			2007 Exportaciones en millones $EUA	2007 Importaciones en millones $EUA
					A	I	S		
Euro	3%	22.2 8.3%	$1,429,226	$35,297	3.6%	30.2%	66.2%	$256,700	$380,200
					5%	30%	65%		

*Para distribución del PIB y de los trabajadores (mano de obra): A = Agricultura, I = Industria, S = Servicios (y Gobierno).

Recursos naturales: Carbón, lignito, hierro, uranio, mercurio, pirita de cobre y de hierro, espato fluor, yeso, cinc, plomo, tungsteno, caolín, potasa, energía hidroeléctrica (2007).

Industrias: Textil, calzado, agroalimentaria, procesamiento de alimentos y de bebidas, metales y manufacturas de metal, productos químicos y petroquímicos, construcción de barcos, automóviles, herramientas mecánicas, bienes de consumo, productos electrónicos, turismo (2006).

COMERCIO

Productos de exportación: Camiones y automóviles, maquinaria, fruta, minerales, metales, textiles, ropa, calzado, alimentos, farmacéuticos, medicina (2006).

Mercados: 70.0% UE (18.8% Francia, 10.8% Alemania, 8.6% Portugal, 8.5% Italia, 7.6% Reino Unido), 4.2% EUA (2007).

Productos de importación: Maquinaria, equipo de transporte, petróleo, productos químicos, aviones, granos, bienes semiacabados (2006).

Proveedores: 56% UE (15.7% Alemania, 12.7% Francia, 8.4% Italia, 4.8% Reino Unido), 5.8% China, 4.6% Países Bajos (2007).

TRANSPORTE Y COMUNICACIONES

Kilómetros de carreteras y % pavimentadas	Kilómetros de vías férreas	N° de aeropuertos con pista de aterrizaje pavimentada	N° de líneas telefónicas/ celulares (móviles en España) en millones	Radios por mil personas	Televisores por mil personas	N° de usuarios de Internet en millones
681,224 100% (2006)	14,974 (2006)	96 (2007)	19.7 48.8 (2007)	331	555	19.7 (2007)

IDIOMA Y CULTURA

Idiomas	Religiones	Comidas y bebidas típicas/Modales
74% español o castellano (oficial), 17% catalán, 7% gallego, 2% vasco (vascuence o euskera) (2003)	94% católica romana (nominalmente); 6% otras (2003)	Tortilla española, gazpacho, paella, cocido, jamón serrano, queso, bocadillos, churros, carne, pollo, pescado, mariscos, cerveza, vino, sangría, champán o cava, café (a veces «perfumado» con coñac). La comida española no es picante. Al empezar a comer es común desearles «Buen provecho» a los otros que están comiendo. Al terminar de comer, colocar el tenedor y el cuchillo lado a lado sobre el plato. Si no se desea comer más, a veces se cruzan el tenedor y el cuchillo sobre el plato (2006).

Horario general de comercio: De lunes a sábado, desde las nueve de la mañana hasta las dos y luego desde las cuatro o cinco de la tarde hasta las ocho o nueve de la noche (2006).

Horario normal del almuerzo y de la cena: Alrededor de la una o las dos de la tarde para el almuerzo; a partir de las diez de la noche para la cena.

Gestos: Es importante mantener un buen contacto de ojos al conversar con alguien. Los buenos amigos se saludan con unas palmaditas en el hombro o en la espalda o con un abrazo; las mujeres se saludan con un besito en cada mejilla. No mantener las manos en los bolsillos mientras se conversa.

Cortesía: Saludar a cada individuo al llegar a una reunión o comida y despedirse individualmente al marcharse para no menospreciar a nadie o quedar mal. Cuando se visite la casa de alguien para comer o cenar, traer para los anfitriones un detalle como flores, chocolates, un buen vino o una buena botella de whisky. No traer dalias ni crisantemos, pues se asocian con la muerte al ser flores funerarias que se colocan en la tumba. No regalar 13 flores, pues el número 13 se asocia popularmente a la mala suerte. Reconocer que una invitación a casa de alguien, si la persona no insiste sinceramente, puede representar un formulismo social en lugar de una auténtica invitación—no aceptar a la primera invitación. Si los anfitriones le hacen un regalo, abrirlo en el acto delante de ellos. Al hacer una visita a casa de alguien, si se llega durante una comida y se le ofrece algo de comer, reconocer que la oferta es un formulismo social (normalmente se agradece la invitación con decir, «No, gracias»). Es maleducado bostezar o estirarse durante la comida, andar por la calle comiendo, como lo es masticar chicle en público. Se pone de pie al saludar o ser presentado a otras personas.

LA ACTUALIDAD ECONÓMICA ESPAÑOLA

España es el más desarrollado de todos los países hispanohablantes y el más poderoso económicamente. Debido a una política comercial liberal de incentivos iniciada a partir de los años cincuenta, se ha desarrollado una capacidad industrial y financiera casi semejante a la de los países más ricos del mundo. También, entre los países hispanohablantes tiene el PIB per cápita más alto y es uno de los países líderes en varios sectores económicos.

Por otra parte, desde su ingreso en la Comunidad Económica Europea (CEE) en 1986, hoy la Unión Europea (UE), España ha reestructurado y modernizado su economía para hacerse más competitiva con los otros países de la UE. Con la ayuda del gobierno y los sectores tanto económicos como políticos, ha invertido enormes fondos en proyectos de investigación y desarrollo para regenerar varias industrias y ha emprendido notables medidas para aumentar la producción de textiles, calzados, aparatos electrodomésticos, acero y construcción naval. En efecto, estas industrias han dirigido gran parte de la prosperidad de la cual ha gozado España durante el último decenio del siglo XX y el comienzo del siglo XXI.

También, el país ha realizado proyectos y negocios en participación como la compañía estadounidense Frito Lay con Empresas Polar de Venezuela para vender sus productos en nueve países latinoamericanos, o los de la sociedad estadounidense AOL con el Grupo Cisneros venezolano para ingresar en el mercado de comunicación en México, Argentina y Brasil a través de Internet. Además, ha logrado fusiones de empresas como la de SEAT y Volkswagen en España, compañías automotrices, y Mapfre, S.A. y Euroamérica Seguros Generales, S.A. de Chile, grandes empresas de seguros, para crear nuevas industrias o desarrollar aún más las ya existentes.

En cuanto a la política, los pasos hacia la democracia en España comenzaron después de la muerte de Francisco Franco en 1975, cuando Adolfo Suárez fue nombrado presidente del gobierno en 1976 por el Rey Juan Carlos. Suárez mantuvo el poder hasta 1981 cuando dimitió al ver debilitada la posición política y la cohesión interna de su partido. Felipe González fue elegido primer ministro de España en 1982 y su Partido Socialista (PSOE) mantuvo control hasta 1996 con la elección del primer ministro José María Aznar del Partido Popular (PP), cuya política conservadora se considera la base de la nueva prosperidad económica de España. Aznar también inició una campaña agresiva contra los terroristas de ETA, un grupo vasco separatista, con el propósito de mejorar la seguridad de los ciudadanos, y programas de cooperación económica, técnica y cultural con América Latina. Bajo su mandato, España se integró en las instituciones políticas y económicas de la UE y en el año 2000 adoptó el euro como divisa oficial, reemplazando a la peseta. Además, apoyó a la Organización del Tratado del Atlántico Norte (OTAN) en las operaciones militares en Serbia y Montenegro en 1999 y participó en la invasión y la ocupación de Irak en 2003, una acción política que no complació al público español.

Un mes antes de las elecciones gubernamentales de abril de 2004, hubo una serie de graves explosiones en la estación céntrica madrileña de Atocha. En éstas casi 200 personas murieron y se hirieron otras mil, constituyendo el peor ataque terrorista sufrido en la historia de España. Al principio, se le atribuían los ataques al grupo vasco ETA. Pero después, descubrieron que los culpables eran una célula de Al Qaeda. Esto llevó a la derrota de Mariano Rajoy, candidato del Partido Popular y sucesor de Aznar, por el líder socialista José Luis Rodríguez Zapatero, quien se hizo el quinto jefe de gobierno español desde la vuelta de la democracia a España en 1976. El que el ataque, ocurrido exactamente dos años y medio después de los ataques del 11 de septiembre en Estados Unidos, fuera hecho por un grupo en nombre de la red Al Qaeda, influyó directamente en el cambio de gobierno en España.

Zapatero inició un programa de cambios sociales después de la formación del nuevo gobierno. En 2004, María Teresa Fernández de la Vega se hizo la primera Vicepresidenta del Gobierno, a la vez que se aprobó la legalización del matrimonio homosexual y la ley para la igualdad entre hombres y mujeres. Además, para acabar con los vestigios de la dictadura de Franco, se retiró del centro de Madrid una estatua del General, uno entre muchos ejemplos de cómo el país sigue bregando con las secuelas de la Guerra Civil (1936–1939) con la ayuda de la Ley de Memoria Histórica.

En junio de 2006, Zapatero inició un diálogo con ETA pero él mismo dio fin al debate a fines del año después de la explosión de un coche-bomba en el aeropuerto de Barajas en Madrid. Los líderes del grupo terrorista aparentemente no se habían dado cuenta de la comunicación de Zapatero y anunciaron que pensaban seguir el proceso de paz, pero finalmente también rechazaron la tregua el 5 de junio de 2007.

En marzo de 2008, el Partido Socialista Obrero Español (PSOE) ganó otra vez las elecciones generales contra el Partido Popular, pero los resultados indicaron una consolidación que reforzaba el bipartidismo. La economía española había superado a muchas de las otras economías de la Unión Europea (UE) a comienzos del siglo XXI cuando buscaban la entrada en el grupo G-7 para reemplazar a Canadá. Desgraciadamente, como consecuencia de la crisis en el sector inmobiliario en 2008, y la financiera en 2009, España se halla amenazada por una dura recesión económica y no logró integrarse en este poderoso grupo económico-político mundial.

UNA VISTA PANORÁMICA DE GUINEA ECUATORIAL

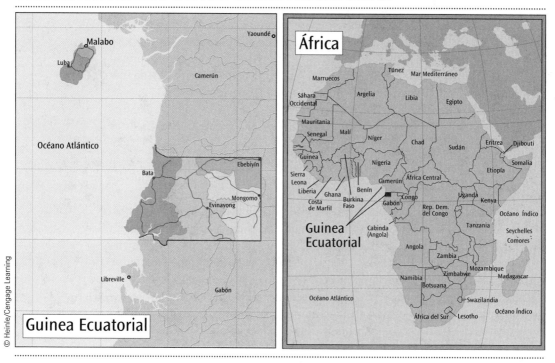

© Heinle/Cengage Learning

FUENTES: *CIA Factbook Online, City Population,* United Nations Department of Economic and Social Affairs, U.S. Census Bureau—International Data Base (IDB), World Development Indicators Database, Banco Mundial, actualizado 10 de septiembre de 2008

Nombre oficial:	República de Guinea Ecuatorial
Gentilicio:	guineano/a, ecuatoguineano/a, guineoecuatoriano/a (2008)
Capital y población:	Malabo (metro): 60,065 (2008)
Sistema de gobierno:	República en transición hacia una democracia dominada por el partido principal, el Partido Democrático de Guinea Ecuatorial (PDGE) y múltiples partidos políticos marginales
Sistema jurídico	Leyes civiles españolas
Jefe de Estado:	Presidente Teodoro Obiang Nguema Mbasogo
Jefe de Gobierno:	Primer Ministro Ignacio Milan Tang (2008)
Fiesta nacional:	12 de octubre, Día de la Independencia (1968: de España)

Guinea Ecuatorial

GEOGRAFÍA Y CLIMA

Área nacional en millas^2 y kilómetros^2	Tamaño comparado con EUA	División administrativa	Otras ciudades principales	Puertos principales	Clima	Tierra cultivable
10,831 m^2 28,051 km^2 (2008)	Un poco menos grande que Maryland	2 regiones y 7 provincias	Malabo (capital), Bata, Evinayong, Ebebiyin, Niefang, Río Benito	Malabo, Bata, Luba	Tropical, siempre lluvioso y húmedo	4.6% (2006)

DEMOGRAFÍA

Año y población en millones			% urbana	Distribución etaria (2008)		% de analfabetismo	Grupos étnicos
2008	2015	2025		<15 años	≥65+		
.61	.74	.94	40% (2010)	42%	4.2%	13% (2003)	(15%) bubi y fernandinos en la isla de Bioko y (85%) fang (origen bantú) en la parte continental o Río Muni

ECONOMÍA Y COMERCIO

Moneda nacional	Tasa de inflación 2002	N° de trabajadores (en millones) y tasa de desempleo	PIB 2008 en millones $EUA	PIB 2008 per cápita	Distribución de PIB y de trabajadores por sector (2007)*			2007 Exportaciones en millones $EUA	2007 Importaciones en millones $EUA
					A	I	S		
Franco CFA (Coopération Financière en Afrique Centrale)	6% (2007)	ND 30% (1998)	$9,923 (2008)	$16,097 (2008)	2.9% % ND	92.2% % ND	4.8% % ND	$9,904 (2007)	$3,083 (2007)

*Para distribución del PIB y de los trabajadores (mano de obra): A = Agricultura, I = Industria, S = Servicios (y Gobierno).

**ND = datos no disponibles.

Recursos naturales: Petróleo, madera, manganeso, uranio, pequeños depósitos de oro inexplorados. 68% de los ingresos de exportación provienen del petróleo (2006).

Industrias: Petróleo, pesca, aserraderos, gas natural (2006).

COMERCIO

Productos de exportación: Cacao, café, yuca, almendras, bananas, coco, aceite de palma, hidrocarburos y productos derivados (petróleo y lubricantes), madera (ébano y okume), bienes manufacturados.

Mercados: 20.6% EUA, 18.8% China, 13.9% España, 13.4% Taiwán, 7.5% Francia, 6.5% Japón, 6.4% Portugal (2007).

Productos de importación: Hidrocarburos y productos derivados (petróleo), comida, bebida, ropa, maquinaria (2006).

Proveedores: 19.6% EUA, 13.7% España, 11.9% Cote d'Ivoire, 9.6% Francia, 7.7% China, 6.6% Italia, 6.4% Reino Unido (2007).

Horario general de comercio: De lunes a viernes, desde las ocho de la mañana hasta la una y desde las cuatro de la tarde hasta las siete de la noche (2006).

TRANSPORTE Y COMUNICACIONES

Kilómetros de carreteras y % pavimentadas	Kilómetros de vías férreas	N° de aeropuertos con pista de aterrizaje pavimentada	N° de líneas telefónicas/ teléfonos celulares	Radios por mil personas	Televisores por mil personas	N° de usuarios de Internet
2,880 km (2000) % ND	0 km (2006)	5 (2007)	10,000 (2005) 220,000 (2007)	116	490	8,000 (2006)

IDIOMA Y CULTURA

Idiomas	Religión	Comidas y bebidas típicas/Modales
Español (oficial), francés (oficial), inglés, portugués, «pidgin» (en Bioko), fang, bubi	81% católica romana; 7% protestante y 4% musulmán; a menudo se mezclan las prácticas tradicionales africanas con los ritos occidentales (2003)	Carne (de res, cabra, mono y serpiente), pollo, pescado, yuca, cacahuetes, papaya, piña, bananos y plátanos, tope (vino de palmera) y malamba (bebida alcohólica de azúcar de caña). No comer con las manos excepto cuando se ve que lo hacen los anfitriones. La mujer le sirve la comida al invitado y luego come en la cocina con los niños (2006).

Horario normal del almuerzo y de la cena: Mediodía o la una de la tarde para el almuerzo; entre las ocho y las diez de la noche para la cena (2006).

Gestos: Para saludar, la gente se da la mano con un animado apretón. Si se tiene la mano sucia, se puede ofrecer la muñeca o el antebrazo para el saludo. Espacio físico reducido entre las personas que conversan; a veces se toca el hombro o el antebrazo de la otra persona al hablar. Para indicar que se acerque alguien, la mano con la palma hacia abajo, cerrar y arañar con los dedos juntos. Las manos abiertas y juntadas en forma de rezar indican que «Así es la vida» o que no queda más de algo. Los hombres y los niños a menudo se pasean tomados de la mano o con los brazos entrelazados, un contacto físico inadmisible para personas del sexo opuesto (2006).

Cortesía: En las ciudades es importante saludar a alguien con el título de esa persona (señor, señora, doctor, ingeniero, etc.). Al ir a casa de alguien para comer o cenar, llevar un regalito como fruta o pan.

LA ACTUALIDAD ECONÓMICA GUINEOECUATORIANA

La República de Guinea Ecuatorial, situada entre Camerún y Gabón, es el único país africano en el cual el español es una lengua oficial. Geográficamente, la nación consiste en dos regiones. La primera es Río Muni, en la parte continental entre Camerún y Gabón, donde viven los fang, el grupo dominante en la política actual, y el grupo de los playeros (ndowes, bujebas, bapukus, balengues y bengas). La segunda región, insular, está formada por la isla de Bioko, la más grande, habitada por los bubi y los fernandinos, y las islas de Annobón (a 360 kms de la costa), Corisco, Elobey chico y Elobey grande, Mbanie y Cocotiers. Malabo, la capital de la república, está en la isla de Bioko, situada cerca de las costas de Nigeria y Camerún (33 kms), y a unos 260 kilómetros de Río Muni.

Además de las tradiciones de origen bantú, hay evidencias de la influencia europea que comenzó en 1471 cuando los exploradores portugueses, Fernão do Poo y Lopo Gonçalves llegaron a la isla de Bioko, llamándola Formosa por su belleza. En 1778 los portugueses cedieron a España la isla de Fernando Póo, las otras islas y los derechos comerciales a lo largo de la costa continental. Empezaba así la presencia e influencia españolas en el Golfo de Guinea. En el siglo XIX, las fuerzas navales de Inglaterra mantenían una base militar en la isla para combatir el comercio de esclavos en el Golfo de Guinea. El Tratado de París de 1900 determinó las fronteras definitivas de lo que es hoy la República de Guinea Ecuatorial.

La colonización, que duró casi dos siglos, dejó una profunda influencia hispánica, así como el establecimiento de instituciones españolas en Guinea Ecuatorial. Destacan instituciones como la iglesia católica, el sistema político, la arquitectura, el ritmo de la vida diaria y la lengua oficial del país, el castellano. El 12 de octubre de 1968, la Guinea Española accedió a la soberanía internacional bajo el nombre de Guinea Ecuatorial. El primer presidente electo, Francisco Macías Nguema, suspendió la constitución, estableció un sistema de partido único y una de las dictaduras más sangrientas del continente africano. La persecución y opresión de la ciudadanía provocó el exilio de gran parte de la población. En 1979, Teodoro Obiang Nguema Mbasago, sobrino de Macías, se apoderó por medio de un golpe de estado. Teodoro Obiang ha ganado las elecciones presidenciales en 1982, 1989, 1996, 2002 y 2009, a pesar de la legalización de múltiples partidos políticos en 1991. El Partido Democrático de Guinea Ecuatorial (PDGE), partido en el poder, mantiene un control absoluto sobre la vida política en Guinea Ecuatorial.

Después de su independencia, Guinea Ecuatorial se acercó a Francia en busca de ayuda económica y para salir de su aislamiento internacional. En 1983, Guinea Ecuatorial se unió a la Union Douanière des États de l'Afrique Centrale (UDEAC), y se convirtió en miembro del Banque des États de l'Afrique Centrale (BEAC), integrado por países como Camerún, Chad, la República del Congo y Gabón. En 1985, el país adoptó el franco cefa (Franc CFA), unidad monetaria de los países de la zona Communauté Economique et Mone'taire de l'Afrique Central (CEMAC). El franco CFA reemplazó al epkuele, la divisa que adoptó el país después de la independencia.

La peseta española, la moneda que se usaba en la Guinea Española hasta la independencia del territorio en 1968 luego pasó a llamarse la peseta guineana. En 1975, como parte de la política de africanización de la época, el epkuele sustituyó a la peseta guineana. La nueva divisa, el franco CFA, incorporó dos aspectos monetarios: 1) una moneda regional compartida por las naciones africanas centrales y occidentales, y 2) una paridad con una moneda oficial extranjera fuerte, el franco francés. Con el Tratado de Maastricht en 1993 y la adopción del euro como moneda común para muchos países europeos a partir del año 2000, el franco CFA pasó a tener paridad con el euro.

Aunque Guinea Ecuatorial era uno de los países más pobres de África después de su independencia, el descubrimiento de enormes reservas de petróleo en 1995 (www.offshore-technology.com/projects/zafiro) en la zona marítima contigua la convirtió en uno de los países con el mayor índice de crecimiento económico de África. Guinea Ecuatorial es el tercer productor de petróleo en el África subsahariana y ha recibido apelativos como «Kuwait africano», «Emirato africano», «El dorado africano». Se espera que en el futuro el país pueda comenzar a distribuir los ingresos generados por el petróleo entre todos sus ciudadanos y que trate de resolver las citaciones hechas por las Naciones Unidas y la Secretaría de Estado de EUA sobre la falta de derechos civiles básicos. Una preocupación por el futuro es seguramente la salud del Presidente Obiang.

2-6 Actividades

¿Qué sabe Ud. de España y de Guinea Ecuatorial?

1. A usted lo/la han contratado/a como asesor/a transcultural de negocios internacionales. Como tal, necesita informar a sus clientes sobre España y Guinea Ecuatorial, y recomendar un plan de viaje de negocios a cada país. Investigue sobre los datos pertinentes para poder abarcar los temas a continuación.

   a. Describa la geografía de España y de Guinea Ecuatorial, incluyendo temas relacionados como los siguientes: ubicación y tamaño de ambos países, capital y otras ciudades y puertos principales, división administrativa y clima. ¿Cómo se compara el tamaño de España con el de EUA? ¿Y con el tamaño del estado donde Ud. vive? ¿Y el tamaño de Guinea Ecuatorial con el de EUA y con el del estado donde Ud. vive?

   b. ¿Cuáles son las principales características demográficas y políticas de España y Guinea Ecuatorial? ¿Quién es el jefe de estado de cada país? ¿Por qué es el español una lengua oficial de Guinea Ecuatorial?

   c. ¿Cuándo se celebra la fiesta nacional de cada país? ¿En qué otras fechas, respectivamente, hay fiestas públicas que también podrían afectar el éxito de un viaje de negocios? (Véase la Tabla 10-1, páginas 306–308.)

   d. Describa la economía de cada país. Incluya datos sobre la moneda nacional, la tasa de inflación, el PIB y el PIB per cápita, el número de trabajadores (la mano de obra), la tasa de desempleo, los recursos naturales, las industrias nacionales, los productos que se exportan e importan, los países destino (mercados) y proveedores (fuentes) de estas transacciones internacionales, y la balanza de comercio. ¿A cuánto se cotiza cada moneda nacional respecto del dólar EUA?

e. ¿Qué es el BEAC y cuáles son sus países miembros y su divisa? Describa el desarrollo de la divisa ecuatoguineana.

f. Describa el impacto económico que ha tenido el desarrollo de la industria petrolera en Guinea Ecuatorial desde 1995.

g. ¿Cuál sería un producto o servicio que Ud. recomendaría vender en España y/o en Guinea Ecuatorial? ¿Por qué?

h. Compare la infraestructura de transportes y de comunicaciones en cada país.

i. ¿Cómo han cambiado algunos de los datos presentados en las secciones de «Vista panorámica» y «La actualidad económica» de este texto? Póngalos al día para cada país.

j. Basándose en la «La actualidad económica» de cada país, ¿qué realidades, oportunidades y problemas destacaría y qué recomendaciones le daría al/a la cliente/a? ¿Qué impacto tuvieron las políticas gubernamentales de José Luis Rodríguez Zapatero en España entre 2004 y 2008?

2. Usando Internet u otras fuentes informativas, prepare un plan (con presupuesto e itinerario) para sus clientes, quienes harán un viaje de negocios a cada país individualmente o a ambos durante el mismo viaje:

a. Fechas de ida y vuelta

b. Vuelos: aeropuertos de despegue y aterrizaje, líneas aéreas, horario; costos

c. Transporte interno que se piensa usar en cada país: taxi, autobús, alquiler de carro, metro, tren, otro; costos

d. Alojamiento y viáticos; costos

e. La comida típica que van a pedir para la cena la primera noche en cada país

f. Las formas de cortesía y los gestos que deben recordar, usar o evitar

LECTURA CULTURAL

Personalismo, individualismo y familia

Para participar en la actividad económica y comercial de cualquier país o de una comunidad diferente, hay que comprender, conocer y respetar a los habitantes y su cultura. Hay que tener en cuenta que cada país y sus habitantes tienen sus propias realidades geográficas (topografía, clima, patria chica), demográficas (distribución etaria [grupos de edad], sexo, raza, etnicidad, clase social, profesión), psicográficas (predilecciones, aversiones, ideas, actitudes distintas), así como sus propias costumbres, tradiciones y cualidades personales y culturales. En España y Guinea Ecuatorial, lo mismo que en Hispanoamérica, por ejemplo, se pone mucho énfasis en lo personal, la familia y el individuo, y esto se ve reflejado en el mundo de los negocios.

Si uno desea establecer una buena relación social, mercantil o industrial con una persona hispana, debe hacerse en persona. Aunque parece mucho más eficiente y rápido usar los medios de telecomunicación modernos para despachar ciertas transacciones y asuntos, a muchos hispanos les puede parecer demasiado impersonal, y hasta descortés y ofensivo, sustituir el trato humano con la tecnología. Para el hispano en general, es sumamente importante llegar a conocer a la persona con la cual se va a asociar en el trato comercial. Quiere saber si una persona es honrada, sincera y digna de confianza. Por ello no es raro que en las reuniones se pase algún tiempo inicial charlando de temas sociales y personales (familia, deportes, viajes, visitas, gustos, etc.), en vez de ir directamente al grano de los asuntos comerciales, los cuales en EUA se tratan como primer tema incluso durante el desayuno o el almuerzo. (A propósito, es mejor no hablar ni bromear sobre política y religión, temas muy delicados y potencialmente controvertidos para muchos hispanos.) Un factor clave es el *personalismo*, término que se da a este concepto hispano de la importancia fundamental del individuo y de quién y cómo es.

Muy relacionado con este tema está el de la familia. Para muchos hispanos, la familia es la entidad más importante de su mundo y el centro en torno al cual gira gran parte de su vida. Por un lado, define o le da identidad a cada miembro, a la vez que procura criarle y formarle a éste/a conforme a ciertos valores y normas socioculturales y éticas. Hace constar que cada individuo es ante todo un miembro de un núcleo familiar y extenso, y segundo, la persona de carne y hueso que lleva el nombre de la familia pero quien tiene su propio carácter y manera de ser y pensar. Así que cada miembro representa a la familia y como tal le debe a ésta una lealtad y un mantenimiento de honor totales. Si se cumple con este acuerdo social de satisfacer las expectativas de la familia, recibirá el apoyo y el respeto de ésta y si no, recibirá su oposición y posible rechazo.

Para procurar que cada miembro honre y sea fiel a la familia y que salga adelante, ésta le inculca ciertas normas de conducta, valores, ideas y quehaceres, muchos de los cuales se basan en la tradición católica. Entre la familia y la religión se aprende a respetar la autoridad (la figura paterna y también la materna), a ser responsable en sus relaciones y actividades, a ser fiel a quienes le hayan apoyado y a aceptar el destino como algo inmutable. A la vez, la familia enseña cómo cumplir con las obligaciones caseras, prácticas y cotidianas. Esta enseñanza les ayuda a los hijos a hacerse frente no sólo a la vida hogareña sino a la realidad externa, la cual muchas veces se relaciona con la familia como si fuera una extensión de ella. De hecho, en el mundo de los negocios, esta manera hispánica de ser y pensar puede ser bastante diferente de la de otros países y puede llevar a veces a malentendidos culturales. En el mundo hispano, la familia viene primero y luego el trabajo, mientras que en EUA la familia puede ser a menudo una consideración secundaria en una cultura que suele compartimentar cuidadosamente lo personal y lo profesional o laboral.

Por otra parte, la familia les sirve a sus miembros de unidad y centro de apoyo. A cambio de la lealtad, el honor y la responsabilidad que le demuestran

La familia extendida. España. ¿Cuántas generaciones ve Ud. en esta foto? Identifíquelas. ¿Cuál es la figura central? Comente.

sus miembros, la familia los ayuda en todo lo que les haga falta. Y en este caso, por familia se entiende la familia en sentido amplio, o sea, parientes (abuelos, tíos, primos, etc.), padrinos, compadres y hasta amigos íntimos. De modo que si un miembro de la familia necesita un trabajo, dinero, alojamiento, comida, compañerismo, consuelo o cualquier ayuda material, social o espiritual, y si hay otro pariente o buen amigo que se lo pueda dar o ayudar a conseguir, se hace dentro de lo posible y sin cuestionar y, a menudo, sin esperar ninguna recompensa. No es raro, por ejemplo, que mediante *los enchufes* o *la palanca* se forme una compañía o un gobierno de familiares, amigos y conocidos. El nepotismo, en fin, es para muchos hispanos una forma de vida necesaria para sobrevivir aun cuando cause conflictos y problemas. De esta manera se entiende mejor la pregunta retórica de ¿quién hay mejor que un pariente leal y bien conocido con el cual trabajar? Por supuesto, las actitudes y realidades en cuanto a la familia hoy en día están cambiando, como lo demuestran las tendencias hacia el libre pensamiento respecto del matrimonio y revalorización de los papeles tradicionales del hombre y de la mujer.

Además de ser miembros fieles y valorados de familia, los hispanos son también individualistas, pero no sólo porque quieran distinguirse de los demás o independizarse completamente de la familia por razones egoístas o económicas. Lo son porque también quieren que se reconozcan y aprecien *su* persona, habilidades, ideas y acciones. Esta actitud individualista, junto a la importancia fundamental de la familia y lo personal, explica en parte por qué muchos hispanos optan por la pequeña empresa. Les gusta más el ambiente íntimo y personal en el cual no rige la competencia impersonal y donde se puede demostrar el mérito propio como individuo que siempre forma parte del grupo. Por supuesto, las realidades y actitudes están cambiando y al industrializarse y capitalizarse más los países hispanos, se han notado cada vez más las tendencias hacia la pérdida de estos valores e instituciones. Lo que no ha cambiado, sin embargo, es el hecho de que para conocer a los hispanos y estar en su mundo como socio, colega, empleado, compañero o amigo, hay que entender y apreciar su modo de ser, vivir y pensar. Y hay que hacerlo como individuo y de persona a persona.

2-7 Actividades

1. **¿Qué sabe Ud. de la cultura?** Demuéstrelo contestando las preguntas a continuación.

   a. ¿Qué importancia tienen lo personal, lo familiar y lo individual en la vida socioeconómica del mundo hispano?

    b. Con un/a compañero/a haga una lista de las ventajas y desventajas de trabajar en una empresa familiar. Comenten el tema con otros compañeros de clase.

2. **Mini-drama cultural.** Con un/a compañero/a, dramatice lo siguiente y haga el ejercicio a continuación.

   Bob Thompson, nativo de Chico, California y representante de Wines, Inc., está en Barcelona para tratar de comprar Puig y Roig, S. en N.C., una compañía que produce los mejores vinos blancos y cava (vino espumoso) de Cataluña. Bob estudió español en la universidad y lo habla bastante bien, pero nunca ha viajado al extranjero ni conoce España ni a los españoles. Si logra adquirir la empresa española, Wines será la casa importadora y exportadora más grande de vinos blancos y de cava en los EUA y tendrá más del 30% de la participación del mercado internacional. Bob comenta el tema con el dueño de la empresa española, don Pablo Roig Muntaner.

   Bob: Si Ud. decide ser socio de Wines, no sólo controlaremos más del 30% del mercado internacional, sino que seremos la compañía de vinos blancos y de cava más grande del mundo.

   Don Pablo: No sé... Su compañía es muy grande y tiene sucursales por todas partes del mundo. Nosotros producimos vinos muy buenos y quizás nos convenga más una empresa más selectiva y no tan grande.

   Bob: Creo que Ud. no comprende las ventajas que podemos ofrecerle en términos de tecnología, eficiencia, distribución, ganancias y expansión hacia nuevos mercados. Nosotros hemos logrado mucho éxito por medio de nuestra eficiencia tecnológica e informática. Me parece que esto es más importante que el deseo de mantener el «status», sobre todo en un sector tan competitivo como éste.

Don Pablo: No lo sé... Además, si vendiera la sociedad, no sé si mis socios, los empleados y yo podríamos adaptarnos a la vida mercantil de una compañía tan grande como Wines. Nos ha ido bien hasta ahora y no sé si veo la necesidad de un cambio.

Bob: Bueno, se está perdiendo una gran oportunidad y espero que cambie de opinión.

¿Cuál de las siguientes explicaciones daría Ud. a Bob para la actitud de don Pablo? Defienda su respuesta.

a. Don Pablo es muy egoísta y sólo venderá su compañía si Bob le asegura el puesto de director de marketing.

b. Los catalanes son muy individualistas y no cambian de opinión aunque estén equivocados.

c. Don Pablo quiere mantener el «status» de Puig y Roig porque teme que el nuevo ambiente comercial de Wines sea demasiado grande e impersonal.

SÍNTESIS COMERCIAL Y CULTURAL

2-8 Actividades comunicativas

1. **Situaciones para dramatizar.** Lea las siguientes situaciones y, después, haga el papel en español con otro/s estudiante/s, usando una de las posibilidades siguientes como punto de partida. Cada persona deberá participar activamente en la dramatización. No olviden el protocolo ni las cortesías.

   a. *You are a U.S. business executive meeting with a Spanish associate from Seville. Both of you have been talking for some time about setting up a business together. You discuss the following:*
   - *the product(s) or service(s) you would like to sell*
   - *the feasibility of selling these items in Spain as well as in the U.S.*

   b. *You and your associate have agreed on the nature of your enterprise. You meet a second time.*
   - *Discuss from different cultural perspectives the pros and cons of the various types of business organizations as described in Table 2-1 on pages 29–30.*
   - *Decide on and outline detailed plans for the type of firm in which both of you would feel comfortable working.*

   Después de dramatizar ambas situaciones, comenten con la clase cómo ha influido en sus decisiones la información cultural de este capítulo.

2. **Ud. es el/la intérprete.** La Srta. Marilyn Davis, estadounidense, y el Sr. Javier Durán, español, hablan de las ventajas y desventajas de la pequeña empresa mercantil. Haga Ud. el papel de intérprete entre estos dos individuos. Traduzca del español al inglés y del inglés al español lo que leerá en voz alta el/la otro/a estudiante. El/Ella hará una pausa después de cada barra (/) para permitir su traducción. Acuérdense de usar un tono de diálogo natural.

Sr. Durán: Creo que la pequeña empresa es la mejor y la más eficaz de todas. / Crea un ambiente casi familiar / sin que nadie pierda su individualismo ni su dignidad, / y establece una interdependencia que beneficia no sólo a la compañía, / sino a todos los dueños y empleados. / También ofrece la posibilidad / de que todas las transacciones y negocios / se realicen con honor, / y que los productos y servicios que se ofrezcan / sean de alta calidad. / Por supuesto, siempre habrá problemas de competencia y de producir y vender en menor escala, pero esto es lo de menos. / Lo importante en el mundo de los negocios son las buenas relaciones, ¿no le parece?

Intérprete: _____

Srta. Marilyn Davis: *I understand your point of view but I have a different one. / For me and my company, a corporation is preferred because of its advantages. / It has limited liability and certain tax exemptions / and it can utilize the talents and capital of its employees and investors. / Moreover, it enables us to be competitive by being cost-efficient and cost-effective. / These days, isn't this much more important than any personal concern or situation?*

Intérprete: _____

3. **Actividad empresarial.** Ud. y un/a amigo/a trabajan para Equilectron, S.A., una compañía internacional que produce y vende equipos electrónicos. La empresa quiere extender su mercado al mundo hispano al empezar por España mediante un negocio en participación o una fusión de empresas. Se les ha encargado a Uds. investigar las posibilidades de hacerlo. Después de reunirse para hablar del tema, Uds. deciden tratar de buscar en Internet la siguiente información, que usarán para escribir un breve informe que presentarán a su director/a.

a. Busquen una compañía española que venda equipo electrónico.

b. Procuren encontrar tanta información como sea posible sobre la compañía en relación con:

   • su razón social

   • su forma jurídica

   • las señas de la casa matriz

   • su extensión geográfica (¿dónde tiene operaciones?)

   • su actividad económica (¿qué produce y/o vende?)

   • su estado financiero (si está solvente o no)

   • sus directores, número de empleados y/o obreros (¿publica un organigrama?)

   • su interés o esfuerzo de extender sus mercados tanto dentro del país como en el extranjero

c. Comenten con sus compañeros/as de clase los datos que han hallado.

4. **Minicaso práctico.** Lea el caso y conteste las preguntas a continuación.

Juan y José Cortés, hermanos de unos cincuenta años de edad y de origen gallego, son dueños de Grains Abroad, una sociedad en comandita estadounidense que cultiva y vende soja, mayormente para la exportación a España. Aunque hace casi veinte años que viven en Kankakee, Illinois, los Cortés todavía no se han acostumbrado a la manera de vivir y pensar de los estadounidenses. Últimamente, el trabajo de cultivo y venta los tiene bastante cansados, y deciden aceptar como socio a un amigo, Tom McDonald, estadounidense de treinta y ocho años y antiguo jefe de ventas de Grains Abroad. Tom habla poco español, y ha pasado un mes en México como turista, pero no tiene ninguna otra experiencia en el mundo de los negocios hispánico.

Los tres hombres se reúnen para hablar de su asociación. Durante la reunión Tom dice que quiere transformar la empresa en una sociedad anónima. La nueva constitución, según Tom, aportará a la firma más beneficios y limitará su responsabilidad social. Al mismo tiempo, extenderá y mejorará las operaciones empresariales y hará posible la producción de aceite de soja. Dice que la comercialización de este producto abrirá nuevos mercados nacionales e internacionales y que aumentará las ventas de la compañía.

Los hermanos Cortés responden que no ven muy claro la necesidad de reorganizar la empresa. Sostienen que ésta ha funcionado bien en el pasado y que lo importante es conservar la presente organización y buena reputación de la firma. Además, dicen que producir aceite de soja va en contra de su experiencia con el mercado español y que ampliar las operaciones no significa que éstas vayan a mejorarse. Tom no se deja convencer y opina que los Cortés no planean muy bien para el futuro, y que son unos idealistas demasiado conservadores cuyos sentimientos se contraponen al buen sentido común comercial.

a. ¿Qué tipo de empresa es Grains Abroad? ¿Qué actividad realiza? ¿En qué mercados vende su producto?

b. ¿Qué clase de sociedad quiere establecer Tom? ¿Por qué? ¿Qué más sugiere hacer?

c. ¿Por qué cree Ud. que se oponen los hermanos Cortés a las propuestas de Tom, especialmente a la de producir aceite de soja?

d. ¿Qué conflicto de valores culturales se plantea entre los tres individuos?

e. ¿Cómo resolvería Ud. el conflicto entre Tom y los hermanos Cortés?

2-9 Análisis y comparación

Estudie la Tabla 2-3 y haga los ejercicios a continuación. Use también sus conocimientos y, cuando haga falta, otras fuentes informativas como el diccionario, un *Almanaque mundial*, Internet, etc. Los ejercicios se pueden hacer individualmente, en parejas o en pequeños grupos para comentar los temas en clase.

Tabla 2-3

Tabla 2-3 Los países hispanoparlantes, Brasil y Estados Unidos: nombre oficial, gentilicio, capital y población, otras ciudades principales, moneda nacional y denominación en billetes (db)

País	Nombre oficial	Gentilicio	Capital y población	Otras ciudades principales	Moneda nacional y db
Argentina	República Argentina	argentino(a)	Buenos Aires 12,795,000 (2009)	Córdoba, Rosario, Mendoza, Mar del Plata, San Miguel de Tucumán	El peso 5, 10, 20, 50, 100 (2008)
Bolivia	República de Bolivia	boliviano(a)	La Paz (Administración: 1,590,000) y Sucre (Judicial: 243,000) (2009)	Santa Cruz de la Sierra, El Alto, Cochabamba, Oruro, Potosí, Tarija	El boliviano 10, 20, 50, 100, 200 (Según el BCB)
Chile	República de Chile	chileno(a)	Santiago 5,720,000 (2009)	Concepción, Viña del Mar, Valparaíso, Antofagasta, Talcahuano, Temuc	El peso 500; 1,000; 2,000; 5,000; 10,000; 20,000 (2008)
Colombia	República de Colombia	colombiano(a)	Bogotá 7,772,000 (2009)	Cali, Medellín, Barranquilla, Cartagena, Cúcuta, Bucaramanga	El peso 500; 1,000; 2,000; 5,000; 10,000; 20,000, 50,000 (2009, BCC)
Costa Rica	República de Costa Rica	costarricense [informal: tico(a)]	San José 1,284,000 (2009)	Alajuela, Cartago, Puntarenas, Limón	El colón 1,000; 2,000; 5,000; 10,000 (Según el BCCR)
Cuba	República de Cuba	cubano(a)	La Habana 2,174,000 (2009)	Santiago de Cuba, Camagüey, Holguín, Guantánamo, Santa Clara, Cienfuegos	El peso 1, 3, 5, 10, 20, 50, 100 (Según el BCC)
Ecuador	República del Ecuador	ecuatoriano(a)	Quito 1,701,000 (2009)	Guayaquil, Cuenca, Machala, Portoviejo, Manta	El dólar EUA 1, 5, 10, 20, 50, 100
El Salvador	República de El Salvador	salvadoreño(a)	San Salvador 1,433,000 (2009)	San Miguel, Ahuachapán, Santa Ana, Sonsonate, Mejicanos, Delgado	El dólar EUA 1, 5, 10, 20, 50, 100
España	Reino de España	español(a)	Madrid 5,567,000 (2009)	Barcelona, Valencia, Sevilla, Zaragoza, Málaga, Bilbao	El euro 5, 10, 20, 50, 100, 200, 500 (2004, BCE)
Guatemala	República de Guatemala	guatemalteco(a)	Ciudad de Guatemala 1,024,000 (2009)	Mixo, Villanueva, Quetzaltenango, Escuintla, Totonicapán, Retalhuleu	El quetzal 1/2, 1, 5, 10, 20, 50, 100, 200, 500; 1,000 (Según el BCG)

Tabla 2-3 *(continuación)*

País	Nombre oficial	Gentilicio	Capital y población	Otras ciudades principales	Moneda nacional y db
Guinea Ecuatorial	República de Guinea Ecuatorial	guineano(a) ecuatoguineano(a)	Malabo 96,000 (2009)	Bata, Ela-Nguema, Campo, Evinayong, Ebebiyin, Mongomo	El franco CFA (Coopération Financiére en Afrique) 500; 1,000; 5,000; 10,000 (2007, según el BEAC)
Honduras	República de Honduras	hondureño(a)	Tegucigalpa 946,000 (2009)	San Pedro Sula, La Ceiba, Danlí, Tela, El Progreso	El lempira 1, 2, 5, 10, 20, 50, 100, 500 (Según el BCH)
México	Estados Unidos Mexicanos	mexicano(a)	México, D.F. (Distrito Federal) 19,028,000 (2009)	Guadalajara, Monterrey, Puebla, León, Ciudad Juárez, Tijuana, Veracruz, Acapulco, Mérida	El nuevo peso 20, 50, 100, 200, 500; 1,000 (2008)
Nicaragua	República de Nicaragua	nicaragüense	Managua 920,000 (2009)	León, Granada, Matagalpa, Jinotega, Chinandega, Masaya	El córdoba oro: 1/2, 1, 5, 10, 20, 25, 50, 100, 500 (Según el BCN)
Panamá	República de Panamá	panameño	Ciudad de Panamá 1,281,000 (2009)	Colón, David, San Miguelito	El balboa (No hay billetes; el $EUA tiene curso legal)
Paraguay	República del Paraguay	paraguayo(a)	Asunción 1,870,000 (2009)	Pedro Juan Caballero, Encarnación, Ciudad del Este, San Lorenzo	El guaraní 1,000; 5,000; 10,000; 50,000; 100,000 (Según el BCP)
Perú	República del Perú	peruano(a)	Lima 8,012,000 (2009)	Arequipa, Trujillo, Chiclayo, Cuzco, Callao, Ayacucho, Iquitos, Piura	El nuevo sol 10, 20, 50, 100, 200 (Según el BCRP)
Puerto Rico	Estado Libre Asociado de Puerto Rico	puertorriqueño(a)	San Juan 424,951 (2007)	Bayamón, Ponce, Carolina, Caguas, Mayagüez, Arecibo	El dólar EUA 1, 2, 5, 10, 20, 50, 100
República Dominicana	República Dominicana	dominicano(a)	Santo Domingo 2,154,000 (2009)	Santiago de los Caballeros, La Vega, San Pedro de Macorís	El peso oro 10, 20, 50, 100, 500; 1,000; 2,000 (Según el BCRD)
Uruguay	República Oriental del Uruguay	uruguayo(a)	Montevideo 1,513,000 (2009)	Salto, Paysandú, Las Piedras, Melo, Rivera, Minas, Tacuarembó	El peso 20, 50, 100, 200, 500; 1,000; 2,000 (Según el BCU)

(continúa)

Tabla 2-3   (continuación)

País	Nombre oficial	Gentilicio	Capital y población	Otras ciudades principales	Moneda nacional y db
Venezuela	República Bolivariana de Venezuela	venezolano(a)	Caracas 2,985,000 (2009)	Maracaibo, Valencia, Maracay, Barquisimeto, Petare, Barcelona	El bolívar fuerte 500; 1,000; 2,000; 5,000; 10,000 (2008)
Brasil	República Federativa do Brasil	brasileño(a)	Brasília 3,599,000 (2008)	Sao Paulo, Rio de Janeiro, Belo Horizonte, Porto Alegre, Recife	El real 1, 2, 5, 10, 20, 50, 100 (2008)
Estados Unidos (EU, EUA, EEUU, EE.UU.)	Estados Unidos de América	norteamericano(a), estadounidense	Washington D.C. 4,338,000 (2009)	Nueva York, Los Ángeles, Chicago, Houston, Filadelfia, San Diego, Detroit, Dallas, Fénix, San Antonio	El dólar 1, 2, 5, 10, 20, 50, 100

FUENTES: *CIA World Factbook 2009, The World Almanac and Book of Facts 2009, Almanaque mundial 2009*, Converter-Currency.com y bancos centrales (BC) indicados

1. ¿Cuáles de estos países no son repúblicas? Explique.

2. Además de EUA, ¿cuál es el otro país que tiene la frase «Estados Unidos» como parte de su nombre oficial? ¿Cuáles son cinco estados de este otro país? ¿Cuáles son los estados de este otro país que tienen frontera con EUA? ¿Cuáles son los estados de EUA que tienen frontera con este país?

3. ¿Cuál es el gentilicio de los siguientes países: Venezuela, Honduras, Costa Rica, EUA, Guinea Ecuatorial y Nicaragua?

4. ¿Cuáles son las capitales de México, Cuba, Ecuador, Perú, Colombia, Argentina, Puerto Rico y España?

5. Entre los países hispanos, ¿cuáles son las cuatro capitales de mayor población? ¿Cuántos habitantes hay en cada una de estas cuatro capitales?

6. Además de la capital, ¿cuáles son otras ciudades principales de México, Puerto Rico, Cuba, Chile, Colombia, Argentina, Perú y España? Muestre en un mapa dónde están algunas de estas ciudades.

7. ¿Cuáles son los países cuya moneda nacional es el peso? ¿Cuáles son las monedas nacionales de Panamá, Ecuador, Perú, Nicaragua, Bolivia y Guinea Ecuatorial?

8. ¿Cuáles son los dos países hispanos que oficialmente han adoptado el dólar EUA como su moneda nacional? ¿En qué otros países hispanos se usan el dólar EUA como dinero común para las transacciones, aunque el dólar no sea oficialmente su moneda nacional? ¿Qué significa la palabra «quetzal»? ¿Cuáles son los significados de la palabra «guaraní» y por qué piensa usted que la moneda nacional de Paraguay se llama así? ¿De dónde viene la palabra «dólar»? Busque su origen.

9. Compare el valor de los billetes de los siguientes países: Argentina, Chile, España, México y EUA. ¿A cuánto está el cambio de divisas de las siguientes monedas nacionales con el dólar EUA: el peso mexicano, el peso argentino, el euro, el bolívar, el sucre y el lempira?

10. Para resumir: Con un compañero/a de clase, o en pequeños grupos de tres o cuatro, háganse una prueba sobre el gentilicio, las capitales y las monedas nacionales de los distintos países presentados en la tabla. Ejemplos: ¿Cuál es la capital de Nicaragua? ¿El gentilicio de Ecuador? ¿La moneda nacional del Uruguay? ¡Esto puede convertirse en una competencia para ver quién saca más puntos (respuestas correctas)!

GeoReconocimiento

Mire los mapas del Capítulo 2 en la página web del libro (**www.cengage.com/spanish/exito**) y haga los ejercicios.

Posibilidades profesionales

Hay muchas carreras relacionadas con las empresas internacionales, pero una de las más importantes es la de asesor/a o abogado/a de derecho mercantil. Ésta es imprescindible en la organización y operación de las empresas, así como para todos los asuntos legales. Para más información, véase el Capítulo 2 de «Posibilidades profesionales» que se encuentra en www.cengage.com/spanish/exito.

VOCABULARIO

Aquí se presentan los principales términos de este capítulo. Al final del libro hay un glosario más completo.

abarcar • *to encompass, include*

acción • *share, stock*

accionista (m/f) • *shareholder, stockholder*

acreedor • *creditor*

activo • *asset*

acuerdo • *agreement*

administrador • *manager*

aportación • *contribution*

asesoramiento • *advising*

beneficio • *profit, benefit*

benéfico • *charitable*

bien de consumo (m) • *consumer good*

bolsa • *securities exchange, stock market*

bono • *bond*

casa matriz • *home or main office*

cava • *sparking wine produced in Spain*

cobrar • *to charge, collect, cash*

comercialización • *marketing, selling*

comerciante (m/f) • *merchant*

comerciar • *to trade, sell, do business*

comercio • *business, commerce, trade*

compraventa • *buying and selling, sales and purchases*

convenio • *agreement*

convenir (ie) • *to suit, agree*

derecho • *right, law*

   mercantil • *business law*

desarrollo • *development*

desempleo • *unemployment*

detallista (m/f) • *retailer*

deuda • *debt*

dirección • *management*

directivo (adj) • *managerial*

(continúa)

directivo (n) • *director, board*

disponibilidad • *availability*

divisa • *foreign currency*

donativo (n) • *donation*

emitir • *to issue*

emprender • *to undertake to do something*

empresa colectiva • *partnership*

  estatal • *state-controlled company*

  individual • *sole proprietorship*

  mediana • *mid-size company*

  mercantil • *commercial company*

  mixta • *company controlled jointly by government and private enterprise*

  pequeña • *small business*

  privada • *private company*

  productora • *manufacturer*

  pública • *public company*

empresarial (adj) • *company*

empresario • *employer, manager; owner*

estatal (adj) • *government-run*

estructuración de precios • *pricing*

fallecer • *to die*

filial (f) • *subsidiary, branch*

financiamiento • *financing*

financiero • *financial*

fondo • *fund*

fusión de empresas • *merger*

fusionar • *to merge*

ganancia • *earning, income, profit*

gasto • *expense*

gestión • *management*

índice de paro, índice de desempleo (m) • *unemployment rate*

ingreso • *income, revenue*

iniciativa empresarial • *entrepreneurship*

inversión • *investment*

invertir (ie) • *to invest*

investigación y desarrollo • *research and development*

junta directiva o de directores/consejo directivo • *board of directors*

ley (f) • *law*

  arancelaria • *customs/tariff law*

  mercantil • *business law*

mano de obra (f) • *workforce*

materia prima • *raw material*

mayorista (m/f) • *wholesaler*

minorista (m/f) • *retailer*

negocio en participación • *joint venture*

obligación • *liability, debt*

patrimonio • *wealth, estate, assets*

pérdida • *loss*

pericia • *expertise*

perito • *expert*

personal (m) • *personnel*

propietario • *owner*

proveedor • *supplier*

razón social (f) • *company name*

recompensa • *compensation*

regir (i) • *to control, be in effect*

Registro Público de Comercio • *Public Business Register*

renta • *income, revenue*

rentable • *profitable*

riesgos y beneficios • *risk and reward*

socio activo o colectivo • *active partner*

  comanditario • *silent partner*

solidario • *joint*

solventar • *to settle (e.g., a debt)*

sucursal (f) • *branch, subsidiary*

tasa de cambio • *rate of exchange*

tratado • *treaty*

usuario • *user*

utilidad • *usefulness, profit, benefit*

viáticos • *travel allowance, per diem, meals and lodging*

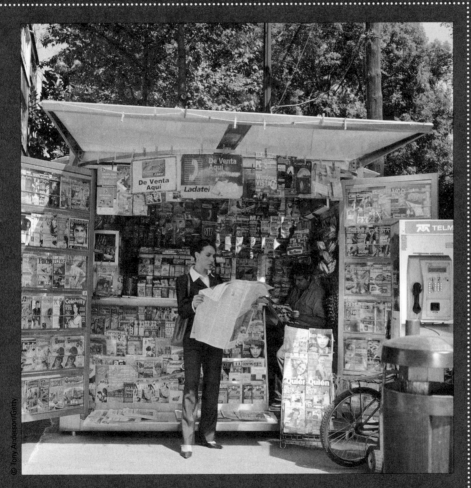

Una ejecutiva mexicana en... ¿Piensa Ud. que hay más oportunidades para que la mujer sea ejecutiva hoy en día? Explique.

Make sure you're right, then go ahead.

— DAVY CROCKETT

Hire people who are better than you are, then leave them to get on with it.

— DAVID OGILVY

El jefe siempre tiene razón.

— DICHO POPULAR

3-1 Preguntas de orientación

Al hacer la «Lectura comercial», piense en las respuestas a las siguientes preguntas.

1. ¿Qué es la gerencia?
2. ¿Cuáles son las principales responsabilidades de un gerente y qué diferentes recursos debe tener en cuenta al desempeñarlas?
3. ¿Por qué es tan importante la actividad de planificación?
4. ¿Qué habilidades especiales contribuyen al éxito del gerente?
5. ¿Cuáles son algunas características de un buen gerente/líder? Aunque lo idóneo sería que un individuo fuera buen administrador y líder a la vez, ¿es lo mismo el ser buen gerente y el ser líder? Comente. (Aquí se puede recurrir a la búsqueda de información en Internet, por ejemplo, bajo el tema Warren Bennis, quien nos dice que «el administrador es una copia, el líder es original; el administrador mantiene, el líder desarrolla; el administrador se concentra en sistemas y en la estructura, el líder se enfoca en la gente».)
6. ¿Cómo se diferencia la perspectiva horizontal de la vertical en el concepto de la gerencia?
7. ¿Qué es un organigrama?
8. ¿Qué es la Administración por Objetivos (APO)?
9. ¿Qué son la dedocracia y el «dedazo»?
10. ¿Qué factores especiales existen en la gerencia internacional?
11. ¿Cuáles son algunas tendencias de la tradición gerencial hispana en comparación con la estadounidense?

LECTURA COMERCIAL

Requisitos y modelos administrativos estadounidenses e hispanos

Después de constituir la empresa, el propietario, los socios y los administradores (directores o gerentes) tienen la responsabilidad de planear, coordinar, dirigir, controlar y mejorar las actividades de las empresas, utilizando los diversos recursos humanos, financieros, materiales e informativos a su disposición. El paso inicial, la planificación, trata del futuro que se desea para la empresa y de cómo lograrlo. El segundo paso consiste en la organización y coordinación de los diferentes recursos materiales y humanos necesarios para realizar el plan. El tercer paso comprende la administración de las actividades que llevarán a cabo el plan. En esta fase es esencial la calidad del liderazgo, el cual puede variar entre un estilo autocrático (autoritario y explotador) o democrático (consultivo y participativo). Liderar es el arte de lograr que los otros miembros de la organización cooperen para realizar la visión expuesta y el éxito del plan y de la compañía. Como ha afirmado Warren Bennis, es saber transformar la visión en realidad. En el último paso, el gerente necesita evaluar y modificar (si hace falta) el progreso hacia el cumplimiento del plan, para así asegurarse de que éste se cumpla dentro del plazo fijado y de la manera más óptima. Es un proceso dinámico cuyo propósito abarca el mejoramiento continuo de medios operativos y resultados: Planear → organizar (estructurar) → coordinar → implementar → dirigir → controlar (supervisar) → evaluar → modificar → mejorar → repetir el ciclo.

Las habilidades que contribuyen a la eficacia y al éxito del gerente o gestor son: técnicas, interpersonales, conceptuales, diagnósticas y analíticas. Las habilidades técnicas son aquéllas que se requieren para realizar actividades especializadas. Las interpersonales se refieren a la capacidad de comunicarse y relacionarse con otros, y de lograr la cooperación eficaz y eficiente entre individuos. Las conceptuales indican la capacidad de pensar teóricamente. Las habilidades diagnósticas permiten que el administrador determine, al igual que un médico, el carácter de una situación o condición mediante el examen de sus signos o síntomas; es decir, demostrar la capacidad de recoger y analizar datos para evaluar problemas de diversa índole. Las habilidades analíticas, en cambio, sirven para identificar los elementos claves de un problema, la relación entre los diversos elementos y la decisión de cuáles de ellos requieren mayor atención en un momento determinado para resolver la situación. La capacidad diagnóstica lleva a la comprensión, mientras que la analítica facilita una estrategia de cómo resolver un problema. Estas habilidades se consiguen y se perfeccionan por medio del adiestramiento y la experiencia.

Otras características de un buen gerente y líder incluyen la capacidad de comunicarse clara y convincentemente, tener sentido común, escuchar bien, reconocer y desarrollar talentos, ser justo y equitativo, tener paciencia cuando haga falta y mantener un alto estándar o nivel de expectativas factibles. Se valoran la confianza y la credibilidad, la imaginación y la creatividad, la consistencia de juicio y de conducta, y la aptitud para tomar las mejores decisiones (especialmente en situaciones complejas y difíciles). También se valoran el ser trabajador y servir de buen ejemplo; el ser honesto y directo, y a la vez diplomático; el poder crear un buen ambiente de trabajo (una cultura empresarial positiva y optimista) y un espíritu de equipo (sinergia), y el tener sentido del humor. Y siempre se aprecia a la persona que es auténtica, que respeta a los demás y que puede justificar bien sus decisiones y acciones. En fin, se trata de ciencia y de arte, y de pasión, curiosidad e iniciativa (el ser proactivo) para llegar a ser buen líder o administrador. La persona que tiene tal autoridad necesita saber respetar ese poder y no abusar de él, lo cual es destructivo y resulta en la pérdida de respeto y confianza de los colegas y empleados.

La clasificación de la gerencia comercial puede considerarse desde una perspectiva horizontal o vertical. En la horizontal se hallan los gerentes de alto, medio y bajo mando. Es decir, se trata de los niveles administrativos dentro de una organización o empresa. Los de alto mando son los responsables de establecer las metas y la estrategia general de la empresa, es decir, aportan la visión. Los de medio mando son, por lo general, los jefes o directores de departamentos o divisiones, y su principal responsabilidad es la de poner en marcha los planes proporcionados o aprobados por el alto mando. Los de bajo mando, los supervisores y capataces, controlan y coordinan directamente las actividades de los demás empleados y trabajadores.

Ejemplos de avisos de empleo para gerentes

Mendoza, Argentina. Gerente/Dirección Gral. Se incorpora para importante proyecto vitivinícola. Será responsable de las estrategias financieras, planificaciones y predicciones. Supervisará las inversiones y recaudaciones de fondos para el negocio. Analizará y evaluará las tendencias del mercado, oportunidades de expansión y proyecciones. Preparará reportes financieros mensuales y anuales. Será responsable del manejo de flujo de fondos. Tendrá a su cargo mejorar el manejo de las finanzas y el sistema de reporte. También implementará procesos de trabajo y aplicará estrategias para la disminución de costo. Supervisará todas las prácticas contables de la empresa, incluyendo los departamentos de contaduría, y preparará presupuestos, reportes financieros, funciones impositivas y auditorías.

Se requiere una persona muy detallista y con iniciativa. También se requiere capacidad de trabajo bajo presión, orientada al trabajo por resultados y en equipo.

Estamos orientados a un profesional, preferentemente Contador Público Nacional o afín. Será valorada la formación de postgrado. Es requisito excluyente de la posición, poseer un fluido manejo del idioma inglés y no menos de 7 años de experiencia en empresas multinacionales.

Tipo de puesto: Full-time. **Sexo:** Indistinto. **Salario:** No especificado.

México, Distrito Federal. Área: Recursos Humanos. **Tipo de puesto:** Tiempo completo. **Sexo:** Indistinto. **Vacantes:** 1. **Salario:** de 9,000 a 12,000 mensual (neto) + prestaciones de ley e incentivos y bonos.

Requisitos:

- Edad de 28 a 40 años.
- Estado civil indistinto.
- Excelente presentación.
- Estudios a nivel licenciatura (titulado).
- Dominio absoluto de PC.
- Persona de confianza y honorable.

- Facilidad de palabra.
- Disponibilidad absoluta de horario.

Habilidades:

- Experiencia mínima de 3 años a nivel gerencia o jefatura comprobable en reclutamiento, selección e inducción de personal, clima laboral, relaciones laborales.
- Acostumbrado a manejo y control de personal.
- Seguimiento a proceso de trabajos en las distintas áreas de la empresa.

Lima, Perú. Área: Gerencia/Dirección Gral. **Tipo de puesto:** Full-time. **Sexo:** Indistinto. **Vacantes:** 1. **Salario:** No especificado.

Requisitos:

- Titulado en las carreras de Administración, Contabilidad, Economía o Ingeniería Industrial.
- De preferencia con Maestría en Finanzas y/o Administración de Negocios.
- Experiencia mínima de 6 años en puestos similares o como Gerente de Administración y Finanzas en empresas de gran envergadura y/o vinculadas al sector agroindustrial (de preferencia).
- Experiencia en procesos de reordenamiento administrativo y financiero-contable.
- Experiencia liderando personal.

Competencias laborales requeridas:

- Liderazgo
- Dinamismo y energía
- Toma de decisiones
- Respeto
- Trabajo bajo presión
- Compromiso
- Iniciativa y proactividad
- Flexibilidad y agilidad
- Orden y claridad

Objetivo del puesto: Responsable y representante directo de la empresa en ausencia, o no, del Gerente General (éste se encuentra constantemente de viaje). Responsable del correcto funcionamiento de las áreas de Administración, Finanzas, Recursos Humanos, Ventas, Logística, etc. Encargado de tomar decisiones en ausencia del Gerente General o en coordinación con el mismo.

(Redacción adaptada de www.bumeran.com, febrero de 2008).

1. ¿Cuáles son las tres áreas o tipos de trabajos ofrecidos en los avisos?

2. ¿Qué quiere decir Dirección Gral.? ¿Vitivinícola? ¿Persona muy detallista? ¿Trabajo por resultados? ¿Vacantes? ¿Toma de decisiones? ¿Facilidad de palabra?

3. ¿Qué significa «indistinto» cuando se señala el sexo del postulante? ¿Qué implica esto para el género de ciertos puestos? ¿Puede hallar Ud. ejemplos de otros anuncios en español donde no es indistinto el sexo del postulante?

4. En el anuncio mexicano, ¿a qué se refieren las prestaciones de ley, los incentivos y los bonos?

5. ¿Qué requieren los tres avisos en cuanto a experiencia previa de trabajo en el campo anunciado y en cuanto a conocimientos de informática o computadoras?

6. ¿A qué se refiere el tener una «excelente presentación» de parte de los postulantes?

Busque en Internet el anuncio de algún puesto administrativo o ejecutivo en un campo que le interese. (Puede usar un «cazatalentos», «cazacerebros», «bolsa de empleo» o «banco de trabajos» como www.bumeran.com o www.monster.es.)

Como se ve en la Figura 3-1, participan en la perspectiva vertical los diferentes gerentes de marketing, finanzas, operaciones, personal, administración, investigación y desarrollo y otros gerentes especializados. Estos se caracterizan por su función dentro de la compañía, y no por su nivel administrativo o las líneas de autoridad, y aportan la información necesaria para que la empresa funcione como una unidad bien integrada a todos los niveles verticales de la gerencia. Cabe repetir que la buena comunicación y coordinación son imprescindibles.

Figura 3-1 **Perspectivas horizontales y verticales de la gerencia**

Perspectiva horizontal y líneas de autoridad

Alto mando

Medio mando

Bajo mando

Finanzas   Personal   Producción, etc.

Perspectiva vertical o función

© Heinle/Cengage Learning

En las últimas décadas, más mujeres han cursado carrera en administración de empresas y luego han logrado asumir puestos administrativos a todos los niveles. Un ejemplo de esta tendencia, el Programa de Entrenamiento en Liderazgo Empresarial, un proyecto patrocinado por la Comisión Interamericana de Mujeres (CIM, un organismo de la OEA), ha tenido «como objetivo principal entrenar a mujeres y hombres en liderazgo empresarial», puesto que «los datos estadísticos indican la necesidad de una mayor participación de la mujer en el mercado de trabajo, especialmente en el ámbito empresarial y en carreras no tradicionales». Este tipo de capacitación se ha diseñado para responder mejor a las nuevas realidades comerciales de la globalización, en la que «el estilo de liderazgo femenino y las capacidades y cualidades de la mujer adquieren un especial valor», especialmente «como actor principal en la promoción del desarrollo sostenible». Dada la creciente importancia de las micro y pequeñas empresas, «donde la presencia de la mujer se hace cada vez más sólida», y que «el número de firmas establecidas por mujeres está creciendo 2 veces más que las creadas por hombres», el Programa de Entrenamiento representa una buena inversión en el adiestramiento de las mujeres jóvenes «como futuras generadoras de empleo» (http://www.oas.org/cim/Spanish/Liderazgo.Sumario.Proy.htm, consultado 17 julio 2009).

Otra manera de representar la estructura administrativa es por medio de un organigrama. Éste variará según el sector industrial y el tamaño de la empresa. El modelo en la Figura 3-2 ofrece un ejemplo de la estructura administrativa típica de una sociedad anónima (S.A.), empezando por los accionistas (verdaderos propietarios de la compañía) hasta llegar a los supervisores y representantes del bajo mando.

Figura 3-2   **Ejemplo de un organigrama de una sociedad anónima (S.A.)**

© Heinle/Cengage Learning

Uno de los modelos tradicionales más difundidos de cómo proceder en la gerencia ha sido la Administración o Dirección por Objetivos (APO o DPO; *Management by Objectives, MBO*), también conocido como administración por resultados. Según este modelo, se busca una colaboración entre el gerente y el empleado para proponer metas individuales que se determinan de acuerdo con las metas generales de la empresa. Es decir, las metas generales se dividen en metas y responsabilidades asignadas a individuos o a grupos, de modo que coincidan los objetivos del individuo con los de la empresa. Una ventaja de este sistema es que cada empleado tiene una idea clara de qué hay que hacer y para cuándo, puesto que ha participado en la identificación de las metas. Se evalúa y recompensa al empleado a base del cumplimiento de la meta acordada. Pero también hay una desventaja. Un programa de APO puede resultar a veces en la falta de apoyo directo del alto mando, el cual ha delegado esta función a otros gerentes de medio o bajo mando. Irónicamente, esto puede producir un ambiente de trabajo en el cual la meta y su cumplimiento hagan olvidar al elemento humano, cuando el propósito original del APO era prestar más atención al empleado como individuo que contribuye directamente al éxito de la empresa o fábrica.

La gerencia en el campo internacional, en cambio, presenta factores especiales que hay que considerar. Por un lado, existe una mayor extensión geográfica de operaciones, lo cual puede dificultar la comunicación y el transporte. También hay diferentes lenguas, modos de comunicación, costumbres y leyes, las cuales crean un nuevo contexto de operaciones además de nuevas dimensiones comerciales y políticas. Es importante tener en cuenta que puede haber diferentes estilos y valores gerenciales. Por ejemplo, al hablar de modos de comunicación, ésta puede ser más directa (el estilo comunicativo de bajo contexto de EUA) versus el de más alto contexto de América Latina. El bajo contexto se refiere al hecho de que una comunicación se logra principalmente por medio de las palabras enunciadas, mientras que el alto contexto tiene que ver más con la situación de la comunicación (dónde, cuándo, con quién—e.g., el status de la persona con la cual se habla). Si no se tiene en cuenta, el contexto—bajo o alto—puede dificultar la comunicación intercultural.

Tradicionalmente, la gerencia hispana se estructura más formalmente que en los Estados Unidos. Si se considera que la gerencia varía entre lo democrático (colaborativo y participativo) y lo autocrático, la tradición hispana ha tendido más hacia un modelo autoritario, lo cual incluye la dedocracia, es decir, la práctica de nombrar personas con un «dedazo» (favorecer a parientes y a amigos), abusando de la autoridad. Claro que esto también ocurre en los Estados Unidos, especialmente en las compañías de menor tamaño. Sin embargo, en los Estados Unidos hay una larga tradición democrática nacional—de igualitarismo— reconocida por todos los empleados de cualquier empresa. Para el hispano, en cambio, existe en general una larga tradición política e histórica de jerarquías fijas dirigidas desde arriba: el modelo de autoridad del padre, del gobernador, del presidente, del rey, del caudillo, etc. Por ejemplo, es menos probable que un subordinado cuestione, critique o corrija al gerente hispano, quien a su vez espera ser premiado con la lealtad de sus subordinados. Esto, junto con un trato más formal entre los individuos, quizás explique en parte la tendencia hacia lo que se puede percibir como una estructura más formal, burocrática y autocrática en el estilo administrativo hispano.

Otras diferencias de estilo se ven en el hecho de que en EUA se valora mucho el ser una persona práctica y de acción, bien entrenada en la teoría aplicada a las soluciones, mientras que el hispano suele ser más teórico en su orientación. En el mundo hispanohablante, la cultura de delegación de responsabilidades está mucho menos extendida que en EUA. El estadounidense espera meterse en situaciones caracterizadas por una competición directa, mientras que el hispano suele preferir la armonía e intenta eludir la competencia y la fricción personal. Y el concepto de planificación en EUA suele ser a más largo plazo. Pero hay que reconocer también que, para la nueva generación de gerentes, el estilo directivo hispano está cambiando. Esto se debe a diferentes factores, entre ellos a una «mejor» formación en el campo de la administración de empresas (muchas veces obtenida en los programas de MBA de EUA, en Europa o en programas nacionales que siguen el modelo norteamericano), talleres de adiestramiento, el acceso a Internet y a otros medios de comunicación universal y el deseo de la nueva generación de ocupar puestos administrativos. Un buen gerente comprenderá que la forma de proceder en un contexto cultural particular, como el de los EE.UU., pocas veces será la más propicia para poner en práctica en otro contexto cultural. Lo que ha tenido éxito comercial en Baltimore, Atlanta o Denver no dará siempre el mismo resultado en Caracas, San José, Bogotá o Buenos Aires. Pero en cualquier contexto comercial, sea nacional o internacional, lo importante es recordar que el éxito de una empresa depende, en primera y última instancia, de la competencia y las habilidades de los que dirigen sus actividades—los líderes y los gerentes.

3-2 Actividades

1. **¿Qué sabe Ud. de negocios?** Vuelva a las «Preguntas de orientación» que se hicieron al principio del capítulo y a la que acompaña la foto, y contéstelas en oraciones completas en español.

2. **¿Qué recuerda Ud.?** Indique si las siguientes oraciones son *verdaderas* o *falsas* y explique por qué.

   a. El planeamiento y la organización son responsabilidades prescindibles para un gerente.

   b. Un plan trata del futuro que se desea y cómo mejor eludirlo.

   c. El liderazgo es en un extremo autocrático y en el otro dedocrático.

   d. Liderar es más arte que ciencia.

   e. Las habilidades que contribuyen a la eficacia y al éxito de un gerente se perfeccionan sólo con la experiencia.

   f. La capacidad analítica hace posible determinar una estrategia de «qué hacer» frente a un problema.

   g. En principio, la Administración por Objetivos (APO) no cuenta con el empleado como individuo.

3. **Exploración.** Haga los siguientes ejercicios, usando sus conocimientos y opiniones personales.

   a. ¿Cuáles son algunos ejemplos de recursos humanos, financieros, materiales e informativos?

   b. ¿Qué podría suceder a una empresa que no practique la función de controlar o evaluar? Dé un ejemplo.

   c. ¿Qué es más importante, la formación o la experiencia de un gerente? Justifique su respuesta.

   d. ¿Por qué cree Ud. que la habilidad interpersonal es clave para un gerente? Dé algunos ejemplos en que la falta de esta habilidad podría llevar a resultados negativos.

   e. ¿Cómo sería para Ud. el gerente o jefe ideal?

   f. ¿Tiene Ud. dotes de liderazgo y de mando? ¿Cuáles son? Al hacerse un autoanálisis de sus puntos fuertes y débiles (virtudes y defectos) como gerente, ¿cuáles serían algunas áreas que necesitan mejoras? ¿Cómo se podrían mejorar?

   g. ¿Cómo se relacionan los dichos al principio del capítulo con los temas tratados?

   h. Además de APO, ¿ha oído Ud. hablar de otros modelos administrativos como «*Total Quality Management (TQM;* Gestión Total de la Calidad, GTC, también conocida por Administración de Calidad Total o Administración por Calidad, cuya premisa es que el cliente es el árbitro final que determina la calidad)» o «*Management by Walking Around (MBWA)*»? Comente.

 3-3 Al teléfono

Pistas
5 y 6

1. Lea las siguientes preguntas. Después, escuche atentamente la conversación telefónica del Capítulo 3 y conteste las preguntas. Puesto que la comprensión auditiva es una destreza comunicativa sumamente importante, se recomienda escuchar la conversación varias veces.

   a. ¿Por qué llama Michael Patrón a Germán Gestor?

   b. ¿Qué le explica el Sr. Gestor al Sr. Patrón?

   c. ¿De qué se queja el Sr. Patrón?

   d. ¿Qué espera el Sr. Patrón del Sr. Gestor? ¿Éste lo puede hacer?

   e. ¿Qué les recomendaría usted a los señores Patrón y Gestor para solucionar el problema?

 2. Basando sus comentarios en la conversación telefónica del ejercicio anterior, haga la siguiente llamada telefónica a otro/a estudiante de la clase. Cada persona deberá participar activamente en la conversación. Si necesita ayuda con esta actividad, véase el Apéndice 1, «Protocolo telefónico», página 457.

   Usted es el Sr. Germán Gestor, supervisor de la maquiladora Fénix en Reynosa, México. Llame a su colega, Mariana Luz de las Estrellas, quien trabaja directamente con la mano de obra en la planta, para hablar de lo

La gerencia **67**

que el Sr. Patrón, en Houston, no comprende acerca de la importancia de la familia en México en comparación con la que se asigna a las cuotas o a la fama del nombre de la empresa.

3. Haga la siguiente llamada telefónica a otro/a estudiante de la clase. Cada persona deberá participar activamente en la conversación. Si necesita ayuda con esta actividad, véase el Apéndice 1, «Protocolo telefónico», página 457.

   Usted es el/la recepcionista del Departamento de Recursos Humanos. Llame al/a la director/a para decirle que la nueva secretaria ejecutiva bilingüe desea concertar una entrevista para aclarar sus responsabilidades. El/La director/a le dirá la fecha y la hora que le convienen.

3-4 Navegando por Internet

Para hacer este ejercicio de Internet, visite la página web del libro www.cengage .com/spanish/exito.

3-5 Ejercicios de vocabulario

Si le es necesario, consulte la «Lectura comercial» o la lista de vocabulario al final del capítulo para completar estos ejercicios.

1. **¡A ver si me acuerdo!** Pensando en la posibilidad de establecer una relación comercial, usted va a tener una conversación con una persona de negocios de un país hispano. Sin embargo, se le olvidan a usted los siguientes términos en español. Un/a compañero/a lo/la ayuda a recordarlos al pedirle a usted que se los traduzca.

   a. *managerial*
   b. *goal*
   c. *training*
   d. *leadership*
   e. *appointment*

   f. *mid-management*
   g. *foreman*
   h. *MBO*
   i. *organizational chart*
   j. *human resources*

2. **¿Qué significan?** A usted le interesa la posibilidad de aceptar un puesto administrativo que se le ha ofrecido en México. Sin embargo, no sabe explicar en español lo que significan ciertos términos que se usan frecuentemente en la administración de empresas. Ud. decide consultarlos con un/a amigo/a. Pídale a un/a compañero/a de clase que le explique en español los siguientes términos y que le dé algunos sinónimos si puede.

   a. administración
   b. organizar
   c. desempeñar
   d. gastos

   e. plan
   f. meta
   g. trámite
   h. cumplimiento

3. **Entrevista profesional.** Usted quiere aclarar algunos detalles sobre la gerencia porque ha podido conseguir una entrevista para un puesto directivo en México. Por lo tanto, usted entrevista a un experto en este campo, haciéndole las siguientes preguntas. Haga la entrevista con un/a compañero/a de clase. No olviden el protocolo ni las cortesías.

   a. ¿Cuáles son algunos de los elementos clave para que un/a director/a realice los objetivos que se propone una empresa?

   b. ¿Cómo funciona la Administración por Objetivos?

   c. ¿A qué se refieren las perspectivas horizontal y vertical en la dirección de una empresa o fábrica?

   d. ¿Cómo sería un organigrama típico de una sociedad anónima?

   e. ¿Qué diferencias puede haber entre el estilo y los valores gerenciales en EUA y México?

4. **Traducciones.** Un/a amigo/a suyo/a que desea ser ascendido a un puesto administrativo acaba de empezar a estudiar español. Él/Ella sabe poco del vocabulario que se usa a nivel de director/a. Usted lo/la ayuda al pedirle que él/ella traduzca al español las siguientes oraciones que informan sobre ciertos aspectos del tema.

   a. *Managers are responsible for guiding and overseeing the activities of a business.*

   b. *An effective manager strives to create teamwork and good working conditions.*

   c. *A manager attempts to reduce or remove obstacles to the successful performance of his or her employees.*

   d. *It is best to avoid paralysis by analysis.*

   e. *A good manager will recognize that employees and co-workers have personal feelings, attitudes, needs, and aspirations.*

   f. *Management in international business is often more complex because of the cultural and legal dimensions that must be taken into consideration.*

UNA VISTA PANORÁMICA DE MÉXICO

FUENTES: *CIA Factbook Online, City Population*, United Nations Department of Economic and Social Affairs, U.S. Census Bureau—International Data Base (IDB), World Development Indicators Database, Banco Mundial, actualizado 10 de septiembre de 2008

Nombre oficial:	Estados Unidos Mexicanos
Gentilicio:	mexicano/a
Capital y población:	México, D. F. (Distrito Federal): 19,231,829 (2005)
Sistema de gobierno:	República federal
Jefe de Estado/Jefe de Gobierno:	Presidente Felipe Calderón Hinojosa (2006)
Fiesta nacional:	16 de septiembre, Día de la Independencia (1810: de España)

México

GEOGRAFÍA Y CLIMA

Área nacional en millas² y kilómetros²	Tamaño (comparado con EUA)	División política	Otras ciudades principales	Puertos principales	Clima	Tierra cultivable
761,600 m² 1,972,500 km²	Casi tres veces el tamaño de Tejas	El Distrito Federal y 31 estados	Guadalajara, Monterrey, Puebla, León, Veracruz, Tijuana, Ciudad Juárez	Coatzacoalcos, Mazatlán, Veracruz, Tampico	Varía de tropical a desértico	12%

DEMOGRAFÍA

Año y población en millones			% urbana 2008	Distribución etaria (2008)		% de analfabetismo	Grupos étnicos
2008	2015	2025		< 15 años	65 +		
110	127	142	76%	30%	6%	9% (2004)	60% mestizo, 30% amerindio, 9% blanco europeo, 1% otro

ECONOMÍA Y COMERCIO

Moneda nacional	Tasa de inflación 2008	N° de trabajadores (en millones) y tasa de desempleo		PIB 2008 en millones $EUA	PIB per cápita	Distribución de PIB (2008) y de trabajadores por sector (2005) A I S			2008 Exportaciones en millones $EUA	2008 Importaciones en millones $EUA
El nuevo peso	6.2%	45.5 (2008)	4.1% (2008)	$1,578,000	$14,400 (2008)	4% 34% 62% 15% 26% 59%			$294,000	$305,900

*Para distribución del PIB y de los trabajadores (mano de obra): A = Agricultura, I = Industria, S = Servicios (y Gobierno).

Recursos naturales: Petróleo, plata, cobre, oro, cinc, plomo, gas natural, madera.

Industrias: Petróleo, alimentos y bebidas, tabaco, productos químicos, hierro, acero, minería, textiles y ropa, vehículos de motor, bienes durables de consumo, turismo.

COMERCIO

Productos de exportación: Petróleo crudo y productos de petróleo, café, plata, bienes manufacturados, frutas y verduras.

  Mercados: 82% EUA, 2.4% Canadá, 1.5% Alemania (2007).

Productos de importación: Máquinas para trabajo con metales, productos siderúrgicos, maquinaria agrícola, equipo electrónico, piezas para ensamble de automóviles, aviones y piezas para aviones.

  Proveedores: 49.6% EUA, 10.5% China, 5.8% Japón, 4.5% Corea del Sur (2007).

Horario general de comercio: De lunes a viernes, desde las nueve de la mañana hasta las seis de la tarde. El almuerzo se come normalmente entre el mediodía y las dos de la tarde. En los pueblos a menudo se cierran las tiendas entre las dos y las cuatro de la tarde.

TRANSPORTE Y COMUNICACIONES

Kilómetros de carreteras y % pavimentadas	Kilómetros de vías férreas	N° de aeropuertos con pista de aterrizaje pavimentada	N° de líneas telefónicas	Radios por mil personas	Televisores por mil personas	N° de usuarios de Internet en millones
356,945/50% (2006)	17,665 (2006)	231 (2007)	9,926,900	227	192	22.8

IDIOMA Y CULTURA

Idiomas	Religiones	Comidas y bebidas típicas/Modales
Español (oficial), más otras 66 lenguas indígenas como náhuatl, maya, zapoteco, tzeltal, tarahumara, etc.	76.5% católica romana, 6% protestante, ninguna 3% (2000)	Tortillas de maíz, frijoles refritos, quesadilla, tacos, tostada, chalupa, flauta, enchilada, chile relleno, tamales, enfrijolada, pozole, chile poblano, birria, mole, huachinango, cerveza, tequila, vino, café. Apoyar las manos, no los codos, encima de la mesa al comer. Los invitados no se marchan inmediatamente después de comer, sino que se quedan un rato para conversar.

Horario normal del almuerzo y de la cena: Sobre la una de la tarde para el almuerzo; entre las siete y las ocho de la noche para la cena.

Gestos: Al darse la mano en forma de saludo, usar un apretón firme. En el segundo o tercer encuentro, los hombres a menudo se saludan con un abrazo. Para llamar la atención de alguien en público, se puede hacer un sonido de «ssst, ssst». Se usa el gesto de «*thumbs up*» (dedo pulgar hacia arriba) para indicar aprobación y éxito. Los artículos, como el dinero que se paga en una tienda, se entregan directamente a una persona, no se tiran o dejan sobre el mostrador o la mesa. Los hombres evitan poner las manos en los bolsillos mientras conversan. Ponerse con los brazos en jarras se puede interpretar como un desafío directo y puede llevar a un encuentro violento. Usar el dedo índice para indicar la altura de una persona, usar la mano con la palma hacia el suelo para indicar el tamaño o la altura de un animal. Un gesto obsceno mexicano es el de formar la letra V con el dedo índice y el dedo corazón y colocarlos sobre la nariz con la palma hacia la cara.

Cortesía: El hombre espera hasta que la mujer le ofrezca la mano en forma de saludo antes de darle a ella la mano. La comida que se compra en la calle en un puesto se debe comer allí mismo junto al puesto de comida, no andando por la calle. En una segunda o tercera reunión de negocios, se pueden hacer pequeños regalos a las secretarias (el hombre le dice a la secretaria que su esposa ha seleccionado el regalito). Al regalar flores, el folklore mexicano mantiene que el color amarillo simboliza la muerte, las flores rojas hechizan a alguien y las blancas quitan un hechizo. Evitar regalarle a alguien un cuchillo, pues se puede interpretar como un corte en las relaciones con esa persona. Cuando se visita la casa de alguien para comer o cenar, se recomienda traer a los anfitriones un regalito como flores, chocolates, un buen vino o una buena marca de whisky.

LA ACTUALIDAD ECONÓMICA MEXICANA

Después de la Revolución Mexicana de 1910, la Constitución de 1917 y un período de caos que terminó en 1929, México fue gobernado casi exclusivamente por un solo partido, el Partido Revolucionario Institucional (PRI). Siguió así hasta la elección de Vicente Fox Quesada del Partido de Acción Nacional (PAN) en el año 2000. En las últimas tres décadas, el país ha desarrollado una economía de mercado libre basada en prácticas administrativas y comerciales modernas. Una de éstas ha sido la privatización de las empresas estatales, especialmente durante el gobierno del Presidente Zedillo (1994–2000). En 1982 México contaba con más de 1,000 empresas estatales y para 1998 este número había descendido a menos de 200. Esto produjo un aumento de competencia en diversos sectores como los de transporte (los aeropuertos, ferrocarriles y puertos marítimos), telecomunicaciones y servicios públicos (electricidad y gas natural). La industria petrolera, dirigida por la compañía Pemex, sigue siendo estatal. En 1994, un plan de austeridad, apoyado por préstamos de EUA, ayudó a revalorizar el peso mexicano e impidió un posible colapso económico completo. Para 1997 México logró saldar la deuda contraída con EUA en 1994, aunque persiste el problema de desigualdad en la renta personal de los mexicanos.

Por otra parte, la firma de nuevos convenios mercantiles tales como el Tratado de Libre Comercio de América del Norte (TLCAN, pronunciado «telecán»; en inglés *NAFTA, North American Free Trade Agreement*) entre México, EUA y Canadá (1994) ha ayudado a aumentar la actividad económica del país. Desde 1994, el comercio de México con EUA y Canadá se ha triplicado. El PIB aumentó el 6.9% en 2000, pero bajó 0.3% en 2001; luego se recuperó a un aumento de 1.2% en 2002, y subió a 3.2% en 2004. El crecimiento del PIB se debe a nuevos acuerdos comerciales entre México y otros países hispanos y Europa, tales como el Tratado de Libre Comercio (TLC) entre México, Venezuela y Colombia en 1994; el TLC con Costa Rica en 1995; el TLC con Bolivia en 1995; y los TLC con Guatemala, Honduras, El Salvador y la Unión Europea en 2001. En 2003 los países con los que se firmaron estos acuerdos fueron responsables del 90% de las importaciones y exportaciones mexicanas. De los $25 mil millones (EUA) de inversión directa en México en 2001, el 50% vino de la compra del banco Banamex por Citicorp. A partir de 2000, las inversiones extranjeras directas en América Latina y el Caribe bajaron continuamente en 28 de las 40 economías de la región.

Otro factor clave en el desarrollo de la economía mexicana ha sido la industria maquiladora, iniciada en 1965 en el norte del país (Programa de Industrialización de la Frontera Norte), cuyo concepto se refiere a las «operaciones de manufactura para la elaboración o transformación de mercancías destinadas a la exportación» (www.economía.gob.mx, marzo 2004). El término «maquila» viene de España, donde los propietarios de los molinos cobraban por procesar (transformar) el trigo de los agricultores locales. Los procesos secundarios, industriales o de servicio, se llaman «submaquila». Los primeros dos parques industriales de maquiladoras, en Ciudad Juárez, Chihuahua, en 1966 y en Nogales, Sonora, en 1968, se dedicaron a

© M.S. Doyle

"Comprar los buenos productos mexicanos no cuesta trabajo."

"No comprarlos, puede costarnos el trabajo."

CNP Consejo Nacional de la Publicidad

"Ojo, es por nosotros."

VER. TEL. 214474

¿Se acuerda Ud. de algo parecido en EUA, «Buy American»?
¿Qué opina Ud. de esta actitud en el comercio?

la manufactura de televisores y de plásticos, respectivamente. Según la Secretaría de Economía de México, para 2003 esta industria de exportación ya se había convertido en «el factor más dinámico dentro de la industria nacional durante los últimos años», recibiendo «del Gobierno Federal una atención permanente a fin de favorecer el desarrollo de sus actividades». El apoyo gubernamental ha incluido «el otorgamiento de estímulos para la importación temporal sin pago de impuestos de importación, del impuesto al valor agregado (y) de cuotas compensatorias, de las materias primas y maquinaria y equipo para la realización de sus operaciones». Además, «no existen restricciones sectoriales para su funcionamiento, se inscriben en un campo abierto 100% al capital extranjero» y se permite «su instalación y operación en cualquier lugar de la República Mexicana». La maquila, entonces, es típicamente una fábrica de ensamble o ensamblaje generalmente establecida en México por otros países, especialmente EUA, para aprovechar tanto la mano de obra barata y de la buena calidad como las exenciones o los incentivos productivos y fiscales (impositivos). Participan en esta industria algunas de las compañías más grandes del mundo, entre ellas Siemens, Toyota, General Electric, Samsung, Sony, Mattel, ITT, Hitachi, Bose, Motorola, Eastman Kodak, Fender Guitars e IBM.

Originalmente la mayoría de las maquiladoras norteamericanas se instalaron a lo largo de la frontera mexicana, puesto que la proximidad geográfica ofrecía claras ventajas logísticas de transporte. En 1993, un año antes de la ratificación del TLCAN, ya había unas 2,060 maquiladoras en México. Para 2003 ese número había llegado a 2,893 establecimientos en activo en diferentes regiones del país; en 1995 el censo señaló 648,263 trabajadores en las maquilas, un número que había subido a 1,063,123 en el año 2003. Con el tiempo y la inversión de fondos y recursos, se ha ido transformando esta industria pionera en México que más y más se ve como una industria internacional de alta tecnología que requiere a su vez expertos en ingeniería y diseño. No obstante, la industria maquiladora ha empezado a enfrentar una nueva competencia exterior representada mayormente por China y otros países orientales, lo cual ha perjudicado el mercado laboral mexicano.

Por otra parte, la industria maquiladora siempre ha tenido sus críticos. En EUA, algunos sectores manufactureros—los textiles, los de muebles, la industria electrónica, etc.—se han visto afectados de modo negativo por la fuga de trabajos a

México. Los sindicatos norteamericanos se han quejado de esta pérdida o exportación de trabajos, y han logrado que esto sea un importante tema de política nacional. Por otra parte, en México ha habido quejas de que el empleo brindado por las maquiladoras lo ocupan mayormente las mujeres y que ha faltado suficiente transferencia de tecnología y preparación administrativa de nuevos directores mexicanos y que el salario medio del trabajo ha subido muy poco. En ambos países se ha tratado el tema de la contaminación del medio ambiente por ciertas maquiladoras y los bajos salarios que se pagan. La explotación despiadada e inaceptable de la mujer se ha visto con el femicidio (o feminicidio) documentado en zonas maquiladoras como Ciudad Juárez, azotada por un clima de violencia e impunidad, donde «las muertas de Juárez», mayormente jóvenes torturadas y luego asesinadas, ascienden a más de 500 desde 1993, con muchas más desaparecidas. En 2008, Ciudad Juárez «se colocó entre las ciudades con mayor número de asesinatos en el mundo» (http://www .chron.com/disp/story.mpl/sp/lavoz/6260878.html).

Figura 3-3 **Distribución geográfica de las maquiladoras en México en 2003**
(Gráfico de M.S. Doyle)

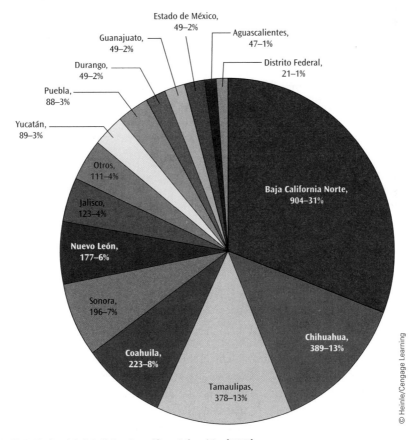

FUENTE: Datos del Instituto Nacional de Estadística Geográfica e Informática [INEGI]

Figura 3-4 ▸ **Empleados y trabajadores en las maquiladoras mexicanas** *(Gráfico de M. S. Doyle)*

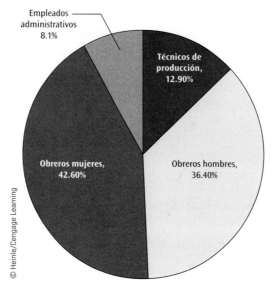

FUENTE: Datos de Secretaria de Economía de México, diciembre 2003

....

Figura 3-5 ▸ **Industria maquiladora de exportación: Indicadores anuales, total nacional y personal ocupado remunerado**

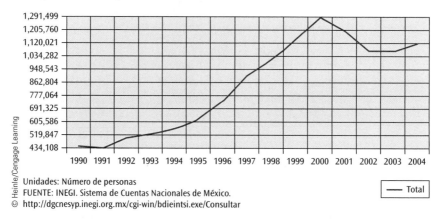

Unidades: Número de personas
FUENTE: INEGI. Sistema de Cuentas Nacionales de México.
© http://dgcnesyp.inegi.org.mx/cgi-win/bdieintsi.exe/Consultar

México sigue adelante con sus planes y esfuerzos por modernizar su economía y elevar el nivel de vida de sus ciudadanos. Los resultados de las recientes campañas electorales legislativas, sin embargo, han dificultado esta meta (hay más partidos de fracción y por tanto, más debate). Las manifestaciones y protestas de los indígenas de Chiapas, las pérdidas de trabajos, la emigración de un alto porcentaje de la fuerza laboral hacia EUA y el narcotráfico también han obstaculizado un mayor

Figura 3-6 Industria maquiladora de exportación: Indicadores anuales, total nacional y remuneración media anual

Unidades: Pesos por persona
FUENTE: INEGI. Sistema de Cuentas Nacionales de México.
http://dgcnesyp.inegi.org.mx/cgi-win/bdieintsi.exe/Consultar

—— Obreros

© Heinle/Cengage Learning

progreso económico. En febrero de 2009, Janet Napolitano, la secretaria de seguridad interna de EUA, advirtió que «México tiene problemas de violencia sin precedentes» relacionados con el tráfico de drogas violento y con los cárteles mexicanos (http://www.el-universal.com.mx/notas/579743.html). Se calcula que, entre enero de 2007 y enero de 2008, «la guerra contra la droga» en el país había resultado en unos 7,337 muertos y que el presidente Calderón había tenido que desplegar unas 45,000 tropas militares y 5,000 policías federales para bregar con la situación en 18 de los 31 estados mexicanos (http://projects.latimes.com/mexico-drug-war/#/its-a-war). A mediados de febrero de 2009, EUA y Canadá, socios del TLCAN, y Francia, Alemania e Italia advirtieron a sus ciudadanos contra las visitas turísticas a México a causa de la amenaza representada por la violencia y el narcotráfico. Tales advertencias perjudican de manera grave los ingresos aportados por el turismo, uno de los principales sectores económicos del país. En ese mismo mes, EUA expresó su preocupación de que México corría «el peligro de convertirse en un estado fallido debido a la creciente ola de violencia relacionada con el narcotráfico». El presidente Calderón contestó en una entrevista que la declaración del gobierno estadounidense era «absolutamente falsa», añadiendo que «No he perdido ninguna parte, ni una sola parte, del territorio mexicano» (http://news.bbc.co.uk/hi/spanish/latin_america/newsid_7914000/7914030.stm). Por otra parte, el gobierno mexicano ha acertado cuando dice que la demanda de la droga en EUA, y el dinero (pagado por la droga) y las armas que cruzan la frontera de EUA a México, son factores que contribuyen a la situación. Es decir, que es un problema binacional, cuya solución se halla a lo largo de la frontera, tanto en EUA como en México.

Dificultando aún más la situación en el país, en abril de 2009 se originó en México un brote fatal de Gripe A (H1N1), conocida popularmente como gripe o influenza porcina. El brote se convirtió rápidamente en una epidemia, provocando muertes en México, EUA y otros países. El 24 de abril de 2009, los gobiernos de la Ciudad de México y del Estado de México suspendieron temporalmente sus operaciones para reducir la posibilidad de contagio de este virus mutante, clasificado de nivel de alerta 5 por la Organización Mundial de la Salud (OMS). Inmediatamente y a nivel mundial, los investigadores médicos empezaron a buscar una vacuna para la prevención de una pandemia de neogripe.

3-6 Actividades

¿Qué sabe Ud. de México?

1. A usted lo/la han contratado/a como asesor/a transcultural de negocios internacionales. Como tal, necesita informar a sus clientes sobre México y recomendar un plan de viaje de negocios al país.

   a. Describa usted la geografía de México, refiriéndose a temas tales como los siguientes: ubicación y tamaño del país, capital y otras ciudades y puertos importantes, división administrativa y clima. Compare el tamaño de México con el de EUA. Compárelo con el tamaño del estado donde Ud. vive.

   b. ¿Cuáles son las principales características demográficas y políticas de México? ¿Quién es el presidente actual?

   c. ¿En qué otras fechas hay fiestas públicas que también podrían afectar el éxito de un viaje de negocios? (Véase la Tabla 10-1, páginas 306–308.)

   d. Describa la economía mexicana. Incluya datos sobre la moneda nacional, la tasa de inflación, el PIB y el PIB per cápita, el número de trabajadores (la mano de obra), la tasa de desempleo, los recursos naturales, las industrias nacionales, los productos que se exportan e importan, los países destino (mercados) y proveedores (fuentes) de estas transacciones internacionales, y la balanza de comercio. ¿A cuánto se cotiza el peso respecto del dólar EUA?

   e. ¿Cuál sería un producto o servicio que usted recomendaría vender en México? ¿Por qué?

   f. Describa la infraestructura de transportes y de comunicaciones en México. ¿De qué ventajas económicas ha gozado México debido a su geografía (proximidad a mercados como EUA, etc.)?

   g. ¿Cómo han cambiado algunos de los datos presentados en las secciones de «Vista panorámica» y «La actualidad económica» de este texto? Póngalos al día.

   h. ¿Qué es una maquiladora? Describa el desarrollo de las maquiladoras y su impacto económico en México. ¿Qué han debatido sus críticos? ¿Cuántas personas trabajaban en la industria maquiladora de exportación en 1991, 2000 y 2004? ¿Cuánto cambió el porcentaje de personal ocupado remunerado entre 1991 y 2000? ¿Cómo cambió la remuneración media anual entre 1990 y 2004?

   i. ¿Qué gran problema ha tenido Ciudad Juárez?

   j. Describa el problema que ha tenido México en su lucha contra el narcotráfico. ¿Cómo fue la situación entre 2007 y 2009? ¿Qué quiere decir «estado fallido» y por qué anunció EUA su preocupación por México en este sentido? Describa la situación actual (busque datos en Internet). ¿Ha mejorado o empeorado?

   k. ¿Qué efectos tiene el narcotráfico en las economías tanto locales como nacionales e internacionales? ¿Cómo se relacionan la política y el comercio en una zona fronteriza, un concepto geográfico, como la de EUA y México?

   l. ¿Qué es la Gripe A (H1N1) y dónde y cuándo brotó? ¿Qué tipo de problema representó para México y para el resto del mundo? ¿Se convirtió en una pandemia de neogripe?

   m. Basándose en «La actualidad económica mexicana», ¿qué realidades, oportunidades y problemas destacaría y qué recomendaciones le daría al/a la cliente/a? ¿Qué opina usted sobre la migración de trabajadores mexicanos a EUA?

2. Usando Internet u otras fuentes informativas, prepare un plan (con presupuesto e itinerario) para sus clientes, quienes harán un viaje de negocios al D.F. y a Veracruz:

   a. Fechas de ida y vuelta (el viaje durará cinco días).

   b. Vuelos: Aeropuertos de despegue y aterrizaje, líneas aéreas, horario; costos.

   c. Transporte interno que se piensa usar en México: taxi, autobús, carro de alquiler, metro, tren, otro; costos.

   d. Alojamiento y viáticos; costos.

   e. La comida típica que van a pedir para la cena la primera noche.

   f. Las formas de cortesía y los gestos que deben recordar, usar o evitar.

LECTURA CULTURAL

El estilo directivo hispano: honor, éxito, comunicación y trato social

La gran variedad social y cultural imposibilita hablar con precisión definitiva de todas las diferencias y semejanzas entre el mundo hispano y EUA en el campo de la gerencia comercial. No obstante, según los investigadores (Ávila, Becker, Carson, Condon, Ferraro, Heusinkveld, Jessup, Kras, Naughton, Uber Grosse) se pueden señalar algunas características que, según la preponderancia de la evidencia, revelan un contraste cultural en el estilo gerencial y la práctica administrativa.

En ambas culturas, la hispana y la estadounidense, es importante el individuo como tal. Para el hispano, el honor y el orgullo son muy valorados como atributos personales. Se prefiere el trato directo y personal. Para el gerente hispano, es muy importante conocer a la persona con la cual se está haciendo el negocio, mientras que para el estadounidense pueden prevalecer los objetivos y los intereses puramente comerciales. Es decir, para el hispano es mucho más importante la persona que el trabajo, el problema o la tarea, mientras que en EUA se le puede considerar a la persona principalmente como instrumento para resolver el problema o realizar la tarea. Asimismo, es descortés cortar una conversación o una reunión para acudir a tiempo a otra reunión con otra persona, lo cual se podría interpretar como un mensaje de que «El otro es más importante que usted». El respeto y la cortesía son consideraciones fundamentales.

También le puede parecer al hispano que el estadounidense mide demasiado el éxito personal y profesional en términos de ser siempre el «número uno», mientras que para el hispano la medida del éxito es más amplia y su valor no consiste en ser el primero en todo lo que se hace, sino en formar parte del grupo, crear un ambiente armónico y quedar bien con los demás. El estilo estadounidense suele ser muy competitivo y muchas veces agresivo: la meta es ganar y la mentalidad es frecuentemente la de «el ganador se lo lleva todo». En contraste, en las negociaciones, el gerente hispano busca una solución en la cual ambas partes se benefician (nosotros «ganamos» y ustedes también) y desea evitar que el otro se aproveche de él. Es muy importante guardar las apariencias y no quedar mal ante otras personas. En este mismo contexto, la mejor regla de conducta es elogiar públicamente y criticar a puerta cerrada, pues la crítica delante de los compañeros de trabajo, la cual se tomará como una censura personal y una ofensa, perjudicará el trato comercial y profesional.

El estilo comunicativo del hispano suele ser menos directo que en los Estados Unidos. Se valora más el tacto, la diplomacia y la discreción, por lo cual «decir la verdad» es un concepto más relativo que en EUA, donde «la verdad» se considera como un valor absoluto, trátese de una buena o mala noticia. En EUA se espera una respuesta directa de «Sí» o «No» a una pregunta, mientras que en la cultura hispana una respuesta de «Sí» no significa necesariamente «Sí, de acuerdo», sino que puede ser sencillamente un modo diplomático de responder con lo que uno piensa que el otro desea o necesita oír en esas circunstancias. Es aconsejable recordar que el estilo comunicativo mexicano suele ser de más alto contexto que el estadounidense (véase alto y bajo contexto, pág. 65). Vale la pena tener esto en cuenta durante las propuestas, las solicitudes de información, las evaluaciones, las negociaciones y otras situaciones comunicativas.

Hay normas de conducta social y profesional para el hispanohablante. El hispano puede ser algo más formal en sus relaciones profesionales hasta que se haya establecido un trato más familiar. Este nivel de confianza muchas veces requiere tiempo. La formalidad se refleja en la lengua con el uso inicial de la forma «usted», especialmente en un primer encuentro entre personas de diferentes edades y responsabilidades (puestos, títulos, etc.) o de diferentes clases sociales. El uso de la forma «usted» indica cierto distanciamiento que refleja el respeto hacia el otro. No es tan rápido ni culturalmente aceptable el llegar a la familiaridad de tutearse o vosear, como lo es en Estados Unidos, donde «*Mr.*» o «*Miss*» se convierten más fácilmente en «Tom», «Billy», «Mary» o «Susie». En el mundo hispano es más importante usar los títulos formales al dirigirse a alguien por primera vez: licenciado (Lic. o Ldo.) Gómez, doctor o doctora (Dr. o Dra.) Martínez o ingeniero (Ing.) Varela. El tuteo o voseo prematuro puede perjudicar el trato comercial porque se puede interpretar como falta de respeto, arrogancia o simplemente como falta de educación o de buenos modales.

1. **¿Qué sabe Ud. de la cultura?** Demuéstrelo contestando las preguntas a continuación.

   a. ¿Cómo describiría Ud. el estilo gerencial norteamericano? ¿Variará este estilo en diferentes partes del país o es igual en California, la Ciudad de Nueva York y una ciudad pequeña en el sur del país? ¿Cómo? Explique.

   b. ¿Piensa que el conocer a la persona con la cual se está haciendo el negocio es importante? ¿O es una consideración secundaria en las relaciones comerciales? Justifique su opinión.

   c. ¿Qué opina de la tendencia estadounidense de medir el éxito en términos de ser el «número uno»? ¿Cómo mide Ud. su propio éxito? En el futuro, ¿cómo medirá Ud. su éxito profesional? ¿Qué haría Ud. si su propia medida no coincidiera con la de su jefe?

   d. ¿Cuáles son algunas ventajas y desventajas de los diferentes estilos de comunicación, el directo y el indirecto? ¿Cuál prefiere Ud. y por qué?

   e. ¿Qué opina del trato formal y el familiar en el mundo de los negocios? ¿Cuál de los dos es mejor para los negocios y por qué?

   f. ¿Es Ud. partidario de la gerencia democrática o de la autocrática? Explique.

2. **Asimilador cultural.** Lea lo siguiente y conteste las preguntas a continuación. J. T. Daniels, un estadounidense de 29 años de edad, está en Guadalajara, México, para concluir los trámites de un contrato con la compañía Álvarez-Gómez, S.A. Tiene consigo todos los papeles que hay que repasar y firmar con el ingeniero (Ing.) Francisco Álvarez Delgado, vicepresidente de la compañía. J. T. habla español bastante bien, debido a sus tres años de estudios universitarios. Es el primer encuentro entre los dos. Cuando J. T. entra en la oficina del vicepresidente, un señor distinguido de unos 50 años, lo saluda con una amplia y amistosa sonrisa, diciéndole:

   —Hola, Paco, J. T. Daniels. Aquí tengo todos los papeles que tienes que firmar.

   Al decir esto, saca de su maletín una carpeta y la echa sobre el escritorio del Ing. Álvarez. En ese mismo momento observa en el rostro del Ing. Álvarez una rápida mirada de sorpresa y de molestia. El Ing. Álvarez le ofrece a J. T. un asiento y le dice:

   —Sí, Sr. Daniels, gracias por su visita de hoy. Siéntese, por favor...

   a. ¿Por qué cree Ud. que se muestra sorprendido y enojado por un momento el Ing. Álvarez cuando lo saluda J. T. Daniels?

   b. ¿Qué cree Ud. que estará pensando el Ing. Álvarez cuando le ofrece un asiento a J. T.?

   c. ¿Cuáles cree Ud. que serán las próximas palabras que dirá el Ing. Álvarez?

   d. ¿Cómo hubiera iniciado Ud. este primer encuentro con el Ing. Álvarez? ¿Qué recomendaciones le habría dado Ud. a J. T. para que hubiera iniciado su trato con el Ing. Álvarez con más sensibilidad cultural?

3-8 Actividades comunicativas

1. **Situaciones para dramatizar.** Lea las siguientes situaciones y después haga el papel en español con otro/s estudiante/s, usando una de las posibilidades siguientes como punto de partida. Cada persona deberá participar activamente en la dramatización. No olviden el protocolo ni las cortesías.

   a. *As a manager, you need to call a meeting to resolve a personnel problem in your division. Tell your secretary to send a memo with the following:*
   - *Date, time, and place of the meeting.*
   - *Who is to attend: Mr. Ricardo Ausejo and Ms. Theresa Nash.*
   - *The reason for the meeting: to clarify which of these two is in charge of the project they have been assigned.*

   b. *You are now meeting with Ricardo Ausejo and Theresa Nash, two of your key employees, who are having difficulties working together. Ricardo Ausejo is the older of the two, a member of Mexico's upper middle class, with definite ideas of how things should be done. He resents his younger American colleague's new authority. Theresa Nash, on the other hand, thinks that Ausejo is trying to dominate her and limit her possibilities for promotion. The morale of the other workers is being adversely affected by the antagonistic relationship between the two. They are all wondering who is in charge.*
   - *Acknowledge the many years of valuable service provided by the older employee.*
   - *Comment on the new, needed skills that the younger employee brings to the division.*
   - *Resolve the issue of who is in charge of the project that has been brought to a standstill by their differences. Provide them with a rationale for your decision.*

   Después de dramatizar las situaciones, comente con sus compañeros de clase la cuestión de autoridad, considerada desde el punto de vista hispano y estadounidense, y desde la perspectiva del hombre y la mujer.

2. **Comprensión y comunicación.** Para este ejercicio basado en el vídeo de *Éxito comercial*, pase al encarte central del texto, VídeoTexto página 4.

3. **Actividad gerencial.** Una de las partes más difíciles de cualquier puesto administrativo es la responsabilidad que tiene el/la gerente de hacerle una evaluación negativa a un/a empleado/a cuando éste/a no haya cumplido con un trabajo o lo haya hecho mal. Otra responsabilidad gerencial muy difícil es tener que despedir a un/a empleado/a. Haga por lo menos una de las siguientes actividades administrativas. Para prepararse, se recomienda hacerle una entrevista a algún/una gerente o especialista en recursos humanos sobre el mejor modo de proceder.

   a. En una reunión con un/a empleado/a (compañero/a de clase), hágale una evaluación negativa por un trabajo muy mal hecho ayer. Se trataba de un proyecto muy importante para uno de los principales clientes de la empresa.

Infórmele al/a la empleado/a que necesitará mejorar su trabajo si desea continuar con esta compañía. Diseñe con él/ella un plan de mejoramiento.

b. Despida a un/a empleado/a (compañero/a de clase). (Primero haga una lista de las razones por las cuales siente usted la necesidad de despedir a esta persona.)

Luego, comenten con sus otros/as compañeros/as de clase las situaciones anteriores y cómo han procedido. ¿Le hicieron una entrevista a algún/una gerente o perito para buscar recomendaciones sobre cómo proceder? Si así es, comparta esta información con la clase. ¿Ha sido difícil hacer una evaluación negativa o despedir a un/a empleado/a? Explique.

4. **Minicaso práctico.** Lea el caso y haga los ejercicios a continuación.

La Compañía Fumacartones, Inc., produce unos cigarrillos de la mejor calidad en su fábrica de Tampa. El Sr. Julio Sánchez Gutiérrez, natural de Cuba, de 78 años, organizó la compañía como una gran familia bajo su dirección paternal. Desde los primeros años de su fundación, la empresa ha mantenido su desarrollo y ha podido aumentar el número de empleados de 45 en 1947 a 78 en el año actual. Entre los 78 empleados hay 16 gerentes (muchos de ellos son parientes), secretarias y otros funcionarios de oficina.

Debido a los cambios recientes en las actitudes sociales y a las leyes contra el uso de cigarrillos en muchos lugares públicos, en los aviones y en los restaurantes en los Estados Unidos, la venta de los productos de Fumacartones ha sufrido una baja en los últimos meses. Los sueldos y salarios constituyen el 75% de los costos anuales de Fumacartones. Un asesor independiente estadounidense le ha recomendado a Sánchez que la manera más fácil de reducir las pérdidas sería una reducción de personal a todos los niveles, especialmente entre los gerentes y las secretarias. Hacer esto, sin embargo, cambiaría el concepto familiar y paternal que siempre ha existido en la empresa. El viejo presidente está considerando las siguientes soluciones.

- Podría cerrar la fábrica para reestructurar la organización. El vicepresidente, su sobrino Manuel Suriega, podría asumir el puesto de presidente. Sánchez Gutiérrez se «ascendería» a un nuevo puesto puramente honorífico de presidente de la junta directiva, lo cual le pagaría menos, pero aumentaría su control. La reestructuración de gerentes y empleados sería un proceso complicado que podría presentar problemas legales de despido.
- Podría eliminar algunos beneficios de los empleados: las vacaciones retribuidas de los gerentes, el pago por las horas adicionales de los trabajadores y las dos semanas de vacaciones navideñas (del 24 de diciembre hasta después del Día de Reyes[1]) que reciben todos los empleados. También se podría eliminar el aguinaldo.[2]

---

[1] Día de Reyes, el 6 de enero, la Epifanía. Como la Navidad, en algunos países hispanos es una ocasión para intercambiar regalos con los familiares.

[2] El aguinaldo es un regalo que se da en Navidad o en la fiesta de la Epifanía. En el mundo comercial representa un regalo de la empresa en forma de un pago extra para los empleados durante la Navidad. Es conocido en diversos países hispánicos también como «décimotercero», «bono», «extraordinaria», «prima» o «gratificación navideña».

- Podría aplazar el lanzamiento de una nueva campaña publicitaria para exportar más cigarrillos a nuevos mercados en Centroamérica, el Caribe y España. Perder estos mercados, sin embargo, representaría otra considerable pérdida de ingresos.
- Podría cancelar la compra de unas computadoras que se han pedido para las oficinas, y el adiestramiento planeado para su utilización. Hace 40 años que las secretarias usan el mismo sistema de archivo, lo cual ha causado muchas demoras y problemas con las ventas y los pagos en el pasado. Esta cancelación resultaría en la probable pérdida de clientes.
- Podría cerrar la fábrica y crear otra empresa para vender otro tipo de producto, puesto que el tabaco, aunque muy lucrativo, representa un mercado en declive a largo plazo. Esto sería también un golpe emocional, ya que el tabaco representa lazos afectivos con su herencia cubana.

a. ¿Qué tipo de problema tiene el Sr. Sánchez Gutiérrez?
b. ¿Cómo refleja la empresa la tradición cultural del Sr. Sánchez?
c. Describa los procesos mentales que ha utilizado Sánchez al considerar diferentes soluciones.
d. ¿Cuáles serían los resultados de cada posible decisión?
e. ¿Cuál sería la decisión de Ud. si fuera el presidente de Fumacartones? ¿Por qué?
f. Haga el papel de Sánchez Gutiérrez y comente sus opciones con otros estudiantes que representarán cada grupo a continuación.
   - Los otros gerentes
   - Los obreros con muchas horas adicionales
   - Los vendedores que reciben sus comisiones por el volumen de ventas
   - Las secretarias y los funcionarios de oficina

3-9 Análisis y comparación

Estudie la Tabla 3-1 y haga los ejercicios a continuación. Use también sus propios conocimientos y, cuando haga falta, otras fuentes informativas como Internet, el diccionario, un *Almanaque mundial*, etc. Los ejercicios se pueden hacer individualmente, en parejas o en pequeños grupos para discutir en clase.

1. ¿Qué diferencias hay entre el Jefe de Estado y el Jefe de Gobierno de un país? ¿Qué es el «presidente» de un país? En su opinión, ¿cuáles son algunas de las cualidades que debería tener un presidente? ¿Cómo son diferentes las responsabilidades de un presidente, un primer ministro, un rey y un gobernador?

2. ¿Cuáles son algunos de los efectos que puede tener el/la líder de un país sobre la economía y el comercio nacionales?

3. ¿Por qué tiene Puerto Rico un gobernador en lugar de un presidente?

4. ¿Qué posibilidades tiene la mujer hoy en día para ser elegida o nombrada presidenta de un país hispano o de EUA? Comente.

Tabla 3-1   Los países hispanoparlantes, Brasil y Estados Unidos: Jefe de estado, o de gobierno, membresía en organizaciones regionales y mundiales

País	Jefe de estado y de gobierno	El país es miembro de
Argentina	Presidenta Cristina Fernández de Kirchner (2007)	OMC, ONU, OEA, ALADI, MERCOSUR, SELA, FAO
Bolivia	Presidente Juan Evo Morales Ayma (2006)	OMC, ONU, OEA, ALADI, Pacto Andino, MERCOSUR (asociado), Unasur, Pacto del Amazonas, SELA
Brasil	Presidente Luiz Inácio "Lula" da Silva (2003, 2006)	OMC, ONU, OEA, ALADI, MERCOSUR, Unasur, SELA, G-8 (observador)
Chile	Presidente Miguel Juan Sebastián Piñera Ecenique (2010)	OMC, ONU, OEA, MERCOSUR, APEC, Unasur, ALADI, SELA
Colombia	Presidente Álvaro Uribe Vélez (2006)	OMC, ONU, OEA, ALADI, Pacto Andino, MERCOSUR (asociado), CAN, Unasur, SELA
Costa Rica	Presidente Óscar Arias Sánchez (2006)	OMC, ONU, OEA, ALADI (observador), MCCA, SELA, G-77
Cuba	Presidente Raúl Castro Ruz (2008)	OMC, ONU, OEA (suspendido), ALADI, SELA, ALBA, G-20, NOAL
Ecuador	Presidente Rafael Correa (2006)	OMC, ONU, OEA, ALADI, Pacto Andino, SELA, CAN, MERCOSUR (asociado), Unasur
El Salvador	Presidente Mauricio Funes (2009)	OMC, ONU, OEA, MCCA, SICA
España	De Estado: Rey Juan Carlos I de Borbón De Gobierno: José Luis Rodríguez Zapatero (2008)	OMC, ONU, OTAN, UE, Consejo de Europa, UOA, OSCE, OCDE
Guatemala	Presidente: Álvaro Colom Caballeros (2007)	OMC, ONU, OEA, MCCA, SELA
Guinea Ecuatorial	De Estado: Teodoro Obiang Nguema Mbasogo (1983) Primer Ministro: Ignacio Milan Tang (2008)	OMC, ONU, OUA, ACP, BAD, CEMAC, ASECNA
Honduras	Presidente José Porfirio Lobo Sosa (2009)	OMC, ONU, CAFTA, FAO, BCIE, OEA, ALADI, MCCA, SELA
México	Presidente Felipe de Jesús Calderón (2006)	OMC, ONU, OEA, OCDE, ALADI, TLCAN (TLC), SELA, G-8 (observador), OCED, APEC, G-3
Nicaragua	Presidente Daniel Ortega Saavedra (2007)	OMC, ONU, OEA, MCCA, SELA, G-77, IFC, IAEA, Unión Latina
Panamá	Presidente Ricardo Alberto Martinelli Berrocal (2009)	OMC, ONU, OEA, ALADI (observador), MCCA (observador), SELA, G-77, CAN, FMI
Paraguay	Presidente Fernando Lugo Méndez (2008)	OMC, ONU, OEA, ALADI, MERCOSUR, SELA
Perú	Presidente Alan García Pérez (2006)	OMC, ONU, APEC, CAN, FMI, OEA, ALADI, Pacto Andino, SELA, Unión Latina

(continúa)

Tabla 3-1　　(continuación)

País	Jefe de estado y de gobierno	El país es miembro de
Puerto Rico	Jefe del Estado Barack Obama (2008) Gobernador Luis Fortuño (2009)	
República Dominicana	Presidente Leonel Fernández Reyna (2008)	OMC, ONU, OEA, OECO, FMI, ALADI (observador), SELA, Caricom, LAIA
Uruguay	Presidente José Alberto Mujica Cordano (2010)	OMC, ONU, OEA, ALADI, MERCOSUR, SELA, Unión Latina, G-77
Venezuela	Presidente Hugo Rafael Chávez Frías (2006)	OMC, ONU, OEA, OPEP, ALADI, Pacto Andino, SELA, CSN, AEC, ALBA, MERCOSUR
Estados Unidos	Presidente Barack Obama (2008)	OMC, ONU, OTAN, OEA, CSCE, G8, OCED, OSCE, APEC, G-8

FUENTES: *CIA World Factbook 2008, The World Almanac and Book of Facts 2009 y Almanaque mundial 2009*
SIGLAS: ALADI (Asociación Latinoamericana de Integración); ALBA (Alternativa Bolivariana para las Américas); APEC (Cooperación Económica de Asia Pacífico); ASECNA (Agence pour la sécurité de la navigation aérienne en Afrique et à Madagascar); BAD (Banco Africano de Desarrollo); BCIE (Banco Ceontroamericano de Integración Económica); CAFTA (Central American Free Trade Agreement); CAN (Comunidad Andina); CARICOM (Comunidad del Caribe, 15 países); CEMAC (Comunidad Económica y Monetaria de África Central); CSCE (Conferencia sobre Seguridad y Cooperación en Europa); CSN (Consejo de Seguridad Nuclear); FMI (Fondo Monetario Internacional); G-3 (Grupo de los Tres: Canadá, EUA y México); G-8 (Grupo de Ocho: Alemania, Canadá, EE.UU., Francia, Italia, Japón, Reino Unido, Rusia); G-77 (Grupo de los 77); MCCA (Mercado Común Centroamericano: 5 países); MERCOSUR (Argentina, Brasil, Paraguay y Uruguay); NOAL (Movimiento de Países No Alineados); OCDE (Organización para la Cooperación y el Desarrollo Económico, 30 países); OEA (Organización de Estados Americanos, 34 países); OMC (Organización Mundial del Comercio); ONU (Organización de las Naciones Unidas, 185 países); OPEP (Organización de Países Exportadores de Petróleo, 11 países); OTAN (Organización del Tratado del Atlántico del Norte; OUA (Organización de la Unidad Africana, 51 países); SELA (Sistema Económico Latinoamericano, 27 países); SICA (Sistema de la Integración Centroamericana); TLCAN (Tratado de Libre Comercio de América del Norte (NAFTA: North American Free Trade Agreement); UE (Unión Europea, (15 países); Unasur (Unión de Naciones Suramericanas, conocida como "la OTAN suramericana").

5. ¿Qué quieren decir las siglas ONU, OEA, OTAN y G-8? ¿Qué hacen estas organizaciones?

6. ¿Qué quieren decir las siglas CARICOM, MCCA, TLCAN y UE? ¿Por qué existen? ¿Qué son el Pacto Andino y MERCOSUR?

7. ¿Qué significa OPEP? ¿Cuál de los países hispanos es miembro de la OPEP?

8. ¿Piensa usted que es importante que un país sea miembro de asociaciones y organizaciones internacionales? Explique.

9. Puesto que los líderes de un país cambian con el tiempo, ponga al día la categoría de Jefe de Estado/Jefe de Gobierno donde haga falta. Esto se puede hacer individualmente o en pequeños grupos de tres o cuatro para distribuir el trabajo (cinco o seis países por persona).

GeoReconocimiento

Mire los mapas del Capítulo 3 en la página web del libro (**www.cengage.com/spanish/ exito**) y haga los ejercicios.

Posibilidades profesionales

Con respecto a la gerencia internacional, hay muchos trabajos y a todos los niveles de mando—alto, medio, bajo—y en todos los campos comerciales e industriales— contabilidad, finanzas, producción, marketing, etc. Para más información al respecto y para una actividad que le ayude a saber más sobre el tema, véase Capítulo 3 de «Posibilidades profesionales» que se encuentra en www.cengage.com/spanish/exito.

VOCABULARIO

Aquí se presentan los principales términos de este capítulo. Al final del libro hay un glosario más completo.

administración • *administration, management*

administrador/a • *manager*

aguinaldo • *Christmas bonus*

alto mando • *upper management*

asesor/a • *consultant, adviser*

aviso • *ad, advertisement, warning, announcement*

bajo mando • *first-line management*

bolsa de empleo • *employment agency*

búsqueda • *search*

capacitación • *training*

cazacerebros (m/f) • *headhunter*

cazatalentos (m/f) • *headhunter, talent scout*

cita • *appointment*

cumplimiento • *fulfillment, achievement*

dedazo • *selection of family members or personal friends for a position (figuratively by pointing them out with a finger)*

dedocracia • *system of making appointments or selections based on the* dedazo

desempeño • *performance, fulfillment, a carrying out of duties*

dirección • *management, board of directors; direction*

educación • *manners, upbringing; schooling, education (in Latin America)*

ensamblaje (m) • *assembly*

fomentar • *to foster, encourage, promote*

formación • *education, formation*

funcionario • *staff member, employee, official*

gerente (m/f) • *manager*

gestor/a • *manager, business representative*

guiar • *to guide, direct*

indistinto • *immaterial (does not matter)*

interventor/a • *comptroller, auditor*

inversionista (m/f) • *investor*

jornal (m) • *day's wages*

líder (m) • *leader*

liderar • *to lead*

liderato • *leadership*

liderazgo • *leadership*

llevar a cabo • *to carry out, conclude*

maquiladora • *assembly plant, in-bond plant*

medio mando • *middle management*

nombramiento • *appointment (to a position)*

obrero • *worker, blue-collar worker, laborer*

pauta • *model, guideline*

plazo • *time period, deadline*

postulante (m/f) • *job candidate, applicant*

(continúa)

recompensa • *compensation*

retribuido • *compensated, repaid*

salario • *wages, pay*

trato • *treatment, manner of dealing with*

tutearse • *to use the familiar form of address, deal with someone on a first-name basis*

tuteo • *the familiar form of address, first-name basis*

vosear • *to use the familiar form of address, deal with someone on a first-name basis (Central America and Southern Cone)*

voseo • *the familiar form of address, first-name basis (Central America and Southern Cone)*

La banca y la contabilidad

© Janos Csernoch/Alamy

Transacción con un cajero automático. ¿Qué otros avances tecnológicos o cambios prevé Ud. para la industria bancaria? Comente y discuta.

The only way to keep score in business is to add up how much money you make.
— HARRY B. HELMSLEY

Hágase todo decentemente y con orden.
— CORINTIOS

En la casa donde hay dinero, no debe haber más de un cajero.
— PROVERBIO

4-1 Preguntas de orientación

Al hacer la «Lectura comercial», piense en las respuestas a las siguientes preguntas.

1. ¿Qué es la banca y en qué se diferencia de un banco?
2. ¿Cuáles son las principales funciones de un banco?
3. ¿Qué tipos de bancos hay y en qué se diferencian?
4. ¿Qué son la banca ética o cívica, la microfinanciación y el microcrédito, y por qué son importantes no solamente en Latinoamérica sino también en EUA?
5. ¿Qué tipos de depósitos bancarios se pueden hacer? Explique.
6. ¿Qué es una cuenta corriente y qué clases de cuenta corriente hay? Explique.
7. ¿Qué es un cheque y cómo funciona? Explique cómo intervienen el girador, el girado, el portador, el endosador y el endosante.
8. ¿Qué tipos de cheque hay?
9. ¿Qué es la contabilidad? ¿La partida doble?
10. ¿Cuáles son los estados contables y financieros más importantes?
11. ¿Qué datos proporcionan el estado de ganancias y pérdidas y el balance general?
12. ¿Cuál es la ecuación fundamental de la contabilidad y qué información aporta?

LECTURA COMERCIAL

Custodia y control del dinero

Una vez establecidas la forma jurídica y la estructura administrativa de la empresa comercial, los gerentes utilizan la banca y la contabilidad para conseguir, custodiar y controlar los fondos que necesitan o que tienen, y para vigilar y asegurar su estado y solvencia financieros.

Banco y banca

El **banco** es el establecimiento público y físico (el edificio) de crédito donde se efectúan las transacciones bancarias. La **banca**, en cambio, es el conjunto de bancos y **banqueros** que representan el sistema de las operaciones bancarias. Dentro de este sistema **crediticio** y **fiduciario** (que depende del crédito y de la confianza que merezca), los bancos custodian, prestan, cobran, cambian y transfieren dinero (e.g., la domiciliación de la nómina), a la vez que giran cheques, títulos de crédito y pago (e.g., el telepeaje o el cobro electrónico de peaje) y otros instrumentos bancarios (**letras de cambio**, **pagarés**, etc.). También sirven a menudo de instituciones inversionistas en cuanto a las **pensiones**, los seguros, las fusiones y las **cobranzas** empresariales. Para hacer todo esto, existen diferentes tipos de bancos según su actividad mercantil, como los privados y estatales, centrales, comerciales, **hipotecarios**, **de ahorros**, de crédito agrícola e industrial y las **cajas de ahorros**.

Algunos de los bancos más grandes del mundo hispano son Santander, BBVA, La Caixa, Banco Popular, Banamex, BCI, Itaú Unibanco Holding y Banco de Chile. En Latinoamérica son muy importantes los **bancos de desarrollo o fomento**, o sea, los que ayudan a desarrollar la economía de los países hispanoparlantes, como el Banco Centroamericano de Integración Económica (BCIE), creado en 1960 con la misión de «promover la integración y el desarrollo económico y social equilibrado de los países centroamericanos» (http://www.bcie.org/spanish/bcie/quien.php), o el Banco Interamericano de Desarrollo (BID). También han crecido los **bancos éticos o cívicos** (en los que el bien común se suma a los intereses de lucro) y el tema del **microcrédito**, una parte de lo que se conoce como **microfinanciación**, la cual «se refiere a los servicios de préstamos, ahorro, seguros y transferencia de fondos y otros productos financieros dirigidos a clientes de bajos ingresos» (http://www.un.org/spanish/events/microcredit/presskit.html, consultado 7-20-09). Una institución de microfinanciación, cuyo propósito es ayudar a erradicar la pobreza al ampliar posibilidades, brinda pequeños créditos a quienes les es difícil acceder a la banca tradicional. Algunos ejemplos son Compartamos Banco (http://www.compartamos.com/wps/portal), Mibanco (http://www.mibanco.com.pe) o Acción USA (http://www.accionusa.org).

En las comunidades hispanas de EUA son muy comunes las sucursales de bancos de países de habla española, tales como el Banco Popular de Puerto Rico, el Grupo Santander, etc. Lo mismo que los demás bancos estadounidenses, los bancos hispanos ofrecen servicios directos y en línea (la banca *on-line*) de cobranza, cambio, depósitos, retiros, etc., a la vez que prestan dinero a los que desean establecer sus propias empresas o ayudar económicamente a la comunidad hispana. Por supuesto, el trato personal en español atrae a muchos clientes hispanoparlantes.

Fundamentales para las actividades bancarias son los depósitos y las cuentas corrientes y de ahorros, adaptados a los requisitos de liquidez, plazo y forma de inversión del **depositante**. Los depósitos **a la demanda** o **a la vista** son los fondos entregados al banco para su custodia o transformación con la opción de que se puedan retirar en el momento que lo desee el cliente, sea en persona o con una **tarjeta de débito**. Los depósitos **a plazo fijo**, en cambio, se refieren al dinero depositado por cierto plazo de tiempo y «pueden considerarse como un préstamo que el cliente efectúa a su banco» (Bernard y Colli, *Diccionario económico y financiero*, página 499). Requieren que el depositante no retire los fondos antes de la **fecha de vencimiento** señalada, so pena de perder los intereses **devengados**. Tanto para los depósitos a plazo fijo como para las cuentas que se describen a continuación, hay que identificarse, depositar algún dinero y completar y firmar los formularios, boletos y tarjetas apropiados.

La **cuenta corriente** es aquélla que se utiliza para pagar las obligaciones comerciales y financieras. Puede ser individual, **conjunta** (**mancomunada**) o a nombre de una empresa. Su principal instrumento o documento de pago es el cheque, el cual se define como una orden de pago mediante la cual el **cuentacorrentista** o **cuentahabiente** (**el girador** o **librador**) autoriza que el banco (**el girado** o **librado**) pague de la cuenta corriente de ese cliente cierta cantidad de dinero a un beneficiario (**el tenedor** o **portador**). Al **endosarlo** al **dorso**, el tenedor (**endosante**)

BREVE VOCABULARIO ÚTIL

activo *asset, assets*

balance general (m) *balance sheet*

banca *banking (the banking industry)*

banco *bank (building)*

contabilidad *accounting*

cuenta *account*

  corriente *checking account*

  de ahorros *savings account*

cuentacorrentista (m/f) *current account holder*

estado *statement*

  de cuenta *statement of account*

  de ganancias y pérdidas *profit and loss or income statement*

partida doble *double-sided entry (accounting)*

pasivo *liability, liabilities*

Metas y prioridades del Banco Interamericano de Desarrollo (BID)

Creado en 1959, el BID es la principal fuente de financiamiento y pericia multilateral para el desarrollo económico, social e institucional de América Latina y el Caribe. Mantiene relaciones con gobiernos, empresas y organizaciones de la sociedad civil. El BID presta recursos financieros y otorga donaciones. Además, comparte sus investigaciones y ofrece asesoría y asistencia técnica para mejorar áreas fundamentales como la educación, la reducción de la pobreza y la actividad agropecuaria. El Banco procura, además, asumir un papel protagónico en cuestiones transfronterizas como el comercio internacional, la infraestructura y la energía.

Las principales metas del BID son promover el crecimiento económico y la integración regional en América Latina y el Caribe en formas ecológica y socialmente sostenibles para lograr una reducción duradera de la pobreza y una mayor equidad social. En términos más específicos, el Banco procura:

- Hacer a los países más competitivos, apoyando políticas y programas que acrecienten su potencial de desarrollo en la economía mundial.
- Modernizar el Estado, fortaleciendo las instituciones públicas e incrementando su eficiencia y transparencia.
- Invertir en programas y actividades que amplíen las oportunidades económicas para la población mayoritaria de bajos ingresos de la región.
- Fomentar la integración regional, forjando vínculos entre los países a efectos de desarrollar mayores mercados para sus bienes y servicios.

Además, el BID aborda cinco áreas prioritarias.

- En cuanto a la reducción de la pobreza, fortalece las redes de protección social.
- En materia de energía y cambio climático, procura desarrollar fuentes de energía renovables y respuestas a los retos que imponen los cambios del clima.
- En lo que respecta a la infraestructura, promueve la inversión en mejores obras de infraestructura, haciendo especial hincapié en el abastecimiento de agua potable y el saneamiento.

puede cobrar el importe en un banco o en otro lugar que le proporcione crédito o puede remitirlo a un **tercero** (a otro beneficiario o **endosatario**). Hay varios tipos de cheques:

1. **nominativo**, el que se gira a nombre de una persona particular autorizada para cobrarlo (e.g. «A la orden de Juan Lorca»)
2. **al portador**, el que puede ser cobrado por cualquier persona sin más requisito
3. **bancario** o **de administración**, el que gira un banco a otro banco

El cheque cuyo importe excede los fondos en una cuenta corriente se llama **cheque sin fondos** o **en descubierto**.

En la **cuenta de ahorros** se custodia el dinero depositado por personas o empresas a cambio de cierto interés devengado periódicamente, lo cual representa el precio del dinero depositado. Existen varias clases de cuentas de ahorros, con tipos de interés variables, y sus transacciones se realizan mediante formularios impresos como las boletas de depósito o retiro, en lugar de cheques.

Otra función del banco, especialmente del banco mercantil, es la concesión de crédito o de préstamos. El banco les concede fondos a los prestatarios en forma de una línea de crédito a cambio de cierta garantía, **fianza** o **prenda**. Al vencer la fecha

- Tratándose de educación e innovación, promueve políticas y programas sociales eficaces y respalda el desarrollo regional de la ciencia y la tecnología.

- Y a fin de que haya mayores oportunidades para la mayoría, atrae la participación del sector privado en proyectos sociales y en pro del desarrollo por medio de incentivos y asociaciones.

El BID ha ayudado a transformar la región de América Latina y el Caribe. Si bien aún queda mucho por hacer, los indicadores sociales de la región mejoraron notablemente en varios aspectos, como alfabetización, nutrición y esperanza de vida. (http://www.iadb.org/aboutus/index.cfm?lang=es)

1. ¿Qué quiere decir «ser una fuente de financiamiento y pericia multilateral»?

2. ¿Quiénes se incluyen en la lista de clientes del BID y en cuáles cuestiones asume el Banco un papel protagónico?

3. ¿Cuáles son las principales metas del BID y qué quiere decir la frase «formas ecológica y socialmente sostenibles»? Explique la forma gramatical de esta frase.

4. En la meta de modernizar el Estado, ¿por qué es una consideración clave la transparencia?

5. ¿Cuántas áreas prioritarias aborda el BID? ¿Por qué es importante desarrollar fuentes de energía renovables? En su opinión, ¿cuáles serían tres respuestas esenciales a los retos que imponen los cambios del clima?

6. ¿Por qué considera el BID tan importante respaldar el desarrollo regional de la ciencia y la tecnología? Dé algunos ejemplos de cómo la ciencia y la tecnología han aportado al desarrollo ecológico y socialmente sostenible.

7. ¿En cuáles indicadores sociales ha podido realizar el BID notables mejoras?

8. ¿Qué quieren decir alfabetización y esperanza de vida?

🌐 Para contrastarlo con los propósitos del BID, busque información en Internet sobre los servicios ofrecidos por algún banco comercial en América Central (cuentas, préstamos, etc.).

de pago acordado, se le devuelve al prestamista lo prestado más cierto **rédito de interés** fijado previamente. Este procedimiento, el cual se presenta a continuación, no varía mucho de país a país, salvo las condiciones de devolución del dinero prestado, los tipos de interés y ciertas normas legales:

1. La persona o entidad que pide dinero prestado (el **prestatario**) averigua el tipo de crédito que le es más factible y con el **prestamista** o **prestador** precisa la cantidad y condiciones de pago.

2. La misma persona o entidad completa los formularios necesarios, los cuales, por lo general, piden lo siguiente:

   a. Nombre de la persona o razón social de la empresa

   b. Número del carnet (o de la tarjeta) de identidad o de seguro social

   c. Datos sobre el empleo y sueldo o salario

   d. Cantidad de crédito o de préstamo

   e. Rédito de interés, duración, fechas de inicio y de vencimiento, y otras condiciones contractuales fijadas por el acreedor o el prestamista

   f. La garantía, fianza o prenda ofrecida

   g. Otros asuntos o requerimientos pertinentes.

3. El prestatario necesita cumplir con las condiciones contractuales.

La contabilidad o contaduría

Los gerentes necesitan estar al tanto de la situación financiera de su empresa. Necesitan informarse acerca de los **ingresos** (aumentos brutos en los **activos** obtenidos por la entrega o la venta de bienes o por la prestación de servicios) y de los **gastos** (disminuciones brutas en activos causados por la venta de artículos o la prestación de servicios), todo lo cual se relaciona con el **flujo de efectivo (cash flow)** y la solvencia de la firma. Necesitan saber el estado de sus **ganancias** y **pérdidas** para poder tomar decisiones sobre el futuro de la empresa. También necesitan anotar por escrito todas las transacciones que emprenden en nombre de la firma. Para realizar estos propósitos de información y control se recurre a la contabilidad.

La **contabilidad** o **contaduría** se define como «el conjunto de conocimientos y funciones que se refieren a la creación, registro, clasificación, proceso, ordenación, interpretación y suministro de información fiable y significativa de una realidad económica para conseguir con ella unos objetivos determinados» (Suárez, páginas 94–95). En otras palabras, es una disciplina que sirve para registrar y clasificar el impacto monetario de las transacciones y los eventos comerciales de una empresa. Además, sirve para interpretar los resultados de las transacciones y los eventos para poder informar a los grupos interesados, tales como los propietarios, los gerentes, los accionistas y el gobierno. Al calcular la diferencia entre los ingresos y los gastos, se espera que los beneficios recibidos sean superiores a los costos incurridos.

Debido a su complejidad, la contabilidad tiene varias ramas–general, gerencial, financiera, de costos, de impuestos, de **presupuestos**, de sistemas y de **auditoría**–y existen varias clases de **contables** o **contadores** profesionales–públicos, titulados, fiscales (de **fisco**: **erario**, **hacienda** o tesoro público) o privados–que la ejercen. También existen varios principios y sistemas contables, el más importante de los cuales es el de la **partida doble**. Según este sistema de control, para cada transacción comercial hay un **deudor**, un **acreedor** y una misma cantidad de dinero que cambia de manos. Cuando hay una transacción, se hace constar en los libros contables al asentarla dos veces y en dos lugares por convención: una vez como **débito** a la izquierda de la página contable y otra vez como **crédito** a la derecha de la página. Un principio fundamental de la partida doble es que los asientos siempre deben igualarse en valor.

Este sistema facilita que los gerentes controlen y entiendan la situación financiera de la empresa. El concepto se ve más claramente en el proceso contable, el cual consiste en tres etapas principales:

1. la recolección de datos referentes a las transacciones comerciales.
2. el registro o asiento de éstas en los libros contables.
3. la interpretación de la situación financiera de una empresa por medio de un análisis de los **estados contables** y la presentación del análisis en un informe.

La recolección de los datos consiste en reunir y ordenar todos los documentos comerciales–**facturas**, **recibos** y **pagarés**–recibidos, prometidos o emitidos por una empresa durante cierto período de actividad comercial. Al final de este período, se enumeran las cuentas en un **balance**. En términos generales, si el balance de comprobación tiene un **saldo deudor**, es desfavorable para la compañía; si tiene un **saldo acreedor**, hay una situación favorable.

Para poder ver todas las transacciones de la empresa y para comprender cómo afectan su situación financiera, tradicionalmente se registraba cada transacción en los libros contables, primero en el **diario** (e.g., ¿qué ocurrió en una cuenta particular aquel día, como en la del pago de calefacción?) y luego en el **libro mayor** (e.g., ¿qué ocurrió con esa cuenta del pago de calefacción, a lo largo de un periodo de tiempo; véase la Tabla 4-1, página 97). Hoy en día se suelen usar diversos programas de computadora para registrar esta información. Los productos finales del proceso contable se llaman **estados financieros**. Los más importantes son los siguientes:

1. el **balance general**: una lista de los activos, pasivos y **patrimonio** (el conjunto de bienes pertenecientes a una persona natural o jurídica) de la entidad económica en un momento dado. También se llama **balance de situación**, **estado de posición** o **estado de condición financiera** (véase la Tabla 4-2, página 98).

2. el **estado de ganancias y pérdidas** y el **estado de ganancias retenidas**: documentos que relacionan los ingresos y los gastos de una entidad económica durante un período de tiempo definido (véase la Tabla 4-3, página 99). El estado de ganancias retenidas es el enlace principal entre dos balances generales.

3. el **estado de flujo de caja** (o **de efectivo**): un documento que explica el cambio en el efectivo durante un período, debido a las operaciones comerciales como la compraventa y las inversiones. Es decir, este estado explica las fuentes y los usos del dinero (véase la Tabla 4-4, página 99).

La relación entre los activos, los pasivos y el patrimonio puede expresarse en una ecuación fundamental llamada la **ecuación contable**:

$$\text{activos} = \text{pasivos} + \text{patrimonio (o capital)}$$

El patrimonio tiene dos partes, el **capital pagado o contribuido**, y las ganancias retenidas por la empresa. Es decir,

$$\text{activos} = \text{pasivos} + \text{capital pagado} + \text{ganancias retenidas}$$
$$\text{o}$$
$$\text{activos} = \text{pasivos} + \text{capital pagado} + \text{ingresos} - \text{gastos}$$

El balance general resume la situación financiera de una empresa. Valora y estructura los bienes, **derechos** y **obligaciones** de una empresa, e indica el beneficio obtenido al final de un tiempo específico, llamado **período** o **ejercicio** (generalmente tres, seis o doce meses). Para comprender mejor el proceso, los términos más pertinentes se definen de la siguiente manera. Los **activos** representan los bienes y derechos de una empresa e incluyen cuentas como **caja y banco**, **cuentas por cobrar**, títulos, terrenos, edificios, maquinaria, etc. El **patrimonio** consiste en las aportaciones de dinero (o su equivalencia) a la propia empresa; el patrimonio de los accionistas y las ganancias; y todos los bienes de una entidad económica adquiridos por cualquier título o derecho de posesión. Los **pasivos** representan las obligaciones y deudas de una empresa, como las **cuentas por pagar**, así como las de los acreedores y los proveedores. El **capital** consiste en las aportaciones de dinero (o su equivalente) a la propia empresa e incluye el capital pagado o contribuido (el capital social o el patrimonio de los accionistas) y las ganancias retenidas (los ingresos menos los gastos).

Muchas empresas se sirven también de los **auditores** y la **auditoría** para verificar (auditar) el estado de sus cuentas y utilizan las computadoras para facilitar las operaciones contables. Aunque las empresas hispanas a veces siguen métodos de contabilidad y procedimientos diferentes a los de EUA, todas las empresas e individuos, por ley o por interés propio, utilizan la contabilidad para conocer, comprender, controlar y mejorar su situación financiera. El siguiente caso sirve para ilustrar cómo funcionan varios estados financieros.

La compañía USCAN, S.A.* se organizó el primero de abril de 2010 con diez accionistas. USCAN se especializa en la venta de zapatos de mujer. Arrendó espacio en un centro comercial y realizó las siguientes transacciones durante el mes de abril. Véanse las Tablas 4-1, 4-2, 4-3 y 4-4, las cuales reflejan los eventos narrados a continuación.

1. Al incorporarse la compañía, los accionistas invirtieron $120,000 al contado.

2. USCAN, S.A. adquirió $70,000 de inventario, $45,000 de los cuales debían pagarse al contado. El balance se adquirió a crédito y se abrió posteriormente una cuenta corriente con el proveedor. Dicha cuenta debía cancelarse en 30 días.

3. Las ventas fueron $86,000: $25,000 al contado y $61,000 a crédito.

4. El costo del inventario fue $37,000.

5. **Recaudo** o colección de cuentas por cobrar, $15,000.

6. Pago a proveedores, $18,000.

7. El primero de abril se adquirió equipo de almacén por $36,000. Se espera una vida útil de 36 meses, es decir, que sólo tendrá un valor por este periodo de tiempo. USCAN hizo un **pago en efectivo** de $12,000 y firmó una **letra por pagar** de $24,000.

8. El primero de abril, USCAN firmó un acuerdo de arrendamiento. Este convenio exigía un pago mensual de $2,000 pagaderos por anticipado cada tres meses. Por esta razón, USCAN pagó $6,000 al contado a principios de abril.

9. El acuerdo de arrendamiento requiere un pago adicional igual al 10% de las ventas. Este pago debe hacerse el último día de cada mes. USCAN hizo el pago a tiempo el 30 de abril.

---

*Se le agradece al Dr. Fitz Beazley, Ex-Director de la Facultad de Contabilidad, University of South Carolina, por el ejemplo y la explicación del caso de USCAN, S.A.

Tabla 4-1 ▶ Análisis de transacciones

| USCAN, S.A. | Mes de abril de 2010 | | | | | = PASIVO | + | PATRIMONIO | |
| | ACTIVO | | | | | | | | |
Descripción	Caja	CXC	INV.	PXA	E	CXP	LXP	CP	GR
1. Emisión de acciones	+120							+120	
2. Compra de inventario	−45		+70			+25			
3. Ventas	+25	+61							+86
4. Costo de ventas			−37						−37
5. Cobros	+15	−15							
6. Pagos a proveedores	−18					−18			
7. Adquisición de equipo	−12				+36		+24		
8. Pagos por anticipación	−6			+6					
9. Gasto de arrendamiento	−8.6								−8.6
10. Salarios	−35								−35
11. Depreciación					−1				−1
12. Gasto de arrendamiento				−2					−2
Saldo, 30 de abril	+35.4	+46	+33	+4	+35	+7	+24	+120	+2.4

Clave para las abreviaturas usadas en la Tabla 4-1

Caja = efectivo
CXC = cuentas por cobrar
INV. = inventario
PXA = pagos por anticipación
E = equipo

CXP = cuentas por pagar
LXP = letras por pagar
CP = capital pagado
GR = ganancias retenidas

10. Los sueldos y salarios de los empleados pagados al contado sumaron $35,000.

11. Se asentó el gasto de depreciación para el mes de abril de $1,000 ($36,000/36).

12. Se asentó el gasto de arrendamiento para el mes de abril, $2,000.

4-2 **Actividades**

1. **¿Qué sabe Ud. de negocios?** Vuelva a las «Preguntas de orientación» que se hicieron al principio del capítulo y a la pregunta que acompaña la foto y contéstelas en oraciones completas en español.

2. **¿Qué recuerda Ud.?** Indique si las siguientes oraciones son *verdaderas* o *falsas* y explique por qué.

Tabla 4-2 Balance general

Compañía USCAN, S.A. 30 de abril de 2010	
ACTIVOS	
Efectivo	$ 35,400
Cuentas por cobrar	46,000
Inventario	33,000
Arriendo pagado por anticipación	4,000
Equipo del almacén (neto)	35,000
Total de activos	**$153,400**
PASIVOS Y PATRIMONIO	
Pasivos	
Cuentas por pagar	7,000
Letras por pagar	24,000
Total de pasivos	31,000
Patrimonio	
Capital pagado	120,000
Ganancias retenidas	2,400
Total de patrimonio	122,400
Total de pasivos y patrimonio	**$153,400**

a. El banco es el girador de un cheque y la persona que lo cobra es el librado.

b. Cualquier persona puede cobrar un cheque nominativo.

c. La contabilidad sirve para registrar y clasificar las actividades comerciales de una empresa.

d. El débito y el crédito son asientos que se hacen en los libros contables, de derecha a izquierda, respectivamente.

e. El balance general, el estado de ganancias y pérdidas y el estado de flujo de caja se preparan sólo al final de cada ejercicio anual.

f. La ecuación fundamental de la contabilidad se puede expresar como:

$$\text{pasivos} = \text{activos} - \text{patrimonio}$$

3. **Exploración.** Haga los siguientes ejercicios, usando sus conocimientos y opiniones personales.

a. ¿Qué cuenta/s bancaria/s tiene Ud.? ¿Para qué la/s usa?

b. ¿Qué cheques ha girado Ud.? ¿Con qué propósitos? ¿Cuándo y con qué frecuencia? ¿Usa la banca en línea? Comente.

c. ¿Ha pedido Ud. prestado o ha prestado dinero alguna vez? ¿A quién? ¿Por qué? ¿Bajo qué condiciones?

d. Si Ud. tuviera que analizar un negocio, ¿qué libros y estados contables necesitaría? ¿Por qué?

e. ¿Cómo se relacionan los dichos y proverbios que aparecen al principio del capítulo con los temas tratados?

Tabla 4-3 **Estado de ganancias y pérdidas**

Compañía USCAN, S.A. Para el mes de abril de 2010		
Ventas		$86,000
Gastos		
Costo de ventas	$37,000	
Salarios	35,000	
Arriendo	10,600	
Depreciación	1,000	83,600
Utilidad neta		$ 2,400

Tabla 4-4 **Estado de flujo de caja (efectivo)**

Compañía USCAN, S.A. Para el mes de abril de 2010	
Flujo de efectivo para actividades de operaciones comerciales:	
Ventas al contado	$25,000
Cobros de los clientes	15,000
Pagos a los proveedores	(63,000)
Pagos para los gastos	(49,600)
Total	(72,600)
Flujo de efectivo para actividades de inversión:	
Adquisición de equipo	(12,000)
Flujo de efectivo para actividades financieras:	
Emisión de acciones	120,000
Cambio en efectivo	$35,400

4-3 Al teléfono

Pistas
7 y 8

1. Lea las siguientes preguntas. Después, escuche atentamente la conversación telefónica del Capítulo 4 en las pistas y conteste las preguntas. Puesto que la comprensión auditiva es una destreza comunicativa sumamente importante, se recomienda escucharlas varias veces.

   a. ¿Por qué llama Tom Cash a Justo Librado?

   b. ¿Por qué no ha solventado el Sr. Librado la cuenta que tiene pendiente con Agromec?

   c. ¿Qué le propone el Sr. Librado al Sr. Cash? ¿Ofrece alguna garantía?

   d. ¿Qué pueden hacer los Sres. Cash y Librado para solucionar el problema de la cuenta morosa?

2. Basando sus comentarios en la conversación telefónica del ejercicio anterior, haga una de las siguientes llamadas telefónicas a otro/a estudiante de la clase. Cada persona deberá participar activamente en la conversación. Si necesita ayuda con esta actividad, véase el Apéndice 1, «Protocolo telefónico», página 457.

Ud. es Justo Librado, gerente guatemalteco de compras para Amerind, y decide llamar a un funcionario del Banco Honesto para solicitar un préstamo a corto plazo para pagar sus deudas. Explique su situación morosa al funcionario de Agromec y defienda su pedido.

3. Haga la siguiente llamada telefónica a otro/a estudiante de la clase. Cada persona deberá participar activamente en la conversación. Si necesita ayuda con esta actividad, véase el Apéndice 1, «Protocolo telefónico», página 457.

La compañía estadounidense, para cuya sucursal guatemalteca Ud. va a trabajar por nueve meses, le va a pagar en quetzales. Durante su residencia en Centroamérica, Ud. quiere ahorrar dinero en un banco, pero no sabe cuál sería más rentable: una cuenta de ahorros o un depósito a plazo fijo. Llame al banco y pida a la persona apropiada que le explique los beneficios de ambos tipos de ahorros. Pregúntele también sobre los trámites que hay que hacer para abrir una cuenta nueva.

4-4 Navegando por Internet

🌐 Para hacer este ejercicio de Internet, visite la página web del libro: www.cengage .com/spanish/exito

4-5 Ejercicios de vocabulario

 Si le es necesario, consulte la «Lectura comercial» o la lista de vocabulario que aparece al final del capítulo para completar estos ejercicios.

1. **¡A ver si me acuerdo!** El banco comercial estadounidense donde trabaja usted tiene muchos clientes jubilados en Guatemala y Honduras. El alto mando de su banco ha decidido que le hacen falta sucursales en estos países y le ha encargado a Ud. que se reúna con los directores de los bancos guatemaltecos y hondureños. Sin embargo, a Ud. se le olvidan los siguientes términos en español. Un/a compañero/a lo/la ayuda a recordarlos al pedirle a usted que se los traduzca.

a. *accounting*
b. *double-sided entry*
c. *cash flow*
d. *statement of account*
e. *time deposit*
f. *drawee*
g. *balance sheet*
h. *borrower*
i. *loan*

2. **¿Qué significan?** A usted le interesan las carreras de banca y contabilidad y quiere trabajar para un banco o una empresa hispanoparlante. Sin embargo, no sabe lo que significan ciertos términos que se usan frecuentemente en estos campos. Decide consultarlos con un/a amigo/a. Pídale a un/a compañero/a de clase que le explique los siguientes términos y que le dé algunos sinónimos si puede.

   a. cuentacorrentista
   b. ejercicio
   c. patrimonio
   d. en descubierto
   e. fiduciario
   f. girado
   g. domiciliar la nómina
   h. telepeaje

3. **Entrevista profesional.** En un banco de habla española en Los Ángeles, Ud. se ha presentado como candidato para el puesto de asesor/a financiero/a, lo cual requiere ciertos conocimientos bancarios y contables. El/La director/a del departamento de contabilidad lo/la va a entrevistar y es posible que le haga las siguientes preguntas. Haga la entrevista con otro/a compañero/a de clase. No olviden el protocolo ni las cortesías.

   a. ¿Qué funciones bancarias conoce usted? ¿Cuáles son algunos servicios bancarios que ha usado usted?
   b. ¿Cuáles son los pasos para conceder una línea de crédito o un préstamo?
   c. ¿Qué conocimientos o experiencias contables tiene Ud. que le puedan ser útiles a nuestra empresa?
   d. ¿Qué cualidades personales y profesionales tiene Ud. que nos ayuden a atender mejor a nuestra clientela?

4. **Traducciones.** Al banco donde trabaja usted le interesa comunicar a sus clientes hispanos, tanto del extranjero como de los Estados Unidos, información y consejos sobre los servicios que presta y la banca en general. Le piden que traduzca las siguientes oraciones que informan sobre el tema.

   a. *Deposit sufficient money into the checking account to cover the full amount of the check drawn.*
   b. *Fill out all the information required by the check: the date, the amount in words and numbers, and the name of the bearer and the drawer.*
   c. *To cash a check at a bank or other place of business, the bearer must endorse it on the reverse.*
   d. *The bearer can also use the check to pay a third person, an endorsee, who must endorse it again to receive the full amount.*
   e. *Banking services include checking and savings accounts, deposits and withdrawals of funds, loans, payment of bills, and investment opportunities.*

UNA VISTA PANORÁMICA DE GUATEMALA

Nombre oficial:	República de Guatemala
Gentilicio:	guatemalteco/a
Capital y población:	Ciudad de Guatemala: 2,725,000 (2009)
Sistema de gobierno:	República democrática constitucional
Jefe de Estado/Jefe de Gobierno:	Presidente Álvaro Colom Caballeros (2008)
Fiesta nacional:	15 de septiembre, Día de la Independencia (1821: de España)

Guatemala

GEOGRAFÍA Y CLIMA

Área nacional en millas^2 y kilómetros^2	Tamaño (comparado con EUA)	División política	Otras ciudades principales	Puertos principales	Clima	Tierra cultivable
42,042 m^2 108,890 km^2 (2009)	Casi tan grande como Tenesí	22 departamentos	Mixco, Villanueva, Quetzaltenango, Escuintla, Totonicapán	Puerto Barrios, San José	Tropical y cálido en las tierras bajas, templado en la altiplanicie	13% (2009)

DEMOGRAFÍA

Año y población en millones			% urbana	Distribución etaria (2008)		% de analfabetismo	Grupos étnicos
2008	2015	2025		<15 años	65+		
13	18.3	22.3	39%	40%	3.7%	30% (2003)	56% mestizo, (llamado ladino en el país), 44% amerindio

ECONOMÍA Y COMERCIO

Moneda nacional	Tasa de inflación 2008	N° de trabajadores (en millones) y tasa de desempleo	PIB 2008 en millones $EUA	PIB per cápita	Distribución de PIB (2008) y de trabajadores por sector (1999)*			2008 Exportaciones en millones $EUA	2008 Importaciones en millones $EUA
					A	I	S		
El quetzal	12%	4.05 (2008) 3.2% (2005)	$70,190	$5,400 (2008)	13% 50%	26% 15%	61% 35%	$8,028	$15,420

*Para distribución del PIB de los trabajadores (mano de obra): A = Agricultura, I = Industria, S = Servicios (y Gobierno)

Recursos naturales: Petróleo, níquel, maderas poco comunes, pesca, chicle, energía hidroeléctrica.

Industrias: Azúcar, textiles y ropa, muebles, productos químicos, petróleo, metales, caucho (goma), turismo.

COMERCIO

Productos de exportación: Café, azúcar, bananos y frutas, cardamomo, vegetales, petróleo, ropa.

Mercados: 42% EUA, 22.7% MCCA, 6.5% México (2007).

Productos de importación: Combustibles, maquinaria y equipo de transporte, abono, granos, electricidad, materiales para la construcción.

Proveedores: 35% EUA, 10% México, 6.8% China, 4.6% El Salvador, 4.1% Costa Rica (2007).

Horario general de comercio: De lunes a viernes, desde las ocho de la mañana hasta las seis de la tarde.

TRANSPORTE Y COMUNICACIONES

Kilómetros de carreteras y % pavimentadas	Kilómetros de vías férreas	N° de aeropuertos con pista de aterrizaje pavimentada	N° de líneas telefónicas	Radios por mil personas	Televisores por mil personas	N° de usuarios de Internet en millones
14,95/34.5%	886 (2006)	12 (2007)	429,700	52	45	1.32 (2006)

Idiomas	Religión	Comidas y bebidas típicas/Modales
Español (oficial), 21 lenguas mayas (akateko, kiiché, kakchikel, kekchi, etc.), zinka y garífuna	Principalmente católica romana; protestante, maya tradicional	Tortillas de maíz, frijoles, arroz, tamales, plátanos fritos, carne, pollo, cerdo, café. Al terminar de comer, se suele decir «Muchas gracias» a lo cual se responde «Buen provecho».

Horario normal del almuerzo y de la cena: El almuerzo se come normalmente entre el mediodía y las dos de la tarde; la cena, entre las siete y las ocho de la noche.

Gestos: Al darse la mano en forma de saludo, el apretón es bastante más flojo que en otros países hispanos. Para señalar en una dirección, se frunce la boca hacia lo que se desea indicar. Para indicar sorpresa, asombro o apuro, se agita la mano de manera vigorosa lo cual resulta en un chasquido de los dedos. Para llamarle la atención a alguien, se puede hacer un sonido de «tssst, tssst». Para decir adiós, a veces, especialmente entre los mayores o los del campo, la mano (con la palma hacia el cuerpo de uno) parece como si estuviera abanicándose. Para que se detenga un autobús o taxi, extender la mano hacia afuera con la palma hacia el suelo. Son obscenos los gestos de «*A-Okay*» y el higo (un puño con el dedo pulgar colocado entre el dedo índice y el dedo corazón)—ambos equivalen a «*to give the finger*».

Cortesía: Cuando se visita la casa de alguien para comer o cenar, es recomendado traer un pequeño regalo para los anfitriones. Al estar de visita en casa de alguien, se saluda a todos presentes, aún a la gente que uno no conoce. Es descortés rehusar la oferta de un café, té o refresco con una meriendita. Al marcharse de la casa de alguien, se le agradece su hospitalidad y es común invitarlo a su vez a pasar por la casa de usted. Al entrar a un comedor, se saluda a todos adentro con «buenas tardes» o «buenas noches» dependiendo de la hora del día. Al marcharse del comedor, se les desea a todos «buen provecho».

LA ACTUALIDAD ECONÓMICA GUATEMALTECA

Guatemala, poblada mayormente por ladinos (56%) e indígenas (44%), es un país montañoso con un clima tropical y cálido en las tierras bajas y templado en el altiplano. Socioeconómicamente, depende muchísimo de la agricultura, la cual constituye casi un octavo del PIB y emplea la mitad de la mano de obra guatemalteca. También, proporciona casi el 60% de la exportación nacional, destinada mayormente a EUA y a otros países centroamericanos. El hecho de que Guatemala es uno de los países más pobres del hemisferio se debe en gran parte a una larga historia de enormes divisiones políticas, étnicas, sociales y económicas. Después de la segunda Guerra Mundial, Juan José Arévalo (1944–1951) y Jacobo Arbenz (1951–1954) iniciaron reformas sociales, las cuales intentaban redistribuir las tierras de los terratenientes y las empresas internacionales, y un sistema de seguro social. Cuando Arbenz nacionalizó las plantaciones bananeras de la United Fruit Company, fue derrocado por un golpe de estado apoyado por EUA, lo cual puso fin a las reformas agrarias. Luego, las tensiones civiles siguieron y, a pesar de las elecciones presidenciales y la reinstitución de un gobierno civil en los años sesenta, se reabrió otra época de control militar en 1970 cuando el nuevo presidente, Carlos Arena, inició ataques contra los grupos izquierdistas en el campo.

En 1992, la activista Rigoberta Menchú, luchadora por los derechos civiles de los indígenas, las mujeres y los obreros marginados, ganó el Premio Nobel de la Paz, despertando la conciencia mundial frente a la violencia y la explotación guatemaltecas. Al firmarse los Convenios de Paz en 1996, la guerra civil había durado casi 35 años. Aunque todavía ocurren violaciones de los derechos humanos, los convenios pusieron fin a la guerra civil más violenta en Centroamérica, la cual dejó 200,000 muertos y desaparecidos, la gran mayoría de etnia maya, según un informe de la Comisión de Esclarecimiento Histórico, auspiciada por las Naciones Unidas.

A partir de la firma de la paz, la economía guatemalteca se empezó a regenerar, especialmente en las industrias de turismo y de telecomunicaciones. Por ejemplo, en el campo de las telecomunicaciones en 1997, el único operador en la telefonía fue Guatel, que pudo instalar muy pocas líneas hasta el acuerdo de 1996. Al privatizar las empresas públicas, la mayor parte de los clientes de Guatel se pasó a Telecomunicaciones de Guatemala (Telgua). Luego, se abrió el mercado a más de 20 empresas adicionales. Las más notables fueron Telefónica de Guatemala, Cablenet y Comunicaciones Celulares (con los servicios móviles de TIGO). Entre 1997 y 2007, al aumentar el número de usuarios de los servicios móviles, el 90% de los guatemaltecos eran dueños de un teléfono celular.

Durante la misma década el turismo guatemalteco siguió creciendo, con un importante aumento en 2006. Ese año hubo un total de 1.3 millones de turistas, con el 37% procedentes de América Central y otros muchos de México, EUA y el Japón. En julio del 2006, Guatemala entró al CAFTA, tratado de libre comercio entre Centroamérica y EUA. En 2007, el alza en los precios de petróleo, y el comienzo de la crisis financiera en EUA y en el mundo, iniciaron una baja en el crecimiento de los gastos por parte de los visitantes extranjeros. Además, la extrema violencia dentro de Guatemala y la ineficiencia, corrupción e intimidación en el sector jurídico limitaron la capacidad de mantener los altos niveles de comercio del turismo. Un factor contribuyente a la violencia ha sido el terror sembrado por las maras y los feroces mareros, que ya cuentan con unos 9,000 pandilleros jóvenes que pertenecen a unas 434 pandillas de crimen organizado. Entre las más temidas células figuran Mara Salvatrucha (MS), Mara 18 (M18) y Breikeros, cuyos miembros se profesionalizan en la cárcel y se identifican con sus ademanes y tatuajes. Integradas en parte por jóvenes deportados de EUA (preferible para luego hacerse jefe), donde se originaron en Los Ángeles en la década de los 70, las maras están causando un grave caos social y económico, lo que perjudica la estabilidad política y económica de esta frágil democracia.

A consecuencia de los acuerdos de paz de 1996, hubo una profunda reducción en el número de soldados en el ejército nacional. A pesar de eso, los presidentes Arzu, Portillo, Berger y Colom han tenido que emplear el ejército para apoyar a la policía en su combate contra la violencia interna. El gran desafío de Guatemala sigue siendo la desigualdad más grande del hemisferio en la distribución de renta personal entre los adinerados y los carentes.

UNA VISTA PANORÁMICA DE HONDURAS

Nombre oficial:	República de Honduras
Gentilicio:	hondureño/a
Capital y población:	Tegucigalpa: 995,000
Sistema de gobierno:	República democrática constitucional
Jefe de Estado/Jefe de Gobierno:	Presidente José Porfirio Lobo Sosa (2009)
Fiesta nacional:	15 de septiembre, Día de la Independencia (1821: de España)

Honduras

GEOGRAFÍA Y CLIMA

Área nacional en millas^2 y kilómetros^2	Tamaño (comparado con EUA)	División política	Otras ciudades principales	Puertos principales	Clima	Tierra cultivable
43,270 m^2 112,100 km^2	Un poco más grande que Tenesí	Un distrito capital y 18 departamentos	San Pedro Sula, La Ceiba, Choluteca	Puerto Cortés, La Ceiba	Tropical y cálido en la costa, subtropical en las tierras bajas, templado en la altiplanicie y las montañas	9.5% (2005)

DEMOGRAFÍA

Año y población en millones			% urbana	Distribución etaria (2008)		% de analfabetismo	Grupos étnicos
2008	2015	2025		<15 años	65+		
7.6	7.7	8.6	44%	39%	3.5%	24% (2003)	90% mestizo, 7% amerindio, 2% africano, 1% blanco europeo

ECONOMÍA Y COMERCIO

Moneda nacional	Tasa de inflación 2008	N° de trabajadores (en millones) (2008) y tasa de desempleo (2007)		PIB 2008 en millones $EUA	PIB per cápita	Distribución de PIB (2008) y de trabajadores por sector (2005)*			2008 Exportaciones en millones $EUA	2008 Importaciones en millones $EUA
						A	I	S		
El lempira	12%	2.9	28%	$28,480	$3,700 (2008)	13% 39%	28% 21%	58.5% 40%	$6,236 (2008)	$10,200 (2008)

*Para distribución del PIB de los trabajadores (mano de obra): A = Agricultura, I = Industria, S = Servicios (y Gobierno)

Recursos naturales: Madera, oro, plata, cobre, plomo, cinc, hierro, antimonio, carbón, pesca, energía hidroeléctrica.

Industrias: Azúcar, café, textiles y ropa, productos de madera, cemento, cigarros, productos alimenticios.

COMERCIO

Productos de exportación: Café, bananos y frutas, camarón y langosta, aceite de palma, madera.

Mercados: 67.2% EUA, 4.9% El Salvador, 3.9% Guatemala (2007).

Productos de importación: Combustibles, maquinaria y equipo de transporte, materia prima industrial, productos químicos, productos alimenticios.

Proveedores: 52.4% EUA, 7.1% Guatemala, 5.2% El Salvador, 4.5% México, 4.2% Costa Rica (2007).

Horario general de comercio: De lunes a viernes, desde las ocho de la mañana hasta el mediodía y luego desde la una hasta las cinco de la tarde. Los sábados, desde las ocho hasta el mediodía.

TRANSPORTE Y COMUNICACIONES

Kilómetros de carreteras y % pavimentadas	Kilómetros de vías férreas	No de aeropuertos con pista de aterrizaje pavimentada	No de líneas telefónicas	Radios por mil personas	Televisores por mil personas	No de usuarios de Internet
13,600/20% (2000)	699 (2006)	12 (2007)	233,600	337	29	344,100 (2006)

IDIOMA Y CULTURA

Idiomas	Religión	Comidas y bebidas típicas/Modales
Español (oficial), varios idiomas indígenas (miskito, towaka, etc.) y garífuna	97% católica romana, 3% protestante	Tortillas de maíz, frijoles, arroz, nacatamales, tapado, mondongo, topoyivos o charamuscas, bananos, piña, mango, coco, melón y otras frutas, café. No apresurarse durante la comida. Mantener las manos (no los codos) encima de la mesa al comer. La mayoría de la población (los pobres) utiliza la tortilla como herramienta para comer (en vez de tenedor).

Horario normal del almuerzo y de la cena: Las doce del mediodía para el almuerzo; entre las seis y las siete de la noche para la cena.

Gestos: Al darse la mano en forma de saludo, el apretón es bastante más flojo que en otros países hispanos. Para señalar hacia una dirección, se frunce la boca hacia lo que se desea indicar. Para indicar sorpresa, asombro o apuro, se agita la mano de manera vigorosa lo cual resulta en un chasquido de los dedos. Para decir adiós, la mano parece como si estuviera abanicándose. Apretar fuertemente juntas las manos indica entusiasmo y aprobación. Tocarse bajo el ojo con el dedo índice es señal de ¡ojo!, tener cuidado. Para indicar que alguien es tacaño, colocar la mano, con la palma boca arriba, bajo el otro codo. Es obsceno el gesto del higo (un puño con el dedo pulgar colocado entre el dedo índice y el dedo corazón)—equivale a «*to give the finger*».

Cortesía: Hacer un saludo general a todos al entrar en un cuarto pero si se trata de una reunión bastante pequeña, saludar individualmente a cada persona al llegar y despedirse de cada una al marcharse. Cuando se visita la casa de alguien para comer o cenar, traer para los anfitriones un detalle como flores (¡pero no blancas porque se asocian con la muerte!), chocolates o algo para la casa. Durante una visita a la casa de alguien, es descortés rehusar los refrescos y la comida ofrecidos por un anfitrión ya que están ofreciendo parte de lo poco que tienen.

LA ACTUALIDAD ECONÓMICA HONDUREÑA

Honduras, lo mismo que Guatemala, es un país montañoso con un clima variado y templado en el interior, y tropical y cálido en las costas. Económicamente, con un PNB per cápita de $1,635 en 2009, es uno de los países más pobres del hemisferio. Su economía experimentó cuatro años consecutivos de crecimiento de un 6%, pero las bajas de los precios en el extranjero y el comienzo de la mala economía global en 2008 han resultado en una reducción en esas cifras. Debido a la diversificación de productos en las recientes décadas que ha reducido su dependencia en la agricultura, Honduras actualmente tiene una fuerte industria exportadora basada en las maquiladoras que ensamblan textiles y ropa para reexportar a EUA.

En los años ochenta, etapa de gran inseguridad política y económica en América Central, los EUA establecieron campamentos de entrenamiento en Honduras para los «Contras» nicaragüenses y para salvadoreños involucrados en actividades antisandinistas. En los años noventa, Honduras empezó a enfrentarse con los problemas económicos que habían plagado el país por años. Redujo el déficit presupuestario y puso en vigor reformas que reestructuraban los sectores financieros, en especial la bolsa y la banca. Se atrajeron a más inversionistas y se lograron avances tecnológicos en el sistema bancario para automatizarlo. Por falta de capital y debido a los altibajos en los ingresos del cultivo del banano, entre otras cosas, ha habido poco mejoramiento desde entonces. En verdad, a diferencia de los otros países hispanoamericanos, Honduras apenas ha emprendido una política de privatización de sus sectores económicos más importantes como el de las telecomunicaciones, y la mayoría de las empresas sigue en manos del estado. Además, después del huracán Mitch en 1998, quedó destruida casi la mitad de la infraestructura socioeconómica del país y fue eliminada casi la mitad de la producción bananera. Este desastre natural dejó a miles de personas sin medios de subsistencia.

En cuanto a la política interior, los hondureños, frecuentemente llamados *catrachos* (un apodo percibido positivamente y basado en el apellido del general Florencio Xatruch, quien luchó contra el aventurero norteamericano William Walker en 1857) han elegido libremente a Roberto Suazo (1981), José Azcona Huyo (1985), Rafael Leonardo Callejas (1989), Carlos Roberto Reina (1993), Carlos Flores Facussé (1997) y Ricardo Maduro (2001). En 2005, Manuel Zelaya Rosales, candidato del Partido Liberal de Honduras (PLH), fue elegido presidente. Bajo su dirección, Honduras se hizo socio de la Alternativa Boliviariana de las Américas (ALBA), la iniciativa del presidente venezolano, Hugo Chávez, con los líderes de Cuba, Bolivia y Nicaragua. ALBA, cuyo énfasis es la lucha contra la pobreza y la exclusión social en base a doctrinas de izquierda, pretende ser la alternativa a la iniciativa norteamericana del Área de Libre Comercio para las Américas (ALCA) y busca frenar la influencia de EUA en el hemisferio.

En 2009, Roberto Michelleti, apoyado por el Congreso, la Corte Suprema, el Tribunal Electoral, la Fiscalía General, la Iglesia y el Ejército, asumió la presidencia ocupado en ese momento por el presidente que había sido elegido constitucionalmente, Manuel Zelaya, quien fue llevado al exilio en un avión militar a Costa Rica. Ambos hombres, el constitucionalmente elegido presidente Zelaya (2006) y el presidente de facto Micheletti, se acogieron a la constitucionalidad de los hechos. Los partidarios de Zelaya y la opinión mundial coincidieron en que no era aceptable en el siglo XXI otro golpe de estado militar en una región que había sufrido tantos golpes históricamente. Los de Micheletti mantuvieron que el presidente Zelaya no había actuado conforme a la constitución del país al pretender modificarla para que pudiera reelegirse, un cambio constitucional como los que recientemente se habían efectuado en otros países (Chávez en Venezuela, Ortega en Nicaragua, Morales en Bolivia, etc.). Inicialmente la comunidad internacional, la ONU, la OEA y EUA, apoyaron la reinstalación de Zelaya como presidente para eliminar la crisis. Pero a fines de noviembre de 2009, cuando se completaron las nuevas elecciones presidenciales y fue elegido Porfirio Lobo, EUA y el mediador Oscar Arias recomendaron el apoyo de su nuevo gobierno. Es evidente que las elecciones y la constitucionalidad han llegado a ser muy importantes para un país que aguantó casi 20 años de control militar desde 1963 hasta 1981.

En 2005 Honduras firmó el acuerdo de RC-CAFTA. Además, en el siglo XXI muchos trabajadores hondureños han enviado remesas (2.56 mil millones en 2007 que representaba el 20% del PNB del país) a sus familias de sus trabajos en otros países, especialmente desde EUA. En 2008 y 2009 el aumento en remesas comenzó a reducirse debido al aumento de los precios de petróleo necesario para un país que no lo produce. Desgraciadamente, la desigualdad económica, la desnutrición, la falta de vivienda adecuada y las enfermedades infantiles siguen azotando la sociedad hondureña.

4-6 Actividades

¿Qué sabe Ud. de Guatemala y de Honduras?

1. A usted lo/la han contratado/a como asesor/a transcultural de negocios internacionales. Como tal, necesita informar a sus clientes sobre Guatemala y Honduras y recomendar un plan de viaje de negocios a cada país. Investigue sobre los datos pertinentes para poder abarcar los temas a continuación.

   a. Describa usted la geografía de Guatemala y de Honduras, incluyendo los siguientes temas: ubicación y tamaño de ambos países, capital y otras ciudades y puertos importantes, división administrativa y clima. Compare el tamaño de Guatemala con el de EUA y con el tamaño del estado donde Ud. vive. Compare el tamaño de Honduras con el de EUA y con el del estado donde Ud. vive.

   b. ¿Cuáles son las principales características demográficas y políticas de Guatemala y Honduras? ¿Quién es el jefe de estado de cada país? Comente la importancia de la crisis constitucional con Zelaya y Micheletti en Honduras en 2009. ¿Cómo se resolvió la situación?

   c. ¿Cuándo se celebra la fiesta nacional de cada país? ¿En qué otras fechas hay fiestas públicas que también podrían afectar el éxito de un viaje de negocios? (Véase la Tabla 10-1, páginas 306–308.)

   d. Describa la economía de cada país. Incluya datos sobre la moneda nacional, la tasa de inflación, el PIB y el PIB per cápita, el número de trabajadores (la mano de obra), la tasa de desempleo, los recursos naturales, las industrias nacionales, los productos que se exportan e importan, los países destino (mercados) y proveedores (fuentes) de estas transacciones internacionales y la balanza de comercio. ¿A cuánto se cotiza cada moneda nacional respecto al dólar de EUA?

   e. ¿Cuál sería un producto o servicio que usted recomendaría vender en Guatemala y en Honduras? ¿Por qué?

   f. Compare la infraestructura de transportes y de comunicaciones en cada país.

   g. ¿Cómo han cambiado algunos de los datos presentados en las secciones de «Vista panorámica» y «La actualidad económica» de este texto? Póngalos al día para cada país.

   h. ¿Quién es Rigoberta Menchú? ¿Es controvertido su testimonio? (Busque más información en Internet.)

   i. ¿Qué impacto tuvo el huracán Mitch en Guatemala y en Honduras? Busque información en Internet. ¿Ha habido problemas con otros desastres naturales en estos dos países?

j. ¿Qué son las maras y qué efecto tienen en la sociedad, la economía y el desarrollo democrático de Guatemala y Honduras?

k. Basándose en la «La actualidad económica» de cada país, ¿qué realidades, oportunidades y problemas destacaría y qué recomendaciones le daría al/a la cliente/a?

2. Usando Internet u otras fuentes informativas, prepare un plan (con presupuesto e itinerario) para sus clientes, quienes harán un viaje de negocios a las capitales de Guatemala y Honduras. Busque las verdaderas posibilidades en Internet, por medio de una llamada telefónica, en una agencia de viajes o en el aeropuerto mismo. Comuníquese en español, si es posible.

a. Fechas de ida y vuelta.

b. Vuelos: Aeropuertos de despegue y aterrizaje, líneas aéreas, horario; costos.

c. Transporte interno que se piensa usar en cada país: taxi, autobús, carro de alquiler, metro, tren, otro; costos.

d. Alojamiento y viáticos; costos.

e. La comida típica que van a pedir para la cena la primera noche en cada país.

f. Las formas de cortesía y los gestos que deben recordar, usar o evitar.

LECTURA CULTURAL

Banca, oportunidad, estabilidad, desarrollo y acceso

Muchísimas personas han podido realizar sus sueños gracias a la banca. La asistencia proporcionada por este sistema crediticio ha facilitado la creación de nuevas empresas, la operación y el mejoramiento de fábricas, la compra de casas y carros, la educación y hasta los medios para tomarse unas bien merecidas vacaciones. La banca nos ha ofrecido nuevas tecnologías de compraventa y de transferencia, como el **cajero automático** (*ATM*), la tarjeta de débito, la domiciliación de la nómina, el telepeaje y el rápido desarrollo de la banca en línea que se ha ido extendiendo por todas partes, reafirmando el concepto de la economía global inmediata e interactiva. La banca ha servido para proteger y aumentar los ingresos y los ahorros y para crear o mantener fortunas. Para muchos, los bancos de diversa índole y otras instituciones crediticias relacionadas han representado la oportunidad de mejorar su condición de vida y la de sus hijos.

Ya se ha visto el tema del banco comercial y el de las instituciones de microfinanciación; a continuación se hablará más de otros dos tipos de bancos: los **centrales** (**nacionales** o **federales**) y los de **desarrollo** (o **fomento**). Los bancos centrales tienen un papel clave en el sistema bancario nacional de cada país. El banco central de los Estados Unidos es el *Federal Reserve Bank* (Banco de Reserva Federal, www.federalreserve.gov), creado en 1913 para asegurar un sistema monetario y financiero más estable para el país. Hoy en día, el «Fed» dirige la política monetaria de la nación, supervisa la banca nacional, protege los derechos crediticios de los consumidores y mantiene la estabilidad del sistema financiero, lo cual ha sido muy difícil durante la aguda crisis financiera que azotó a EUA a finales de 2008 y en el año 2009. Los bancos centrales de los países hispanos tienen objetivos semejantes, con un énfasis especial en controlar el valor de la moneda nacional contra tendencias inflacionarias y supervisar la política cambiaria de divisas.

El Banco de Guatemala, por ejemplo, debe «contribuir a la creación y mantenimiento de las condiciones más favorables al desarrollo ordenado de la economía nacional, para lo cual propiciará las condiciones monetarias, cambiarias y crediticias que promuevan la estabilidad en el nivel general de precios» (www.banguat .gob.gt). El Banco Central de Honduras tiene la responsabilidad de «velar por el mantenimiento del valor interno y externo de la moneda nacional y el buen funcionamiento y estabilidad de los sistemas financiero y de pagos del país» (http:// www.bch.hn/mision.php). El Banco Central de Chile tiene la misión de «contribuir al buen funcionamiento de la economía y al bienestar de los chilenos, velando por la estabilidad de la moneda y el normal funcionamiento de los pagos internos y externos» y desea ser reconocido «como una institución autónoma, técnica y de excelencia, por nuestros valores institucionales y por la efectividad con que alcanzamos la estabilidad de precios y el normal funcionamiento del sistema de pagos» (http://www.bcentral.cl/acerca/planificacion-estrategica/index.htm). Y el marco legal del Banco Central de Reserva del Perú estipula que, «como persona jurídica de derecho público (...) su finalidad es preservar la estabilidad monetaria (...) regular la moneda y el crédito del sistema financiero, administrar las reservas internacionales a su cargo [e] informar exacta y periódicamente al país sobre el estado de las finanzas nacionales» (http://www.bcrp.gob.pe/docs/Sobre-el-BCRP/ Papel-del-BCRP/BCRP-02.pdf). Los bancos centrales desempeñan un papel clave a nivel nacional, pero no exclusivo ya que hay otros bancos que también ayudan con el desarrollo nacional y regional.

Los bancos de desarrollo (o de fomento) multilateral y otras organizaciones financieras relacionadas (recuerde el caso del BID, presentado antes en el ejercicio «Para pensar» de la «Lectura comercial») tienen propósitos diferentes a los de los bancos centrales. SELA, el Sistema Económico Latinoamericano, cuenta entre sus objetivos el de «promover un sistema de consulta y coordinación para concertar posiciones y estrategias comunes de América Latina y el Caribe, en materia económica, ante países, grupos de naciones, foros y organismos internacionales» e «impulsar la cooperación y la integración entre países de América Latina y el Caribe» (www.sela.org). La CEPAL, Comisión Económica para América Latina, fue creada por las Naciones Unidas «para contribuir al desarrollo económico de América Latina, coordinar las acciones encaminadas a su promoción y reforzar las relaciones económicas de los países entre sí y con las demás naciones del mundo» (www.cepal.org). Y, como último ejemplo, el CMCA (Consejo Monetario Centroamericano), «integrado por los Presidentes de los cinco Bancos Centrales Centroamericanos y el Gobernador del Banco Central de República Dominicana», tiene como «principal objetivo promover y ejecutar las acciones necesarias para realizar gradual y progresivamente la integración monetaria y financiera centroamericana y contribuir al proceso de integración económica regional» (www.secmca.org).

En fin, los diferentes tipos de bancos tienen distintos papeles. En breve, el banco comercial típicamente funciona a nivel microeconómico para ayudar a los individuos y a las empresas con préstamos, cuentas corrientes y de ahorros, etc.; la microfinanciación propone pequeños créditos a quienes carecen de acceso a la banca tradicional; el banco central o nacional se encarga a nivel macroeconómico y macrobancario de la banca nacional, la estabilidad de la moneda nacional y la política cambiaria; y el banco de desarrollo o de fomento, también a nivel macroeconómico, se dedica a reducir la pobreza en un país o en una región, a la integración económica y monetaria regional, y al desarrollo socioeconómico nacional o regional. Este último, en el sentido del desarrollo sostenible, es muy importante para aquellos países hispanoamericanos que se hallan en vías de desarrollo.

La verdad es que los servicios del banco comercial han sido mucho más asequibles para los que viven en un país desarrollado como EUA o España, donde la riqueza nacional está mejor distribuida entre más personas. Para lograr el acceso a la banca comercial, primero hace falta reducir la pobreza la cual, como se ve en la Figura 4-1, es un problema grave y persistente en muchos países hispanos (datos del *CIA World Factbook 2003*, www.cia.gov). El Grupo del Banco Mundial define la pobreza como "vivir por debajo de un ingreso de un dólar con 25 centavos al día por persona," condición que también abarca la "carencia de alimentos, cobijo, salud, educación e influencia acerca de las decisiones que afectan la vida propia" (http://web.worldbank.org y http://www.globalissues.org/article/4/poverty-around-the-world). Según el informe anual de CEPAL, Panorama social de América Latina 2008, se estimó que el 33% de la población (182 millones de personas) en América Latina y el Caribe vivían en la pobreza y que la pobreza extrema o indigencia había alcanzado un 13% (71 millones), señalando que los avances contra la pobreza y la indigencia fueron menos favorables que en el quinquenio 2002–2007 (http://www.oei.es/noticias/spip.php?article4025).

Los menos afortunados–los pobres, las mujeres, los indígenas, los negros y otros discriminados–no han tenido acceso a la banca comercial, la cual ha servido mayormente los intereses de las clases alta y media, especialmente la élite. Y a causa de la corrupción endémica en muchos países hispanos, tampoco se ha tenido mucha confianza en las instituciones bancarias y oficiales. Por eso, ha llegado a tener gran importancia el concepto de la inversión en el desarrollo sostenible, definido en 1987 por la Comisión de Brundtland como «aquél que satisface las necesidades del presente sin comprometer que las generaciones futuras satisfagan sus propias necesidades». Se trata de un desarrollo económico, ambiental y social, auténtico, compartido y duradero. La banca en general, al concentrarse más en la reducción de la pobreza y en el desarrollo sostenible, puede ayudar a muchos más hispanoamericanos con el progreso socioeconómico a largo plazo, pero urge a corto plazo.

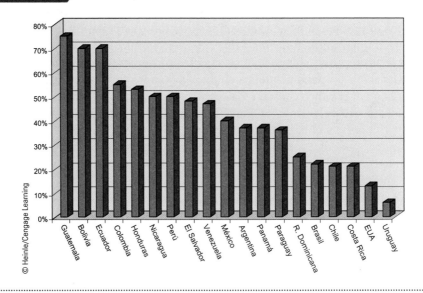

Figura 4-1 Porcentaje de población nacional que vive en pobreza

© Heinle/Cengage Learning

4-7 Actividades

1. **¿Qué sabe Ud. de la cultura?** Demuéstrelo contestando las preguntas a continuación.

   a. ¿En qué se diferencian los objetivos de un banco comercial, una institución de microfinanciación, un banco central y un banco de desarrollo?

   b. ¿Cómo se llama el banco central de EUA y cuáles son sus responsabilidades principales?

   c. ¿Cuál es el objetivo principal de muchos de los bancos centrales de Hispanoamérica? ¿Por qué piensa Ud. que es así?

   d. ¿Qué son el GBM, el BID, el SELA, la CEPAL y el CMCA? ¿Por qué existen?

   e. ¿Quién se puede servir de la banca en Hispanoamérica y quién no? ¿Hay un acceso general? Explique.

   f. Use la Figura 4-1 para analizar la pobreza en Latinoamérica. ¿Cuáles son los países hispanos con más de 50% de su población por debajo de la línea de la pobreza? ¿Con 20% o menos? ¿Piensa que la pobreza sea un problema limitado sólo a Latinoamérica? Comente con ejemplos.

   g. Si fuera Ud. banquero/a, ¿incluiría el «desarrollo sostenible» como una condición de un préstamo o una inversión? ¿Por qué piensa que es importante este concepto para el futuro de Hispanoamérica y del mundo?

2. **Mini-drama cultural.** Dramatice lo siguiente y conteste las preguntas. Roberta O'Neil, estudiante de idiomas y comercio en una universidad estadounidense, está haciendo su práctica profesional con Petroleras Guatemaltecas en Puerto Barrios, cerca del golfo de Honduras en el noroeste del país. Después de una semana en esta ciudad, decide abrir una cuenta corriente y otra de ahorros para llevar a cabo varias transacciones personales y comerciales. Va al Banco Comercial y al ver lo moderno del interior del banco, piensa que las costumbres bancarias guatemaltecas serán semejantes a las de Filadelfia, su ciudad natal. Pasa a la ventanilla de la primera cajera donde se entabla la siguiente conversación.

Primera Cajera:	Buenos días, señorita. ¿En qué puedo servirle?
O'Neil:	Buenos días. Soy Roberta O'Neil, y quisiera abrir una cuenta corriente y otra de ahorros.
Primera Cajera:	Lo siento, señorita. Aquí se sirve sólo a quienes ya tienen cuentas. Pase, por favor, a la ventanilla cuatro. (Al decir esto, la cajera frunce la boca hacia la ventanilla cuatro.)
O'Neil:	Gracias. (Se acerca a la ventanilla cuatro.)
Cajero:	Buenos días. ¿En qué puedo servirle?
O'Neil:	Buenos días. Quisiera abrir una cuenta corriente y otra de ahorros.
Cajero:	Ud. es estadounidense, ¿verdad?
O'Neil:	Sí. Soy Roberta O'Neil de Filadelfia.
Cajero:	Bienvenida a Guatemala. Espero que le guste nuestro país. Es muy bonito. En cuanto a las cuentas que desea abrir, tiene que pasar a la ventanilla ocho. (Frunce la boca hacia la ventanilla ocho.)
O'Neil:	(Un poco irritada) Gracias.
Cajera:	Buenos días, señorita. ¿En qué puedo servirle?
O'Neil:	Quisiera abrir una cuenta corriente y otra de ahorros, pero me parece que es muy difícil hacerlo.
Cajera:	No, señorita, es fácil. ¿Tiene Ud. pasaporte y permiso para trabajar en Guatemala?
O'Neil:	Sí, aquí los tengo.
Cajera:	Gracias. Un momentito, por favor. (Se va y vuelve un rato después.)

(Mientras O'Neil espera, llega un señor guatemalteco y se coloca delante de ella, entregándole a la cajera unos papeles. Además, saluda a la cajera y comienza a charlar con ella amistosamente. La cajera le sigue con interés el hilo de la conversación, preguntándole por la familia, el trabajo, etc.)

O'Neil:	(Nerviosa) Perdone, señor, pero es mi turno, ¿no?
Guatemalteco:	Ah, lo siento, señorita, pero pensaba que Ud. ya había terminado y que me tocaba a mí.
O'Neil:	(Ya irritada) Bueno, todavía no he terminado.
Guatemalteco:	Pues, Amalia (dirigiéndose a la cajera), lo siento, pero tengo que irme a casa. Me espera toda la familia. Adiós, favor de saludar a tu papá. Nos vemos esta noche en casa de Tito y Carmen.
O'Neil:	(A la misma cajera) ¿Qué le pasa a ese señor? ¡Qué mal educado!
Cajera:	¿Perdón, señorita? Un poco de paciencia, por favor. Aquí tiene Ud. los formularios para abrir las cuentas que desea. Favor de completarlos y pasar a la ventanilla dos. (Frunce la boca hacia la ventanilla dos.)
O'Neil:	Gracias y adiós. (A sí misma) ¡Qué raros son los guatemaltecos! Parece que todos tienen un tic nervioso en la boca.

a. ¿Qué tiene que aprender todavía la señorita O'Neil? Defienda su selección.
  • Los guatemaltecos son muy agresivos y mal educados.
  • Los guatemaltecos no respetan a los extranjeros.
  • Los guatemaltecos tienen otras normas de conducta bancarias.
b. ¿Por qué piensa la señorita O'Neil que todos tienen un tic nervioso? En realidad, ¿qué significa este gesto de fruncir la boca? ¿Ocurre esto en los bancos de EUA? Comente.

SÍNTESIS COMERCIAL Y CULTURAL

 4-8 **Actividades comunicativas**

1. **Situaciones para dramatizar.** Lea las siguientes situaciones y después haga el papel en español con otro/s estudiante/s, usando una de las posibilidades siguientes como punto de partida. Cada persona deberá participar activamente en la dramatización. No olviden el protocolo ni las cortesías.

a. *You are a representative of the Inter-American Development Bank* (Banco Interamericano de Desarrollo) *which was founded to help finance economic development projects in the Americas. The bank has loaned the Guatemalan government several million dollars in notes* (pagarés) *to build needed housing in Quetzaltenango, the second largest city in that country. You are in Guatemala City because the government has not paid the first note, which was due two months ago. You discuss the following with a representative of the Ministry of Finance.*
  • *Reasons for the non-payment*
  • *Possible solutions to the problem (partial payment, rescheduling the loans, etc.)*

In your discussion you come to realize that each of you has different views on borrowing, lending, and repayment—yours more typically American (insistence on paying on time, etc.) and his/hers more typically Guatemalan (appealing somewhat to the lender's goodwill and understanding). Try to resolve the problem tactfully.

b. *You are an auditor for a U.S. bank on assignment in Tegucigalpa to review the financial books and statements of its Honduran branch. After examining the necessary documents, you discuss the following with the branch's chief accountant.*

- *The need for bank employees to adhere to the parent bank's policies and practices on making the appropriate entries clearly and keeping all journals and ledgers up-to-date.*
- *The practice of giving preferential treatment (la dedocracia) for various bank transactions, especially to close friends or relatives.*

During your conversation, you encounter resistance from the Honduran accountant, who defends some of the very customs that you are questioning. Try to come to a mutually satisfactory agreement on procedure.

2. **Comprensión y comunicación.** Para este ejercicio basado en el vídeo de *Éxito comercial*, pase al encarte central del texto, VídeoTexto página 5.

3. **Actividad empresarial.** Usted y sus compañeros de clase trabajan para USCAN, S.A. Por ser especialistas en contabilidad y por saber español, se les ha asignado a Uds. explicar las transacciones hechas en las Tablas 4-1 hasta 4-4, indicando:

- a qué estado contable pertenece cada una
- por qué se realizaron y con qué resultados
- cuál es el estado financiero de la empresa.

Repartan lo asignado de modo que todos colaboren. Luego, comenten sus análisis con sus compañeros/as de clase.

4. **Minicaso práctico.** Lea el caso y conteste las preguntas a continuación.

La Bank of America Corporation es una de las instituciones bancarias y financieras más grandes del mundo. Ofrece una amplísima gama de productos y servicios bancarios e inversionistas tanto como los que se relacionan con la **administración de bienes** y de riesgo. Según su página web en abril de 2009, en EUA contaba con más de 6,100 sucursales, unos 18,700 cajeros automáticos y brindaba la banca en línea a unos 29 millones de usuarios activos. También prestaba servicios y **asesoría** a más de 59 millones de clientes individuales, pequeñas empresas, gobiernos, sociedades anónimas y otras instituciones, en más de 150 países del mundo. En 2008, el banco había adquirido Countrywide Financial Corp. por un valor de cuatro mil millones de dólares. Esta adquisición convirtió a Bank of America en el mayor banco hipotecario del país, pero con una enorme cantidad de crédito *subprime*, el cual se caracteriza por un nivel de **riesgo de impago** superior a la media del resto de créditos y por un elevado **apalancamiento**. Luego, en enero de 2009, el Bank of America concluyó su adquisición de Merrill Lynch, una de las mayores **firmas bolsistas** del mundo que se especializa en transacciones financieras, financiamiento corporativo y **banca de negocios (banca de**

inversión), con más de 60,000 empleados en 40 países. Como resultado, Bank of America también se había transformado en la **agencia de bolsa (correduría)** más grande del mundo, con unos $2.5 billones (*trillion*) de **bienes de clientela**.

Cuando Bank of America finalizaba su adquisición de Merrill Lynch a finales de 2008, la economía nacional de EUA y del resto del mundo ya se hallaba en plena crisis financiera. Esta crisis global, prevista por muy pocos economistas y aún menos políticos nacionales, había tenido gran parte de su origen en otra crisis crediticia, la hipotecaria, puesto que muchos bancos e instituciones financieras habían realizado demasiados préstamos poco éticos a compradores que carecían de suficientes ingresos, ahorros y **garantías** para pagar los inmuebles que habían comprado. En efecto, con la política nacional de que todo ciudadano tenía derecho a vivienda, el crédito se había hecho demasiado fácil y faltaba la regulación para controlar los excesos, al participar tantos individuos e instituciones en la **burbuja inmobiliaria** y el frenesí de lucro especulativo. A la vez que los precios de los inmuebles experimentaban una subida anormal, los bancos concedían más préstamos hipotecarios a prestatarios incapaces de repagar lo prestado, conocidos como NINJA (*No Income, No Job or Assets*), mientras que se construían más casas y edificios, hasta que el mercado saturado no pudo absorber más la exagerada **oferta inmobiliaria**. Empezaron a caer los precios de las casas, aumentaba el número de compradores en **mora**, subían las tasas de interés, y las instituciones bancarias, financieras e hipotecarias apretaron más el crédito al ver la ola de pérdidas que se aproximaba. Clave en la crisis fue la valoración reasignada por las agencias de calificación crediticia y de valores (*ratings agencies*), que maniobraron para mejorar las clasificaciones de los activos infectados por los valores y préstamos *subprime* porque ya se habían mezclado éstos con los buenos préstamos y valores, de modo que se pudiera justificar la subida de la clasificación, por ejemplo, de B a AA, etc.

Para evitar el posible colapso del sistema bancario-financiero nacional, y posiblemente mundial, el gobierno de Estados Unidos creó TARP (el Programa de Alivio para Activos; *Troubled Assets Relief Program*) a finales de 2008 y empezó a invertir y prestar miles de millones de dólares, dinero de los **contribuyentes**, a las instituciones como Bank of America, AIG, Citibank, etc. Pero persistía el gravísimo problema de los **bienes tóxicos** y la falta de liquidez. (Es interesante que, durante ese mismo período, aunque la banca comercial estadounidense había retirado las líneas de liquidez, el BCIE, tratado anteriormente, siguió apoyando a sus bancos miembros, mayormente centroamericanos y caribeños, con la creación de una línea de contingencia y otra de liquidez valoradas en 500 millones de dólares). Peor aún, en un solo año (desde febrero 2008 a enero de 2009) el valor de las acciones de Bank of America (BAC) había caído de $43 a $3, lo cual anuló para muchos la inversión que habían hecho para su jubilación.

Mientras ocurría todo esto, muchos de los grandes bancos e instituciones financieras como Bank of America y Merrill Lynch estaban pagando grandes **bonificaciones** (miles de millones de dólares) a los mismos directores y empleados que, por motivo de lucro, habían ignorado el riesgo representado por la especulación desbordada. De hecho, a fines de 2008 Merrill Lynch se había apresurado para efectuar la distribución de las bonificaciones a sus empleados justo antes de que se formalizara su compra por el Bank of America. El gobierno de EUA (y los de otros países donde sucedía algo parecido), al enterarse de lo que estaba pasando, se opuso fuertemente a la concesión de las bonificaciones, las cuales en muchos casos representaban un cumplimiento contractual con los diferentes individuos. En febrero de 2009, el congreso de EUA declaró que impondría un impuesto de hasta el 90% sobre tales bonificaciones para anular las ganancias que la prensa ya pintaba como inmorales e ilícitas. Muchos cuestionaban si esta acción gubernamental era legal o no, pues no existía ninguna ley prohibiendo el pago de las bonificaciones. El gobierno también amenazó que publicaría los nombres de los individuos que aceptaban tales bonificaciones. (http://prensa .bankofamerica.com/index.php?s=43&item=7592.)

Conteste las siguientes preguntas:

a. ¿Cuándo realizó el Bank of America la adquisición de Countrywide Financial Corp.? ¿Cuál fue el resultado para el banco?

b. ¿Cuándo realizó la adquisición de Merrill Lynch? ¿Cuál fue el resultado para el banco?

c. ¿Por qué ocurrió la crisis hipotecaria? ¿Qué es una burbuja inmobiliaria? ¿Por qué puede ocurrir este fenómeno anormal? ¿Cómo influyó esta crisis en la subsiguiente crisis crediticia y financiera?

d. ¿Qué fue TARP y por qué intervino de esta manera el gobierno de EUA? ¿Está usted de acuerdo con este tipo de intervención gubernamental en el mercado libre?

e. ¿Qué son las bonificaciones? ¿Por qué intervino el gobierno de EUA para anular este pago? ¿Es legal esta acción por parte del gobierno? Comente.

f. ¿Tuvo la crisis financiera de EUA ramificaciones en otros países y regiones del mundo, por ejemplo en Europa, Latinoamérica y Asia? Comente con ejemplos.

g. Considere usted la situación desde los siguientes puntos de vista y comente sus opciones con otros estudiantes que representarán cada grupo a continuación:

- El Presidente de la Junta Directiva de Bank of America, Ken Lewis, justificando ante los accionistas las adquisiciones de Countrywide y Merrill Lynch.
- Dos contribuyentes: uno que no quiere que se use su dinero (los impuestos que ha pagado al gobierno) para rescatar las mismas empresas que habían creado la crisis hipotecaria y financiera, y otro que no ve ninguna otra opción.
- Dos vecinos: uno que opina que hay que ayudar a los que van perdiendo sus casas por la **ejecución hipotecaria** y otro que afirma «allá ellos», pues por qué compraron una casa cuando no tenían los medios para hacer tal compra.
- Una persona jubilada hablando con (a) su familia y (b) su asesor financiero, acerca del hecho que ahora no tiene el dinero suficiente para quedarse jubilado porque el valor de sus acciones (casi todo lo que había invertido y ahorrado para su jubilación) con Bank of America ha bajado de $430,000 a $30,000 (de $43 a $3 por acción). ¿Qué soluciones hay?

- Dos banqueros: uno que justifica la bonificación que recibió porque había trabajado mucho y porque tal recompensa figuraba en su contrato, y otro que piensa que hay que rechazar la bonificación (la suma es de $2,000,000 por banquero) porque ofende a mucha gente y porque teme por la seguridad de su propia familia si se publica su nombre como recipiente.

 4-9 **Análisis y comparación**

Estudie la Tabla 4-5 y haga los ejercicios a continuación. Use también sus propios conocimientos y, cuando haga falta, otras fuentes informativas como el diccionario, un *Almanaque mundial*, Internet, etc. Los ejercicios se pueden hacer individualmente, en parejas o en pequeños grupos para discutir en clase.

1. ¿Cuáles son los cinco países hispanos más grandes? ¿De qué tamaño es cada uno en términos de millas^2 y kilómetros^2? ¿Cuáles son los tres países hispanos más pequeños?

2. En cuanto a tamaño, ¿con qué estado/s de EUA son comparables Cuba, España, México, Chile, Uruguay, Argentina y Venezuela? Compare los siguientes países con el país o estado donde usted vive: Nicaragua, Colombia, Paraguay y Perú.

3. Compare el tamaño de los siguientes países: España y Argentina, Chile y México, Uruguay y Colombia, Venezuela y Cuba. (Ejemplo: Argentina es 6.8 veces más grande que Paraguay.)

4. ¿Cómo se relaciona el tamaño de un país con la infraestructura de transportes del mismo?

5. Al hablar de la división política de un país, ¿qué diferencias hay entre regiones, provincias, estados, departamentos, municipios, distritos federales y comarcas? ¿Qué quiere decir «región autónoma»? ¿Cuáles son algunas de las regiones autónomas de España?

6. ¿Que es un «distrito federal» o «distrito capital»? ¿Cuáles son los países hispanos que tienen esta división política?

7. ¿Cuáles son los tres países hispanos de mayor población en el año 2005? ¿Cuáles son los tres de menor población? Haga un gráfico lineal o circular (line or pie chart) de comparación entre estos seis países.

8. ¿Cuánto aumentará la población de México entre los años 2005 y 2015? ¿Entre 2015 y 2025? ¿Y entre 2005 y 2025? Haga los mismos cálculos para otros dos países hispanos de su selección.

9. Como consultor/a para una empresa multinacional que planea entrar en el mercado hispano, haga una breve presentación de resumen (o comente el tema con sus compañeros de clase) de las proyecciones poblacionales para los países hispanos en su totalidad entre los años 2005 y 2025. ¿Cuánto crecerá este gran mercado hispanohablante? ¿Crecerá de igual manera según los siguientes países principales y regiones: México, España, el Caribe, América Central, los países andinos y los países del Cono Sur? Explique.

Tabla 4-5 Los países hispanoparlantes, Brasil y Estados Unidos: área nacional (en millas^2 y en kilómetros^2) y comparación de tamaño con EUA, división administrativa, población nacional en el año 2005 y proyecciones de crecimiento poblacional para los años 2015 y 2025

País	Área nacional en millas^2 y en kilómetros^2 y comparación con EUA	División administrativa	Población 2005 (en millones de personas)	Población 2015 (en millones de personas)	Población 2025 (en millones de personas)
Argentina	1,068,300m^2 / 2,766,890 k^2 (4 × TX = 4 veces el tamaño de Tejas)	Un distrito federal y 23 provincias	40.5	43.4	47.2
Bolivia	424,000 m^2 / 1,098,580 k^2 (TX + CA)	9 departamentos	9.6	10.8	12.5
Chile	292,260 m^2 / 756,950 k^2 (2 × CA)	13 regiones y 51 provincias	16.5	17.4	18.6
Colombia	439,736 m^2 / 1,138,910 k^2 (2 × MT)	Un distrito capital y 32 departamentos	45	49.4	55.3
Costa Rica	19,730 m^2 / 51,100 k^2 (<WV = un poco más pequeño que WV)	7 provincias	4.2	4.6	5.1
Cuba	42,803 m^2 / 110,860 k^2 (PA)	14 provincias y un municipio especial	11.4	11.6	11.6
Ecuador	109,483 m^2 / 283,560 k^2 (CO)	22 provincias	14.4	15.9	17.9
El Salvador	8,124 m^2 / 21,040 k^2 (MA)	14 departamentos	7.1	7.9	9.1
España	194,897 m^2 / 504,782 k^2 (2xOR)	17 comunidades autónomas, 47 provincias y 2 ciudades autónomas	40.5	40.5	39.6
Guatemala	42,043 m^2 / 108,890 k^2 (TN)	22 departamentos	13	14.9	17.6
Guinea Ecuatorial	10,831 m^2 / 28,051 k^2 (MD)	2 regiones y 7 provincias	0.6	0.7	0.9
Honduras	43,278 m^2 / 112,090 k^2 (TN)	Un distrito capital y 18 departamentos	7.6	8.7	10
México	761,606 m^2 / 1,972,550 k^2 (3 × TX)	Distrito Federal y 31 estados	110	118.7	130
Nicaragua	49,998 m^2 / 129,494 k^2 (NY)	15 departamentos y 2 regiones autonomistas	5.8	6.5	7.5
Panamá	30,193 m^2 / 78,200 k^2 (SC)	9 provincias y 5 comarcas (territorios)	3.3	3.7	4.1

(continúa)

Tabla 4-5 *(continuación)*

País	Área nacional en millas² y en kilómetros² y comparación con EUA	División administrativa	Población 2005 (en millones de personas)	Población 2015 (en millones de personas)	Población 2025 (en millones de personas)
Paraguay	157,047 m² / 406,750 k² (CA)	El Distrito Capital y otros 17 departamentos	6.8	8	9.9
Perú	496,226 m² / 1,285,220 k² (3 × CA)	12 regiones, 24 departamentos y una Provincia Constitucional	29.1	31.6	34.7
Puerto Rico	3,515 m² / 9,114 k² (2 × RI)	78 municipios	4	4	4.1
República Dominicana	18,815 m² / 48,730 k² (3 × RI)	Un distrito nacional y otras 29 provincias	9.5	10.5	12
Uruguay	68,039 m² / 176,220 k² (OK)	19 departamentos	3.5	3.6	3.7
Venezuela	352,145 m² / 912,050 k² (2 × CA)	Un distrito federal, Caracas, 23 estados, una dependencia federal	26.4	29.3	33.2
Brasil	3,286,488 m² / 8,511,965 k² (Un poco más grande que Estados Unidos continental [sin Alaska y Hawai]. El país más grande de América del Sur)	1 distrito federal (Brasilia) y 26 estados	196	212	232
EUA	3,794,083 m² / 9,826,630 k²	El Distrito de Columbia y 50 estados	304	325.5	357

FUENTES: *U.S. Bureau of the Census, U.S. Department of State Background Notes, CIA World Factbook 2008, The World Almanac and Book of Facts 2009.*

Posibilidades profesionales

La banca y la contabilidad son campos muy importantes en la actividad empresarial global. Proporcionan un sinnúmero de trabajos de distintas clases tales como los de director/a consultor/a de banca, cajero/a, etc., contador/a o contable y sus distintas especializaciones (de tributos, de costos, etc.). Para más información al respecto y para una actividad que le ayude a saber más sobre el tema, véase Capítulo 4 de «Posibilidades profesionales» que se encuentra en www.cengage.com/spanish/exito.

Aquí se presentan los principales términos de este capítulo. Al final del libro hay un glosario más completo.

....

abonar • *to pay*

a corto (largo, medio) plazo • *in the short (long, mid-) term*

acreedor/a • *creditor*

activo • *assets*

administración de bienes • *asset management*

agencia de bolsa • *brokerage*

  de calificación crediticia y de valores • *ratings agency (Moody's, Standard & Poor's, etc.)*

ahorrar • *to save*

ahorro-depósito • *savings deposit*

ahorros • *savings*

al contado • *cash*

a plazo fijo • *fixed term*

apalancamiento • *leverage*

arriendo • *rent, lease*

asentar (ie) • *to note, enter*

asesoramiento • *advice, consultation*

asesoría • *advising (e.g., financial, investment, etc.)*

asiento • *entry*

auditoría • *auditorship, auditing*

balance de comprobación (m) • *trial balance*

balance general • *balance sheet*

banca de negocios • *investment banking*

  en línea • *online banking*

  de punta • *cutting-edge online banking*

banco hipotecario • *mortgage bank*

banquero • *banker*

bienes • *assets*

  de clientela • *customer assets*

  tóxicos • *toxic (risky) assets*

bonificación • *bonus (reward, retention, etc.)*

burbuja inmobiliaria • *housing (real estate) bubble*

caja • *cash register*

  de ahorros • *savings bank*

  de seguridad • *safety deposit box*

cajero • *cashier*

  automático • *ATM machine*

cancelar • *to pay off, settle*

capital pagado • *owner's equity*

capital social (m) • *capital stock*

cheque (m) • *check*

  al portador (m) • *check to the bearer*

  bancario • *bank check*

  de administración • *cashier's check*

  en descubierto, sin fondos • *overdrawn check (NSF: insufficient funds)*

  nominativo • *check to a designated payee*

cobrar • *to cash, charge*

conjunto (adj) • *joint (account)*

contable (m/f/adj) • *accountant, accounting*

  fiscal • *government accountant*

  público titulado • *certified public accountant*

contador (m/f/adj) • *accountant, accounting*

  fiscal • *government accountant*

  público titulado • *certified public accountant*

contaduría • *accounting*

contribuyente (m/f) • *taxpayer*

correduría • *brokerage*

costo de ventas • *cost of goods sold*

crédito *subprime* • *subprime credit*

cuenta • *account*

  conjunta/mancomunada • *joint account*

  por cobrar • *account receivable*

  por pagar • *account payable*

custodiar • *to keep, hold, take care of (e.g., a deposit)*

debe (m) • *debit*

débito • *debit*

depositante (m/f) • *depositor*

depósito • *deposit*

  a la demanda • *demand deposit*

  a plazo fijo • *fixed-time deposit*

devengar • *to yield, earn (interest)*

devolución • *refund, repayment*

diario • *book of original entry, general journal*

domiciliar la nómina • *to have salary paid by direct deposit*

efectivo • *cash*

(continúa)

ejecución hipotecaria • *foreclosure*

ejercicio • *accounting period, fiscal year*

endosante (m/f) • *endorser*

endosar • *to endorse*

endosatario • *endorsee*

equipo de almacén • *plant equipment*

eraria • *Treasury*

estado • *statement*

   contable • *accounting statement*

   de flujo de caja • *cash flow statement*

   de ganancias retenidas • *statement of retained earnings*

   de ganancias y pérdidas • *profit and loss statement*

   financiero • *financial statement*

factura • *invoice*

fianza • *collateral, guarantee*

fiduciario • *fiduciary*

firma bolsista • *brokerage*

fisco • *Treasury*

flujo de caja • *cash flow*

   de efectivo • *cash flow*

formulario • *(printed) form*

ganancias retenidas • *retained earnings*

garantía • *collateral, guarantee*

gastos • *costs, expenses*

girado • *drawee*

girador/a • *drawer of check or draft*

girar • *to draw, issue*

haber (m) • *credit, assets*

hacienda • *Tresary Department; tax office*

impago • *non-payment; default on payment*

importe (m) • *amount, price, cost*

ingreso • *receipt, revenue, income*

junta directiva • *board of directors*

letras por pagar • *bills (of exchange) payable*

librado • *drawee*

librador/a • *drawer*

librar • *to draw or issue*

libro mayor • *ledger*

mancomunado (adj) • *joint*

mora (en) • *late, behind in payment (mortgage, rent, etc.)*

obligaciones • *liabilities*

oferta inmobiliaria • *housing supply*

pagaré (m) • *promissory note (I.O.U.)*

pase (m) • *entry (ledger)*

pasivo • *liabilities*

   circulante • *current liabilities*

   fijo • *fixed liabilities*

patrimonio • *wealth, estate capital, net worth*

pedir prestado • *to borrow*

portador/a • *bearer*

prenda • *collateral, guarantee*

prestador/a • *lender*

prestamista (m/f) • *lender*

préstamo comercial • *commercial loan*

prestatario/a • *borrower*

presupuesto • *budget*

recaudo • *collection*

recibo • *receipt*

rédito • *return, yield (interest)*

rentabilidad • *profitability*

rescate bancario • *bank bailout*

retirar • *to withdraw (e.g., from an account)*

riesgo de impago • *risk of default, non-payment*

saldo • *balance of an account*

   acreedor • *credit balance*

   deudor • *debit balance*

   de utilidad neta • *net profit*

tarjeta de crédito • *credit card*

tarjeta de débito • *debit card*

TARP • *Programa de Alivio para Activos*

telepeaje • *electronic toll booth payment (with credit card)*

tenedor/a • *holder, bearer*

tipo • *rate (of interest, exchange)*

tomar prestado • *to borrow*

viáticos • *travel allowance, expenses*

Los bienes raíces y el equipo

Obra de construcción del Nuevo Estadio Nacional donado por China en San José, Costa Rica. Es un ejemplo de la globalización del comercio: tecnología, equipo y obreros chinos, y hormigón proporcionado por Cemex. Busque en Internet más información acerca de esta obra para discutir el tema en clase. ¿Qué opina Ud. de tal globalización en este sector?

The best investment on earth is earth.
—LOUIS GLICKMAN

Real estate is the closest thing to the proverbial pot of gold.
—ADA LOUISE HUXTABLE

Generación va y generación viene, mas la tierra siempre permanece.
—PROVERBIO

Integridad y ética empresariales

It has become dramatically clear that the foundation of corporate integrity is personal integrity.

— SAM DIPIAZZA, GERENTE GENERAL DE PRICEWATERHOUSECOOPERS

Traduzca al español la cita de arriba y comente su validez para los bienes raíces, con un buen ejemplo que usted conozca o uno que pueda imaginarse, por ejemplo, el hacer préstamos hipotecarios a prestatarios incapaces de pagarlos.

5-1 Preguntas de orientación

Al hacer la «Lectura comercial», piense en las respuestas a las siguientes preguntas.

1. ¿Qué tipo de inversión representa la adquisición de terreno, de local y de equipo?
2. ¿Qué factores entran en la decisión de dónde establecer una empresa o planta manufacturera?
3. ¿Cuáles son algunas de las funciones de los corredores de bienes raíces?
4. ¿Qué es un contrato de arrendamiento?
5. ¿Quiénes son el arrendador y el arrendatario?
6. ¿Cuáles son algunas de las estipulaciones que se incluyen en un contrato de arrendamiento de local de negocios?
7. ¿Cómo se diferencia el propósito del equipo y de la maquinaria para una empresa, del propósito de su inventario?
8. ¿Qué es la depreciación?
9. ¿Cómo funciona el método lineal para medir la depreciación de una máquina comercial o industrial?
10. ¿Qué es la plusvalía?

LECTURA COMERCIAL

Las inversiones de capital a largo y a corto plazo

La adquisición de terreno, de local y de equipo representa una **inversión de capital a largo plazo**. Es decir, se trata de propiedades físicas (no intangibles como una patente o marca registrada) de larga vida para usarse como inversión o en la producción y la venta de bienes y servicios.

Los **bienes raíces** o **inmuebles** pueden ser urbanos, municipales, rurales o agrícolas, y una de las decisiones más importantes para un negocio es su **ubicación**. Lerner y Baker explican que en esta decisión hay que tener en cuenta los siguientes factores: el costo de adquisición de propiedad (**terreno** o **solar**) y edificios; la proximidad a los mercados; la estabilidad del mercado; y el acceso a los recursos necesarios como la materia prima, la fuerza laboral y la energía que se necesitará para operar el negocio. También es importante considerar la estructura impositiva (los impuestos que se tendrán que pagar) y las regulaciones locales. Otros factores son la oportunidad de expansión que ofrece el local y la disponibilidad de servicios de policía y de bomberos. Para los empleados serán importantes los factores de vivienda, escuelas, transporte, acceso a los centros de compras y otros elementos relacionados con la calidad de vida y trabajo (*Theory and Problems of Introduction to Business*, página 182).

Para tramitar la **compraventa** o el **arrendamiento** de un local, se acude generalmente a una agencia de bienes raíces o inmuebles, también llamada **inmobiliaria**. Intervienen en esta transacción los **corredores**, cuya función es reunir a los compradores con los vendedores. Los corredores ayudan con el financiamiento y la consecución de un **préstamo hipotecario** (de un banco, una unión de crédito u otra institución crediticia), así como con las cuestiones de **primas de seguros** (contra incendio, robo, etc.) y el traspaso del título de la propiedad, por lo cual reciben un **corretaje** o una comisión. El traspaso del título se realiza muchas veces con la ayuda de un abogado, notario o escribano.

En general, después de verificar que la propiedad está en buenas condiciones físicas y que el edificio o edificios servirán para las operaciones del negocio, se hace una oferta, y en el caso de que sea aceptada, será necesario hacer un pago inicial. Entre los diferentes contratos y documentos afines, figura el «Contrato de opción de compraventa», con lenguaje semejante al siguiente ejemplo de Puerto Rico:

> La **Parte Compradora** contratará los servicios de un banco hipotecario que proveerá el financiamiento para la compra de la propiedad inmueble. Tanto la Parte Compradora como la **Parte Vendedora** tendrán la opción de cancelar este contrato, sin penalidad, si el valor de la propiedad según la **tasación** que prepare el banco hipotecario resulta ser por debajo del precio de venta pactado. A su vez, si la **tasación** es menor, la Parte Vendedora no tendrá la obligación de vender la propiedad, devolviéndole a la Parte Compradora el 100% de la opción depositada. El precio de venta podrá ser negociado nuevamente por las partes (http://wiki.answers.com/Q/Donde_encuentro_ejemplo_contrato_de_compra-venta_propiedad_inmueble_Puerto_Rico, consultado 28 de mayo de 2009).

En cuanto a la compra de casa, local y terreno por extranjeros, en los países hispanohablantes es norma requerir un **aval**. Éste es un instrumento para prestar garantía del cumplimiento del pago del crédito hipotecario y sus intereses, mediante el cual una persona (el **avalista**) se compromete a pagar las cantidades en el caso de que otra (el **avalado**) no las hiciera efectivas.

© M.S. DOYLE

Hay una gran desigualdad de distribución de riqueza en América Latina, como se ve en estas fotos (Costa Rica). ¿Qué opina Ud. de tal desigualdad?

En Valencia, a doce de marzo del año dos mil cinco: REUNIDOS, de una parte, DON JULIÁN GARCÍA, vecino de Valencia... el cual comparece en nombre propio, y de otra parte, DOÑA PILAR RAMÍREZ... la cual comparece como representante legal de la empresa SERGIO BALLESTER SOCIEDAD ANÓNIMA, con sede en Valencia... Todos los comparecientes con plena capacidad legal, y con el carácter que comparecen, libre y espontáneamente

Manifiestan

PRIMERO. Que don Julián García es propietario de un local situado en planta baja, calle Balaguer esquina a calle San Andrés. SEGUNDO. Es del interés del mencionado propietario el arrendar el citado inmueble, y es interés de la entidad SERGIO BALLESTER SOCIEDAD ANÓNIMA el tomarlo en alquiler, por lo cual ambas partes llevan a cabo su interés, y en este acto y por medio del presente documento, DON JULIÁN GARCÍA arrienda la entidad a SERGIO BALLESTER SOCIEDAD ANÓNIMA, que acepta el arrendamiento del local indicado en la anterior manifestación y en base a las siguientes.

Estipulaciones

I. La renta convenida por ambas partes, del local objeto del presente contrato, es de CIENTO VEINTE MIL EUROS (120.000) al año, pagaderos a 10.000 euros cada mes, por anticipado, en el domicilio del propietario, del 1 al 5 de cada mes.

II. El plazo de duración de este contrato será de un año a contar desde la fecha del presente contrato, siendo prorrogado tácitamente a voluntad del arrendatario por mensualidades sucesivas.

III. En la renta pactada no se encuentra incluido el costo de ningún servicio ni suministro del local... los cuales son de cuenta de la firma arrendataria... electricidad, agua, teléfono, gas.

IV. Sobre la renta convenida... se repercutirá el IVA que legalmente corresponda, siendo en el presente año el 12 por ciento.

V. En el supuesto de que haya pasado el plazo contractual del primer año, continuará vigente el presente contrato, la renta convenida será variada en más o menos cada DOCE MESES...

VI. El arrendatario reconoce que el estado del local está en perfectas condiciones de ocupación, no obstante, se compromete a realizar a sus expensas cuantas reparaciones fueren necesarias introducir para poder destinarlo a su negocio, así como cualquier otra que fuere necesaria en el futuro para mantener el local en buen estado. Se autoriza a la entidad arrendataria para que... pueda realizar las reformas que estime necesario introducir para adaptar el local a sus necesidades, siempre y cuando no afecten a la estructura del local ni derechos de terceros, y obteniendo previamente los correspondientes permisos oficiales.

VII. El arrendatario hace entrega en este acto al propietario de DIEZ MIL EUROS, como fianza del presente contrato, y con base en lo previsto en la vigente Ley de Arrendamientos Urbanos, sirviendo el presente documento de formal y eficaz carta de pago. Estando todas las partes conformes, firman seguidamente de conformidad, sujetándose todos ellos a la Jurisdicción de los Tribunales de Valencia para interpretación o cumplimiento del presente contrato.*

CONFORMES: _____   _____

1. ¿Quién es el propietario del local y qué desea hacer con este lugar?

2. ¿Quiénes son el arrendador (o el arrendante) y el arrendatario en este contrato?

3. ¿Cuál es la renta convenida por ambas partes y cómo se efectuará el pago?

4. ¿Qué es el IVA y cuánto dinero representa en el contrato?

5. Si piensa el arrendatario que hay que hacer ciertos cambios en el local para destinarlo a su negocio, ¿se pueden realizar las reparaciones necesarias? ¿Cuáles serían los trámites y las condiciones para proceder?

6. Busque en Internet otro ejemplo de un contrato de arrendamiento que se usa en otro país hispanoparlante, por ejemplo, en El Salvador o en Nicaragua (los países tratados en este capítulo). Seleccione y compare algunos de los elementos formales y de vocabulario que se usan en los contratos de los diferentes países.

*Muestra de contrato español proporcionada por el Sr. J. Ed Ramsey, Director de Ventas Internacionales de Taylor Ramsey Corporation en Lynchburg, Virginia. NOTA: Las pesetas se han cambiado a euros.

Además de lo antedicho, es frecuente el «Contrato de **arras**» (o «Contrato de **paga y señal**» o «de **señal**»), un acuerdo en la que las partes, la Parte Vendedora y la Parte Compradora, pactan la reserva de la venta de un inmueble, entregándose como prueba una cantidad de dinero en concepto de señal o arras. El «Contrato de arras» sirve para **salvaguardar** los derechos de ambas partes, pues confirma monetariamente un compromiso de compra posterior. Si se desea arrendar un local en lugar de comprarlo, para así evitar un alto gasto inicial de fondos, se tendrá que firmar un contrato de arrendamiento, cuyo texto será semejante al modelo español presentado a continuación en «Para pensar». Como se verá, este ejemplo de contrato es muy semejante a los de EUA. Las diferencias ocurren en la descripción de los contratantes, la referencia al **IVA** (el **impuesto sobre el valor añadido** o **agregado)** y la referencia a la Ley de Arrendamiento, propia de España. También existe el «Contrato de **alquiler** con opción a compra», por medio del cual el **inquilino** puede recuperar parte del alquiler ya **abonado** si finalmente decide hacerse propietario del inmueble. Hay muchos otros contratos relacionados con temas como el **subarriendo** total o parcial (estipulando el **canon** o precio del arrendamiento, la forma de pago, **causales** para terminar el contrato, etc.). El mundo de los contratos de bienes raíces es bastante complejo, por lo cual pueden ser de ayuda esencial las inmobiliarias y los corredores de confianza.

En el «Minicaso práctico» del capítulo anterior, se explica como la burbuja hipotecaria de 2008–2009 en EUA condujo a la crisis financiera nacional del país, la cual, luego, como otra prueba de la globalización, se extendió rápidamente por todas partes del mundo. La crisis estadounidense se debió en gran medida a una «política» nacional de que todo ciudadano tiene el derecho a realizar el «sueño americano», es decir, de tener vivienda. Esta admirable meta política resultó en la irresponsable concesión de préstamos hipotecarios a muchas personas que no tenían la capacidad de costear o pagarlos, por lo cual los bancos hipotecarios empezaron a tener grandes problemas de liquidez, algunos entraron en la bancarrota o fueron adquiridos por otros bancos y, como una corrección, se restringió el acceso general al crédito. La severa recesión en EUA en 2008–2009, iniciada por su crisis hipotecaria, a su vez dificultó el acceso al crédito financiero (los préstamos bancarios e hipotecarios) en Latinoamérica, pues tal contagio es una característica de la globalización.

Con la excepción del terreno comercial, todos los **activos** en forma de local y de equipo tienen una vida limitada. Los edificios, el equipo y la maquinaria se desgastan gradualmente a lo largo de los años, a diferencia del inventario y otros artículos y materiales que se compran para revender al público o para ser agotados por el uso y la operación de la empresa a corto plazo. Según la actividad comercial de una empresa, el mismo elemento puede considerarse como parte del equipo o parte del inventario. Ejemplo de esto sería la compra de varias camionetas. Para un florista o para UPS o Federal Express, representarían parte del equipo necesario para el reparto de los pedidos de flores, paquetes, etc.; para un concesionario de automóviles, serían parte de su inventario.

El agotamiento de un activo se mide en términos de su **depreciación**, definida por Bernard y Colli como la «disminución de valor de un elemento del activo... debida al desgaste, a la obsolescencia o sencillamente a las variaciones de precio en el mercado del bien en cuestión» (*Diccionario económico y financiero*, página 500). La depreciación es un concepto contable para propósitos impositivos. Aunque hay varios modos de calcularla, el método lineal (véase la Figura 5-1) es el más fácil. Al usar este método (en general para máquinas y equipo que se desgastan uniformemente cada año) se calcula la depreciación de la siguiente manera: la base de depreciación dividida por la vida útil en años da por resultado el gasto anual de depreciación. La **base de depreciación** es el costo del equipo menos su valor de recuperación. Por ejemplo, se compra una máquina por $21,000, con un valor de recuperación de $1,000 después de una **vida útil** de cinco años. Su gasto de depreciación anual sería $4,000 ($20,000 dividido entre cinco años). La depreciación acumulada sería $4,000 para el primer año, $8,000 para el segundo, $12,000 para el tercero, etc., lo cual se podría interpretar también como una tasa anual de depreciación del 20% (100% dividido entre cinco años).

En las inversiones de capital a largo plazo, el terreno comercial generalmente no sufre depreciación. Usualmente ocurre todo lo contrario, es decir, que el terreno experimenta una **plusvalía**, o sea, un aumento de su valor.

Figura 5-1 **Método lineal de depreciación** (*Gráfico de M.S. Doyle*)

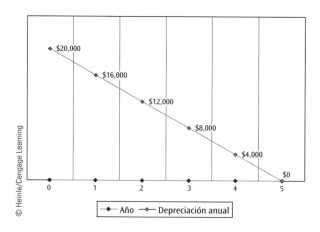

© Heinle/Cengage Learning

1. **¿Qué sabe Ud. de negocios?** Vuelva a las «Preguntas de orientación» que se hicieron al principio del capítulo y a las preguntas que acompañan la foto y contéstelas en oraciones completas en español.

2. **¿Qué recuerda Ud.?** Indique si las siguientes oraciones son *verdaderas* o *falsas* y explique por qué.

   a. Toda empresa comercial requiere edificio y equipo para realizar sus operaciones.

   b. La cobertura de seguro médico es un factor importante para los empleados en la cuestión de dónde establecer una empresa.

   c. La naturaleza de una compañía o planta no es un factor importante en la decisión de dónde debe ubicarse.

   d. Los corredores de bienes inmuebles sirven para reunir a los prestamistas con los banqueros.

   e. El terreno, el local y el equipo son ejemplos de propiedades intangibles.

   f. El terreno comercial tiene una vida limitada, al igual que los edificios y el equipo.

   g. La depreciación y la plusvalía son sinónimos.

3. **Exploración.** Haga los siguientes ejercicios, usando sus conocimientos y opiniones personales.

   a. Dé algunos ejemplos en los cuales la naturaleza de una empresa comercial determina su local. Explique por qué.

   b. ¿Qué elementos consideraría Ud. al decidir si un terreno y un edificio están en buenas condiciones físicas?

   c. ¿Bajo qué circunstancias compraría Ud. un terreno o un edificio comercial en lugar de arrendarlos?

   d. Dé ejemplos de artículos y materiales que se agotan con el uso comercial a corto plazo.

   e. ¿Qué es la plusvalía de un terreno y por qué ocurre?

   f. Describa algunas circunstancias bajo las cuales un terreno podría perder valor (e.g., la contaminación del agua, etc.).

   g. ¿Cómo se relacionan los dichos y proverbios que aparecen al principio del capítulo con los temas tratados?

5-3 Al teléfono

Pistas
9 y 10

1. Lea las siguientes preguntas. Después, escuche atentamente la conversación telefónica del Capítulo 5 y conteste las preguntas. Puesto que la comprensión auditiva es una destreza comunicativa sumamente importante, se recomienda escuchar las pistas varias veces.

   a. ¿Cuál es el motivo del Sr. Sage para llamar a la Sra. Fianza?

   b. ¿Cuál es la posibilidad de que se le firme el contrato de compraventa al Sr. Sage?

c. ¿Qué es lo que le preocupa al Sr. Sage?

d. ¿Qué responde la Sra. Fianza respecto a las preguntas del Sr. Sage?

e. ¿Cómo puede obtener el Sr. Sage más información sobre la compra del sitio?

 2. Basando sus comentarios en la conversación telefónica del ejercicio anterior, haga la siguiente llamada telefónica a otro/a estudiante de la clase. Cada persona deberá participar activamente en la conversación. Si necesita ayuda con esta actividad, véase el Apéndice 1, «Protocolo telefónico», página 457.

Usted es el Sr. Val Sage de Hoteles Exquisitos y habla por teléfono con un/a joven socio/a sobre el problema de viajar a Nicaragua en junio debido a las fiestas religiosas. Por ser joven, él/ella no ha experimentado las demoras asociadas con los fines de semana largos (llamados **puentes**) y la imposibilidad de hacer negocios bajo estas condiciones. Hablen ustedes de las posibles consecuencias.

 3. Haga la siguiente llamada telefónica a otro/a estudiante de la clase. Cada persona deberá participar activamente en la conversación. Si necesita ayuda con esta actividad, véase el Apéndice 1, «Protocolo telefónico», página 457.

Ud. es el/la propietario/a de un edificio cuyo alquiler no se recibió a primeros del mes, tal como fue convenido. Llame al/a la arrendatario/a y pídale la mensualidad.

5-4 Navegando por Internet

 Para hacer este ejercicio de Internet, visite la página web del libro www.cengage.com/spanish/exito.

5-5 Ejercicios de vocabulario

 Si le es necesario, consulte la «Lectura comercial» o la lista de vocabulario que aparece al final del capítulo para completar estos ejercicios.

1. **¡A ver si me acuerdo!** Pensando en la posibilidad de establecer una relación comercial a largo plazo, usted va a tener una conversación con una persona de negocios de un país hispano. Sin embargo, se le olvidan a usted los siguientes términos en español. Un/a compañero/a lo/la ayuda a recordarlos al pedirle a usted que se los traduzca.

a. *land*	f. *tenant*
b. *to rent*	g. *equipment*
c. *downpayment*	h. *inventory*
d. *payable*	i. *real estate*
e. *insurance*	j. *mortgage loan*

2. **¿Qué significan?** Existe la posibilidad de que la compañía donde trabaja Ud. lo/la envíe a Centroamérica por tres meses. Tendrá que conseguir alojamiento. Sin embargo, no sabe qué quieren decir ciertos términos que se usan frecuentemente en el campo de los bienes inmuebles. Ud. decide

consultarlos con un/a amigo/a. Pídale a un/a compañero/a de clase que le explique los siguientes términos y que le dé algunos sinónimos.

a. arras

b. inmueble

c. contratante

d. corredor

e. arrendar

f. arrendador

g. arrendatario

h. mensualidad

i. corretaje

j. prima

3. **Entrevista profesional.** Usted quiere aclarar algunos detalles sobre los bienes raíces y el equipo, los cuales son ejemplos de inversión de capital a largo plazo. Por lo tanto, usted entrevista a un experto en este campo, haciéndole las siguientes preguntas. Haga la entrevista con un/a compañero/a de clase. No se olviden del protocolo ni de las cortesías.

a. ¿Qué es la depreciación?

b. ¿A qué se refiere la vida útil de una máquina?

c. ¿Qué quiere decir el valor de recuperación de una máquina?

d. ¿A qué se refiere la plusvalía de un terreno?

e. ¿Qué significa el concepto de vida limitada de un activo?

4. **Traducciones.** A un/a amigo/a suyo/a le parece buena idea invertir en bienes raíces en Centroamérica. Él/Ella acaba de empezar a estudiar español y sabe poco del vocabulario inmobiliario. Usted lo/la ayuda al pedirle que él/ella traduzca al español las siguientes oraciones que informan sobre ciertos aspectos del tema.

a. *Location is a very important consideration in purchasing or leasing an office building.*

b. *When considering a possible location, proximity to one's customers and suppliers is also an important factor.*

c. *Real estate agents receive a commission for assisting clients in the purchase or lease of land and buildings.*

d. *Instead of buying a building outright, many businesses rent office space in the beginning in order to avoid large cash outlays.*

e. *Land, unlike buildings and equipment, is not subject to depreciation. It is not considered to have a limited life in terms of commercial usefulness, and many times it actually gains in value.*

UNA VISTA PANORÁMICA DE EL SALVADOR

Nombre oficial:	República de El Salvador
Gentilicio:	salvadoreño/a
Capital y población:	San Salvador: 1,433,000
Sistema de gobierno:	República
Jefe de Estado/Jefe de Gobierno:	Carlos Mauricio Funes (2009)
Fiesta nacional:	15 de septiembre, Día de la Independencia (1821: de España)

El Salvador

GEOGRAFÍA Y CLIMA

Área nacional en millas² y kilómetros²	Tamaño (comparado con EUA)	División política	Otras ciudades principales	Puertos principales	Clima	Tierra cultivable
8,124 m² 21,040 km²	Casi tan grande como Massachusetts	14 departamentos	San Miguel, Ahuachapán, Santa Ana, Sonsonate	La Unión, Acajutla, La Libertad	Semitropical con estación lluviosa mayo-octubre	31% (2005)

© Heinle/Cengage Learning

DEMOGRAFÍA

Año y población en millones			% urbana	Distribución etaria (2009)		% de analfa-betismo	Grupos étnicos
2010	2015	2025		<15 años	65+		
7.3	7.9	9.1	60% (2008)	35%	5%	20% (2003)	90% mestizo, 9% blanco europeo, 1% amerindio

ECONOMÍA Y COMERCIO

Moneda nacional	Tasa de inflación 2008	N° de trabaja-dores (en millones) y tasa de desempleo (2008)		PIB 2008 en millones $EUA	PIB per cápita	Distribución de PIB (2008) y de trabajadores por sector (2006)*			2008 Expor-taciones en millones $EUA	2008 Impor-taciones en millones $EUA
						A	I	S		
El dólar EUA	4.7%	3	6.4%	$45,300	$6,400	11%	25%	64%	$4,600	$9,800
						19%	23%	58%		

*Para distribución del PIB y de los trabajadores (mano de obra): A = Agricultura, I = Industria, S = Servicios (y Gobierno).

Recursos naturales: Energía hidroeléctrica y geotérmica, petróleo, tierra cultivable.

Industrias: Procesamiento de alimentos y de bebidas, ropa y calzado, textiles, petróleo, productos químicos, abono, muebles, metales ligeros, minerales, jabón, electrónica, centros de llamadas.

COMERCIO

Productos de exportación: Maquila, café, azúcar, textiles y ropa, papel y derivados, electricidad, oro, etanol, productos químicos y farmacéuticos, hierro y acero, manufactura ligera, atún.

Mercados: 51% EUA, 14% Guatemala, 11% Honduras, 6% Nicaragua (2007).

Productos de importación: Materia prima, bienes de consumo y de capital, combustibles, alimentos, petróleo, electricidad, maquinaria.

Proveedores: 36% EUA, 10% México, 9% Guatemala, 5% China (2007).

Horario general de comercio: De lunes a viernes, desde las ocho de la mañana hasta las seis de la tarde. Los sábados y domingos, desde las ocho de la mañana hasta el mediodía. Los domingos se realizan las llamadas plazas de mercado, donde se compra y vende el ganado (vacuno, porcino y caballar).

TRANSPORTE Y COMUNICACIONES

Kilómetros de carreteras y % pavimentadas	Kilómetros de vías férreas	N° de aeropuertos con pista de aterrizaje pavimentada	N° de líneas telefónicas	Radios por mil personas	Televisores por mil personas	N° de usuarios de Internet
10,886/26% (2000)	283*	4 (2007)	1,080,000 (2007)	478 (2008)	191 (2008)	700,000 (2006)

*Fuera de servicio debido a la falta de mantenimiento, aunque existe un tren de pasajeros y carga entre la capital y la periferia; el costo es de $0.10 ctvs

IDIOMA Y CULTURA

Idiomas	Religión	Comidas y bebidas típicas/Modales
Español (oficial), náhuatl y lenca entre algunos indígenas	57% católica romana, 21% protestante evangélico, 17% ninguna, 2% testigos de Jehová (2003)	Frijoles, tortillas, arroz, huevos, carne, frutas, café. La comida es menos picante que la de México y otros países hispanos. Es parte de la costumbre local probar un poco de cada plato servido, dejar un poquito de comida sobre el plato al terminar de comer y agregar sal a las comidas sin haberlas probado. Los hombres se ponen de pie cuando se levanta una mujer de la mesa.

Horario normal del almuerzo y de la cena: Sobre la una de la tarde para el almuerzo; entre las siete y las ocho de la noche para la cena.

Gestos: Se le considera maleducada a la persona que usa demasiados gestos al hablar. No señalar a alguien ni con el dedo ni con el pie.

Cortesía: Saludar a cada individuo al llegar a una reunión o comida y despedirse individualmente al marcharse para no menospreciar a nadie o quedar mal. Cuando se visita la casa de alguien para comer o cenar, traer para los anfitriones un regalito como flores (¡pero no de color blanco porque se asocia con la muerte!) o chocolates. Ponerse de pie al saludar o ser presentado a otras personas.

LA ACTUALIDAD ECONÓMICA SALVADOREÑA

Los gobiernos de El Salvador, desde los Acuerdos de Paz de Chapultepec en 1992, se han comprometido a crear una fuerte economía libre y abierta en la región, a pesar de haberse enfrentado con muchos problemas económicos durante la década de las guerras civiles de los ochenta. Tradicionalmente, el país había dependido de las cosechas agrícolas, en particular del azúcar y del café, aunque la dependencia de éste bajó mucho entre 1998 y 2002. Esta dependencia agrícola había tenido como resultado una economía nacional controlada en gran parte por las fluctuaciones de precios en el mercado mundial.

Con el huracán Mitch en octubre de 1998—una catástrofe natural, que las aseguradoras clasifican normalmente como un caso de fuerza mayor (un evento para el que las pólizas no cubren los daños)—la economía nacional sufrió enormes daños en la infraestructura que luego tardaron años en repararse. Además, en 2001 hubo terremotos que dañaron un 80% de las casas, y en 2002 una sequía que eliminó un 80% de las cosechas agrícolas. Otros eventos de fuerza mayor incluyen los huracanes Stan en 2005 y Félix en 2007 y la erupción del volcán Ilamatepec de Santa Ana en 2005 que desplazó a cinco mil personas. Tras la catástrofe de Mitch y los otros contratiempos, el país ha recibido considerable asistencia económica (del BM, el BID, etc.), pero la reconstrucción física y económica será labor de muchos años.

El Salvador es geográficamente el más pequeño de todos los países centro-americanos y es el único sin costa en el Mar Caribe. Ha sido históricamente el más industrializado de América Central. El país aún sigue recuperándose de la guerra civil que duró desde 1980 hasta la ratificación de un pacto de paz en 1992. Más de 74,000 personas murieron en el conflicto. Ocurrieron muchas violaciones de los derechos humanos, cometidas tanto por las fuerzas del gobierno como por los insurgentes.

Desde el fin de la guerra en El Salvador, los gobiernos elegidos han puesto en marcha varias políticas para poder reducir la violencia y el terrorismo que siguió ocurriendo después de los Acuerdos de Paz. Crearon la nueva Policía Nacional, un plan para la Defensa de los Derechos Humanos y un Tribunal Supremo Electoral.

El partido político encargado de la presidencia desde 1989 hasta 2009 fue la Alianza Republicana Nacionalista (ARENA): Alfredo Félix Cristiani (1989–1994), Armando Calderón Sol (1994–1999), Francisco Flores Pérez (1999–2004) y Elías Antonio Saca (2004–2009). Todos apoyaron un liberalismo económico que favoreció la privatización de empresas y comercio con EUA. Algunas de las industrias más importantes fueron el procesamiento de alimentos y bebidas, los textiles, la confección y el calzado. Desde 1993 el sector industrial ha incorporado cada año más maquiladoras (plantas de fabricación o de ensamble [ensamblaje o montaje]), transformando la orientación industrial del país de una manufactura nacional en una zona libre de comercio con fines de exportación. Es decir, el cambio fue de lo nacional a lo internacional. El desarrollo de las nuevas maquiladoras resultó en un importante aumento de las exportaciones nacionales, y un impacto notable en la economía salvadoreña.

En 2001 la divisa oficial se cambió del colón al dólar estadounidense. Un fenómeno derivado de la "década perdida" de los ochenta (durante la guerra civil) fue la emigración de muchos salvadoreños del campo a la ciudad capital, un movimiento muy común en todos los países latinoamericanos. Además, debido a la falta de trabajo en la capital, muchos salvadoreños emigraron a EUA, y sus remesas sumaron $3,787 mil millones (17% del PIB en 2008). El Salvador fue el primer país en firmar el Tratado de Libre Comercio entre Centroamérica y Estados Unidos (conocido por sus siglas en inglés como *DR-CAFTA, Dominican Republic—Central America Free Trade Agreement*), el cual se puso en marcha en 2005.

En 2009, fue elegido presidente el periodista Carlos Mauricio Funes, del Partido Frente Farabundo Martí para la Liberación Nacional (FMLN), el movimiento originalmente fundado por revolucionarios marxistas. Funes ha declarado que piensa mantener buenas relaciones con los gobiernos de una izquierda moderada, como Brasil, pero que su gobierno y su partido FMLN tendrán agendas diferentes con los gobiernos más radicales en países como Venezuela y Cuba. Durante la campaña electoral, Funes propuso como objetivos de su presidencia el avance social, la aceleración del crecimiento y la unidad nacional. También ha establecido como sus dos grandes prioridades la generación de más y mejores empleos y la reducción del costo de la vida y de la canasta familiar. No obstante, confrontado con la desaceleración de la economía en 2009 debido a la crisis global y la dependencia de su país en la débil economía de EUA y con las Maras Salvatruchas (MS-13), una pandilla de criminales integrados en gran medida por jóvenes deportados de EUA que causan un grave caos social y económico como también ocurre en Guatemala y Honduras (véase pág. 106), será difícil que Funes logre sus metas bajo estas difíciles condiciones de la economía mundial actual. Como antes, persisten graves problemas para el mayor desarrollo de la economía salvadoreña: pobreza, desempleo, falta de oportunidades educativas y de adiestramiento, deforestación y contaminación del medio ambiente.

UNA VISTA PANORÁMICA DE NICARAGUA

Nombre oficial:	República de Nicaragua
Gentilicio:	nicaragüense
Capital y población:	Managua: 920,000
Sistema de gobierno:	República
Jefe de Estado/Jefe de Gobierno:	Presidente Daniel Ortega Saavedra (2007)
Fiesta nacional:	15 de septiembre, Día de la Independencia (1821: de España)

Nicaragua

GEOGRAFÍA Y CLIMA

Área nacional en millas² y kilómetros²	Tamaño (comparado con EUA)	División política	Otras ciudades principales	Puertos principales	Clima	Tierra cultivable
49,998 m² 129,494 km²	Casi tan grande como el estado de Nueva York	15 departamentos y 2 regiones autonomistas	León, Granada, Matagalpa, Jinotega, Chinandega, Masaya	Corinto, Puerto Sandino, San Juan del Sur	Tropical en las tierras bajas, más templado y fresco en la altiplanicie	9%

© Heinle/Cengage Learning

DEMOGRAFÍA

Año y población en millones			% urbana	Distribución etaria		% de analfa-betismo	Grupos étnicos
2010	2015	2025		<15 años	65+		
6	6.5	7.5	59%	34%	3%	33%	69% mestizo, 17% blanco europeo, 9% africano, 5% amerindio

ECONOMÍA Y COMERCIO

Moneda nacional	Tasa de infla-ción 2008	N° de trabajadores (en millones) y tasa de desempleo	PIB 2008 en millones $EUA	PIB 2008 per cápita	Distribución de PIB y de trabajadores por sector*			2008 Exporta-ciones en millones $EUA	2008 Importa-ciones en millones $EUA
					A	I	S		
El córdoba oro	20.6%	2.3% 3.9%; sub-empleo 46.5%	$17,400	$3,000	17% 21%	26% 19%	57% 52%	$3,200	$5,300

*Para distribución del PIB y de los trabajadores (mano de obra): A = Agricultura, I = Industria, S = Servicios (y Gobierno).

Recursos naturales: Oro, plata, cobre, tungsteno, plomo, cinc, madera, pesca, tierra cultivable, agua dulce, potencial para energía hidroeléctrica y geotérmica.

Industrias: Procesamiento de alimentos y de bebidas, productos químicos y de metal, maquinaria, minería, cemento, ladrillo y azulejo, textiles y ropa, refinación y distribución de petróleo, calzado, madera, plásticos.

COMERCIO

Productos de exportación: Café, mariscos, carne de res, azúcar, bananas, ajonjolí (sésamo), algodón, tabaco, oro, bienes industriales.

   Mercados: 43% EUA, 33% UE, 17% MCCA, 2% México.

Productos de importación: Productos de petróleo, bienes de consumo, alimentos, maquinaria y equipo, materias primas.

   Proveedores: 23% EUA, 14% México 8% Costa Rica, 6% Venezuela, 6% Guatemala, 5% El Salvador (2007).

Horario general de comercio: De lunes a viernes, desde las ocho de la mañana hasta las cinco o seis de la tarde. El almuerzo se come normalmente entre el mediodía y las dos de la tarde. Los sábados, desde las ocho de la mañana hasta el mediodía. Los centros comerciales abren de lunes a domingo.

TRANSPORTE Y COMUNICACIONES

Kilómetros de carreteras y % pavimentadas	Kilómetros de vías férreas	Nº de aeropuertos con pista de aterrizaje pavimentada	Nº de líneas telefónicas	Radios por mil personas	Televisores por mil personas	N° de usuarios de Internet en millones
19,036/12%	La línea nacional está casi inoperante: 6 km	11	247,900	270	69	0.16

IDIOMA Y CULTURA

Idiomas	Religión	Comidas y bebidas típicas/Modales
Español (oficial), inglés y varias lenguas indígenas (miskito y sumo) en la costa del Atlántico	85% católica romana, 15% protestante	Tortilla, enchilada, nacatamal, gallo pinto, mondongo, baho, plátano frito, vigorón. Mantener las manos, no los codos, encima de la mesa durante la comida. Halagar la buena comida servida y practicar el arte de la buena conversación.

Horario normal del almuerzo y de la cena: Sobre la una de la tarde para el almuerzo; alrededor de las siete de la noche para la cena.

Gestos: Los nicaragüenses usan muchos gestos al hablar. Para indicar algo, se frunce la boca o se señala con la barbilla en esa dirección. Para decir adiós, la mano parece como si estuviera abanicándose. Tocarse bajo el ojo con el dedo índice es señal de ¡ojo!, tener cuidado. Para indicar que alguien es tacaño, colocar la mano, con la palma boca arriba, bajo el otro codo. Si se quiere pagar por algo, se pueden frotar juntos los dedos índices de las manos (el gesto norteamericano de «*shame on you*»). Es obsceno el gesto del higo (un puño con el dedo pulgar colocado entre el dedo índice y el dedo corazón)—equivale a «*to give the finger*».

Cortesía: Saludar individualmente a cada persona al llegar a una reunión o comida y despedirse de cada una al marcharse para no quedar mal con ninguno. Se considera descortés el hablar con una voz exageradamente alta. Cuando se visita la casa de alguien para comer o cenar, traer para los anfitriones un regalito como flores (¡pero no blancas porque se asocian con los funerales!), caramelos o chocolates. Es muy comun llevar un buen vino si es una cena o almuerzo elegante.

LA ACTUALIDAD ECONÓMICA NICARAGÜENSE

La economía de Nicaragua fue un desastre en la década de los ochenta, debido a los efectos de la revolución sandinista iniciada en 1979. La guerra civil de los ochenta dio como resultado una gran escasez de toda clase de bienes y artículos de primera necesidad y el consumidor nicaragüense se fastidiaba al tener que hacer largas colas en todas partes. Según muchos informes, el nivel de vida en esa época fue incluso más bajo que durante la época de la dictadura de Anastasio Somoza (1967–1974). Éste fue el último miembro de la dinastía familiar que se originó con el general Anastasio Somoza García en 1937. Somoza García había ordenado la muerte del guerrillero antinorteamericano Augusto César Sandino, cuyo nombre llevaba el Frente Sandinista de Liberación Nacional (FSLN). Cuando el general Somoza fue asesinado en 1956, su hijo, Luis Somoza Debayle, asumió la presidencia de Nicaragua ese mismo año. Al morir Luis Somoza en 1967, su hermano Anastasio inició la represión.

Durante los años ochenta la lucha entre sandinistas y «contras» (contrarrevolucionarios), además de las grandes pérdidas de vidas humanas, representó un gasto enorme de 50% del presupuesto nacional. El embargo económico impuesto por EUA en 1985 agravó la situación y empujó a Nicaragua a buscar más apoyo económico de la antigua URSS. La prolongada crisis económica de Nicaragua se debía además a la política económica seguida por el gobierno sandinista, dirigido por Daniel Ortega Saavedra (1985–1990). Su política de redistribución de la tierra y sus reformas en la salud pública y la educación no fueron apoyadas por EUA. Se había creado en Nicaragua una economía estatal que imponía controles sobre los precios de consumo, lo cual había conducido a un bajo nivel de producción. A la vez, México, Venezuela y otros países exportadores de petróleo, para demostrar su oposición a esa política económica, se resistieron a vender esta fuente energética a Nicaragua a los precios favorables de antes, hasta que se empezaran a resolver las grandes deudas ya acumuladas.

En las siguientes elecciones, Violeta Chamorro (1990–1997) fue elegida Presidenta de Nicaragua, lo cual fue un acontecimiento totalmente inesperado por el gobierno sandinista. En 1994 hubo otros intentos del Frente Sandinista para despertar interés en un nuevo Movimiento de Renovación Sandinista (MRS). En 1996 Arnoldo Alemán Lacayo (1997–2002) del Partido Liberal Constitucionalista fue elegido presidente. El Huracán Mitch azotó el país durante su presidencia, en el otoño de 1998. Por eso, a pesar de que durante el gobierno de Alemán el país había implementado varias nuevas políticas económicas que comenzaban a superar las tendencias negativas de la guerra civil y las malas administraciones económicas que la siguieron, estos esfuerzos reformistas se detuvieron completamente, anulando las predicciones de un mejor futuro económico. Nicaragua, el país más pobre de Centroamérica, fue el que sufrió más daños del huracán. La ayuda y la caridad internacionales aliviaron las circunstancias y ayudaron a atraer también el apoyo de acreedores como el Club de París y otros para la eliminación del déficit. Sin embargo, le faltaron a Nicaragua más préstamos financieros para poder volver a establecer incluso las condiciones económicas que existían antes de la gran tormenta.

En 2000 el FSLN ganó las elecciones municipales de Managua, pero Daniel Ortega, otra vez su candidato presidencial, perdió las elecciones ante el candidato de la Alianza Liberal, Enrique Bolaños Geyer (2002–2007) del Partido Liberal Constitucionalista, quien apoyó programas contra la corrupción. Así que durante la presidencia de Bolaños, el ex presidente Alemán fue condenado en 2002 por lavado de dinero y desfalco. Entre 2004 y 2007, Nicaragua recibió ayuda del Fondo Monetario Internacional (FMI) para reducir la deuda extranjera y la pobreza dentro del país. También, el Banco Mundial por fin perdonó el 80% de la deuda nicaragüense, posiblemente la mejor noticia económica para el país desde 1980.

Daniel Ortega del Frente Sandinista de Liberación Nacional (FSLN) fue reelegido presidente en 2007 hasta 2012. Hubo sospecha de fraude electoral porque Ortega no permitió observadores en las elecciones municipales, lo cual resultó en que EUA y la UE congelaran los fondos para Nicaragua. Esta vez, Ortega decidió frenar sus actividades radicales con los líderes de Cuba y Venezuela y negociar con la derecha de su propio gobierno y con EUA. Esta actitud más conciliadora permitió que Nicaragua comenzara a desarrollar lentamente su economía, pero es posible que este progreso se vaya a decelerar a causa de la falta de demanda para sus exportaciones a EUA y otros mercados centroamericanos, precios más bajos para sus exportaciones agrícolas, el retiro de las ayudas internacionales, la reducción de remesas de trabajadores en el extranjero y la crisis financiera global.

5-6 Actividades

¿Qué sabe Ud. de El Salvador y de Nicaragua?

1. A usted lo/la han contratado/a como asesor/a transcultural de negocios internacionales. Como tal, necesita informarles a sus clientes sobre El Salvador y Nicaragua y recomendar un plan de viaje de negocios a cada país. Investigue los datos pertinentes para desarrollar los temas a continuación.

   a. Describa la geografía de El Salvador y Nicaragua, incluyendo temas como los siguientes: ubicación y tamaño de ambos países, capital y otras ciudades y puertos importantes, división administrativa y clima. Compare el tamaño de El Salvador con el de EUA y con el tamaño del estado donde Ud. vive. Compare el tamaño de Nicaragua con el de EUA y con el del estado donde Ud. vive.

   b. ¿Cuáles son las principales características demográficas y políticas de El Salvador y Nicaragua? ¿Quién es el jefe de estado de cada país?

   c. ¿Cuándo se celebra la fiesta nacional de cada país? ¿En qué otras fechas hay fiestas públicas que también podrían afectar el éxito de un viaje de negocios? (Véase la Tabla 5-1, página 150.)

   d. Describa la economía de cada país. Incluya datos sobre la moneda nacional, la tasa de inflación, el PIB y el PIB per cápita, el número de trabajadores (la mano de obra), la tasa de desempleo, los recursos naturales, las industrias nacionales, los productos que se exportan e importan, los países destino (mercados) y proveedores (fuentes) de estas transacciones internacionales, y la balanza de comercio. ¿A cuánto se cotiza cada moneda nacional respecto del dólar EUA?

   e. ¿Qué producto o servicio recomendaría Ud. vender en El Salvador y Nicaragua? ¿Por qué?

   f. Compare la infraestructura de transportes y de comunicaciones de cada país.

   g. ¿Cómo han cambiado algunos de los datos presentados en las secciones de «Vista panorámica» y «La actualidad económica» de este texto? Póngalos al día para cada país.

h. ¿Cuáles fueron los efectos económicos de la guerra civil (1980–1992) en El Salvador?

i. ¿Quién es Daniel Ortega?

j. ¿Cuáles fueron los efectos económicos del gobierno sandinista y el embargo impuesto por EUA en Nicaragua?

k. Basándose en la «La actualidad económica» de cada país, ¿qué realidades, oportunidades y problemas destacaría y qué recomendaciones le daría al/a la cliente/a?

2. Usando Internet u otras fuentes informativas, prepare un plan (con presupuesto e itinerario) para sus clientes, quienes harán un viaje de negocios a cada país individualmente o a ambos durante el mismo viaje.

a. Fechas de ida y vuelta.

b. Vuelos: aeropuertos de despegue y aterrizaje, líneas aéreas, horarios; costos.

c. Transporte interno que se piensa usar en cada país: taxi, autobús, carro de alquiler, metro, tren, otro; costos.

d. Alojamiento y viáticos; costos.

e. La comida típica que van a pedir para la cena la primera noche en cada país.

f. Las formas de cortesía y los gestos que deben recordar, usar o evitar.

LECTURA CULTURAL

El campo y la ciudad

Muchos países hispanos tienen economías esencialmente agrícolas que dependen de su clima y tierra fértil para producir cultivos como café, azúcar, bananos, maíz, frijoles, soja, algodón, piñas y flores. Tradicionalmente, el campo ha representado una fuente imprescindible de ingresos, puesto que constituye el fundamento de las exportaciones. Pero muchos trabajadores rurales llevan una durísima vida en el campo, muchas veces en condiciones de latifundio y miseria, el resultado del fracaso de las malogradas revoluciones agrarias del siglo XX. Estas condiciones han llevado a muchas familias a emigrar hacia los centros urbanos en busca de una vida mejor. Pero al llegar a las ciudades, muchas veces hallan que las condiciones de vida y el desempleo son mucho peores que las que acaban de dejar en las zonas rurales. La gente llega mal preparada para enfrentarse con las dificultades y la competencia de la vida urbana. Además, su llegada tiende a agravar la presión ya ejercida por las grandes poblaciones urbanas sobre la infraestructura de servicios sociales y los recursos naturales.

Tradicionalmente, la ciudad ha representado la civilización y el progreso en Hispanoamérica. El campo y la naturaleza, en cambio, se han asociado con la miseria y la barbarie. Esta oposición se ha manifestado como un tema importante en la literatura hispanoamericana (véase, por ejemplo, *Facundo o civilización y barbarie en las pampas argentinas* de Sarmiento [Argentina], *Doña Bárbara* de Gallegos [Venezuela], *La vorágine* de José Eustasio Rivera [Colombia] o *El caballo de oro* de Morgan [Panamá]), en forma del esfuerzo de la ciudad por tener preeminencia sobre el campo, lo cual simboliza el triunfo de la civilización sobre la barbarie. Este ideal, sin embargo, choca con la realidad histórica y económica de la importancia del campo, puesto que hay naciones enteras que deben su subsistencia al sector agrícola. El dilema que representa el eje campo–ciudad hasta ahora no ha encontrado solución, es decir, equilibrio vital y socioeconómico.

En cualquier parte del mundo son importantes para los trabajadores las cuestiones de buena vivienda y de oportunidades educativas, tanto para sus hijos como para ellos mismos. Tal como ocurre en EUA, quienes viven en los centros urbanos hispanoamericanos muchas veces alquilan un apartamento porque el costo de comprar o construir una casa es prohibitivo. En cuanto a la enseñanza, en los países hispanos las mejores oportunidades sin duda se hallan en las grandes ciudades, donde hay más escuelas y donde se ubican las universidades. No existe el fenómeno, como en los EUA, de las grandes universidades «*land grant*» o de las pequeñas «*liberal arts colleges*», a menudo situadas en pueblos o en zonas rurales apartadas de los centros urbanos. Las naciones hispanas requieren

Figura 5-2 **Distribución poblacional urbana/rural en 2008** *(Gráfico de M.S. Doyle)*

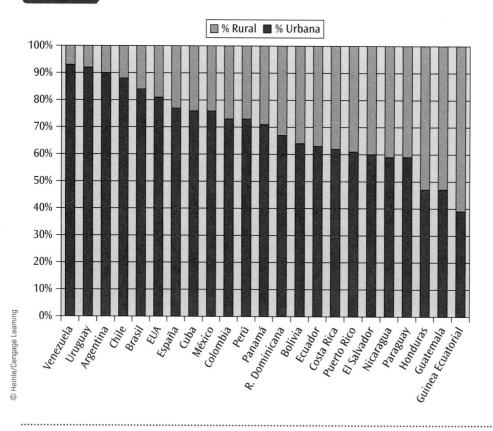

en general un promedio de seis a diez años de enseñanza para sus ciudadanos, aunque hay ejemplos, como el de Colombia, donde sólo el 28% completa el nivel primario. La enseñanza comprende la escuela primaria, la secundaria y luego los institutos profesionales o escuelas superiores, y las universidades. La universidad es un lujo e igual que en EUA, representa un medio para mejorar la vida económica y culturalmente.

En el futuro se prevé que continuará la emigración hispanoamericana del campo a las grandes ciudades. Un buen ejemplo es la capital de México, donde el crecimiento urbano es representativo de lo que se proyecta para muchos países hispanos. Como consecuencia, habrá aún más necesidad de educar a esta nueva población urbana para que pueda participar con éxito en un futuro caracterizado por la globalización y los rápidos cambios informáticos y tecnológicos. Respecto a esto, y en contraste con el estadounidense que lleva décadas de una fuerte orientación hacia este futuro, se puede decir también que el hispano suele sentir mayor aprecio por su pasado y sus tradiciones. Un ejemplo de la actitud estadounidense es la facilidad con la que se derrumban los antiguos edificios para reemplazarlos con nuevas estructuras, mientras que en los países hispanos se conservan más los lazos con el pasado histórico, haciendo nuevas construcciones sin derrumbar con tanto afán los bellos logros arquitectónicos de ayer, los cuales son señales o «textos» históricos dignos de preservarse.

5-7 Actividades

1. **¿Qué sabe Ud. de la cultura?** Demuéstrelo contestando las preguntas a continuación.

   a. En la Figura 5-2, Distribución poblacional en 2008, ¿cuáles son los países que tenían una población urbana de más del 80%? ¿De 70–80%? ¿De 60–70%? ¿De 50–60%? ¿Y los que tenían una población urbana de menos del 50%?

   b. Describa la relación entre el campo y la ciudad en Hispanoamérica. Compárela con la de los EUA.

   c. ¿Qué problemas representa la emigración del campo a la ciudad en Hispanoamérica? ¿Existe el mismo fenómeno en los EUA? Comente.

   d. Describa el sistema educativo en los países hispanos. En términos generales, ¿en qué se diferencia del sistema estadounidense?

   e. Busque en Internet u otra fuente las universidades que hay en Nicaragua y El Salvador. ¿Quiénes se pueden matricular? ¿Cómo se matricula?

   f. ¿Qué opina de la educación como solución a la pobreza y a otros problemas socioeconómicos?

   g. ¿Qué cambios tecnológicos piensa que habrá en los próximos diez años? ¿Cuáles serán de tipo comercial? ¿Qué efecto tendrán en nuestra vida? ¿Habrá mayor o menor globalización? ¿La globalización es un fenómeno positivo o negativo? Comente.

   h. ¿Qué es más importante para Ud., el pasado o el futuro? ¿Por qué? ¿Puede el mundo comercial ignorar el pasado al apresurarse para entrar en la nueva década?

2. **Asimilador cultural.** Lea lo siguiente y conteste las preguntas a continuación.

Carolyn Hunter, una ejecutiva de Atlanta, está en la histórica ciudad colonial de Granada, Nicaragua, a orillas del Lago de Nicaragua (conocido también como el Lago Cocibolca o el Lago Dulce), visitando la nueva sucursal de su compañía, MacIntyre Corporation, la cual se dedica a la fabricación y venta de equipo de oficina. Está hablando con Ramón Casals Ramírez sobre el nuevo edificio de MacIntyre, situado cerca del antiguo centro de la ciudad. Al pasar por la puerta principal que los lleva a las oficinas del interior, Hunter le comenta a Casals:

—Es muy bonito el edificio, casi pintoresco, pero es una lástima que no hayamos podido derrumbarlo para construir uno más moderno y eficiente, como los de Atlanta. Quizás pudiéramos, por lo menos, quitar las paredes del salón de entrada, para así abrir más el espacio interior, cambiando lo que existe ahora por un vidrio reflector que corriese de lado a lado. Esto representaría mejor la imagen de modernidad que deseamos crear.

Sorprendido, Casals recorre con su vista las paredes del salón en cuestión, cuyo diseño data del siglo XVI. Una de las paredes es de un elegante mármol rojizo y blanco, la otra presenta un mural del plano de la ciudad colonial. Aclarándose la garganta, le contesta a Hunter que...

a. ¿Cómo contestará Casals la propuesta de Hunter?

b. ¿Cuáles son los dos puntos de vista que están en conflicto en este encuentro?

c. ¿Cómo contestaría Ud. los comentarios de Hunter?

d. ¿Piensa Ud. que es un error resistir los avances de la modernidad para conservar edificios antiguos, aunque sean ineficientes en su uso del espacio interior y en la conservación de energía?

SÍNTESIS COMERCIAL Y CULTURAL

5-8 **Actividades comunicativas**

1. **Situaciones para dramatizar.** Lea las siguientes situaciones y después haga el papel en español con otro/s estudiante/s, usando las posibilidades siguientes como punto de partida. Cada persona deberá participar activamente en la dramatización. No olviden el protocolo ni las cortesías.

a. *You are from Chicago and are meeting with the two other co-owners of your business in San Salvador to discuss whether to purchase or lease three delivery trucks for the heavy office equipment you sell. Ask for their input on the following.*
   - *What type of truck is needed?*
   - *Is it better to buy or rent?*
   - *What amounts of money are involved? Look up actual costs on the Internet.*

b. *While meeting with your co-owners, you also want to discuss two options for a permanent location for the business, one downtown, the other 20 kilometers outside the city of San Salvador. Ask them about the pros and cons of each location. María Jiménez, as you already know, will insist on the downtown location, despite its higher rent and the fact that the building is in worse condition than the one on the outskirts of the city.*

Después de dramatizar la segunda situación, comente con sus compañeros de clase las diferencias culturales (las hispanos y las estadounidenses) que pueda haber respecto al centro de la ciudad como centro de operaciones comerciales. Al considerar esto, tenga presente la popularidad del fenómeno del suburbio en los EUA.

2. **Comprensión y comunicación.** Para este ejercicio, basado en el vídeo de *Éxito comercial*, pase al encarte central del texto, VídeoTexto página 6.

3. **Actividad empresarial.** Ud. es copropietario/a de una nueva tienda de música que Uds. planean abrir en tres meses. Necesitan decidir dónde ubicar la nueva tienda y se han presentado las siguientes posibilidades:

   - comprar un terreno y construir una nueva tienda de 600 metros cuadrados de espacio, en las afueras de la ciudad (a unos 9 kilómetros del centro), por un costo total de $260,000 EUA.
   - comprar un edificio recién construido y situado en el centro comercial, área muy concurrida, con mil metros cuadrados de espacio, por $400,000 EUA.

   También piensan invertir en el diseño de una buena página web para la venta electrónica de su música, siguiendo así el rápido desarrollo del comercio electrónico. En una reunión, Uds. comentan las ventajas y las desventajas de cada posibilidad, entre ellas las siguientes:

   a. costo.
   b. número y tipo de clientes.
   c. facilidad de acceso físico.
   d. posibilidades de expansión.
   e. impacto y costo del negocio por Internet (el ecomercio o eComercio) y de la publicidad y las ventas electrónicas vs. medios más tradicionales de publicidad y venta.
   f. ventajas y desventajas de la ubicación en el centro comercial vs. en las afueras.

   Luego, después de llegar a un acuerdo para la ubicación de la nueva tienda de música, comenten y comparen su decisión con la de sus otros/as compañeros/as de clase.

4. **Minicaso práctico.** Lea el caso y haga los ejercicios a continuación.

   Una compañía textil estadounidense, Penntext, que produce camisas, pantalones, chaquetas de vaqueros y toallas, está considerando dos localidades centroamericanas para establecer una fábrica. Hasta ahora, todas sus operaciones se han ubicado en Pensilvania. Pero últimamente los costos de producción han subido muchísimo allí, donde hay una fuerte presión por parte del sindicato de trabajadores para seguir aumentando los sueldos y los beneficios de los empleados de Penntext. También han subido los costos de importación del algodón que reciben en grandes cantidades de Centroamérica.

Los dos países que se consideran como posibles sucursales de manufactura son El Salvador y Nicaragua. El situarse en cualquier país representaría un ahorro del 40% al 50% de los costos de producción en Pensilvania. Los sueldos de los trabajadores serían mucho más bajos y la compañía estaría más cerca de sus proveedores de algodón (materia prima).

En San Salvador y en Managua, Penntext ha encontrado dos plantas textiles que cuestan más o menos el mismo precio. La de San Salvador está a 20 kilómetros (unas 12 millas) de la capital; está en buenas condiciones y ya tiene la maquinaria necesaria para realizar la producción deseada. La de Managua está en el centro mismo de la ciudad y también tiene la maquinaria que se requiere, pero esta planta necesitaría algunas modificaciones y reparaciones antes de ponerse en marcha. Las máquinas son de la misma marca en ambos lugares, cada una de ellas tenía una vida útil de 20 años al comprarlas nuevas. Las de San Salvador se compraron hace tres años por $10,000 cada una; las de Managua hace siete años por un valor unitario de $8,000. Todas tienen un valor de recuperación de $1,000 y se podrían incluir en la compra.

Al considerar las dos opciones, la gerencia de Penntext ha analizado el efecto del posible traslado. Unos 200 trabajadores en Pensilvania perderían sus puestos. Sin embargo, si no se efectuara el traslado, probablemente habría que despedir a bastantes trabajadores para cortar los gastos y asegurar las ganancias de la compañía. Además, la reciente situación política centroamericana inquieta a los gerentes y supervisores estadounidenses que tendrían que mudarse a Centroamérica por un año o más para montar la operación. Se preocupan por su propia seguridad física y la de sus familias si se trasladan con ellos. Las opciones son tres para Penntext:

- quedarse en Pensilvania
- trasladar una parte substancial de sus operaciones a San Salvador
- efectuar el mismo traslado a Managua.

Conteste las siguientes preguntas.

a. ¿Por qué está considerando la gerencia de Penntext trasladar parte de sus operaciones a Centroamérica?

b. ¿Qué semejanzas y diferencias hay entre las dos localidades consideradas?

c. Si se efectúa el traslado a San Salvador o a Managua, ¿existe la maquinaria de producción que se necesita, o se tendrá que hacer inmediatamente una costosa inversión de capital para adquirirla? Explique.

d. ¿Cuántos años de vida útil tenía cada máquina cuando se compró nueva? ¿Cuántos años tiene aún en cada lugar? Usando el método lineal, ¿cuál ha sido el gasto anual de depreciación para cada máquina en San Salvador y en Managua? ¿Cuánta depreciación acumulada hay para las máquinas en cada lugar? Si fuera Ud. a comprar estas máquinas, ¿qué precio de oferta consideraría justo? ¿Por qué?

e. ¿Cuáles serán los efectos sobre los trabajadores en Pensilvania si se hace el traslado a Centroamérica? ¿Y si no se hace?

f. ¿Qué opina Ud. del temor de los gerentes y supervisores estadounidenses por la reciente situación política en Centroamérica? ¿Sería un factor importante para Ud. y su familia si Ud. fuera uno de ellos?

g. Justifique cada una de las tres opciones de Penntext:
   • quedarse en Pensilvania.
   • efectuar un traslado a San Salvador.
   • efectuar un traslado a Managua.

h. Si Ud. tuviera que tomar la decisión final, ¿cuál opción escogería? Justifique su decisión.

5-9 Análisis y comparación

Estudie Tabla 5-1 y haga los ejercicios que aparecen a continuación. Use también sus conocimientos y, cuando haga falta, otras fuentes informativas como el diccionario, un *Almanaque mundial*, Internet, etc. Los ejercicios se pueden hacer individualmente, en parejas o en pequeños grupos para discutir en clase.

1. ¿Cuáles son los tres países hispanos con el mayor porcentaje de población urbana? ¿Los tres con el menor porcentaje? Haga un gráfico lineal o circular (*line o pie chart*) para comparar el porcentaje de población urbana de estos seis países.

2. En su opinión, ¿qué efectos tiene la urbanización sobre el comercio?

3. ¿Qué quiere decir la frase «distribución etaria»? ¿Cuáles son los cuatro países hispanos con el mayor porcentaje de habitantes de menos de 15 años de edad? ¿Cuáles son los cuatro países hispanos con el mayor porcentaje de habitantes de más de 65 años de edad? ¿Cuál es el promedio de edad del Caribe hispano? ¿De América Central? ¿La región andina? ¿Los países del Cono Sur?

4. ¿Qué quiere decir «analfabetismo» y cómo se determina? ¿Cuáles son los dos países hispanos con el mayor porcentaje de analfabetismo? ¿Y los dos países hispanos que tienen el menor porcentaje de analfabetismo? ¿Cuáles son algunos efectos que puede tener el porcentaje de analfabetismo de un país sobre los medios comunicativos (prensa, carteleras de carretera, radio, televisión, fax, Internet, etc.) que se usan para el comercio y los anuncios?

5. ¿Para qué tipos de actividades comerciales se usa el teléfono? ¿Ha hecho usted alguna vez alguna compra por teléfono? Explique. ¿Qué opina usted del uso del contestador automático y el correo auditivo para los negocios? ¿Facilitan o complican el comercio? Explique.

6. ¿Cuántas líneas telefónicas hay en cada uno de los siguientes países: España, Puerto Rico, Bolivia, Argentina, El Salvador, Colombia, México y EUA? En España, Argentina y EUA, ¿cuántas líneas telefónicas hay por cada mil habitantes? (Se calcula al dividir el número de líneas por la población nacional dividida por mil: por ejemplo, para México, 19,900,000 ÷ (111,000,000 ÷ 1,000) = 179 teléfonos por cada mil habitantes.)

Tabla 5-1 | Los países hispanoparlantes, Brasil y Estados Unidos: población en el año 2008, porcentaje población urbana, distribución etaria, analfabetismo, número de líneas telefónicas, radios y televisores por mil personas, usuarios de Internet en millones de personas (números redondeados)

País	Población 2008 (en millones de personas)	% urbana	Distribución etaria (2009) % <15 años	% 65+ años	% analfabetismo	Número de líneas telefónicas	Radios por mil personas	Televisores por mil personas	N° de usuarios de Internet en millones
Argentina	40.9	90%	26%	11%	3% (2001)	9,500,000	681	293	9.3
Bolivia	9.8	64%	36%	5%	13% (2001)	666,600	675	118	1
Chile	16.6	88%	23%	9%	4% (2002)	3,300,000	354	240	5.6
Colombia	45.6	73%	29%	6%	7% (2004)	7,900,000	539	279	12.1
Costa Rica	4.3	62%	27%	6%	5% (2000)	1,400,000	774	229	1.5
Cuba	11.5	76%	18%	11%	0% (2002)	972,900	352	248	1.3 (uso restringido)
Ecuador	14.6	63%	31%	6%	9% (2001)	1,800,000	406	213	1.5
El Salvador	7.1	60%	35%	5%	20% (2003)	1,080,000	478	191	0.7
España	40.1	77%	15%	18%	2% (2003)	18,400,000	331	555	19.7
Guatemala	13.3	47%	39%	4%	31% (2002)	1,400,000	79	61	1.32
Guinea Ecuatorial	0.6	39%	42%	4%	13% (2000)	10,000 8,000	429	116	0.008
Honduras	7.6	47%	38%	4%	20% (2001)	708,400	410	95	0.344
México	111	76%	29%	6%	9% (2004)	19,900,000	329	272	22.8
Nicaragua	5.9	59%	34%	3%	33% (2003)	247,900	270	69	0.16
Panamá	3.4	71%	29%	7%	8% (2000)	432,900	299	192	0.53
Paraguay	7	59%	37%	5%	6% (2003)	331,100	182	205	0.28
Perú	29.5	73%	29%	6%	12% (2004)	2,300,000	273	147	7.6
Puerto Rico	4	61%	20%	14%	6% (2002)	1,322,000	714	321	1
República Dominicana	9.7	67%	31%	6%	13% (2002)	897,000	178	96	1.7
Uruguay	3.5	92%	22%	13%	2% (2003)	987,000	603	531	0.97
Venezuela	26.8	93%	31%	5%	7% (2001)	4,200,000	296	185	5.7
Brasil	198.7	84%	27%	6%	11% (2004)	38,810,000	434	333	50
EUA	304 (2009)	81% (2005)	20%	13%	1% (2003)	194,000,000	2,116	884	223

FUENTES: U.S. Bureau of the Census, U.S. Department of State Background Notes, CIA World Factbook 2009, The World Almanac and Book of Facts 2009.

7. En términos de la infraestructura comunicativa, ¿cuáles son los cinco países hispanos con el mayor número de radios y de teléfonos por cada mil personas?

8. ¿Qué países hispanos tienen más televisores que radios por cada mil personas?

9. ¿Piensa usted que es más útil la radio o la televisión para el comercio? Explique.

10. ¿Cuáles son los tres países con mayor uso de Internet? ¿Y los tres con menor uso? Haga un gráfico lineal o circular (*line o pie chart*) para comparar el uso de Internet en estos seis países.

11. Compare el uso de Internet en las siguientes regiones: el Caribe hispanohablante, Centroamérica, la región andina y el Cono Sur.

12. ¿Cuáles han sido algunos cambios o avances recientes en las telecomunicaciones? ¿Cómo se usa Internet para anunciar, vender o comprar algo? ¿Ha hecho usted alguna vez una compra electrónica (nacional o internacional)? Si lo ha hecho, describa el proceso y su experiencia con sus compañeros de clase. En comparación con comprar en persona, ¿piensa usted que es más fácil, más difícil, mejor o peor usar el comercio electrónico para la compraventa de mercadería? ¿Qué riesgos hay? ¿Cuáles son otros cambios o avances tecnológicos que usted prevé para las telecomunicaciones y su uso comercial?

 Posibilidades profesionales

Los bienes raíces ofrecen muchas posibilidades laborales a nivel internacional, en especial las de corredor, agente o tasador de inmuebles y especialista en hipotecas, entre otras. Para más información al respecto y para una actividad escolar que le ayudará a saber más sobre el tema, véase el Capítulo 5 de «Posibilidades profesionales», que se encuentra en www.cengage.com/spanish/exito.

VOCABULARIO

Aquí se presentan los principales términos de este capítulo. Al final del libro hay un glosario más completo.

abastecedor/a • *supplier*

abonar • *to pay*

agotamiento • *depletion*

agotar • *to deplete*

alquilar • *to rent*

alquiler (m) • *rent*

apresurarse • *to hurry*

arras • *earnest money; pledge, deposit, security*

arrendante • *lessor*

arrendar • *to lease, rent*

arrendatario • *lessee, tenant*

aval (m) • *reference; guarantor*

avalado/a • *guarantee, person for whom the guarantee is issued*

avalista (m/f) • *guarantor*

bienes inmuebles (m) • *real estate*

(continúa)

canon (m) • *precio*

cierre de la casa (m) • *closing on a home (sale)*

cobertura • *coverage*

comparecer • *to appear, make an appearance (e.g., in court)*

contraer • *to incur, enter into an obligation*

contratante (m/f) • *party entering into a contract*

contrato • *contract*

   de arras • *earnest money contract*

   de paga y señal • *earnest money contract*

   de señal • *earnest money contract*

corretaje (m) • *commission (for agent or broker)*

depreciación lineal • *straight-line depreciation*

derrumbar • *to tear down, demolish (a building)*

desgastar (se) • *to wear out, deplete*

desgaste (m) • *deterioration, depletion*

fianza • *down payment, deposit*

impositivo • *tax-related*

inmobiliaria • *real estate agency*

inmueble (m) • *real estate; a building*

inquilino • *tenant*

inventario • *inventory*

IVA (impuesto sobre el valor añadido o agregado) • *value-added tax (VAT)*

latifundio • *large landed estate, ranch*

mensualidad • *monthly payment, rent*

método lineal • *straight-line method (depreciation)*

miseria • *dire poverty*

pagadero • *payable*

pago inicial • *down payment*

   por anticipado • *down payment, payment in advance*

parte (f) • *party in a negotiation or contract*

   compradora • *buyer (real estate)*

   vendedora • *seller (real estate)*

plano • *map (of city)*

planta baja • *ground floor (at street level)*

plusvalía • *appreciation, gain in value*

préstamo hipotecario • *mortgage loan*

prima • *premium (insurance)*

prorrogado • *postponed, deferred*

recuperación • *salvage (in reference to "salvage value")*

renuevo • *renewal*

reparación • *repair*

reparto • *delivery*

reventa • *resale*

salvaguardar • *to safeguard, protect*

sede (f) • *home office*

servicio (de electricidad, gas, agua) • *utilities*

subarrendar • *to sublet*

suministro • *supply*

tasación • *valuation*

terceros • *third parties*

traslado • *move (residence or job)*

traspaso • *transfer (of title to property)*

ubicarse • *to be located*

valor de recuperación (m) • *salvage value*

vecino • *neighbor, resident, inhabitant*

vencer • *to fall due, mature, be payable (on a certain date)*

vigente (adj) • *effective, in effect, in force*

vivienda • *housing*

La oficina

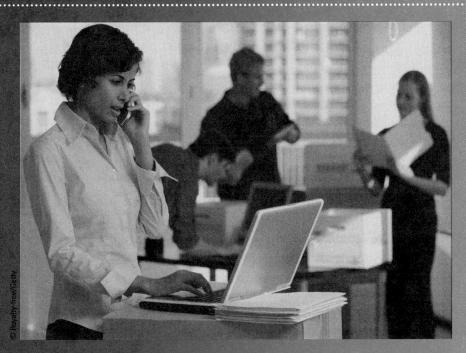

Una oficina moderna en la ciudad de Panamá. Describa lo que ve Ud. en esta foto. ¿Qué usos tienen las máquinas de oficina representadas?

Technology means the systematic application of scientific or other organized knowledge to practical tasks.

— JOHN KENNETH GALBRAITH

In the software industry, change is the norm.

— BILL GATES

Más vale resbalar con el pie que con la lengua.

— PROVERBIO

6-1 Preguntas de orientación

Al hacer la «Lectura comercial», piense en las respuestas a las siguientes preguntas.

1. ¿Cómo es la oficina de la Figura 6-1?

2. ¿Por qué es importante el concepto de «renovarse o morir» en el contexto comercial?

3. ¿Cuáles son las funciones básicas de la oficina en las actividades diarias de una empresa?

4. ¿Qué procesos se desempeñan en una oficina para lograr los fines comerciales de una empresa?

5. ¿Cuáles son algunos efectos que han tenido los avances tecnológicos en las operaciones de oficina?

6. ¿Qué componentes tiene una computadora, y cuáles son algunos de sus accesorios y periféricos?

7. ¿Qué diferentes tipos de computadora hay, y cuáles son sus ventajas y desventajas?

8. ¿Cómo se distingue la comunicación telefónica de la correspondencia escrita?

9. ¿Qué otras máquinas y aparatos se usan en la oficina moderna? ¿Cuáles son imprescindibles?

10. ¿Qué son el Facebook, el blogging y el Twitter? ¿Cómo funcionan? ¿Qué usos comerciales tienen (e.g., relaciones públicas, campañas publicitarias, ofertas, etc.)? ¿Qué otros usos comerciales podrían tener en el futuro cercano?

11. ¿Cómo ha sido la «revolución comunicativa» en comparación con otras revoluciones tecnológicas del pasado?

12. ¿Qué opina usted de la ubicuidad de la tecnología en nuestro mundo? ¿Nos domina la tecnología? ¿Es posible que nos llegue a dominar? En cuanto a la interacción humana, esencial para los negocios, ¿nos ayuda o nos perjudica? ¿Qué efectos tiene en el protocolo de las comunicaciones y el personalismo? En fin, ¿facilita o estorba el comercio? Comente.

LECTURA COMERCIAL

Sistemas y equipo de la oficina moderna

Una empresa multinacional puso el siguiente anuncio en una revista comercial española:

> Imagine un mundo sin fronteras. Imagine una oficina sin problemas, donde máquinas y personas colaboren en perfecta armonía. Donde el futuro sea realidad.

Si se compara este concepto de la oficina moderna con el dibujo que se presenta a continuación en la Figura 6-1, uno se da cuenta de las enormes innovaciones que han ocurrido en el diseño, la organización y el equipo de la oficina del nuevo milenio.

Los anticuados sistemas y equipos de trabajo que se usaban en las oficinas de hace quince o veinte años ya no cumplen con las necesidades actuales. La empresa que no se prepare para la diversidad y la rapidez de los cambios tecnológicos y su efecto en la estructura y en los valores sociales del siglo XXI, se dirige hacia un fracaso casi seguro. Con respecto al panorama comercial del futuro, hay que «renovarse o morir».

Una meta primordial de la oficina es la de proveer el lugar físico y el ambiente necesarios para poder planear y realizar la administración óptima de una organización o empresa así como de sus funciones operativas. Clave en el diseño de una oficina es el uso del espacio para impulsar y mejorar la productividad. Después de planear y asignar las responsabilidades y los trabajos, hay que desarrollar la capacidad de recibir y procesar información; es decir, de seleccionar la más valiosa, y **registrar**, **almacenar**, adaptar y transformarla, siempre con el propósito de poder tomar la mejor decisión comercial posible. Según el caso, los datos que se comunican pueden ser en forma de texto, cifras (números), gráficos, texto o imágenes; y la comunicación puede ser escrita, oral, visual o una combinación de los tres medios. La comunicación de una empresa se puede realizar entre los empleados mismos (la interna) o entre la compañía y sus clientes u otras **personas interesadas** (la externa). Por eso es importante

BREVE VOCABULARIO ÚTIL

almacenar *to store*

archivar *to file*

bocina *speaker (computer)*

computador(a) *computer*

desempeñar *to carry out*

escáner (m) *scanner*

impresora *printer*

jerga *jargon*

nómina *payroll*

ofimática *office automation*

papeleo *paperwork*

persona interesada *stakeholder*

red de comunicación (f) *communications network*

renovar(se) (ue) *to renew*

tecnología de información *information technology*

Figura 6-1 La oficina de antaño

© Heinle/Cengage Learning

considerar no sólo el equipo y los sistemas de comunicación imprescindibles, sino también los aspectos psicológicos y sociológicos que afectan a quienes se comunican.

Consideremos primero las máquinas, los **dispositivos** de la **tecnología de información (TI)** y los sistemas de telecomunicación. Éstos siguen aumentando la cantidad y la velocidad de información y datos que las empresas pueden recibir, procesar, **archivar** o enviar. También han podido reducir, en un sentido físico, el odiado papeleo acumulado durante las décadas anteriores. Hoy en día, por ejemplo, se pueden guardar miles de páginas de información y gráficos en un solo disco o CD de computadora. Por otra parte, la compatibilidad entre las diferentes redes de comunicación electrónica ha facilitado la flexibilidad de la comunicación inmediata entre las **estaciones** (o los **puestos**) **de trabajo**, tanto dentro de la empresa misma como entre estas estaciones y otros lugares geográficos que participan en la comunidad virtual.

Entre las nuevas máquinas de las últimas décadas, la **computadora** o el **computador** (el **ordenador** en España) ha tenido una enorme influencia en el mundo comercial. Ha facilitado el procesamiento digital de enormes cantidades de información cada vez más compleja con mayor rapidez y precisión, y ha permitido su **almacenamiento** o **alojamiento** en menos espacio físico. Esto ha permitido que la empresa se sirva de la **ofimática** para dedicarse a otros asuntos más analíticos, creativos y productivos. Por supuesto, antes de comprar cualquier sistema de **computación** o de **cómputo**, hay que considerar el precio del **equipo**, su instalación y **mantenimiento**, los objetivos, los problemas que puedan resultar de una conversión parcial o total al sistema electrónico, con arquitectura **inalámbrica** o **satelital** conectada e integrada, y el costo de adiestrar a los empleados por medio de cursillos de formación. Las **computadoras de mesa** o **de sobremesa** (la PC) suelen tener más memoria y velocidad que las **microcomputadoras** (**microordenadores** en España) o las **computadoras portátiles** o «*laptop*» (cada día más **ultraligeras** y **ultradelgadas**) mientras que éstas ofrecen mayor flexibilidad de lugar de trabajo. En realidad, todas las computadoras han hecho más prácticas las conversiones de sistemas en las oficinas de las MIPYME (micro, pequeñas y medianas empresas).

Lo más importante es conseguir o programar el sistema operativo y el *software* que se necesitan, o sea, el conjunto o soporte lógico para el procesamiento de textos, datos, imágenes y voz. Éste se usa con el *hardware*, o sea, el equipo físico, el cual puede tener accesorios y **periféricos** (o *peripherals*) como los siguientes: el **teclado**; el ratón (que puede ser óptico); las **tarjetas madre**, de video (o vídeo), de sonido, de red y de TV; **bocina**(s) o parlantes; **quemador** de CD y DVD; y la **cámara digital**. En fin, se puede configurar la computadora «a medida» de las necesidades del usuario, con conectividad **sin fisuras**, acceso a **servidores**, **protección de virus** y de «*firewall*» o **cortafuegos** (**pared cortafuegos** o **contra fuego**), para realizar funciones tales como el procesamiento de datos y textos, la **hoja de cálculo**, la **esquematización**, el **correo electrónico** (el *E-mail, email* o «*emilio*») y el cargar o subir (*upload*) o descargar o bajar (*download*) documentos e información. Al **entrar** la información, se proyecta sobre una **pantalla** o un monitor (que puede ser de **panel plano**) de muy alta definición que permite repasar, modificar, corregir o combinar la información en el acto. Se puede reproducir una copia exacta de cualquier documento y almacenarla en un disco por medio de un escáner o explorador. Se puede guardar grandes cantidades de información al quemar un CD o usar un disco zip o una memoria portátil (*flash drive*), usando el formato pdf. La salida de información se consigue por medio de una **impresora** de tipo láser o **de chorro** o de **inyección de tinta** (que requiere **cartuchos** o **cintas**). Si se necesitan más copias, se utiliza una **fotocopiadora** que puede combinar una serie de pasos: **separación, ordenación** y **engrapamiento**. Otro desarrollo tecnológico ha sido la **reprografía** que permite enviar documentos, dibujos u otros materiales por medio del fax o facsímil. Hasta se puede usar una **impresora multifunción** que tiene capacidad de imprimir, fotocopiar y mandar un fax (o faxear en algunos países).

Otros avances de las últimas décadas incluyen el **control remoto** o **mando a distancia**, el organizador, el *handheld* o el *palm*, la *pocket PC*, las **baterías removibles y recargables** de larga duración, la televisión satelital o por cable y la **telefonía móvil** o **celular**. Los nuevos dispositivos de punta nos han dado el teléfono inteligente (*smartphone*, es decir, un móvil conectado con Internet y con la versatilidad de una computadora de mesa) como el *iPhone* de Apple, el *Blackberry* de Research In Motion Ltd., el *N97* de Nokia, el *Messenger* de Nokia o el *Palm Pre* de Palm, Inc. Estos aparatos incluyen **teclados deslizables** y muchísimas aplicaciones de micro computadora con **pantalla táctil**. Además, el **correo auditivo** (**correo de voz, correo vocal** o **correo de mensajes hablados**), la **identificación de llamadas** (o **de abonado llamante** o **de origen**), la **remarcación** (o **rellamada automática**), la transferencia o el **reenvío de llamadas** y el **discado activado por voz** han hecho más flexible la comunicación oral. Los usuarios celulares, conectados por **auriculares** y un *beeper* (**bíper, localizador, ubicador** o **buscapersonas**) han ganado rápidamente terreno contra el uso tradicional de las **líneas fijas telefónicas**. La ola de recientes avances tecnológicos ha alimentado la fiebre del *texting* (mensajes de texto mandados por teléfono), el *blogging* y el *microblogging*. A la vez, se ha visto una híper creación de nuevas redes sociales y comerciales por medio de novedades como Facebook, LinkedIn, MySpace, Tuenti, Twitter (un micro chat multitudinario a base de hacer «tweet» o tweetear) y Wave (el nuevo producto de Google que combina la comunicación, la colaboración y el uso compartido de multimedia [*media sharing*]), las cuales facilitan que las grandes empresas comerciales añadan un toque humano inmediato al hacer su publicidad, ventas y análisis de consumidores y mercados.

Al entrar en la segunda década del siglo XXI, las comunicaciones electrónicas han mejorado mucho y siguen avanzando cada día, lo cual presenta el reto de tener que renovar el equipo que va quedando desfasado por tan rápido desarrollo digital, inalámbrico y satelital. Actualmente, el Internet está ganando **adeptos** en todas partes del mundo. La computadora ya ha creado el mercado y, según Internet-World-Stats, en 2008 el Internet ya contaba con 1,596,270,108 de usuarios (23.8% de la población mundial de 6,710 mil millones), un aumento de 342% desde 2000, con la siguiente distribución (véase la Figura 6-2 en página 158, datos de www. internetworldstats.com, 11 agosto 2009). Entre los países líderes del mundo por número de usuarios, China se clasifica en primer lugar con 298 millones; EUA se clasifica en segundo lugar con 227 millones; Brasil es el país número cinco con 68 millones; España es el 12 con

Figura 6-2 **Distribución mundial de usuarios de Internet en 2008**
(Gráfico de M.S. Doyle)

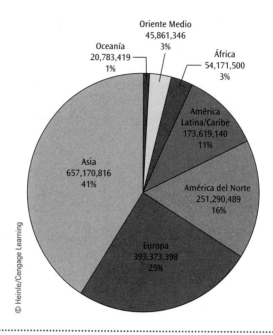

29 millones; México, el 13 con 27 millones (4.6%); y Argentina es el país número 20, con 20 millones (11%). Los primeros veinte países líderes representan el 77% de usuarios mundiales de Internet. Las lenguas principales de Internet son el inglés, el chino, el español, el japonés, el francés y el portugués.

La revolución comunicativa y la creación de la «**tienda virtual**» siguen eliminando y creando compañías y trabajos al llegar a todos los sectores de la economía mundial. Pero esta revolución parece no haber tenido tantas consecuencias negativas como otras revoluciones tecnológicas del pasado. Lo que sí ha traído es la necesidad y la permanencia de la palabra «cambio» en la vida cotidiana de casi todo el mundo, y el estrés de vivir en una economía mundial electrónica y satelital de 24 por 7 (de 24 horas al día, siete días por semana), es decir, «una economía de sol a sol». La nueva era de la ***banda ancha*** facilitará la confluencia de voz, datos e imágenes por un solo medio de comunicación y una nueva generación de «**internautas**» y «**móvilnautas**» está creando una cultura de información móvil y de tiempo real, y la telefonía desempeñará un papel clave en la arquitectura del nuevo hogar-empresa-universo de control a distancia y alcance inmediato por medio de cada vez más avanzados motores de búsqueda como Bing y Google.

El número de participantes en el comercio electrónico y satelital se ha expandido radicalmente, eliminando el intermediario y los medios de distribución tradicionales. El vendedor/exportador ya puede generar e imprimir etiquetas, facturas comerciales y la documentación transportista o aduanera necesaria desde

El empleador puede tener preocupaciones legítimas en lo que respecta a la posible utilización del correo electrónico por parte de sus empleados y ejecutivos para divulgar informaciones confidenciales o secretos comerciales a los competidores. De la misma forma, son legítimas las preocupaciones sobre los mensajes electrónicos que llegan a las terminales de los trabajadores con anexos enormes que contienen bromas, juegos, fotos, pornografía, etc., que sobrecargan la red y pueden derrumbar el sistema o retardar la llegada y el envío de mensajes importantes y esperados, además de traer virus. Por otro lado, son igualmente legítimas las preocupaciones de los empleados en cuanto a la protección de los mensajes y de sus vidas privadas. Estos intereses pueden ser conciliados con una política empresarial de directivas claras respecto a la utilización de Internet y del correo electrónico por parte de los empleados.
(www.revistapoder.com; 5/7/04; página 2.)

1. ¿Qué preocupaciones legítimas tienen los empleadores respecto al uso del correo electrónico por parte de sus empleados?

2. Por otra parte, ¿qué preocupaciones legítimas tienen los empleados respecto a este tema?

3. Según la lectura, ¿cómo se pueden conciliar los intereses de los empleadores (el control de trabajo durante las horas laborales) y de los empleados (la libertad y privacidad) en cuanto al uso de Internet y del correo electrónico? Si usted fuera el empleador, ¿qué directivas claras propondría como su política empresarial respecto a la utilización de Internet y del correo electrónico por parte de los empleados? ¿Cómo aseguraría usted que sus empleados están cumpliendo con la política empresarial?

4. ¿Piensa usted que muchos empleados abusan de Internet, del correo electrónico, Facebook, Twitter, etc. durante sus horas de trabajo? ¿Es verdaderamente un problema que afecta la productividad? ¿O es que los Babyboomers, nacidos entre 1946 y 1964, no comprenden y desean controlar a sus jóvenes colegas de la «Generación Y» (los «milenios», nacidos desde 1981)? ¿En qué se parecen y se diferencian los empleados y gerentes de ambos grupos etarios? Comente.

5. ¿Piensa usted que los empleadores tienen o deben tener el derecho de espiar los e-mails y otras actividades electrónicas y en Internet de sus empleados? Explique.

6. Haga un debate con sus compañeros de clase acerca del tema de quién es el/la propietario/a de toda la información que se genera, almacena y recupera en el trabajo, es decir, durante las horas laborales cuando se está usando el equipo de la empresa u organización.

una estación de trabajo muy alejada del consumidor. Todo esto exige que el vendedor **respalde** o tenga *back-up* (una **copia de reserva** o **de seguridad**) de información valiosa en sus **archivos**, su servidor y su **disco duro externo**. Además, el potencial de negocios por Internet o **en línea** se multiplica por el concepto de la **página web**, la cual sigue revolucionando la cadena productiva y las posibilidades publicitarias de cualquier empresa. Con este avance tecnológico, los proveedores, clientes, socios y empleados tienen acceso a las funciones de un negocio cuando y dondequiera que estén en el mundo. Solamente tienen que **hacer clic** (o **cliquear**) u **oprimir** (**pulsar**, **apretar**, **presionar**) un botón.

Esta nueva realidad está creando una mayor necesidad de avanzadas medidas de seguridad electrónica. Por ejemplo, el móvil con cámara ya se prohíbe en muchas multinacionales, a causa del riesgo real del espionaje comercial, y se están «utilizando contraseñas generadas al azar que expiran en minutos.» Y para un futuro cercano se prevé el uso de «dispositivos biométricos como lectores de huellas digitales o escáneres de retina [...] para acceder a sistemas críticos, e incluso a los computadores personales y las memorias portátiles.» («Grandes ideas: Diez ideas tecnológicas que se deben tomar ya», Greg Brown, en *Latin Trade*, enero 2005, vol. 13, N° 1).

La convergencia de la informática y las telecomunicaciones les ofrece al gerente y al empleado contemporáneos una nueva libertad de trabajar en y desde cualquier lugar. Es decir, con mayor frecuencia las comunicaciones y otras funciones comerciales se realizan fuera de la oficina tradicional, por ejemplo, en **lugares clave** como los hoteles y los aeropuertos o en casa, en un parque, en un carro, en un avión. La **video-conferencia**, las **reuniones en línea**, el móvil con pantalla visual y los mensajes instantáneos quizás lleguen a reemplazar la cita de cara a cara o el viaje de negocios tan importantes tradicionalmente para los negocios en Latinoamérica. Incluso en los casos en que no sea posible comunicarse telefónicamente con un cliente, existe **el/la contestador/a telefónico/a** para mandar y recibir información. Hay un mayor número de empleados que ya pasan muchas horas por semana trabajando desde casa con una computadora personal, y en un futuro muy cercano podrá haber una sociedad profesional y semi-profesional de **teleconmutadores** o **trabajadores a distancia**, es decir, de personas que trabajan desde casa y cuyo único contacto con la oficina central es por medio del teléfono o la computadora. En realidad, el usuario de una computadora conectada con la **red** mundial de comunicación existente puede navegarla para recibir toda clase de información útil de tipo multimedia sobre cualquier tema. Lo que requiere esta nueva realidad es la capacidad de determinar cuál es la información más valiosa, puesto que la red también está saturada de información sospechosa o de mala calidad.

A pesar de tantos avances tecnológicos en las últimas décadas (por ejemplo, hay que recordar que Google fue creado hace bastante poco tiempo, en 1994), la oficina de hoy aún necesita muebles muy parecidos a los que se usaban antes de la revolución digital y satelital. Existen todavía el **escritorio**, el **pupitre** para la máquina de escribir o la computadora, las sillas (fijas y giratorias), los **sillones** o **butacas** (la **sillería** con formas **ergonométricas** para evitar la fatiga, con el propósito de impulsar aún más la productividad), los **estantes** para los libros o manuales, y los archivos con **carpetas**. Los efectos que se guardan sobre el escritorio o dentro de sus **cajones** siguen pareciéndose a los de antaño. (Véase Figura 6-3.)

Tampoco han cambiado ciertos aspectos de la comunicación oral y escrita dentro de la oficina. Todavía existe la comunicación oral sumergida, es decir, el chisme y los rumores que circulan en las reuniones y en los pasillos, en las charlas informales por teléfono y por correo electrónico. ¡Las paredes y las computadoras oyen! En la comunicación escrita aún se usan el **memorando**, el **tablón** o **tablero de anuncios**, las cartas y otros documentos rutinarios. Además, todavía existe la posibilidad de una mala comunicación, ya sea escrita u oral, por las razones siguientes:

1. La interpretación errónea que se le dé a una comunicación a causa del significado de una palabra o símbolo.

2. La diferencia entre niveles operativos, por ejemplo, entre la gerencia y los empleados o la mano de obra.

3. La falta de una comunicación clara entre diferentes departamentos.

4. La diferencia en el uso de la jerga profesional.

Figura 6-3

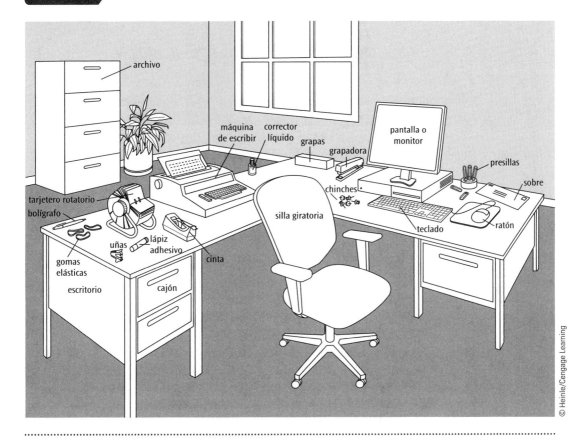

© Heinle/Cengage Learning

5. La diferencia en la formación cultural o intelectual de los individuos, y la existencia de los estereotipos, particularmente en los contextos internacionales y transculturales.

6. La competencia y la falta de confianza entre los empleados.

7. La interpretación errónea de la **cinética** y la **proxémica**: los gestos, las expresiones faciales, las posturas del cuerpo y la distancia física o relación espacial entre las personas que se hablan.

8. La interpretación errónea del paralenguaje comunicado por la voz humana: el tono, el suspiro, el gruñido, etc.

6-2 Actividades

1. **¿Qué sabe Ud. de negocios?** Vuelva a las «Preguntas de orientación» al principio del capítulo y a las preguntas que acompañan la foto y contéstelas en oraciones completas en español.

2. **¿Qué recuerda Ud.?** Indique si las siguientes oraciones son *verdaderas* o *falsas* y explique por qué.

a. La oficina actual es muy parecida a la oficina de hace veinte años.

b. La manera de almacenar la información no ha cambiado mucho.

c. La secretaria transforma información cuando entra en la computadora una carta dictada.

d. El uso de la computadora ha aumentado la cantidad de papeleo en la oficina.

e. La telefonía celular es el avance tecnológico que ha tenido mayor efecto en la oficina moderna.

f. La selección del hardware es más importante que la del software en un sistema para el procesamiento de información.

g. La fibra óptica puede controlar hasta el color de las paredes de la oficina.

h. No es posible perjudicar un acuerdo comercial por una mirada poco apropiada o un suspiro inoportuno.

3. **Exploración.** Haga los siguientes ejercicios usando sus conocimientos y opiniones personales.

a. ¿Qué diferencias hay entre la comunicación interna y la externa de una empresa? ¿Qué importancia tiene cada una?

b. ¿Cree Ud. que los avances tecnológicos han tenido un efecto positivo en la oficina? Explique.

c. ¿Qué máquinas considera Ud. imprescindibles en una oficina moderna? ¿Por qué? Visite la página web de una empresa en un país hispano que vende equipo de oficina y prepare una lista de los cinco productos que usted compraría para su propia oficina. Incluya una justificación y los verdaderos precios. Limite su presupuesto a $4,500. Si la empresa visitada tiene un formulario de pedido electrónico, puede imprimir y usarlo para este ejercicio (¡pero sin hacer la compra de verdad!).

d. ¿Cuáles pueden ser algunos efectos negativos del chisme en el ambiente de la oficina? ¿Cómo se puede eliminar o reducir el chisme en el trabajo?

e. ¿Cuáles son algunas ventajas y desventajas de esta era de la «tienda virtual», los teleconmutadores y los «móvilnautas»? ¿Tiene Ud. algunas preocupaciones en cuanto al futuro digital y satelital? ¿Cuáles son?

f. ¿Cómo se relacionan los dichos que aparecen al principio del capítulo con los temas tratados?

6-3 Al teléfono

Pistas 11 y 12

1. Lea las siguientes preguntas. Despúes escuche atentamente la conversación telefónica del Capítulo 6 y conteste las preguntas. Puesto que la comprensión auditiva es una destreza comunicativa sumamente importante, se recomienda escuchar la conversación varias veces.

a. ¿Por qué llama la Sra. Bermúdez al Sr. Sánchez?

b. ¿Cuáles son las quejas específicas que tiene la Sra. Bermúdez?

c. ¿Cómo justifica el Sr. Sánchez las funciones de las computadoras?

d. ¿Qué les va a sugerir la Sra. Bermúdez a sus operarios?

e. ¿Qué ofrece hacer el Sr. Sánchez para calmar las inquietudes de sus clientes?

 2. Basando sus comentarios en la conversación telefónica del ejercicio anterior, haga la siguiente llamada telefónica a otro/a estudiante de la clase. Cada persona deberá participar activamente en la conversación. Para ayuda con esta actividad, véase el Apéndice 1, «Protocolo telefónico», página 457.

Ud. es el Sr. Raúl Sánchez Álvarez, de Instalaciones Perfectas. El lunes siguiente Ud. vuelve a llamar a María Angélica Bermúdez con el propósito de fijar una fecha para ofrecerles un cursillo a sus trabajadoras que usan las computadoras recientemente instaladas. Durante la conversación, ella le revela los resultados de sus propios intentos de sugerirles a las operadoras que tengan paciencia con sus nuevas computadoras.

 3. Haga la siguiente llamada telefónica a otro/a estudiante de la clase. Cada persona deberá participar activamente en la conversación. Si necesita ayuda con esta actividad, véase el Apéndice 1, «Protocolo telefónico», página 457.

Ud. es gerente de una oficina en la cual un sistema de computadoras recién instalado no ha funcionado muy bien. Llame a la persona que lo instaló y explique las complicaciones que hay (por ejemplo, que no aparece nada en el monitor, no funciona la impresora láser, etc.).

6-4 Navegando por Internet

🌐 **Para hacer este ejercicio de Internet, visite la página web del libro www.cengage .com/spanish/exito.**

6-5 Ejercicios de vocabulario

 Si le es necesario, consulte la «Lectura comercial» o la lista de vocabulario al final del capítulo para completar estos ejercicios.

1. **¡A ver si me acuerdo!** Pensando en la posibilidad de establecer una relación comercial, usted va a tener una conversación con una persona de negocios de un país hispano. Sin embargo, se le olvidan a usted los siguientes términos en español. Un/a compañero/a lo/la ayuda a recordarlos al pedir que usted se los traduzca.

a. *telecommuter*
b. *password*
c. *voice mail*
d. *device*

e. *photocopier*
f. *caller I.D.*
g. *spreadsheet*

h. *e-commerce*
i. *call forwarding*
j. *spreadsheet*

2. **¿Qué significan?** A usted le interesa la posibilidad de trabajar en una oficina en un país hispanohablante. Sin embargo, no sabe lo que significan ciertos términos que se usan frecuentemente en el comercio. Ud. decide consultarlos con un/a amigo/a. Pídale a un/a compañero/a de clase que le explique los siguientes términos y que le dé algunos sinónimos si puede.

a. internauta
b. móvilnauta
c. sillería
d. chisme
e. correo electrónico
f. inalámbrico
g. pila recargable
h. memoria portátil

3. **Entrevista profesional.** Usted quiere saber lo más posible sobre las oficinas de negocios porque quiere amueblar la suya en Panamá. Por lo tanto, usted entrevista a un experto en la organización de oficinas, haciéndole las siguientes preguntas. Haga la entrevista con un/a compañero/a de clase. No olviden el protocolo ni las cortesías.

a. ¿Para qué funciones comerciales se usan la computadora y la telefonía en una oficina?

b. ¿Qué impacto ha tenido el uso de Internet en los negocios?

c. ¿Existe un protocolo para el uso del correo electrónico? Explique.

d. Dé algunos ejemplos de la jerga en la industria informática.

e. ¿Qué es una página web personal y cómo se establece?

f. ¿Qué quiere decir tecnología de punta, inalámbrica y sin fisuras?

4. **Traducciones.** Un/a amigo/a suyo/a, con el/la cual Ud. quiere planear la oficina de la casa matriz de una empresa, acaba de empezar a estudiar español y negocios. Él/Ella sabe poco de la organización de oficinas. Usted lo/la ayuda al pedirle que él/ella traduzca las siguientes oraciones que informan sobre el tema.

a. *Advances in technology make it possible to conduct business more quickly and efficiently.*

b. *In the modern business office, people must work together and with machines efficiently and effectively.*

c. *Some employees are afraid at first to use cutting-edge, high-tech equipment, and can be intimidated by all the new accessories and peripherals.*

d. *Data processing and word processing are two important business functions performed using computers.*

e. *The existence of commercial web pages on the Internet has expanded e-commerce activity enormously.*

f. *A business needs to know how to "surf" the Internet in order to keep abreast of worldwide developments that may affect its decisions. A client is never more than a click away.*

UNA VISTA PANORÁMICA DE COSTA RICA

Nombre oficial:	República de Costa Rica
Gentilicio:	costarricense (tico/a, informalmente)
Capital y población:	San José: 1,284,000
Sistema de gobierno:	República democrática
Jefe de Estado/Jefe de Gobierno:	Presidente Óscar Arias Sánchez (2006)
Fiesta nacional:	15 de septiembre, Día de la Independencia (1821: de España)

Costa Rica

GEOGRAFÍA Y CLIMA

Área nacional en millas² y kilómetros²	Tamaño (comparado con EUA)	División política	Otras ciudades principales	Puertos principales	Clima	Tierra cultivable
19,730 millas² 51,100 km²	Casi tan grande como West Virginia	7 provincias	Alajuela, Puntarenas, Limón, Cartago	Limón, Puntarenas, Golfito	Tropical y subtropical en las costas, templado en la meseta. Estación de lluvias mayo-noviembre	4% (2005)

DEMOGRAFÍA

Año y población en millones			% urbana (2008)	Distribución etaria (2009)		% de analfa-betismo	Grupos étnicos
2010	2015	2025		<15 años	65+		
4.3	4.6	5.1	62%	27%	6%	4% (2009)	94% blanco europeo y mestizo, 3% africano, 1% amerindio, 1% chino

ECONOMÍA Y COMERCIO

Moneda nacional	Tasa de inflación 2008	N° de trabaja-dores (en millones) y tasa de desempleo	PIB 2008 en millones $EUA	PIB per cápita	Distribución de PIB (2008) y de trabajadores por sector (2006)*			2008 Expor-taciones en millones $EUA	2008 Impor-taciones en millones $EUA
					A	I	S		
El colón	13.9% (2008)	1.96 (2008) 5.6% (2008)	$49,700 (2008)	$11,900 (2008)	8% 14%	29% 22%	63% 64%	$9,700	$15,400

*Para distribución del PIB y de los trabajadores (mano de obra): A = Agricultura, I = Industria, S = Servicios (y Gobierno).

Recursos naturales: Energía hidroeléctrica.

Industrias: Procesamiento de alimentos, textiles y ropa, materiales para construcción, abono, productos de plástico, microprocesadores.

COMERCIO

Productos de exportación: Productos manufacturados, café, melones, bananos, tabaco, pescado, vestidos, azúcar, carne, piña, flores recortadas y plantas de ornato, componentes electrónicos, equipo médico, productos farmacéuticos, caucho, follajes, llantas, vidrio y fibras.

Mercados: 26% EUA, 14% China, 11% Países Bajos, 6% Reino Unido, 5% México (2007).

Productos de importación: Bienes de consumo, petróleo y derivados, alimentos, abono, materia prima, materiales industriales, equipo de capital, materiales para construcción.

Proveedores: 41% EUA, 6% México, 6% Venezuela, 5% Japón, 5% China, 4% Brasil (2007).

Horario general de comercio: De lunes a viernes, desde las ocho de la mañana hasta las seis de la tarde. El almuerzo se come normalmente entre el mediodía y las dos de la tarde.

TRANSPORTE Y COMUNICACIONES

Kilómetros de carreteras y % pavimentadas	Kilómetros de vías férreas	N° de aeropuertos con pista de aterrizaje pavimentada	N° de líneas telefónicas	Radios por mil personas	Televisores por mil personas	N° de usuarios de Internet en millones
35,330/24% (2004)	278 (2007) (la línea férrea está casi inoperante)	36 (2007)	1,400,000 (2008)	774	229	1.5

Idiomas	Religión	Comidas y bebidas típicas/Modales
Español (oficial); en el litoral caribeño (cerca de Puerto Limón) se habla un inglés de Jamaica	76% católica romana, 14% protestante evangélico	Olla de carne, tamales, lengua en salsa, mondongo, empanadas, arroz con pollo, gallos, gallo pinto, casado, café. Al comer no se ponen los codos sobre la mesa.

Horario normal del almuerzo y de la cena: Sobre la una de la tarde para el almuerzo; sobre las siete de la noche para la cena.

Gestos: Entre amigos y conocidos no se usa el abrazo tanto como en otros países hispanos. Para decir que no a algo, se mueve el dedo índice de lado a lado con la palma de la mano hacia afuera. Para expresar sorpresa o asombro, los ticos a veces agitan la mano de manera vigorosa de tal modo que se hace un chasquido con los dedos. Un puño con el dedo pulgar colocado entre el dedo índice y el dedo corazón (el gesto «*fig*») equivale al gesto «*to give the finger*» en EUA.

Cortesía: Cuando se visita la casa de alguien para comer o cenar, llevar un detalle como flores, un buen vino o una planta ornamental. Se prefiere que se anuncie una visita de antemano (llamar o avisar antes de ir a la casa de alguien).

LA ACTUALIDAD ECONÓMICA COSTARRICENSE

Históricamente, la realidad sociopolítica de Costa Rica ha reflejado un notable contraste con la de sus países vecinos. Para empezar, Costa Rica no tiene ejército desde 1949 cuando el presidente Luis Alberto Monge Alvarez proclamó la neutralidad perpetua, activa y no armada de Costa Rica frente a los conflictos bélicos que puedan afectar a otros estados. También, en 1993 el presidente Óscar Arias ganó el Premio Nobel de la Paz. Costa Rica tiene una larga tradición democrática y de liderazgo progresista, y en el país ha habido más oportunidades educativas, una clase media estable y creciente y una mayor prosperidad nacional, la cual ha brindado a bastantes costarricenses la oportunidad de mejorar su condición socioeconómica. Estos factores han permitido que en Costa Rica se haya logrado un alto nivel de vida comparado con el de los otros países de la región: tiene el PIB más alto de Centroamérica, la mejor distribución de renta nacional y tierra por persona y una estabilidad sociopolítica poco común en el área. En una sola generación, se ha doblado el PIB per cápita del país. El gobierno ha aprovechado estas condiciones favorables, así como los préstamos conseguidos de varios países extranjeros en la década de los ochenta y del FMI para desarrollar los sectores industriales, agrícolas y de transporte y para mejorar las comunicaciones y los servicios médicos. Durante los años sesenta y setenta, la economía costarricense prosperó de tal modo que el Banco Mundial destacó al país como modelo para las demás naciones centroamericanas.

Los principales recursos económicos de Costa Rica son su tierra fértil, una población bien educada (sólo hay 4% de analfabetismo), una situación geográfica que facilita el acceso a los mercados de América del Norte, América del Sur, Europa y Asia, y su belleza natural que atrae a muchos turistas. De hecho, el turismo y el ecoturismo ya han reemplazado la exportación de bananos como la principal fuente de divisas extranjeras. Entre las principales exportaciones de Costa Rica figuran el café, el azúcar, la carne (especialmente importante en la provincia de Guanacaste), las frutas, las flores, las plantas ornamentales y más recientemente los componentes electrónicos y el equipo médico, lo cual refleja su expansión en el sector industrial y la reducción en los sectores de servicios y agricultura. Costa Rica tiene doce centrales hidroeléctricas, las cuales permiten que el país sea autosuficiente en este sector energético. Hay muchas fábricas estadounidenses en Costa Rica y últimamente el país ha atraído inversiones en el sector de la alta tecnología, logrando que varias multinacionales establezcan allí nuevas operaciones de manufactura. Entre ellas, Intel y Proctor y Gamble han empleado a más de 3,200 personas. También, Hospira y Baxter Healthcare, de la industria de asistencia médica, han hecho inversiones importantes. Pero la infraestructura pública ha sufrido de una falta de mantenimiento e inversiones y, aunque hay entre 30,000 y 50,000 estadounidenses que residen en el país, algunas controversias sobre expropiación e inversiones contra ciudadanos de EUA han dañado el clima de inversión en Costa Rica.

Respecto de la política, al final de la presidencia de Abel Pacheco (2002–2006), bajo un ambiente contra la corrupción asociada con los presidentes Rafael Ángel Calderón (1990–1994) y Miguel Ángel Rodríguez (1998–2002) del Partido de Unidad Socialcristiana (PUSC), el candidato del Partido Liberación Nacional, el ex-presidente Óscar Arias, ganó la elección presidencial. Bajo Arias el gobierno ha podido reducir las deudas internas y externas, y en 2007 Costa Rica experimentó su primer superávit en 50 años. Después de muchas demoras por parte del congreso costarricense, DR-CAFTA (*Dominican Republic-Central America Free Trade Agreement*) se puso en práctica el primero de enero de 2009. Sin embargo, el ritmo de desarrollo económico en Costa Rica ha disminuido considerablemente debido a la crisis económica global que se ha dado.

UNA VISTA PANORÁMICA DE PANAMÁ

© Heinle/Cengage Learning

Nombre oficial:	República de Panamá
Gentilicio:	panameño/a
Capital y población:	Ciudad de Panamá: 1,281,000
Sistema de gobierno:	Democracia constitucional
Jefe de Estado/Jefe de Gobierno:	Presidente Ricardo Martinelli
Fiesta nacional:	3 de noviembre, Día de la Independencia (1903: la separación nacional de Panamá de Colombia)

Panamá

GEOGRAFÍA Y CLIMA

Área nacional en millas² y kilómetros²	Tamaño (comparado con EUA)	División política	Otras ciudades principales	Puertos principales	Clima	Tierra cultivable
30,193 m² 78,200 km²	Casi tan grande como Carolina del Sur	9 provincias y 2 comarcas (territorios)	Colón, David	Balboa, Cristóbal, Coco Solo, Vacamonte	Tropical, cálido, húmedo, nublado; estación de lluvias mayo-enero	7%

DEMOGRAFÍA

Año y población en millones			% urbana	Distribución etaria		% de analfa-betismo	Grupos étnicos
2010	2015	2025		<15 años	65+		
3.4	3.7	4.1	71%	29%	7	8%	70% mestizo, 14% zambo (amerindio y afroantillano), 10% blanco europeo, 6% amerindio

ECONOMÍA Y COMERCIO

Moneda nacional	Tasa de inflación 2008	N° de trabaja-dores (en millones) y tasa de desempleo	PIB 2008 en millones $EUA	PIB per cápita	Distribución de PIB y de trabajadores por sector*			2008 Expor-taciones en millones $EUA	2008 Impor-taciones en millones $EUA
					A	I	S		
El balboa	10.6%	1.4	$39,300	$11,900	6%	11%	78%	$10,400	$15,200
		6.3%			15%	18%	67%		

*Para distribución del PIB y de los trabajadores (mano de obra): A = Agricultura, I = Industria, S = Servicios (y Gobierno).

Recursos naturales: Cobre, oro, caoba y bosques, camarones, energía hidroeléctrica.

Industrias: Construcción, refinación y productos de petróleo, cemento, azúcar, procesamiento de alimentos y bebidas, metalistería (trabajo en metales), productos químicos, papel y productos de papel, imprenta, minería, ropa, muebles, turismo.

TRANSPORTE Y COMUNICACIONES

Kilómetros de carreteras y % pavimentadas	Kilómetros de vías férreas	N° de aeropuertos con pista de aterrizaje pavimentada	N° de líneas telefónicas	Radios por mil personas	Televisores por mil personas	N° de usuarios de Internet en millones
11,978/36%	355	54	432,900	299	192	0.53

IDIOMA Y CULTURA

Idiomas	Religión	Comidas y bebidas típicas/Modales
Español (oficial), 14% de la población habla inglés como idioma nativo y muchos son bilingües; garífuna y varios idiomas indígenas como el chibcha y el chocoe	85% católica romana, 15% protestante evangélico	Arroz con pollo, frijoles, maíz, plátanos, carne, pescado, sancocho, bollo, guacho, guisado, verduras y frutas, chicha. Comer toda la comida servida y halagar a los anfitriones por la buena comida servida.

COMERCIO

Productos de exportación: Plátanos y bananos, camarones y productos de pescado, azúcar, ropa, café, productos de petróleo.

Mercados: 36% EUA, 10% Países Bajos, 6% China, 6% Suecia, 5% Reino Unido, 5% Costa Rica, 5% España (2007).

Productos de importación: Equipo industrial, petróleo crudo, maquinaria, equipo de transporte, combustibles, productos alimenticios, bienes de consumo, bienes de capital, productos químicos.

Proveedores: 33% EUA, 8% Países Bajos Antillas, 6% China, 5% Japón, 5% Costa Rica, 4% Corea del Sur (2007).

Horario general de comercio: De lunes a viernes, desde las siete de la mañana hasta las cuatro de la tarde. El almuerzo se come normalmente a mediodía. Los sábados, desde las siete de la mañana hasta las seis de la tarde.

Horario normal del almuerzo y de la cena: Mediodía para el almuerzo; entre las cinco y las seis de la tarde en gran parte del país o entre las seis y las siete en las ciudades para la cena.

Gestos: Mantener un buen contacto visual al hablar con otro. Se frunce la boca en una dirección para señalar algo o para indicar que ya es hora de marcharse. Se encogen los hombros con las manos palmas hacia arriba para preguntar «¿Qué pasa?» Para decir que no, mover el dedo índice de lado a lado con la palma de la mano hacia afuera. Para indicar que se vuelve pronto, dibujar un círculo o dos en el aire cerca de la cabeza. Se frunce la nariz para indicar que no se entiende algo.

Cortesía: Saludar individualmente a cada persona al llegar a una reunión o comida y despedirse de cada una al marcharse para no quedar mal con ninguna. Mantener buen contacto visual con la otra persona durante una conversación. Según las normas tradicionales no se lleva ningún regalo a los anfitriones cuando se va a su casa para comer o cenar, sino que es más común invitarlos luego a su casa para comer. Pero una botella de vino o licor se está acostumbrando más y más como parte de cortesía al ser invitado. Están bien las visitas no anunciadas de antemano, y hasta se aprecian.

LA ACTUALIDAD ECONÓMICA PANAMEÑA

La economía de Panamá ha dependido mucho del Canal de Panamá (cuya construcción terminó en 1914) el cual ha generado un 10% del PIB anual. Su posición geográfica estratégica une América del Sur con el resto de las Américas continentales y sirve de enlace entre el océano Atlántico y el Pacífico. En los setenta, Panamá se convirtió en un centro de refugio financiero debido a los siguientes factores: los buenos medios de comunicación y de transporte disponibles; el uso del español e inglés; una fuerza laboral bien adiestrada; la ausencia de controles gubernamentales sobre el cambio de dinero (lo cual, en su aspecto negativo, facilitó el lavado de dinero por parte de los narcotraficantes) y leyes más liberales hacia las sucursales ultramarinas (operaciones fuera del país de empresas establecidas en Panamá), las cuales quedaron exentas de impuestos locales.

Bajo el gobierno de Mireya Moscoso Rodríguez (1999–2004), el país prometió hacer más transparente su sistema impositivo, con lo cual logró quitarse de la lista de refugios usados internacionalmente para evitar el pago de impuestos. A mediados de los ochenta, el número de bancos en Panamá superó los 125. Durante la segunda mitad de la década, una serie de problemas políticos causados por las actividades sospechosas del general Manuel Antonio Noriega, un ex-agente de la CIA, provocó sanciones económicas contra el gobierno panameño por parte de los EUA. Después, hubo una rápida salida de depósitos bancarios y una enorme pérdida de capital. Además, como el gobierno de Panamá no emite su propio papel moneda, el balboa tiene y tenía solamente un valor nominal. En mayo de 1989, Guillermo Endara, la selección de los oponentes de Noriega en la clase media, fue elegido presidente, pero después de las elecciones, los matones de Noriega lo atacaron y lo hospitalizaron. Así que en diciembre de 1989 las tropas norteamericanas invadieron Panamá, capturaron al general Manuel Noriega y lo encarcelaron en EUA. Luego lo condenaron por tráfico de drogas y todavía continúa encarcelado en Miami. El gobierno estadounidense instaló ese mismo año a Endara (1989–1994) como presidente. Él trató de reducir el comercio de los narcotraficantes pero había una falta de policía disponible para controlarlo y el crimen en las calles aumentó mucho. A pesar de eso, la economía mejoró pero no lo suficiente para reducir la brecha entre los ricos y los pobres.

Desde la construcción del canal en 1914, EUA mantuvo control de la Zona del Canal de Panamá hasta las últimas horas de 1999. La transferencia del control del canal a Panamá culminó en una ceremonia presidida por la presidenta Mireya Moscoso (1999–2004) y el ex presidente de EUA, Jimmy Cárter, quien había firmado el tratado inicial en 1977 con el general Omar Torrijos Herrera, el fallecido caudillo militar panameño. (Para más información, visite: www.pancanal.com y www.canalmuseum.com).

Es evidente que la mayor parte de la economía panameña todavía se basa en los servicios debido a su favorable situación geográfica. Se han enfatizado la banca, el comercio, los bienes raíces internacionales y el turismo del Canal, de retiro, ecológico y general. En 1948, se creó la Zona Libre de Colón, actualmente la más grande del hemisferio occidental. Con estos años de experiencia en logística y almacenamiento y el control del canal, los panameños esperan convertirse en el principal centro de logística de la región, el «Hong Kong de América». Es cierto que tienen ciertas ventajas: un sector naviero muy adelantado, con nuevas terminales de contenedores y un creciente número de negocios portuarios para el suministro y la distribución de actividades de transbordo (el traslado de carga de un barco a otro). Esperan que en un futuro próximo el ferrocarril transoceánico se pueda reconstruir para transportar contenedores entre los océanos Atlántico y Pacífico. Lo que no tiene Panamá todavía son instalaciones para aerolíneas de carga.

El presidente Ernesto Pérez Balladares (1994–1999) comenzó un programa de reformas económicas cuyos propósitos fueron liberalizar las estructuras de comercio internacional, captar inversiones extranjeras, privatizar diversas empresas estatales, reformar las estructuras fiscales y crear nuevos trabajos por el cambio de los códigos laborales. Privatizó los dos puertos que quedaban y aprobó la venta del ferrocarril. También, Panamá se hizo miembro de la Organización Mundial del Comercio (OMC). En 1998, Pérez Balladares intentó cambiar la Constitución para poder continuar como presidente, pero el voto popular rechazó el cambio. Luego, la presidenta Moscoso prometió detener la privatización y elevar los aranceles sobre la importación, una política económica que no atraería las inversiones necesarias para promover el papel de Panamá como centro de logística regional. Además, Moscoso estableció una comisión para investigar crímenes cometidos bajo los gobiernos militares entre 1968 y 1979. En las elecciones en mayo de 2004, Martín Torrijos Espino (2005–2009) del Partido Revolucionario Democrático (PRD) y el hijo del general Omar Torrijos, el hombre fuerte de Panamá en la década de los setenta, fue elegido presidente. Torrijos Espino pudo lograr avances económicos notables en cuestiones de desempleo y beneficios para los ciudadanos más marginados. En 2006 se aprobó un plan para doblar la capacidad del canal para el año 2014. En 2009 Ricardo Martinelli, jefe del partido Cambio Democrático (CD) y candidato de la Alianza por el Cambio, una coalición conservadora, ganó el 57% de los votos y venció al candidato del PRD. Martinelli es un millonario y empresario conservador quien es dueño de una cadena de supermercados en Panamá. Piensa que la división ideológica entre derecha e izquierda es cosa del pasado. Apoya el comercio libre con EUA y ha prometido seguir con el plan para mejorar el Canal de Panamá.

Por qué se le considera al General y ex presidente Omar Torrijos como el «panameño del Siglo XX»? ¿Qué soberanía rescató?

Aunque todavía existe la desigualdad entre la élite socioeconómica y un alto porcentaje de la población que vive en pobreza, Panamá depende menos de la renta del canal y más de la banca, la manufactura, el comercio naviero y la zona de libre comercio en Colón.

6-6 Actividades

¿Qué sabe Ud. de Costa Rica y Panamá?

1. A Ud. lo/la han contratado/a como asesor/a transcultural de negocios internacionales. Como tal, necesita informarles a sus clientes sobre Costa Rica y Panamá y recomendar un plan de viaje de negocios a cada país. Investigue los datos pertinentes para desarrollar los temas a continuación.

   a. Describa la geografía de Costa Rica y Panamá, refiriéndose a temas como los siguientes: ubicación y tamaño de ambos países, capital y otras ciudades y puertos principales, división administrativa y clima. Compare el tamaño de Costa Rica con el de EUA. Compárelo con el tamaño del estado donde Ud. vive. Compare el tamaño de Panamá con el de EUA y con el del estado donde Ud. vive.

   b. ¿Cuáles son las principales características demográficas y políticas de Costa Rica y Panamá? ¿Quién es el jefe de estado de cada país?

c. ¿Cuándo se celebra la fiesta nacional de cada país? ¿Qué fiestas públicas podrían afectar un viaje de negocios a esos países? (Véase la Tabla 10-1, páginas 306–308.)

d. Describa la economía de cada país. Incluya datos sobre la moneda nacional, la tasa de inflación, el PIB y el PIB per cápita, el número de trabajadores (la mano de obra), la tasa de desempleo, los recursos naturales, las industrias nacionales, los productos que se exportan e importan, los países destino (mercados) y proveedores (fuentes) de estas transacciones internacionales, y la balanza de comercio. ¿A qué factor(es) se debe la diferencia del PIB y del PIB per cápita de los dos países? ¿A cuánto se cotiza cada moneda nacional respecto del dólar EUA?

e. ¿Qué producto o servicio recomendaría usted vender en Costa Rica y Panamá? ¿Por qué?

f. Compare la infraestructura de transportes y de comunicaciones en Costa Rica y Panamá. Originalmente se consideró la posibilidad de construir un canal a través de Nicaragua en vez de Panamá. ¿Por qué decidieron construirlo en Panamá? Busque la respuesta en un libro de consulta o en Internet.

g. ¿Cómo han cambiado los datos presentados en las secciones de «Vista panorámica» y «La actualidad económica» de este texto? Póngalos al día para cada país.

h. ¿Qué influencia en el comercio ha tenido el traslado del control del canal de EUA a Panamá al final del siglo pasado?

i. ¿Qué trámites son necesarios en Panamá para establecer una sociedad anónima con actividades fuera del país?

j. ¿Qué indican las leyes acerca del registro de naves bajo la bandera de Panamá, los requisitos sobre el tonelaje para pasar inspección, los requisitos para obtener una patente de navegación y las tasas de registro?

k. Basándose en «La actualidad económica» de cada país, ¿qué realidades, oportunidades y problemas destacaría usted y qué recomendaciones le daría al/a la cliente/a?

2. Usando Internet u otras fuentes informativas, prepare un plan (con presupuesto e itinerario) para sus clientes, quienes harán un viaje de negocios a cada país individualmente o a ambos durante el mismo viaje. Busque las posibilidades en Internet, por medio de una llamada telefónica, en una agencia de viajes o en el aeropuerto mismo. Comuníquese en español, si es posible.

a. Fechas de ida y vuelta.

b. Vuelos: aeropuertos de despegue y aterrizaje, líneas aéreas, horario; costos.

c. Transporte interno que se piensa usar en cada país: taxi, autobús, carro de alquiler, metro, tren, otro; costos.

d. Alojamiento y viáticos; costos.

e. La comida típica que van a pedir para la cena la primera noche en cada país

f. Las formas de cortesía y los gestos que deben recordar, usar o evitar.

LECTURA CULTURAL
El hombre, la mujer y el empleo

Durante la primera mitad de los ochenta, la tasa de desarrollo económico de Hispanoamérica subió. Esto se debió en gran parte al crecimiento de la producción manufacturera y al aumento de las exportaciones de bienes de toda clase pero, en especial, al de las materias primas y de productos agrícolas. Brasil y México gozaron de la mayor prosperidad entre todos los países latinoamericanos, debido al petróleo y a sus productos forestales, frutas frescas y productos pesqueros. Sólo Centroamérica experimentó un desarrollo menos favorable a causa de las guerras civiles y del énfasis en productos agrícolas para el consumo interno. En algunos países, el turismo ha sido muy importante para la economía nacional.

Sin embargo, a partir de 1987 esta realidad favorable de Latinoamérica empezó a deteriorarse. El desempleo, el subempleo y la economía informal o subterránea (ésta apoyada a veces por los gobiernos) empezaron a aumentar de nuevo. También, por falta de una buena educación general y capacitación técnica, gran parte de la población no estaba preparada para desempeñar muchos de los trabajos disponibles. Complicaron e intensificaron esta situación las siguientes circunstancias:

1. La urbanización de la población, lo cual desplazó la fuerza laboral del sector agropecuario hacia los sectores industriales, y en especial hacia los de servicios, los cuales llegaron a ser y siguen siendo los sectores económicos de mayor crecimiento.

2. La enorme entrada de mujeres a la fuerza laboral en la década de los ochenta, complicada aún más en los noventa por la privatización de empresas cuyas políticas y prácticas de contratación son desiguales para los hombres y las mujeres.

3. La creciente tendencia hacia una mayor participación de la mujer en la economía informal, que no ofrece beneficios sociales ni protección legal (en 1995, un 50% de las mujeres participaban en Bolivia y Guatemala; un 35% en Argentina, Uruguay, Chile y Venezuela; un 30% en Costa Rica y Panamá).

4. La baja participación de mujeres en puestos gerenciales (un 2% en Chile y Argentina; un 5.5% en México, pero el 45% de estas administradoras trabajan en recursos humanos, lo cual es mucho menos que su participación en la política).

En muchos casos, tanto en EUA como en los países hispanos, la desigualdad de oportunidades laborales se ha debido a las actitudes preconcebidas sobre el papel tradicional de la mujer. A pesar de la existencia de movimientos feministas en Europa y América del Norte desde hace 90 años, el hombre y la mujer tradicionalmente han tenido una formación y roles diferentes en el mundo hispano. Especialmente en las clases más bajas, la mujer muchas veces se criaba en un ambiente religioso en el cual tenía gran importancia el marianismo, el culto de veneración hacia la Virgen María. En ese contexto, la mujer no sólo aprendía a ser sumisa al hombre en todos los asuntos morales y espirituales, sino que aceptaba y se instruía en las responsabilidades de ser madre. Esos valores se ponían en práctica con las tareas para la mujer tanto en casa como en la oficina o en la fábrica, creando obstáculos para el progreso de la mujer en el trabajo. Buena parte de la discriminación que enfrentaba y que todavía enfrenta la mujer se basa en los papeles tradicionales preconcebidos, los cuales supuestamente justifican los salarios o sueldos más bajos, ya que se los considera como complementarios de los del hombre para el mantenimiento de la familia. En muchos casos, la mujer hispanoamericana tiene que participar en la economía informal porque no encuentra trabajo en las empresas.

En cambio, las mujeres hispanoamericanas de las clases altas han podido ocupar altos puestos como las mujeres norteamericanas, gracias al servicio doméstico que asume parte de las responsabilidades caseras, como la limpieza y la cocina. A pesar de estas oportunidades, muy pocas mujeres han ocupado puestos ejecutivos en empresas latinoamericanas. Éstas no tienen reglas contra la discriminación sexual para elevar a un mayor número de mujeres a cargos de responsabilidad. Las empresas transnacionales tampoco han puesto en práctica en sus sucursales latinoamericanas todas las medidas que existen en sus sedes centrales.

Algunos problemas que la mujer hispanoamericana necesita superar en el trabajo son:

- despido por maternidad (se ha dado el caso de empresas que han exigido un certificado de esterilización o una prueba de embarazo negativa como condición de empleo).
- menos puestos ejecutivos a las jóvenes de clase media o baja.
- falta de entrenamiento o capacitación profesional.
- trato condescendiente en el trabajo (muchas veces en las maquiladoras, las mujeres poco educadas desconocen sus derechos legales).
- falta de equidad en los sueldos o salarios.
- falta de exención de trabajo por maternidad.
- falta de guarderías infantiles cerca de la empresa o en ella.
- el «techo de cristal» o una superficie superior invisible en la carrera laboral de las mujeres que es difícil de traspasar y que impide el ascenso. (http://www.stecyl.es/Mujer/el_techo_de_cristal.htm)

Por otra parte, las oportunidades escolares de la mujer han aumentado en las últimas dos décadas. No obstante, es obvio que la mujer todavía necesita más oportunidades y preparación para poder competir por los mismos puestos que el hombre. Sigue sufriendo de la invisibilidad, lo cual conlleva pobreza y discriminación, particularmente grave en las zonas rurales.

El hombre, en cambio, ha tenido tradicionalmente otra formación social, basada en el concepto del machismo. Por un lado ha aprendido a ser generoso, digno, honrado y caballeresco. Por otro, ha adoptado una actitud de superioridad hacia las mujeres y se ha dedicado a probar y a manifestar la virilidad, reflejada en

Hombres y mujeres trabajando en la Tabacalera de García en La Romana, República Dominicana. La fábrica produce cigarros de alta calidad que se exportan mundialmente. ¿Qué opina Ud. del impacto de la entrada de más mujeres en el mundo laboral?

el famoso personaje literario Don Juan. Esta actitud machista ha influido mucho en las relaciones entre hombres y mujeres y explica en gran parte por qué les es muy problemático a muchos hombres hispanos aceptar a la mujer como jefa, gerente o ejecutiva.

La igualdad entre el hombre y la mujer en el lugar de trabajo no ha sido la norma hasta hoy en día, ni en los países hispanos ni en los Estados Unidos. La tradición de desigualdad se conserva más entre las clases sociales bajas y en las regiones rurales que en las grandes ciudades, donde hay un mayor número de mujeres bien educadas y adiestradas que antes. Con la entrada de más mujeres capacitadas al campo del comercio, la decisión de escoger al «mejor hombre» para cierto trabajo o puesto administrativo se está convirtiendo en la búsqueda de la «mejor persona».

Aunque el «enchufe» o la «palanca» siguen siendo importantes, poco a poco el amiguismo (*good old boy's club*) de antaño se está debilitando para brindarles más oportunidades y justicia a las mujeres. Con estos cambios, se ve que la vida profesional en la oficina también está cambiando las estrategias, las convenciones, las reglas de conducta, los tabúes, los códigos de vestirse y los criterios del habla aceptables en el pasado. En el panorama del futuro, se esperan importantes cambios al considerar elementos como los siguientes:

- las cualidades positivas exigidas y aprendidas desde joven, como la firmeza, el espíritu emprendedor competitivo y la capacidad de asumir el mando con autoridad y fuerza.
- la fuerza física y la capacidad intelectual.

- la preparación y la inteligencia emocional y psicológica.
- la independencia y la capacidad de cooperación (de trabajar en equipo).
- la asignación de responsabilidades dentro de una empresa.

6-7 Actividades

1. **¿Qué sabe Ud. de la cultura?** Demuéstrelo contestando las preguntas a continuación.

   a. ¿Qué factores contribuyeron al desarrollo económico de Hispanoamérica en los años ochenta?

   b. ¿Qué acontecimientos reflejan posibles dificultades para la mano de obra en Hispanoamérica?

   c. ¿Qué es el marianismo? ¿El machismo? ¿Qué efectos han tenido o pueden tener en la oficina donde uno trabaja?

   d. ¿Hay igualdad de oportunidades para hombres y mujeres en el mundo de los negocios en los países hispanos? ¿En los Estados Unidos? ¿Y en otros países (Inglaterra, Francia, Alemania, etc.) u otras regiones del mundo (Asia, África)? Comente.

   e. Describa su propia formación académica y familiar. ¿Lo/a han preparado para hacerse gerente de un negocio?

2. **Asimilador cultural.** Lea lo siguiente y conteste las preguntas a continuación.

   María Isabel Salazar, titulada de la universidad con una especialización en Administración y Finanzas, es la nueva directora del Departamento de Ventas en la empresa DeKorado, que vende muebles para la sala de estar, el comedor y la recámara. Ella ha decidido que hacen falta algunos cambios en las estrategias de sus vendedores.

   En la primera reunión con los tres vendedores, Salazar discute con ellos sus expectativas. Uno de ellos, Lópe Cárdenas de Santiago, uno de los primeros empleados de la empresa, se sienta en la silla inmediatamente delante de ella y la mira con interés de arriba a abajo, mientras escucha sus palabras. Cárdenas, además de haber tenido muy mal día hasta el momento, está resentido de que siendo un empleado más antiguo que la nueva directora no ha sido promocionado al puesto que ocupa ella.

   —Es importante que lleguen Uds. puntualmente al trabajo y que atiendan inmediatamente a los clientes que pasen por la tienda. Me han informado que en el pasado, no ha sido así. Hay que mejorar este aspecto de nuestro servicio, ¿no les parece? Así que, empezando mañana...

   Los otros dos vendedores con menos experiencia y años de servicio no dicen nada, pero Cárdenas empieza a contestar con sorna la pregunta retórica hecha por la nueva ejecutiva:

   —Bueno, señorita...

   a. ¿Qué diferencias puede haber entre las perspectivas de Salazar y las de este vendedor?

b. ¿Qué le va a decir Cárdenas a su nueva jefa? ¿A qué factores se puede atribuir la sorna en su respuesta?

c. ¿Por qué se callan los otros vendedores durante la conversación entre Cárdenas y la nueva jefa?

d. ¿Qué opina Ud. del estilo gerencial de la nueva ejecutiva en su trato inicial con sus empleados? ¿Cómo habría iniciado Ud. este primer encuentro?

SÍNTESIS COMERCIAL Y CULTURAL

6-8 Actividades comunicativas

1. **Situaciones para dramatizar.** Lea las siguientes situaciones y después haga el papel en español con otro/s estudiante/s, usando las posibilidades siguientes como punto de partida. Cada persona deberá participar activamente en la dramatización. No olviden el protocolo ni las cortesías.

a. *You have been assigned to an office in Managua. Tell the person in charge what new furniture and office supplies you need: a swivel chair, a desk lamp, pencils, pens, paper clips, etc. The person in charge asks why you need these things, as some of them will be difficult to obtain. Convince him/her that you need them in order to do your work.*

b. *You are a sales representative for a computer firm and want to sell your products to a manufacturer who prefers not to use modern equipment. Explain the advantages of your system for the following:*

- *Internet access*
- *creation of a web page*
- *backing up files*
- *e-mail access*

Después de dramatizar estas situaciones, discuta Ud. con sus compañeros de clase el tipo de equipo de oficina que se necesita, según los objetivos de diferentes clases de empresa (producción, contabilidad, finanzas, administración de personal, seguros o naviera).

2. **Comprensión y comunicación.** Para este ejercicio basado en el vídeo de *Éxito comercial*, pase al encarte central del texto, VídeoTexto página 7.

3. **Actividad empresarial.** Uds. trabajan para una empresa multinacional que vende mucho en México, Centroamérica y los países andinos del norte de Sudamérica (Venezuela, Colombia, Ecuador). El/La presidente/a de la empresa ha decidido instalar una oficina en Centroamérica para coordinar mejor las actividades comerciales de la empresa y para adiestrar a los vendedores. Les pide sugerencias sobre la decisión que él/ella tendrá que tomar entre San José o la Ciudad de Panamá. Es importante investigar y luego comparar los siguientes factores:

a. los costos de arrendar espacio para ubicar la oficina en las dos ciudades.

b. la disponibilidad de vuelos internacionales entre los países mencionados.

c. el número de personas bilingües bien educadas y con amplia experiencia en empresas internacionales.

d. restricciones o impuestos sobre la importación de la tecnología necesaria para permitir las funciones necesarias de oficina.

Después de hacer las investigaciones, recopilen todos los datos en un informe escrito con listas o tablas que indican la información indispensable para hacer un breve análisis del caso. Luego, presenten el informe oralmente sin leerlo.

4. **Minicaso práctico.** Lea el caso y haga los ejercicios a continuación.

Faye Bornwell, nueva gerente de la empresa B & B Shipyards y directora de las sucursales fuera de Norfolk, Virginia, donde se ubica la casa matriz, acaba de llegar a Colón. La Junta Directiva la ha mandado a Panamá para mejorar la eficiencia del personal de la oficina y de la fábrica y para tomar las decisiones necesarias para enfrentar la crisis provocada por las sanciones estadounidenses impuestas al país.

Al llegar, Bornwell se da cuenta inmediatamente de la informalidad y la falta de disciplina que han llegado a caracterizar el ambiente de trabajo en la sucursal. Varios empleados, sin saber quién es ella, le echan piropos («Olé, guapa», «Por la gloria de Dios»), las recepcionistas no están en su lugar y hay un grupo de empleados al lado de la cafetera riéndose y chismeando sobre las huelgas contra el gobierno y la falta de dólares en la economía.

Enfadada, Bornwell pregunta por el Sr. Daniel Costa, el Director de Personal, y uno de los hombres que le había echado los piropos le contesta: «Soy yo». Bornwell se presenta y le pide una reunión inmediata en su oficina, donde empieza a preguntar sobre la situación que acaba de encontrar al llegar a la sucursal.

—Perdón, señorita, pero no sabíamos quién era Ud...

Después de escuchar sus excusas, Bornwell le explica que ha decidido que hace falta ofrecer incentivos especiales para que los empleados tomen en serio sus recomendaciones de cómo comportarse en el trabajo: llegar a tiempo, fijar un horario para los descansos, no chismear, no echarles piropos a las mujeres, etc. Mientras la escucha atentamente el Sr. Costa, entra su colega Ruiz Carola Hoyos, el director de finanzas.

—Perdón, Srta. Bornwell, me acabo de enterar de su llegada. Ruiz Carola Hoyos, a sus órdenes.

El director de finanzas tiene contactos dentro de la industria bancaria en Panamá, que le han avisado sobre la posible vuelta de millones de dólares a los bancos de la nación y de un posible cambio en las exenciones tributarias para las multinacionales como B & B Shipyards. Él sabe la gran importancia de esta información, pero no le dice nada a la nueva gerente.

Conteste las siguientes preguntas.

a. ¿Por qué ha ido Bornwell a Colón?

b. Describa su llegada a la sucursal. ¿Ocurren situaciones parecidas—la informalidad, los piropos, los chismes—en EUA? ¿Conoce usted algún caso? Comente.

c. ¿Qué quiere decir el lema: «Trabajo para vivir, no vivo para trabajar»? ¿Cómo se aplica a la situación en la oficina de Colón?

d. ¿Qué efecto tiene el uso del papel moneda en dólares en las calles de Panamá? ¿Qué impacto tuvieron las sanciones estadounidenses en la economía de Panamá hace varios años?

e. ¿Por qué no habla de los datos económicos más recientes el director de finanzas? ¿Cómo resultará la comunicación entre Bornwell y Ruíz Carola Hoyos?

6-9 Análisis y comparación

Estudie la Tabla 6-1 y haga los ejercicios que aparecen a continuación. Use también sus conocimientos y, cuando sea necesario, otras fuentes de información como un diccionario, un *Almanaque mundial*, Internet, etc. Los ejercicios se pueden hacer individualmente, en parejas o en pequeños grupos para discutir en clase.

1. ¿Qué es un idioma? ¿Un dialecto? ¿Un dejo? ¿Una lengua indígena?

2. Además del español, ¿qué otros idiomas se hablan en los países «hispanos»? ¿Qué implicaciones tiene esto para el comercio, las ventas y los anuncios en dichos países «hispanoparlantes»?

3. Según la tabla, ¿cuántos idiomas se hablan en México? ¿En Colombia? ¿En Ecuador? ¿En Guatemala? ¿Cuántos idiomas indígenas se hablan en total en estos cuatro países? ¿Se hablan idiomas indígenas en EUA? Explique.

4. ¿Qué quiere decir la frase «idioma oficial»? ¿Cuáles son los países hispanos que tienen otro idioma oficial, además del español o castellano? Explique. ¿Piensa usted que el idioma oficial de EUA deba ser solamente el inglés? Explique.

5. ¿Qué es el «Spanglish» y dónde se habla en EUA? ¿Qué es el portuñol y dónde se habla? ¿Qué es el garífuna y dónde se habla? ¿Quiénes fueron los garífunas? Busque la información en un libro de consulta o en Internet.

6. Al hablar de raza y etnicidad, ¿qué quiere decir mestizo?, ¿amerindio?, ¿afrolatino o afrohispano?, ¿mulato?, ¿zambo? ¿Existen el racismo y la discriminación racial en los países hispanoamericanos y en España? Busque información en un texto de consulta o en Internet para comentar este tema.

7. ¿Cuáles son los principales grupos étnicos de México, Colombia, Ecuador, Cuba y Guatemala? ¿Cuáles son los grupos étnicos de España? ¿De Guinea Ecuatorial?

8. Usted ha sido contratado/a por una empresa como consultor/a de marketing en Hispanoamérica. Haga un breve resumen de los principales grupos étnicos que hallará la empresa al comerciar regionalmente con México, los países centroamericanos, los caribeños, los andinos y los del Cono Sur.

9. ¿Cuál es la religión predominante en los países hispanos? ¿Por qué piensa usted que es así? ¿Qué otras religiones se practican en los países hispanos? ¿Cuáles son algunas de las influencias que puede tener la religión sobre el comercio de una nación? ¿Tiene influencia la religión en la vida y el comercio de EUA? Comente estos temas con sus compañeros de clase.

Tabla 6-1

Tabla 6-1 Los países hispanoparlantes, Brasil y Estados Unidos: Idiomas además del español (además del portugués brasileño y del inglés estadounidense), grupos étnicos y religiones

País	Idiomas (nota: el español es el idioma oficial de todos estos países menos EUA y Brasil)	Grupos étnicos: Blanco Europeo (BE), Mestizo (ME), Indígena/Amerindio (I/A), Afrolatino (AL), Mulato (MU)						Religión		
		BE	ME	I/A	AL	MU	Otro	Católica Romana	Protestante	Otro*
Argentina	inglés, italiano, alemán, francés	97%			3%			92%	2%	6%
Bolivia	quechua (oficial), aimara (oficial), guaraní	15%	30%	55%				95%	5%	
Chile	mapuche, quechua, aimara, alemán, inglés, francés (2009)	95%		5%			(2009)	70%	15%	7% (2009)
Colombia	más de 60 lenguas indígenas (chibcha, guajiro, etc.)	20%	58%	1%	4%	14%	3% (2009)	90%	10%	
Costa Rica	en el litoral caribeño un inglés de Jamaica	94%		1%	3%	1%	2%	76%	14%	10%
Cuba	inglés	65%	25%		10%		(2003)	85%**		15%
Ecuador	unas 15 lenguas indígenas, esp. el quechua	7%	65%	25%	3%			95%		5%
El Salvador	nahua y lenca	9%	90%	1%				83%	17% (2005)	
España	catalán (17%), gallego (7%), vasco (euskera) (2%)	Combinación de mediterráneos y nórdicos; grupos distintos como los catalanes, vascos y gallegos						94%		6%
Guatemala	21 lenguas mayas (akateko, kiiché, kakchikel, kekchi, etc.), zinka y garífuna	56%		44%				Principalmente católica romana (76% en 2000)	Protestante (22% en 2000)	Maya tradiacional
Guinea Ecuatorial	francés (oficial con el español), inglés <<pidgin>>, fang, bubi	85% fang/bantú en la parte continental de Río Muni; 15% bubi y fernandinos en la isla de Bioko						80%	19% (2001)	

País	Otros idiomas									
Honduras	varios idiomas indígenas (miskito, towaka, etc.), garífuna	1%	90%	7%	2%			97%	3%	3%
México	unas 65 lenguas indígenas: náhuatl, maya, zapoteco, tzeltal, tarahumara, etc.	9%	60%	30%		1%		76%	6%	3%
Nicaragua	inglés, miskito, sumo	17%	69%	5%	9%			85%	15%	15%
Panamá	inglés (14%), garífuna, chibcha, chocoe	10%	70%		14% zambo (amerindio y afroantillano), 6% amerindio			85%	15%	
Paraguay	guaraní (oficial con el español)	2%	95%	3%		(2002)		90%	10%	x
Perú	quechua y aimara (oficial con el español), y otras lenguas indígenas	15%	37%	45%		3%		81% (2007)	19%	
Puerto Rico	inglés (oficial con el español)	81%		8%		11%		85%		15% (2004)
República Dominicana	inglés	16%		11%		73%		95%		5%
Uruguay	portuñol o brasilero (mezcla del portugués y el español)	88%	8%	4%				47%	11%	41%
Venezuela	numerosos idiomas indígenas (arauaco, caribe, guajiro, etc.)	21%	67%	2%	10%			96%	2%	2%
Brasil	portugués (oficial), español, inglés, francés	55%	6%	38%		1%		80%	20%	20%
EUA	español, chino, lenguas indígenas norteamericanas	79%	1%	13%		15% hispano† y 4% asiático†		24%	51%	21% (2007)

*La categoría «Otro» incluye a los practicantes de otras religiones y a los no practicantes.

**85% católica romana antes de Castro.

†La suma total supera el 100% puesto que el US Census Bureau no clasifica a los hispanos norteamericanos según raza.

FUENTES: U.S. Bureau of the Census, U.S. Department of State Background Notes, CIA World Factbook 2009, The World Almanac and Book of Facts 2009, Almanaque Mundial 2009

GeoReconocimiento

Mire los mapas del Capítulo 6 en la página web del libro (**www.cengage.com/spanish/exito**) y haga los ejercicios.

 Posibilidades profesionales

La oficina propiamente dicha es quizás la que proporciona la mayoría de los trabajos empresariales tanto a nivel internacional como nacional. Además de los secretariales, figuran, entre otros, los de especialistas de comunicaciones, de informática o tecnología, de administración así como los directores de relaciones públicas y, si hace falta, de asuntos gubernamentales. Para más información al respecto y para una actividad que le ayude a saber más sobre el tema, véase el Capítulo 6 de «Posibilidades profesionales» que se encuentra en www.cengage.com/spanish/exito.

VOCABULARIO

Aquí se presentan los principales términos de este capítulo. Al final del libro hay un glosario más completo.

acoso sexual • *sexual harassment*

adepto/a • *follower, supporter*

aduanero (adj) • *customs*

al azar • *random*

aldea • *village*

almacenaje (m) • *storage (memory in computer)*

almacenar • *to store (memory in computer)*

alojamiento • *storage (memory in computer)*

alojar • *to store (memory in computer)*

altoparlante (m) • *speaker, loudspeaker*

archivo • *file, filing cabinet*

aterrizaje (m) • *landing (plane)*

auricular (m) • *telephone receiver, earphone*

batería • *battery*

   recargable • *rechargeable battery*

   removible • *removable battery*

buzón de voz • *voice mailbox*

cafetera • *coffee machine, coffeemaker*

calculadora • *calculator*

capacitar • *to train*

carpeta • *file folder*

cartucho • *cartridge*

casa matriz • *home office*

chismear • *to gossip*

cibernauta (m/f) • *frequent Internet (cyberspace) user*

cifra • *number, digit, code*

cinta • *ribbon (typewriter, printer)*

clic (m) • *click*

cliquear • *to click*

comercio electrónico • *e-commerce*

computador(a) • *computer*

   de sobremesa • *desktop computer*

   portátil • *laptop computer*

comunicación sumergida • *gossip*

conllevar • *to entail, involve*

contestador automático • *answering machine*

contrafuego • *firewall*

contraseña • *password*

control remoto (m) • *remote control*

correo • *mail*

   auditivo • *voice mail*

   de mensajes hablados • *voice mail*

   de voz • *voice mail*

electrónico • *electronic mail, e-mail*

vocal • *voice mail*

cortafuegos (m/sing.) • *firewall*

dejo • *accent (speaking)*

desfalco • *embezzlement*

despegue (m) • *takeoff (plane)*

discado activado por voz • *voice-activated dialing*

disco • *disk*

compacto • *compact disc, CD*

duro • *hard drive*

zip • *zip drive*

dispositivo • *device, mechanism*

economía informal • *underground economy*

efectos de escritorio • *desk set, stationery*

empresa naviera • *shipping company*

encoger • *to shrink*

engrapador • *stapler*

en línea • *online (computer/Internet)*

enseres (m) • *tools, equipment, furniture and fittings*

entrar • *to input (computer)*

equipo • *equipment; team*

escáner • *scanner*

estante (m) • *bookshelf*

etiqueta • *tag, label*

explorador • *scanner*

fax (telefax) (m) • *fax, facsimile machine*

fibra óptica • *fiber optics*

fotocopiadora • *photocopier, copy machine*

gesto • *gesture*

goma elástica • *rubber band*

gráfico (n/adj) • *graph; graphic*

grapa • *staple*

hacer clic • *to click*

hackear • *to hack*

o cometer piratería • *to hack*

hacker • *hacker (computer)*

hoja de cálculo • *spreadsheet*

huella digital • *fingerprint*

identificación • *I.D.*

de abonado llamante • *caller I.D.*

de llamadas • *caller I.D.*

de origen • *caller I.D.*

impresora • *printer*

de chorro o de inyección de tinta • *ink-jet printer*

de láser • *laser printer*

inalámbrico • *wireless*

informática • *computer science*

internauta (m/f) • *Internet user (internaut, as in astronaut)*

liga • *rubber band*

línea fija telefónica • *ground line phone*

localizador • *beeper, pager*

mando a distancia • *remote control*

máquina de escribir • *typewriter*

memoria portátil • *flash drive, thumb drive*

mensaje instantáneo • *instant message (messaging)*

monitor • *monitor*

motor de búsqueda • *search engine*

móvilnauta (m/f) • *users of cell phones equipped with computers ("mobilnauts," a step beyond simple Internet users)*

navegar • *to surf (the Internet)*

negocios por Internet • *e-business*

oprimir • *to click, press*

ordenación • *collating*

ordenador • *computer (Spain)*

organizador/a • *organizer*

página web • *web page*

palanca • *"pull," influence*

panel plano • *flat (panel) screen*

pantalla • *screen, monitor*

de panel plano • *flat screen*

táctil • *touch screen*

paralenguaje (m) • *paralanguage (gestures, tone of voice, posture)*

(continúa)

pared • *wall*

  contrafuego/cortafuego(s) (m) • *firewall*

pila • *battery*

pirata (m/f) informático/a • *hacker (computer)*

piratear • *to hack into (computer)*

pirateo • *hacking (computer)*

piropo • *flirtatious remark*

portátil • *portable*

presilla • *paper clip*

procesador de textos (de palabras) • *word processor*

procesamiento • *processing*

  de datos • *data processing*

  de textos (de palabras) • *word processing*

puesto de trabajo • *work station*

quemador de CD • *CD burner*

ratón (m) • *(computer) mouse*

recuperar • *to retrieve (data)*

recuperación de datos • *data retrieval*

reenvío de llamadas • *call forwarding*

registrar • *to record*

rellamada automática • *redial, redialing*

remarcación • *redial, redialing*

reprografía • *reprography, photocopying*

respaldar • *to back up (copy)*

reunión en línea • *online meeting*

sede (f) • *home office*

separación • *sort, sorting*

servidor • *server (computer)*

silla giratoria • *swivel chair*

sillería • *chairs (industry, product)*

sillón • *armchair*

sin fisuras • *seamless*

sitio • *web site*

sobre (m) • *envelope*

subempleo • *underemployment*

sucursal ultramarina (f) • *overseas branch*

tablero de anuncios • *bulletin board*

tarjeta • *card*

  de red • *network card*

  de sonido • *sound card*

  de TV • *TV card*

  de vídeo • *video card (computer)*

  madre • *mother board*

teclado • *keyboard*

  deslizable • *slide keyboard*

tecnología • *technology*

  de información (TI) • *information technology (IT)*

  de punta • *cutting-edge technology*

teleconmutador • *telecommuter*

trabajador a distancia • *telecommuter*

transferencia • *call forwarding*

tweetear/hacer tweet • *to tweet on Twitter*

ubicador • *beeper, pager*

ultradelgado • *ultrathin*

ultraligero • *ultralight*

ultramarino • *offshore*

Los recursos humanos y las relaciones laborales

Reunión de una directora de recursos humanos con colegas y empleados. ¿Cuáles son algunos de los posibles temas para esta reunión?

No es un hombre más que otro, si no hace más que otro.
— MIGUEL DE CERVANTES SAAVEDRA

A business that makes nothing but money is a poor kind of business.
— HENRY FORD

El presente siempre triunfa del ausente.
— PROVERBIO

Las prácticas de
recursos humanos se
están especializando
cada vez más para
asegurar un equilibrio
donde se encuentren
personas a la vez
competentes y
honradas e íntegras.

— MARTA ELVIRA,
PROFESORA EN EL
INSTITUTO DE ESTUDIOS
SUPERIORES DE LA
EMPRESA (IESE) Y
AUTORA DE *BEST HUMAN
RESOURCE PRACTICES IN
LATIN AMERICA*

Traduzca al inglés
la cita de arriba y
luego comente en
español su validez
para el mundo de los
negocios, con un buen
ejemplo que usted
conozca o uno que
pueda imaginarse.

7-1 Preguntas de orientación

Al hacer la «Lectura comercial», piense en las respuestas a las siguientes preguntas.

1. ¿Qué responsabilidades importantes tiene el/la director/a de recursos humanos de una empresa al contratar a un nuevo empleado?

2. ¿Por qué exageran o falsifican los aspirantes la información presentada en su currículum vítae? ¿Qué tipo de información se suele exagerar o falsificar? ¿Conoce usted algún caso de este tipo de exageración o falsificación? Comente. Si usted fuera el/la director/a de personal de una empresa, ¿qué haría si descubriera que uno/a de los candidatos más fuertes había falsificado datos importantes en su currículum vítae?

3. ¿Cuáles son algunos factores que se consideran para determinar la remuneración de un empleado?

4. ¿Cuáles son algunas formas de remuneración?

5. ¿En qué se diferencian la teoría del mercado y la del nivel de vida en la determinación de los salarios?

6. ¿Por qué se crearon los sindicatos laborales? ¿Cuáles son algunos objetivos principales del sindicato? ¿Cuáles son algunos de los sindicatos que se encuentran en Venezuela, España, México, Argentina y otros países hispanos?

7. ¿Cuáles son las ventajas y las desventajas de un convenio colectivo para los trabajadores?

8. ¿Cuáles son algunas estrategias de los sindicatos en las negociaciones?

9. ¿Qué métodos emplean los gerentes para tratar con los sindicatos?

10. ¿Por qué resisten o rechazan algunas empresas la creación y la existencia de un sindicato laboral? ¿Piensa usted que la formación de sindicatos debería ser un derecho de los trabajadores? Explique. ¿Qué tipo de huelga laboral apoyaría usted y por qué? ¿Hay situaciones en la cuales también apoyaría la contratación de esquiroles? Comente.

11. ¿Por qué se contrataba a expatriados en puestos internacionales en el pasado? ¿Por qué ha cambiado esta práctica más recientemente?

12. ¿Cuál es el resultado de combinar expatriados y habitantes del lugar en las operaciones internacionales actuales?

LECTURA COMERCIAL

Contratación, pago y negociación laboral

Después de organizar la oficina y los sistemas de comunicación, el/la gerente o director/a de recursos humanos (RRHH) de una empresa tiene que prepararse para contratar y retener a las personas mejor calificadas para los distintos cargos de la compañía u organización con el fin de contribuir eficiente y eficazmente a las estrategias de la misma. Entre otras responsabilidades, colabora con otros gerentes de la empresa para:

1. evaluar las necesidades presentes y futuras de la firma con respecto al tipo de personal que ésta requiere, precisando, cuando sea posible, las descripciones y responsabilidades de cada puesto.

2. **reclutar** y **contratar** a personas competentes, utilizando los diferentes medios publicitarios disponibles, en especial los anuncios, y los servicios de cazatalentos y cazacerebros (*headhunters*). Entre éstos hay que considerar una descripción del empleo, las cualidades requeridas para el trabajo y los procedimientos para solicitar el empleo y, quizás, alguna información más: salario, datos sobre la comunidad, etc.

3. revisar toda **solicitud**, todo **currículum vítae** e **historial** (u **hoja de vida** en los países andinos) y las cartas de referencia, seleccionando y entrevistando a los **solicitantes** más **idóneos** (Nota: Con más y más competencia para conseguir los mejores puestos, se ve un aumento en la exageración y la falsificación de los hechos presentados en el currículum vítae de los aspirantes).

4. contratar a los mejores candidatos, informarles sobre los objetivos, la organización y la operación de la empresa, además de explicarles el **horario** y las relaciones laborales, los salarios y los **aumentos**, los beneficios, las posibilidades de **ascenso** y otros detalles pertinentes como las vacaciones, cuyos requisitos y duración varían de país en país (e.g., Chile, 15 días laborales; México, seis días después del primer año de trabajo, ocho después del segundo, diez después del tercero, etc.; Argentina, 14 días en los primeros cinco años de trabajo, 21 días por 5-10 años de trabajo, 28 por 10-20 años y 35 días después de haber trabajado 20 años; y 30 días en España [http://www.answers.com/topic/list-of-statutory-minimum-employment-leave-by-country]).

5. ayudar con el adiestramiento o la **capacitación** del nuevo personal con respecto a las tareas y a las responsabilidades con las que debe cumplir.

6. participar en la evaluación de los empleados con respecto a la realización de su trabajo.

Uno de los aspectos más importantes para el administrador de personal es determinar, con la ayuda del supervisor inmediato del nuevo empleado, el salario o el sueldo que se le va a ofrecer a éste. Para determinar la **remuneración**, hace falta considerar varios factores, entre los cuales se destacan:

1. el estado financiero de la empresa.
2. el tipo de empleo o trabajo.
3. las habilidades requeridas para realizar el trabajo.
4. la demanda de habilidades o conocimientos especiales del empleado y su experiencia.
5. el salario o sueldo general de la región en la cual se ubica la empresa.
6. el costo de vida en la región o comunidad.

BREVE VOCABULARIO ÚTIL

árbitro *arbiter*

cabildero *lobbyist*

carga *tax; load*

cargo *job, post*

cierre (m) *shutdown*

ciudadano de un tercer país *third-country national*

contratar *to hire*

currículum (vitae) (m) *résumé*

esquirol (m) *strikebreaker, scab*

expatriado *expatriate*

expediente personal (m) *résumé*

historial personal *résumé*

hoja de vida *résumé*

huelga *strike*

huelguista (m/f) *striker*

rompehuelgas (m) *strikebreaker*

sindicato *union*

Tradicionalmente el **salario** (*wage*) se destina a los trabajos manuales, de taller o de **jornaleros** (day laborers) y se determina por hora o por día, mientras que el **sueldo** (*salary*) se establece por semana, por mes o por año puesto que representa una remuneración regular asignada por el **desempeño** de un cargo o servicio profesional (suele aplicarse a los trabajos intelectuales y de administración, de supervisión o de oficina). En cuanto al salario, se puede hablar de salario mínimo (el que establece la ley como retribución mínima para cualquier trabajador), salario base, salario real y salario social (el que concede el Estado a personas sin ingresos para atender a sus necesidades primarias). En la práctica, muchas veces se usan indistintamente los términos sueldo y salario. Ambas formas de **remuneración** monetaria representan un pago a cambio de un trabajo y de algo producido o rendido, sea éste un bien o un servicio.

Además del sueldo y del salario, existen otras formas de recompensa o remuneración. Hay el **trabajo a destajo** que se paga por cada unidad de trabajo, es decir, se basa en la cantidad producida. La **comisión** representa una cantidad específica de dinero o un porcentaje del precio por cada unidad vendida. Se limita generalmente a las ventas y no se refiere a la producción. Con el **comisionista**, muchas empresas establecen una **cuenta de anticipos** por cada vendedor, contra la cual se cobran las comisiones. Otra forma de pago es la **prima** por trabajo fuera de turno que **remunera** más por el turno de noche (**turno nocturno**) con sus horas menos atractivas y de rutina irregular. En España, por ejemplo, el trabajo nocturno se realiza típicamente entre las diez de la noche y las seis de la mañana, «la jornada de trabajo de los trabajadores nocturnos no podrá exceder de ocho horas diarias de promedio, en un período de referencia de quince días [dos semanas]» y «dichos trabajadores no podrán realizar horas extraordinarias» (Artículo 36 del Estatuto de los Trabajadores, 10/6/09). Otras formas de compensación incluyen las **cargas sociales**, que son los beneficios mayores como los **seguros** de salud, vida y **jubilación**, y los seguros contra accidentes, las opciones de acciones (*stock-options*) y los aguinaldos o bonificaciones navideñas.

La teoría del mercado y la del nivel de vida representan dos puntos de vista distintos acerca de los sueldos y salarios. Según la primera, la recompensa se establece por medio de convenios colectivos entre los trabajadores y la gerencia. Los trabajadores o empleados venden su mano de obra o trabajo y representan la **oferta**, mientras que la gerencia (los compradores) representa la demanda de la mano de obra. En la segunda, la remuneración debe asegurar que los trabajadores tengan un nivel de vida aceptable, satisfaciendo tanto las necesidades básicas como las oportunidades de educación, las de desarrollo personal y profesional, y las de ahorro y de recreo. En Latinoamérica, por ejemplo, «la región se ha caracterizado por una constante preocupación por el empleo digno» («La cara de los recursos humanos en América Latina», *Recursos Humanos*, http://www.wharton .universia.net/index.cfm?fa=viewArticle&ID=1637, consultado 6/11/09).

Sea cual fuere la teoría del pago, la forma de remuneración debe cumplir con ciertos requisitos y objetivos. En primer lugar, debe atraer a la empresa trabajadores bien calificados. Debe satisfacer a los empleados lo suficiente para que sigan

Artículo 20: Dirección y control de la actividad laboral. [Redacción vigente España, 10/6/09]

1. El trabajador estará obligado a realizar el trabajo convenido bajo la dirección del empresario o persona a quien éste delegue.

2. En el cumplimiento de la obligación de trabajar asumida en el contrato, el trabajador debe al empresario la diligencia y la colaboración en el trabajo que marquen las disposiciones legales, los convenios colectivos y las órdenes o instrucciones adoptadas por aquél en el ejercicio regular de sus facultades de dirección y, en su defecto, por los usos y costumbres. En cualquier caso, el trabajador y el empresario se someterán en sus prestaciones recíprocas a las exigencias de la buena fe.

3. El empresario podrá adoptar las medidas que estime más oportunas de vigilancia y control para verificar el cumplimiento por el trabajador de sus obligaciones y deberes laborales, guardando en su adopción y aplicación la consideración debida a su dignidad humana y teniendo en cuenta la capacidad real de los trabajadores disminuidos (*handicapped*), en su caso.

4. El empresario podrá verificar el estado de enfermedad o accidente del trabajador que sea alegado por éste para justificar sus faltas de asistencia al trabajo, mediante reconocimiento a cargo de personal médico. La negativa del trabajador a dichos reconocimientos podrá determinar la suspensión de los derechos económicos que pudieran existir a cargo del empresario por dichas situaciones.

(Estatuto de los Trabajadores, Ministerio de Trabajo e Inmigración, «De la relación individual del trabajo,» España, 10/6/09)

1. ¿A qué está obligado el trabajador?

2. En su cumplimiento de obligación, ¿qué le debe el trabajador al empresario?

3. ¿Qué quiere decir la frase «exigencias de la buena fe»?

4. ¿Qué «consideración debida» tiene que guardar el empresario al verificar el cumplimiento por el trabajador de sus obligaciones y deberes laborales? ¿Qué es un trabajador disminuido?

5. Cuando el trabajador se ausenta del trabajo, ¿qué puede hacer el empresario para averiguar las causas?

con el trabajo, y debe ser justo con todos ellos, según la dificultad del trabajo y la habilidad requerida para realizarlo. Finalmente, debe aumentar la cantidad o mejorar la calidad de los productos elaborados o de los servicios proporcionados. En este último caso, se pueden ofrecer incentivos o beneficios adicionales (**sobresueldos**, **bonificaciones** o **aguinaldos** navideños) por el trabajo bien hecho.

Tradicionalmente se han considerado los asuntos laborales como una función administrativa que facilita el éxito de las estrategias de producción, marketing y finanzas de la empresa. En algunas empresas no hay **sindicato** y el empleado tiene que negociar directamente con su jefe o jefa la remuneración y los beneficios. En las empresas sindicales, donde se intenta imponer límites formales y legales al poder y a la autoridad administrativos, el sindicato interviene en los asuntos laborales y negocia los contratos a nombre de los trabajadores. Las negociaciones previas a un convenio laboral pueden ser largas y complicadas. El resultado ideal es un contrato que favorezca tanto a la compañía como a los trabajadores. En España y Latinoamérica abundan los sindicatos laborales, puesto que, como en el caso de *El Reglamento de la Ley Orgánica del Trabajo* de Venezuela, «la organización **sindical** constituye un derecho inviolable de los trabajadores y **patronos**» (Título VII, Derecho colectivo del trabajo, Capítulo I, Artículo 397, 22/5/2001).

Cuando la gerencia y el sindicato no pueden resolver sus diferencias, los dos suelen recurrir a tácticas agresivas para lograr sus metas. Por ejemplo, el sindicato puede utilizar la **huelga** o el **paro laboral**, a fin de paralizar las operaciones de la empresa. En las huelgas de larga duración, los trabajadores recurren a veces al **sabotaje** para dañar la producción, o a la **demora** que detiene la producción u obstaculiza la entrega de los servicios. También, el **boicot** puede convencer al público de que no comercie con ciertas empresas.

Los gerentes, por otra parte, utilizan el **cierre** o la **huelga patronal**, lo cual deja a los obreros sin trabajo. También pueden contratar a empleados llamados **esquiroles** (o **rompehuelgas** o **carneros**) o procurar conseguir un **mandato judicial** que ponga fin a la huelga. La **lista negra** es ilegal, pero la gerencia la usa para disuadir a los obreros de afiliarse con los sindicatos. Además, a veces emplean a **cabilderos** (miembros de un grupo de presión política) para **cabildear** (gestionar con actividad y maña) y así convencer al gobierno que favorezca su causa.

Actualmente están cambiando las actitudes hacia la gestión de los recursos humanos. Estos cambios son el resultado de la creciente importancia de las compañías de alta tecnología que estiman el valor añadido de las habilidades especializadas como **activos capitales** (el capital humano). Además, muchas empresas han adoptado políticas y prácticas de las empresas japonesas, que consideran a los empleados como participantes directos en la creación y el desarrollo de estrategias para la producción de alta calidad y la reducción de costos. Es decir, actualmente las empresas a la **vanguardia de la tecnología** utilizan mucho más que antes los recursos intelectuales de sus empleados, no solamente sus esfuerzos físicos. Otro cambio, debido a la globalización y la madurez de la empresa multinacional, es su dependencia de la información y de la dirección de personas que conocen las operaciones administrativas en varias regiones del mundo. En otras palabras, las habilidades transculturales, cierta perspicacia y sensibilidad, hoy tienen más importancia que antes, aún dentro de las fronteras nacionales de un país tan diverso como EUA. Los directores de relaciones humanas deben saber compartir la autoridad y el poder en diferentes contextos culturales.

En el pasado, cuando había escasez de gerentes con conocimiento técnico o preparación adecuada en las prácticas de la empresa misma, muchas compañías solían contratar a expatriados/as para trabajar en las **sucursales** en países extranjeros. Los expatriados son naturales del país de la casa matriz, ciudadanos de terceros países contratados en las sucursales o nacionales extranjeros empleados en el país de la **casa matriz**. En todo caso, es preciso que las empresas que piensen mandar a expatriados a trabajar en el extranjero utilicen instrumentos de valoración para determinar las características de la personalidad de estos empleados. Algunas evaluaciones útiles son la «*Minnesota Multiphasic Temperament Survey*», la «*Allport-Vernon Study of Values*» o la evaluación utilizada por los Cuerpos de Paz. Es problemático y riesgoso contratar a un expatriado, debido a las diferencias culturales y económicas entre los países, pero hay que medir los beneficios, en comparación con las desventajas. El expatriado puede conocer mejor la cultura y la política interna de la empresa para la cual trabaja, pero por otra parte puede no conocer muy bien la nueva cultura del país al que se le asigna. En cambio, la contratación de un habitante del lugar asegura la comprensión cultural, pero puede presentar problemas de comunicación y comprensión respecto a las políticas formales e informales de la casa matriz en el extranjero, lo que siempre constituye un aspecto importante de la comunicación transcultural.

Actualmente, la mayor parte de los gerentes en la casa matriz o en las sucursales extranjeras son nativos de la región o del país. Solamente se emplean expatriados si hay escasez de gerentes locales cualificados, por ejemplo, en la industria petrolera del Oriente Medio. Los franceses, alemanes, italianos, españoles y suizos suelen rechazar más frecuentemente un puesto como expatriado que los norteamericanos, australianos, ingleses y holandeses, debido a las posibles repercusiones negativas en la vida familiar. Entre las situaciones que producen un impacto negativo están la de vivienda inaceptable, la falta de oportunidades escolares para los hijos u oportunidades profesionales para un/a esposo/a y la necesidad de permanecer cerca de padres ancianos. Aparte de esto, los nativos entienden mejor las condiciones de trabajo del país, y es muy posible que el estado de ánimo de los trabajadores sea mejor bajo gerentes que se perciban como ciudadanos auténticos. Adicionalmente, al regresar a trabajar en su país de origen, el expatriado frecuentemente encuentra que ha perdido oportunidades de ascenso durante su ausencia y también puede experimentar un difícil periodo de reajuste cultural.

De todos modos, la interacción de nativos y expatriados ha formado una nueva cultura, ni local ni extranjera, sino una cultura gerencial global. La antigua consideración de las sucursales como apéndice o accesorio ha cambiado mucho, y la nueva empresa globalmente integrada ya tiene otras necesidades en el campo de los recursos humanos.

7-2 Actividades

1. **¿Qué sabe Ud. de negocios?** Vuelva a las «Preguntas de orientación» que se hicieron al principio del capítulo y a la pregunta que acompaña la foto y contéstelas en oraciones completas en español.

2. **¿Qué recuerda Ud.?** Indique si las siguientes oraciones son *verdaderas o falsas*, y explique por qué.

   a. Como norma, el sueldo se determina por hora o por día.

   b. La entrevista es el único factor que considera la gerencia al contratar a alguien que solicita un puesto.

   c. Cualquier sistema de remuneración debe atraer a la empresa trabajadores bien preparados.

   d. Los sindicatos laborales tratan de negociar contratos para salarios, horas de trabajo, condiciones de trabajo y beneficios.

   e. Hacer una lista negra es una estrategia laboral legal.

   f. El cabildero es el que se encarga de organizar las funciones sociales de los sindicatos.

3. **Exploración.** Haga los siguientes ejercicios, usando sus conocimientos y opiniones personales.

   a. ¿Qué tipos de trabajo reciben un salario? ¿Un sueldo? ¿Cómo se determinan las diferencias?

   b. Dé un ejemplo del pago a destajo. ¿Cómo se puede controlar la calidad en este tipo de trabajo?

   c. Se dice que el sueldo y los beneficios adicionales son los costos que más afectan las ganancias de una empresa. ¿Cómo se pueden justificar estos costos?

   d. ¿Cuáles son las causas principales de las huelgas y de otras disputas entre la gerencia y los empleados?

   e. ¿Se puede justificar el uso de esquiroles en caso de una huelga? Comente.

   f. ¿Cuáles son las características necesarias para asumir un cargo en una empresa en otro país? ¿Es Ud. suficientemente flexible para hacerlo con éxito? Comente.

   g. ¿Cómo se relacionan los dichos al principio del capítulo con los temas tratados?

7-3 Al teléfono

Pistas
13 y 14

1. Lea las siguientes preguntas. Después escuche atentamente la conversación telefónica del Capítulo 7 y conteste las preguntas. Puesto que la comprensión auditiva es una destreza comunicativa sumamente importante, se recomienda escuchar las pistas o MP3 varias veces.

   a. ¿Por qué llama la Sra. Maldonado de Miami al Sr. González de la Vega en Caracas?

   b. ¿Por qué no rechazó el gerente general en Caracas las preguntas del Sr. González?

   c. ¿Cuáles son los temas que no se permiten abordar en las entrevistas en los Estados Unidos?

   d. ¿Qué otros medios sugirió la Sra. Maldonado para reemplazar las preguntas eliminadas?

2. Basando sus comentarios en la conversación telefónica del ejercicio anterior, haga la siguiente llamada telefónica a otro/a estudiante de la clase. Cada persona deberá participar activamente en la conversación. Si necesita ayuda con esta actividad, véase el Apéndice 1, «Protocolo telefónico», página 457.

   Ud. es el Sr. González de la Vega, el Director de Recursos Humanos para una sucursal de Petroproductos en Caracas. Después de hablar por teléfono con la Sra. Maldonado, Ud. llama a su gerente general también en Caracas. Trate de explicarle las reglas que atañen a las preguntas que no se permiten hacer en las entrevistas en los Estados Unidos sobre la edad, el estado civil y la nacionalidad de los candidatos. Cuando él/ella no comprende esto, explíquele el asunto de derechos civiles en este país.

3. Haga la siguiente llamada telefónica a otro/a estudiante de la clase. Cada persona deberá participar activamente en la conversación. Si necesita ayuda con esta actividad, véase el Apéndice 1, «Protocolo telefónico», página 457.

Ud. es gerente de un departamento de recursos humanos de una multinacional en Caracas. Hable con el/la jefe/a del sindicato, una persona tenaz, sobre los beneficios y comente con él/ella la posibilidad de conseguir los beneficios adicionales que se han pedido.

7-4 Navegando por Internet

🌐 Para hacer este ejercicio de Internet, visite la página web del libro en www.cengage.com/spanish/exito.

7-5 Ejercicios de vocabulario

Si le es necesario, consulte la «Lectura comercial» o la lista de vocabulario que aparece al final del capítulo para completar estos ejercicios.

1. **¡A ver si me acuerdo!** Pensando en la posibilidad de establecer una relación comercial, usted conversará con una persona de negocios de un país hispano. Sin embargo, se le olvidan a usted los siguientes términos en español. Un/a compañero/a lo/la ayuda a recordarlos al pedirle a usted que se los traduzca.

   a. *interview*   f. *promotion*
   b. *to hire*   g. *expatriate*
   c. *to fire*   h. *résumé*
   d. *wage*   i. *lobbyist*
   e. *salary*   j. *strikebreaker*

2. **¿Qué significan?** A usted le interesa la posibilidad de trabajar en una oficina de recursos humanos en un país hispanoparlante. Sin embargo, no sabe lo que significan ciertos términos que se usan frecuentemente en el comercio. Ud. decide consultarlos con un/a amigo/a. Pídale a un/a compañero/a de clase que le explique los siguientes términos y que le dé algunos sinónimos.

   a. convenio   f. la vanguardia de la tecnología
   b. boicot   g. lista negra
   c. sobresueldo   h. huelguista
   d. obrero   i. cabildero
   e. piquete laboral   j. jornal

3. **Entrevista profesional.** Usted quiere saber lo más posible sobre la gestión de una oficina de recursos humanos en países hispánicos porque ha conseguido una entrevista para un puesto en Venezuela. Por lo tanto, usted piensa practicar la entrevista con un experto en este campo. Utilice la información

y las preguntas del Apéndice 4, «La entrevista de trabajo» (página 472) para prepararse. No se olvide de planear algunas preguntas para hacérselas al/a la entrevistador/a. Si es posible, haga una grabación de casete o de vídeo para hacer un análisis de la entrevista.

4. **Traducciones.** Un/a amigo/a suyo/a que está inscrito/a en un programa de maestría en gestión de recursos humanos acaba de empezar a estudiar español. Él/Ella sabe poco del vocabulario necesario para funcionar eficazmente en ese contexto. Usted lo/la ayuda al pedirle que él/ella traduzca las siguientes oraciones.

a. *The hiring of employees requires serious planning by the personnel manager.*

b. *Salary level should be based on a balance between supply and demand, education, experience, and special qualifications.*

c. *The wages of manual laborers or shop employees are sometimes greater than the salaries of managers.*

d. *After retirement, it is sometimes difficult for workers to obtain health, accident, and life insurance benefits.*

e. *The cross-cultural awareness and sensibility of both managers and employees has become increasingly important in order to create a new global culture in the workplace.*

UNA VISTA PANORÁMICA DE VENEZUELA

© Heinle/Cengage Learning

Nombre oficial:	República Bolivariana de Venezuela
Gentilicio:	venezolano/a
Capital y población:	Caracas: 2,985,000
Sistema de gobierno:	República federal
Jefe de Estado/Jefe de Gobierno:	Presidente Hugo Rafael Chávez Frías
Fiesta nacional:	5 de julio, Firma del Acta de la Independencia (1811: de España)

Venezuela

GEOGRAFÍA Y CLIMA

Área nacional en millas² y kilómetros²	Tamaño (comparado con EUA)	División política	Otras ciudades principales	Puertos principales	Clima	Tierra cultivable
352,144 m² 912,050 km²	Dos veces más grande que California	1 distrito federal, 22 estados, 1 dependencia federal	Maracaibo, Valencia, Barquisimeto, Maracay	Maracaibo, La Guaira, Valencia, Puerto Cabello	Tropical, cálido, húmedo; más templado en la altiplanicie	4%

DEMOGRAFÍA

Año y población en millones			% urbana	Distribución etaria		% de analfa-betismo	Grupos étnicos
2010	2015	2025		<15 años	65+		
27.2	29.3	33.2	93%	31%	5%	7%	21% blanco europeo, 67% mestizo, (herencia española, italiana, portuguesa, árabe y alemana), 10% africano, 2% amerindio

ECONOMÍA Y COMERCIO

Moneda nacional	Tasa de infla-ción 2008	N° de trabajadores (en millones) y tasa de desempleo	PIB 2008 en millones $EUA	PIB per cápita	Distribución de PIB y de trabajadores por sector*			2008 Exporta-ciones en millones $EUA	2008 Importa-ciones en millones $EUA
					A	I	S		
El bolívar	31%	12.5 8.5%	$368,600	$14,000	4%	35%	61%	$103,500	$53,400
					13%	23%	64%		

*Para distribución del PIB y de los trabajadores (mano de obra): A = Agricultura, I = Industria, S = Servicios (y Gobierno)

Recursos naturales: Petróleo, gas natural, carbón, hierro, oro, bauxita, otros minerales, energía hidroeléctrica, diamantes.

Industrias: Petróleo, petroquímicos, cemento, abono, vehículos y piezas de repuesto, telecomunicaciones, minería de hierro, materiales para construcción, procesamiento de alimentos y bebidas, textiles, calzado, químicos, plásticos, acero, aluminio, ensamblaje de vehículos de motor.

COMERCIO

Productos de exportación: Petróleo, hierro, café, bauxita, aluminio, acero, productos químicos, productos agrícolas, cacao, alcoholes acíclicos y derivados halogenados, sulfonados y nitrosados, cigarrillos, plásticos.

Mercados: 43% EUA, 8% Países Bajos Antillas, 3% China (2007).

Productos de importación: Materia prima, maquinaria, equipo de transporte, bienes manufacturados, materiales para construcción, productos químicos, medicamentos, productos alimenticios, material eléctrico y aparatos emisores de telecomunicaciones, papel.

Proveedores: 27% EUA, 14% Colombia, 10% Brasil, 7% China, 5% México, 5% Panamá (2007).

Horario general de comercio: De lunes a viernes, desde las ocho de la mañana hasta las seis de la tarde.

TRANSPORTE Y COMUNICACIONES

Kilómetros de carreteras y % pavimentadas	Kilómetros de vías férreas	N° de aeropuertos con pista de aterrizaje pavimentada	N° de líneas telefónicas	Radios por mil personas	Televisores por mil personas	N° de usuarios de Internet en millones
96,155/34%	682	128	4,200,000	296	185	5.7

IDIOMA Y CULTURA

Idiomas	Religión	Comidas y bebidas típicas/Modales
Español (oficial), numerosos idiomas indígenas (arauaco, caribe, guajiro, etc.)	96% católica romana, 2% protestante	Mondongo, pabellón criollo, cazuela de mariscos, caraotas negras, hervido, arepa, hallaca, punta trasera, parrillada, lechosa, jugo natural, batido de fruta, raspaíto (pronunciación venezolana de «raspadito»), cafecito. Cuando se termina de comer, se colocan el tenedor y el cuchillo uno al lado del otro en el centro del plato.

Horario normal del almuerzo y de la cena: Sobre la una de la tarde para el almuerzo; entre las siete y las ocho de la noche para la cena.

Gestos: Para indicar que se quiere pagar por algo o para pedir el precio, se frotan el dedo pulgar y el dedo índice con la palma de la mano hacia arriba. Se considera descortés el señalar algo con el dedo índice (gesto típico en EUA); se señala algo con la mano entera. Pasar entre dos personas que conversan se considera maleducado; si se tiene que hacer, uno se disculpa diciendo «Con permiso». No sentarse en una silla de manera repantingada. No poner o descansar los pies sobre los muebles.

Cortesía: Se saluda con un firme apretón de manos. Al ir a la casa de alguien para cenar o para una fiesta, se aprecian las flores, especialmente las orquídeas (la flor nacional), los chocolates o una buena botella de vino. Las mujeres de negocios no les dan regalos a los hombres.

LA ACTUALIDAD ECONÓMICA VENEZOLANA

Venezuela es uno de los mayores productores y exportadores de petróleo del mundo y en 1976 fue uno de los fundadores de la Organización de Países Exportadores de Petróleo (OPEP). Su economía está basada en el petróleo. Entre 1974 y 1975, el gobierno nacionalizó la industria petrolera y, desde entonces, se ha doblado el número de empleos relacionados con este sector y se ha cuadruplicado el valor de las rentas, a pesar de la disminución de la producción de petróleo crudo. En esa época Venezuela también nacionalizó la minería de hierro y ha crecido en los últimos años la industria manufacturera. Una baja en el precio mundial del petróleo en los ochenta despertó interés en el desarrollo de la agricultura, especialmente durante la presidencia de Jaime Lusinchi (1984–89). En la actualidad se producen maíz, hortalizas, aves de corral y carne porcina, y se ha intentado aumentar las cosechas de soja y de arroz, pero Venezuela sigue importando muchas de sus necesidades alimenticias.

Al igual que el de otros países hispanoamericanos, el gobierno venezolano comenzó a desempeñar un papel menos importante en la economía nacional, debido a la privatización. En 1991, un consorcio internacional compró casi la mitad de la compañía telefónica estatal y el país trató de diversificar su industria y de reducir su dependencia del petróleo. Carlos Andrés Pérez, quien sucedió a Lusinchi como presidente en 1989, intentó resolver la crisis financiera y la depresión económica del país suspendiendo los pagos debidos sobre el déficit de 26 mil millones de dólares. A la vez, impuso un cargo adicional de derechos *ad valorem* sobre las importaciones. Quería desarrollar la economía nacional mediante la fusión de empresas y una reducción de los gastos gubernamentales. Estas medidas no se realizaron sin la oposición de los grupos afectados. Además, mientras Pérez negociaba con el Fondo Monetario Internacional (FMI), el Banco Mundial y el Banco Interamericano de Desarrollo (BID) para conseguir nuevos fondos, hubo manifestaciones violentas contra los programas de austeridad. Esta situación económica precaria perjudicó las relaciones económicas con los demás países del Pacto Andino y de la región, y contribuyó a las dificultades financieras. El coronel Hugo Chávez Frías, el futuro presidente, y sus partidarios, fomentaron en 1992 dos golpes de estado fallidos.

En 1993, el presidente Pérez fue suspendido de su cargo y la Corte Suprema lo enjuició por corrupción. Ramón J. Velázquez lo reemplazó y completó el período constitucional de la presidencia. Velázquez perdió las elecciones de 1993 ante Rafael Caldera, quien fue presidente hasta 1998.

Hoy en día el sector petrolero sigue siendo la fuerza dominante de la economía; genera un 30% del producto nacional bruto y más de la mitad del capital circulante del país. Como siempre, cualquier cambio rápido de los precios de petróleo internacionales puede influir gravemente en la economía venezolana. Las reducciones fiscales causadas por la pérdida de renta, las altas tasas de interés y la disminución de exportaciones causaron una recesión en 1998. Hugo Chávez ganó la presidencia ese año con el apoyo de los pobres que buscaban mejorar su nivel de vida. En 1998 se aprobó un nuevo plan de gobierno, llamado el Plan Bolívar, propuesto por Chávez que aumentó el período presidencial de cinco a seis años y que permitió su reelección inmediata e indefinidamente. También, le otorgó poderes casi ilimitados y dividió al país, puesto que la clase baja votó por la nueva constitución y las clases media y alta la rechazaron.

Las políticas de Chávez, líder popular entre la población marginada, han causado grandes y violentas huelgas de protesta por parte de sus opositores. Además, su apoyo de los gobiernos de Cuba, Irán y Rusia ha preocupado al gobierno de EUA. En 2002 el valor del bolívar cayó un 25% contra el dólar y el presidente tuvo que renunciar a la presidencia por dos días, después de los cuales fracasó el gobierno interino, permitiendo que Chávez recuperara la presidencia. En 2006 el Presidente canceló la participación de su país en el Pacto Andino e inició membresía en MERCOSUR. En 2007 la Asamblea Nacional Constituyente le dio a Chávez el poder de gobernar por decreto. Luego, también puso fin a las relaciones con el Fondo Monetario Internacional y el Banco Mundial, declarando que estaban dominados por el imperialismo norteamericano. Además, tomó control de los últimos proyectos petroleros dirigidos por las empresas petroleras de EUA y UE. La influencia penetrante de Chávez en los asuntos políticos de las Américas se vio cuando la OEA tuvo que convocarse para tratar la crisis entre los gobiernos de Correa en Ecuador y el de Uribe en Colombia. La situación fue creada cuando Chávez se refirió a Uribe como "un criminal que hace lo que [EUA] se le manda a hacer" porque el gobierno ecuatoriano había matado a un guerrillero y miembros de la FARC en territorio ecuatoriano.

Sigue preocupante la situación por la división política nacional, la dependencia de la industria petrolera y la inflación más alta de Latinoamérica (30%). De momento, Venezuela, país de grandes recursos naturales y humanos, se presenta con una serie de problemas por la evolución de la democracia dentro de su propio país y por la dirección de su liderazgo regional, como en el caso de Honduras en 2009, cuando Chávez amenazó públicamente invadir a Honduras si no se reestableciera al presidente Zelaya.

7-6 Actividades

¿Qué sabe Ud. de Venezuela?

1. A usted lo/la han contratado/a como asesor/a transcultural de negocios internacionales. Como tal, necesita informar a sus clientes sobre Venezuela y recomendar un plan de viaje de negocios al país. Investigue sobre los datos pertinentes para desarrollar los temas a continuación.

    a. Describa la geografía de Venezuela, refiriéndose a temas como los siguientes: ubicación y tamaño del país, capital y otras ciudades y puertos importantes, división administrativa y clima. Compare el tamaño de Venezuela con el de EUA. Compárelo con el tamaño del estado donde Ud. vive.

    b. ¿Cuáles son las principales características demográficas y políticas de Venezuela? ¿Quién es el jefe de estado?

    c. ¿Cuándo se celebra la fiesta nacional de Venezuela? ¿Qué otras fiestas públicas podrían afectar el éxito de un viaje de negocios? (Véase la Tabla 10-1, páginas 306–308.)

    d. Describa la economía venezolana. Incluya datos sobre la moneda nacional, la tasa de inflación, el PIB y el PIB per cápita, el número de trabajadores (la mano de obra), la tasa de desempleo, los recursos naturales, las industrias nacionales, los productos de exportación e importación, los países destino (mercados) y proveedores (fuentes) de estas transacciones internacionales y la balanza de comercio (compare la del libro con la balanza comercial actual). ¿A cuánto se cotiza la moneda nacional venezolana respecto al dólar de EUA?

    e. ¿Qué producto o servicio recomendaría usted vender en Venezuela? ¿Por qué?

    f. Describa la infraestructura de transportes y de comunicaciones venezolana. ¿De qué ventajas económicas ha gozado Venezuela debido a su geografía (puertos, proximidad a mercados como EUA, etc.)?

    g. ¿Cómo han cambiado algunos de los datos presentados en las secciones de «Vista panorámica» y «La actualidad económica» de este texto? Póngalos al día.

    h. Comente sobre la actualidad socioeconómica y política venezolana. ¿Cuáles han sido los efectos del gobierno del presidente Chávez (el «chavismo»)?

2. Ud. tiene que hacer un viaje de negocios a Venezuela con su jefe/a para renegociar los términos de un acuerdo sobre los usos de sus refinerías de petróleo crudo. Usando Internet u otras fuentes informativas, prepare un

plan (con presupuesto e itinerario) para este viaje de negocios. Averigüe las posibilidades en Internet, por medio de una llamada telefónica, en una agencia de viajes o en el aeropuerto mismo. Comuníquese en español, si es posible. Comente los siguientes temas con un/a compañero/a.

a. Fechas de ida y vuelta (el viaje durará cinco días).

b. Vuelos: aeropuertos de despegue y aterrizaje, líneas aéreas, horario; costos.

c. Transporte interno que se piensa usar: taxi, autobús, carro de alquiler, metro, tren, otro; costos.

d. Alojamiento y viáticos; costos.

e. La comida típica que van a pedir para la cena la primera noche.

f. Las formas de cortesía y los gestos que deben recordar, usar o evitar.

g. El precio actual del barril de petróleo y su impacto en el acuerdo.

h. Los posibles efectos sobre la economía de EUA a largo plazo y cómo van a contribuir al cierre del contrato.

LECTURA CULTURAL

Actitudes ante el trabajo

Desde la época colonial, debido a la influencia de la ética protestante en su modo de vida, la mayoría de los estadounidenses le ha dado mucha importancia y valor al trabajo. Creen que la persona trabajadora y diligente no es sólo productiva sino que también merece cierta consideración y respeto y que está haciendo algo valioso por lo cual recibirá cierto reconocimiento monetario y social. Además, esta idea de ser reconocido o, mejor dicho, de tener éxito en algo, también es muy importante para los estadounidenses. Anima a que una persona aspire a seguir trabajando para recibir aún más reconocimiento por su éxito. El resultado es que en muchos países y culturas se opina que los estadounidenses están obsesionados por trabajar constantemente, que son adictos al trabajo («trabajoadictos») y que el trabajo es un fin en sí mismo. Aun el sistema educativo refleja esta supuesta obsesión laboral al existir muchas escuelas técnicas, vocacionales y académicas que preparan a los estadounidenses para el éxito en el mundo del trabajo. Por otra parte, aunque muchos estadounidenses eligen carreras profesionales por su categoría social y remunerativa, también se respetan los oficios y trabajos mecánicos, en gran parte por el afán por lo práctico y los resultados «concretos» del trabajo.

Hasta cierto punto, los hispanos han tenido otro concepto del trabajo. Como descendientes de una sociedad inicialmente aristocrática cuyos valores inculcaron desde el principio cierto desprecio por el trabajo, en especial por el comercio, las artes mecánicas y el trabajo manual, los hispanos no tienen tan larga tradición de valorar el trabajo manual. Desde la época colonial, oficios como el de carpintero o contable carecían de prestigio. Este estigma prevaleció por siglos e infundió entre los mismos empleados y obreros cierto desdén por el trabajo. Los nobles adoptaron y diseminaron esta actitud antilaboral ante las nuevas formas de vida capitalista y burguesa con su énfasis en el desarrollo de las artes mecánicas y las profesiones porque temían perder su riqueza y poder.

Sólo con la industrialización de los países hispánicos ha empezado a cambiar esta actitud. Este cambio ha sido parcial y lento, pero continuo. Todavía persisten rasgos de los antiguos valores aristocráticos, como lo demuestran los bajos sueldos de los obreros y la falta de empleados bien capacitados para los distintos puestos técnicos, profesionales y administrativos. Esta situación antilaboral también se debe en parte al sistema educativo de estos países, pues no ha proporcionado una preparación técnica ni profesional adecuada para la nueva realidad socioeconómica y política hispánica. Tampoco ha cambiado la pedagogía basada en la teoría y la memorización por una fundada en la creatividad, la aplicación y la práctica, es decir, la solución de problemas específicos. Algunos gobiernos han establecido programas para mejorar las condiciones instructivas y laborales, sobre todo en los países menos industrializados, pero hasta ahora no han dado los resultados esperados. Los obreros y empleados han trabajado duro pero no han empezado a recibir, hasta muy recientemente, mucho reconocimiento monetario o social, y muchas veces sólo lo han recibido mediante los movimientos sindicalistas y las huelgas, a menudo violentas.

La verdad es que ha habido mucha explotación del trabajador en Latinoamérica y mucha discriminación contra la mujer, los indígenas y los afrolatinos. Según informó el Grupo del Banco Mundial en 2004, «de los 520 millones de personas que viven en América Latina y el Caribe, más de 150 millones son de ascendencia africana. En toda la región, los ‹afrolatinos›, como se les conoce, padecen desproporcionadamente de pobreza y exclusión social» (www.worldbank.org; 7/7/04). Otra área de preocupación es el trabajo infantil en Latinoamérica, a pesar de los esfuerzos de grupos como la Unidad para la Erradicación de las Peores Formas de Trabajo Infantil (de la Human Rights Watch, HRW). Por ejemplo, la HRW informó en 2004 que hasta un tercio de los trabajadores de las plantaciones de azúcar de El Salvador eran menores de 18 años, muchos de los cuales empezaron a trabajar en los campos cuando tenían entre 8 y 13 años. La Organización Internacional del Trabajo estima que al menos 5,000 y hasta 30,000 menores de 18 años trabajan en las plantaciones de azúcar salvadoreñas. El Salvador establece una edad mínima de 18 años para el empleo en tareas peligrosas y de 14 años para la mayoría de las demás formas de trabajo (www.hrw.org; 10/6/04). En 2005, El Salvador creó el Comité Nacional para la Erradicación de las Peores Formas del Trabajo Infantil, prestando mayor atención y apoyo a los siguientes sectores: industria pirotécnica, pesca, caña de azúcar, explotación sexual comercial y vertederos de basura (http://trabajoinfantil.mtps.gob.sv/default.asp?id=6&mnu=6, consultado: 12 junio 2009).

La realidad laboral venezolana ofrece un ejemplo de las condiciones de trabajo en Hispanoamérica, aunque no de manera representativa debido al carácter socialista del gobierno de Chávez. El movimiento sindical siempre ha sido fuerte en Venezuela. En el sector industrial, el porcentaje de los afiliados con gremios es mucho más alto que en otros sectores. En el pasado ha habido progreso para algunos grupos previamente marginados por la ley. Por ejemplo, en 1994 el Congreso estableció un régimen jurídico aplicable a las personas incapacitadas. El objetivo de esta ley es el desenvolvimiento normal en la sociedad y la realización personal de estos individuos. Los beneficios ahora incluyen la constitución de un Consejo Nacional para la integración social y profesional de estas personas, la eliminación de la discriminación en cuanto a su admisión a instituciones de educación o centros de capacitación, el derecho al trabajo sin limitaciones, el acceso al transporte y las comunicaciones, y a los servicios e instalaciones públicas.

Además, las investigaciones publicadas en la *Revista sobre Relaciones Industriales por* la Universidad Católica Andrés Bello en 2004 tratan una serie de temas que muestran preocupación y progreso en este campo (http://www.articlearchives.com/1102322-1.html). Entre ellos están:

- la síntesis de la evolución del derecho social venezolano.
- la participación de la mujer en la fuerza de trabajo: el caso de Venezuela.
- hacia un nuevo modelo de contratación colectiva en Venezuela.
- seguridad social de los trabajadores migrantes en el área del Pacto Andino.
- la mujer en el sindicalismo venezolano.

A través de los años, los trabajadores han logrado muchos beneficios adicionales como los siguientes:

- vacaciones y días feriados que incluyen los domingos y nueve días legales de fiestas nacionales.
- participación en los beneficios (como el 10% de las ganancias anuales, las cuales se distribuyen en forma de gratificación navideña).
- un impuesto para la formación técnica en el que se paga el 2% de la nómina anual para su financiación.
- un seguro social y beneficios de jubilación.
- alojamiento gratuito o a precios reducidos para los trabajadores.
- transporte a un precio mensual razonable para los que ganan un salario mensual mínimo.
- una cafetería que ofrece almuerzos subvencionados si hay más de diez trabajadores.
- textos y becas escolares, servicios de medicina, seguro colectivo, programas deportivos o de recreo.

También existe la indemnización por despido por edad (las personas mayores) y el auxilio de cesantía.

En la edición de la *Gaceta Oficial de la República Bolivariana de Venezuela* del 28 de abril de 2006 se publican los cambios planeados en la Reforma Parcial del Reglamento de la Ley Orgánica del Trabajo. En el Artículo 44, «se inserta un nuevo artículo, relativo al salario para el cálculo de las vacaciones y el bono vacacional»: El pago de las vacaciones y del bono vacacional deberá realizarse en base al salario normal devengado por el trabajador o trabajadora en el mes de labores inmediatamente anterior al día en que disfrute efectivamente del derecho a la vacación. En caso de salario por unidad de obra, por pieza, a destajo o a comisión, será el promedio del salario devengado durante el año inmediatamente anterior a la fecha en que disfrute efectivamente del derecho a la vacación (http://www.scribd.com/doc/3897185/Reforma-Parcial-del-Reglamento-de-la-Ley-Organica-del-Trabajo). Por último, los extranjeros que trabajan en Venezuela necesitan una visa y tarjeta de identidad emitidas por una oficina consular venezolana. Cada empresa tiene que mantener un mínimo de un 75% de ciudadanos venezolanos como empleados.

7-7 Actividades

1. **¿Qué sabe Ud. de la cultura?** Demuéstrelo contestando las preguntas a continuación.

   a. ¿Qué opina Ud. de la actitud estadounidense hacia el trabajo?

   b. Describa la influencia que tuvo la época colonial en la actitud de los hispanoamericanos hacia el trabajo.

   c. ¿Qué impacto tienen los sistemas de enseñanza en el trabajo en los Estados Unidos e Hispanoamérica? Dé ejemplos.

   d. ¿Cómo ha sido la situación socioeconómica de los afrolatinos y los niños en América Latina y el Caribe?

   e. ¿Cómo es la semana laboral en Venezuela? ¿Es igual en EUA? Busque la respuesta en un libro de consulta o en Internet.

   f. ¿Qué beneficios adicionales se ofrecen a los trabajadores venezolanos?

   g. ¿Qué efecto tendrá la ley del 75% de empleados de nacionalidad venezolana en la contratación de gerentes para cualquier multinacional ubicada en Caracas?

2. **Asimilador cultural.** Lea lo siguiente y después haga los ejercicios que aparecen a continuación.

   Frederick M. Lehmann, vicepresidente del Departamento de Recursos Humanos de una empresa estadounidense, ha estado tratando de aumentar la producción de su fábrica en Valencia, Venezuela, durante el último año sin éxito. Ha recomendado que los obreros trabajen horas extras o los domingos, además de la semana laboral que va de lunes a viernes. La Confederación de Trabajadores ha rechazado esta oferta varias veces. Por fin, Lehmann ha invitado a Carlos Rómulo Gómez, un consultor venezolano para que le aconseje sobre la situación. Rómulo Gómez escucha las quejas del vicepresidente y luego le explica cómo influye el concepto de la familia en las decisiones de los trabajadores y por qué los incentivos económicos no funcionan muy bien en el ambiente venezolano. Le dice a Lehmann que la calidad de vida en Venezuela también se relaciona con la posibilidad de estar lo más posible con la familia.

   Lehmann escucha al consultor y le agradece los consejos. Esa misma tarde, el vicepresidente se reúne con el jefe del sindicato local, Juan Vicente Lecuna, y le presenta otro plan:

   —Yo sé que los obreros quieren pasar más tiempo con su familia y que no quieren trabajar horas extras. Así que les ofrezco el siguiente compromiso: Si Uds. aceptan la idea de trabajar a destajo durante la semana, yo les pago un poco más a quienes produzcan más. Además, si el 20% de los trabajadores acepta una semana laboral de cuatro días durante la semana y el domingo como el quinto día laboral, yo les subo el pago un 10% a todos...

   Vicente Lecuna hace una pausa antes de contestarle y le hace un gesto de «basta» con la mano...

a. Explique el conflicto cultural entre Lehmann y los obreros venezolanos.

b. ¿Qué quiere decir el sindicalista con el gesto? ¿Va a aceptar la propuesta del vicepresidente? ¿Por qué?

c. ¿Ha entendido bien Lehmann los consejos del consultor? ¿Qué habría hecho Ud. si fuera el vicepresidente?

SÍNTESIS COMERCIAL Y CULTURAL

7-8 Actividades comunicativas

1. **Situaciones para dramatizar.** Lea las siguientes situaciones y después haga el papel en español con otro/s estudiante/s, usando las opciones siguientes como punto de partida. Cada persona deberá participar activamente en la dramatización. No olviden el protocolo ni las cortesías.

   a. Uds. trabajan para una fábrica manufacturera y se van a reunir para debatir los siguientes temas: mejoras en las condiciones de trabajo, aumentos de salario, primas por el trabajo nocturno y de fin de semana, más días de vacaciones remuneradas y mejores beneficios. Divídanse en dos grupos: un grupo representará al sindicato y sus reclamaciones (éste amenaza declararse en huelga), el otro representará a la gerencia de la empresa. Una persona hará el papel de mediador/a para ayudar a hallar terreno común. Hagan la reunión y el debate en clase, ¡como si de ello dependiera tanto la sobrevivencia de la empresa como los derechos de los trabajadores a una calidad de vida más aceptable!

   b. Usted es el/la director/a de un departamento en el cual uno de sus empleados no está cumpliendo con su trabajo debidamente. Reúnase con este/a empleado/a para discutir la situación, los cambios requeridos y las consecuencias de no ponerlos en marcha, ¡como si fuera una situación real! Si es posible, use su propia experiencia real.

2. **Comprensión y comunicación.** Para este ejercicio basado en el vídeo de *Éxito comercial*, pase al encarte central del texto, VídeoTexto página 8.

3. **Actividad laboral.** Ud. y un/a socio/a trabajan en Miami para una empresa multinacional que en el pasado ha tenido muchas ventas en Venezuela y en los otros países de la región andina. Uds. necesitan investigar la historia reciente y lo que ha pasado con este convenio para averiguar su posible efecto en la contratación de personal para una nueva sucursal en Maracaibo, Venezuela, u otras ciudades de los países andinos. Es importante investigar y luego comparar los siguientes factores:

   a. los costos de contratar secretarias bilingües para las oficinas en Maracaibo, Guayaquil (Ecuador), Barranquilla (Colombia) y el Callao (Perú).

   b. la disponibilidad y el costo de vuelos internacionales entre estas ciudades y entre ellas y Miami

c. el número de gerentes bilingües con amplia experiencia en empresas internacionales en Venezuela, Colombia, Ecuador y Perú.

d. la estabilidad política de estos cuatro países durante los últimos cinco años.

Después de hacer las investigaciones, recopilen todos los datos en un informe escrito que incluya en listas o tablas la información indispensable para analizar brevemente el caso. Luego, presenten el informe oralmente sin leerlo.

4. **Minicaso práctico**. Lea el caso y después haga los ejercicios a continuación.

Patrick Cisneros, un joven de 22 años, nacido en Chicago, acaba de graduarse de una universidad estadounidense, donde se ha titulado en administración de empresas y en español. Patrick, hijo de Enrique Cisneros y Mary Ellen Jones, ambos profesionales, es un hispano norteamericano de tercera generación y como «*heritage learner*» (estudiante de origen hispano) ha cursado clases de español para hispanohablantes, aprendiendo de nuevo la lengua. Es muy talentoso y por haberse graduado con sobresaliente (*summa cum laude*), la confianza que tiene en sus aptitudes a veces roza la arrogancia.

Patrick, o Pat, como prefiere que lo llamen, ha conseguido su primera entrevista de trabajo con Alicia Wilson, la gerenta de administración de personal para MarketSpecs, una agencia de publicidad y marketing que busca un nuevo empleado bilingüe. La entrevista se ha concertado para las 9:00 de la mañana. La noche anterior, Pat ha aceptado celebrar su graduación con parientes y amigos, de modo que no se acuesta hasta las tres de la madrugada. Su despertador no suena a las 6:30, pues con todo el festejo se le había olvidado programarlo, por lo cual no se despierta hasta las 7:45. Se levanta apresuradamente, ansioso, y se viste rápidamente para conducir a la entrevista. Rumbo a MarketSpecs, se encuentra en un atasco, pues es la hora pico, y derrama media taza de café en su camisa y corbata al tener que frenar súbitamente. Luego, al llegar a MarketSpecs, le cuesta trabajo hallar un sitio para aparcar. Llega corriendo a la oficina de la Sra. Wilson a las 9:15 y se presenta sin aliento al secretario, en español:

—Hi. Uy, espere, que necesito recobrar el aliento... Me llamo Pat y estoy aquí para mi *interviú* con Alicia.

El secretario, un hombre de 40 años de edad, lo observa y nota que anda mal peinado, no lleva parte de la camisa metida dentro de los pantalones, tiene una gran mancha de café en su corbata mal puesta y no lleva cinturón. Con esto, el secretario piensa para sí mismo, «Ay, estos jóvenes milenios, ¿cuándo aprenderán?» y le contesta:

—Buenos días, Sr. Cisneros. Sí, se suponía que la entrevista empezara a las nueve. La Sra. Wilson anda muy atareada hoy. Un momento, por favor. Veré si todavía lo puede ver.

Después de medio minuto, sale de su despacho la Sra. Wilson. Ha estado mirando algunas fotos inapropiadas (Pat con una gran sonrisa y una jarra de cerveza en cada mano, etc.) de la fiesta de anoche, publicadas ya por Pat en Facebook. La Sra. Wilson lo saluda secamente:

—Buenos días. Sr. Cisneros, ¿verdad? Soy Alicia Wilson. Lo siento, pero tendremos que abreviar nuestra entrevista, pues tenía otra reunión programada para las 9:30. Pase a mi oficina, por favor.

Al entrar en la oficina, Pat se acomoda inmediatamente en una silla giratoria delante del escritorio de la Sra. Wilson, sirviéndose a la vez de unos chocolates que ve en un platillo. La Sra. Wilson le sigue y da la vuelta al escritorio para sentarse. Enseguida, Pat le agradece la entrevista y le pregunta en espanglés, pues quiere demostrar su soltura en ambas lenguas, de qué se trata, exactamente, el puesto que solicita, cuánto paga, qué beneficios ofrece, cuántos días de vacación hay y si le ofrecerán el uso de un carro. Fastidiada, la Sra. Wilson lo escucha, mientras que Pat sigue platicando y masticando sus chocolates.

Conteste las siguientes preguntas.

a. ¿Cómo se ha preparado Patrick Cisneros para su entrevista con Alicia Wilson en MarketSpecs? Analice su preparación o falta de tal.

b. ¿Qué es lo que estará pensando el secretario de Alicia Wilson al ver a Pat Cisneros por primera vez? ¿Qué quiere decir el secretario cuando piensa para sí mismo, «Ay, estos jóvenes ‹milenios›, ¿cuándo aprenderán?» ¿Qué prejuicios generacionales revelan estas palabras? ¿Hay validez para tales prejuicios? ¿Es cierto que Pat representa la nueva informalidad de toda una generación? Comente. ¿Cómo hubiera sido su propia reacción? ¿Es verdad que las primeras impresiones valen mucho? Comente.

c. ¿Por qué le saluda tan secamente Alicia Wilson? ¿Qué estará pensando ella del encuentro con Pat, especialmente a la luz de las fotos festivas que ha visto en Facebook?

d. ¿Qué pudo haber hecho Pat allí mismo para compensar los daños ya provocados por la mala impresión inicial que ha creado?

e. ¿Cuál será el resultado de esta entrevista de trabajo?

f. Si usted hubiera sido su amigo y mentor, ¿cuáles habrían sido algunas de sus recomendaciones clave para que Patrick Cisneros tuviera una entrevista exitosa? ¿Qué le recomendaría acerca de su uso de Facebook?

7-9 Análisis y comparación

 Estudie la Tabla 7-1 y haga los ejercicios a continuación. Use también sus conocimientos y, cuando haga falta, otras fuentes informativas como Internet o libros de consulta. Los ejercicios se pueden hacer individualmente, en parejas o en pequeños grupos para discutir en clase.

1. Usted ha sido contratado/a como especialista transcultural para preparar a un/a gerente (un/a compañero/a de clase) para un viaje de negocios que éste/a hará a Hispanoamérica en tres días. Explíquele cómo funcionan el

saludo y la despedida en los países hispanos y ensaye con esta persona las diferentes formas de saludo y despedida.

2. Haga los gestos para comunicarle a alguien que se acerque y luego que se vaya.

3. ¿Qué quiere decir el gesto de «bigote para arriba»? Hágalo.

4. Un/a compañero/a de clase le pregunta dónde están ciertas cosas (un bolígrafo, un libro, una persona, etc.) y usted le contesta con diferentes gestos para indicar «allí» o «allá».

5. Con un/a compañero/a de clase, túrnense para practicar los gestos que correspondan a las siguientes situaciones:

   a. Que usted quiere que él/ella lo/la llame por teléfono.
   b. Que él/ella le está pidiendo demasiado dinero para comprar la computadora usada que le quiere vender.
   c. Que él/ella es tacaño/a porque no quiere ayudar a pagar la cuenta del almuerzo.
   d. Que usted no puede oír lo que le quiere decir su compañero/a de clase.
   e. Que usted volverá en seguida para continuar la conversación con él/ella.
   f. Que a usted se le ha olvidado la cita que tenían después de la clase.
   g. Que tenga cuidado su compañero/a de clase con «esa persona».
   h. Que hay que guardar silencio porque está hablando el/la profesor/a.
   i. Que hay que caminar para llegar a la biblioteca.
   j. Que usted tiene mucha sed.
   k. Que usted quiere un solo lápiz, dos hojas de papel y tres minutos para hacer su trabajo.
   l. Que usted quiere pagarle al camarero la cuenta del café que ustedes acaban de tomar.

6. ¿Qué quieren decir las frases «tiene mucha cara» y «plantar cara»? Haga los gestos que comunican estos dos mensajes.

7. ¿Qué gestos hay que evitar?

8. ¿Cuáles son algunos de los gestos típicos de EUA? ¿Qué gestos usa Ud. al hablar? ¿Piensa que hay muchas diferencias entre las distintas culturas con respecto al uso de los gestos? Comente. ¿Conoce usted otros gestos que no se han incluido en la tabla o gestos que se usan en otras culturas, por ejemplo, en Alemania, Francia, Italia, Japón, etc.?

Tabla 7-1 **Gestos (y algunos sonidos) típicos de los países hispanoparlantes**

Gesto	Descripción
Saludo. (¡Hola!)	En la mayoría de los países, los hombres se dan la mano con un apretón firme. En algunos países (Colombia, Guatemala, Honduras, El Salvador) el apretón de manos es bastante más flojo. El hombre saluda a la mujer con un ligero apretón de manos cuando ésta le ofrece la suya. A veces, si se tiene la mano sucia, la persona ofrece la muñeca, el antebrazo o el codo en lugar de la mano. Los buenos amigos a menudo se saludan con un abrazo y una palmadita en el hombro o en la espalda. Las amigas se saludan con un beso en la mejilla (no un verdadero beso sino un besito al aire y un pequeño abrazo). El hombre también puede saludar a una amiga con un besito en la mejilla y un pequeño abrazo. Al llegar a una reunión o comida, se saluda a cada individuo. Para saludar desde más lejos, se mueve la mano varias veces, extendida y en posición vertical, de izquierda a derecha.
Acérquese. (¡Ven acá!)	Se extiende la mano con la palma boca arriba y se abren y cierran rápidamente los dedos con la excepción del pulgar. En algunos países se hace el mismo gesto pero con la palma boca abajo. También en algunos países (México, España, Guatemala) se hace un sonido de «psst-psst», «tsst-tsst» o «ch-ch» (en Uruguay) para llamar la atención de alguien, como la de un camarero en un restaurante. En Uruguay también chasquean los dedos.
¡Váyase / vete!	Con la palma de la mano hacia el suelo, se hace un rápido movimiento de los dedos hacia afuera.
Está allí/allá	Se extienden el brazo y el dedo índice para señalar algo. En El Salvador, no se señala a una persona con el dedo sino con la mano entera. En algunos países se fruncen los labios en la dirección de algo para señalarlo o se indica una dirección alzando un poco la barbilla (it's up the road) o bajándola (down the road).
Aprobación	En muchos países se hace el gesto de «*thumbs up*» (hacer un puño con el dedo pulgar levantado hacia arriba). Cuidado, porque a veces puede tener una connotación política, como en el País Vasco. Una palmadita en el hombro o en la espalda de otro también significa aprobación. En Honduras se aprietan las manos juntas.
¡Todo va bien!	Se apiñan los dedos y se llevan a los labios, donde se besan las yemas. En algunos países, como Uruguay, se hace el gesto de «bigote para arriba», es decir, se hace una letra V con el dedo índice y el pulgar y se pone esta V sobre el labio superior de la boca.
Desaprobación	Se chasca la lengua o se frunce la boca y se ponen los ojos en blanco.
Estoy pensando.	Se toca la sien con el dedo índice.
¡Qué tonto / loco!	Se toca la sien con el dedo índice, a veces dándose unos golpecitos o haciendo un pequeño movimiento giratorio con el dedo.
Te llamo / llámame por teléfono.	Se coloca la mano cerca de la oreja y, con los dedos pulgar y meñique extendidos, se reproducen el auricular y el acto de hablar por teléfono.
Vuelvo enseguida.	Con la mano delante del pecho u hombro, se dibujan dos o tres círculos rápidos en el aire con el dedo índice.
¿Qué pasa? / No entiendo.	Se encogen los hombros con las manos medio extendidas y las palmas boca arriba. En algunos países (Puerto Rico y la República Dominicana) se frunce la nariz.
Estoy así, así. / Más o menos.	Con la mano extendida y abierta, la palma hacia abajo, se hace un movimiento oscilante de lado a lado.

Tabla 7-1 *(continuación)*

Gesto	Descripción
Contar (cero, uno, dos, tres, cuatro, cinco)	Para cero, se forma un círculo con el pulgar y el índice (es el gesto norteamericano de «*A Okay*»). Para el número uno se levanta el índice; para indicar dos, se levantan y separan el dedo índice y el medio; para tres, el índice, medio y anular; cuatro, todos los dedos menos el pulgar; cinco, todos los dedos. A veces se empieza a contar el número uno con el dedo pulgar, seguido por el pulgar y el índice para indicar dos; el pulgar, el índice y el medio para tres; etc.
Es así de alto / bajo.	Se levanta el brazo con la mano en una posición horizontal para indicar alguien o algo alto; para indicar alguien o algo de poca altura, se usa el mismo gesto pero con el brazo hacia el suelo. En México se usa el dedo índice para una persona, la mano entera para un animal u objeto. En Colombia se pone la mano en posición vertical (de costado) cuando se trata del tamaño de una persona.
Así es la vida.	Se encoge uno de hombros con los brazos medio extendidos y la manos boca arriba. En Guinea Ecuatorial se juntan las manos en forma de rezar.
No. (¡No!)	Con la palma de la mano hacia afuera (hacia la otra persona), se oscila de lado a lado. Para mayor énfasis, usar el dedo índice.
Se me olvidó.	Se lleva la palma de la mano a la frente, dándose un golpecito con ella a la vez que abre la boca. También se puede echar la cabeza hacia atrás rápidamente con un chasquido de lengua.
¡Qué sorpresa! (Chock)	En algunos países (Guatemala, Honduras, Costa Rica) se agita la mano vigorosamente para hacer un chasquido con los dedos extendidos.
Cuesta mucho. / Tiene mucho dinero. / ¿Cuánto cuesta?	Se rozan el dedo índice y el pulgar uno contra el otro sin separarlos.
Tengo sed.	Con la mano se hace un gesto de coger un vaso y beber algo. También, en España se puede llevar la mano a la boca entreabierta, con el dedo pulgar y el meñique extendidos en forma de porrón.
No lo sé.	Con la palma de la mano hacia el cuerpo, se roza uno la barbilla con las uñas. Otro gesto sería el darse un toquecito en la barbilla con la punta del dedo índice. Otro sería negar con el movimiento de la cabeza de lado a lado al hacer una mueca y encogerse de hombros, mostrando las palmas de las manos en posición vertical y próximas al cuerpo (el gesto norteamericano «*Not me!*»)
No me importa.	Con la palma de la mano hacia el cuerpo, se roza uno la barbilla con las uñas.
No oigo lo que dice.	Se pone la mano detrás de la oreja como si fuera un pabellón auditivo.
¡Qué tacaño/a es!	Con la palma boca arriba, se pone la mano debajo del otro codo y se dan alguno golpecitos.
¡Ojo! ¡Ten cuidado!	Se toca uno bajo el ojo con el dedo índice.
Sospecha. ¡Me huele mal!	Se apoya el dedo índice en un lado de la nariz y se dan unos golpecitos suaves con el dedo.
Está borracho/a.	Con los dedos pulgar y meñique extendidos, se pasa el pulgar varias veces por la punta de la nariz.
Págueme / págame.	Se hace un movimiento hacia el cuerpo con el antebrazo y la palma de la mano de costado.

(continúa)

Tabla 7-1 *(continuación)*

Gesto	Descripción
Insinuación sexual.	Hacerle un guiño a alguien se puede interpretar como una insinuación.
Quiero hablar con usted. / Habla mucho.	Se juntan las yemas de los dedos y se abren y cierran como el pico de una gallina. Para indicar que alguien ha hablado demasiado, se mantienen los labios cerrados y se forma con el dedo índice una espiral que parece salir como humo de la boca.
No hable. / ¡Silencio!	Con los dedos índice y pulgar juntos, se pasan a lo largo de los labios en imitación de cerrar una cremallera.
Hay mucha gente aquí. / El lugar está lleno o de bote en bote	Se apiñan y separan los dedos de una mano o de las dos.
Está lleno el taxi. / Ya no queda más de algo.	Se extiende la mano, con la palma hacia afuera, y se oscila de lado a lado. Se parece al gesto del saludo a distancia y al gesto de «No».
Hay que caminar (ir a pie).	Con el dedo índice y el dedo corazón, se imita en el aire o sobre una superficie el movimiento de las piernas al andar.
Un poco. / Queda poco.	Se ponen el dedo índice y el pulgar en posición horizontal y paralelos.
Hay visitante en la casa.	A veces, como en el Paraguay, el visitante se bate las manos para anunciar su llegada o presencia.
La cuenta, por favor.	Con el brazo levantado en el aire para que lo vea el camarero, se reproduce el gesto de firmar algo (como la cuenta).
¡Tiene/s mucha cara!	Se dan unas palmaditas en la mejilla o con el dorso de la mano se dan unos golpecitos en la mejilla.
Plantar cara / Se busca camorra.	Se pone de pie con los brazos en jarras («*hands on the hips*» para indicar «bring it on! »). También se puede hacer el gesto norteamericano de «Ven acá» (la palma de la mano boca arriba y los dedos que se abren y cierran hacia el cuerpo de uno).
«¡Vete al infierno!» y otros gestos obscenos afines	Hacer el gesto del higo, un puño con el dedo pulgar extendido entre el dedo índice y el dedo corazón. (Nota: ¡En Brasil este mismo gesto indica buena suerte!) Hacer el gesto norteamericano de «A-Okay» (formar un círculo con el dedo índice y el pulgar), aunque en España es una expresión positiva que comunica que «Me salió muy bien» o «Lo conseguí». En algunos países, se hace un puño y se golpea la palma de la otra mano con la culata del puño. En México, un gesto obsceno es el de formar una letra V con el dedo índice y el dedo medio, y luego colocar la V sobre la punta de la nariz con la palma abierta hacia la cara de uno mismo. Otro gesto obsceno, bastante universal, es el puño con el dedo corazón extendido («*to give the finger*»).
Ya es hora de terminar esto.	Un bostezo puede señalar que ha llegado o pasado la hora para terminar una reunión o una actividad. En Panamá, se frunce la boca para comunicar lo mismo.
¡Deja de hablar ya! ¡Corta el rollo!	Con los dedos índice y medio extendidos, se imita la acción de cortar algo con tijeras, abriendo y cerrando estos dos dedos.
¡Qué tozudo es/eres! (terco, tenaz, obstinado)	Con un puño, se golpea sobre una superficie (como la de una mesa), o bien puede ser sobre nuestra propia cabeza o sobre la de la persona a la cual se refiere (suavemente).

Tabla 7-1 *(continuación)*

Gesto	Descripción
Se corta esta relación entre nosotros.	En algunos países (Argentina, Bolivia, México), regalarle a alguien un cuchillo se puede interpretar como un corte de relaciones con esa persona.
Despedida. ¡Adiós!	Lo mismo que para el saludo. En la mayoría de los países, al despedirse los hombres se dan un apretón de mano firme. En algunos países (Colombia, Guatemala, Honduras, El Salvador) el apretón de manos es bastante más flojo. El hombre se despide de la mujer con un ligero apretón de manos cuando ésta le ofrece la suya. Los buenos amigos a menudo se despiden con un abrazo y una palmadita en el hombro o en la espalda. Las amigas se despiden con un besito en la mejilla y un pequeño abrazo. El hombre también puede despedirse de una amiga con un besito en la mejilla y un pequeño abrazo. Al marcharse de una reunión o comida, uno se despide de cada individuo. Para despedirse desde más lejos, se mueve la mano varias veces, extendida y en posición vertical, de izquierda a derecha.

FUENTES: *Culturgram 2008*; *Gestures: The Do's and Taboos of Body Language Around the World*; *Kiss, Bow, or Shake Hands*; y *Diccionario de gestos con sus giros más usuales*

Posibilidades profesionales

En cuanto al campo de recursos humanos y las relaciones laborales, hay toda una serie de trabajos empresariales y sindicales tales como los de gerente de producción o de compraventa, director/a de control de calidad, negociante de convenios colectivos, etc. Para más información al respecto y para una actividad que le ayude a saber más sobre el tema, véase Capítulo 7 de «Posibilidades profesionales» que se encuentra en www.cengage.com/spanish/exito.

VOCABULARIO

Aquí se presentan los principales términos de este capítulo. Al final del libro hay un glosario más completo.

adiestramiento • *training*

anticipo • *advance*

ascenso • *promotion*

aumento • *pay raise*

auxilio de cesantía • *severance pay*

beneficio • *benefit*

bonificación • *bonus*

capacitación • *training*

carga social • *social contribution, benefit*

cierre patronal (m) • *company shutdown*

colocación • *placement*

comisionista (m/f) • *commission merchant, agent*

convenio • *agreement*

cuenta de anticipos • *advance account*

currículum vitae (c.v.) (m) • *résumé*

decisión obligatoria • *binding decision*

derecho ad valorem sobre importaciones • *value-added tax on imports*

despedir (i) • *to fire, dismiss*

(continúa)

empresa de colocación o de empleo • *placement agency*

entrevista • *interview*

estado civil • *marital status*

expatriado • *expatriate*

expediente personal (m) • *résumé*

formulario • *printed form*

horas extras o adicionales • *overtime*

huelga patronal • *lockout*

idóneo • *suitable, competent*

indemnización • *indemnity, pay, compensation*

   por antigüedad • *indemnity for years of service*

   por despido • *severance pay*

jornada (laboral / de trabajo) • *working day*

jornal (m) • *day's wages*

jornalero/a • *day worker*

jubilación • *retirement*

juicio por faltas • *grievance*

laudo • *decision, finding*

local (m/f) • *local, national employee, locale*

mandato judicial • *injunction*

mediador/a • *mediator*

nacional (m/f) • *citizen of country in question*

   de terceros países (m/f) • *third-country national*

nivel de vida (m) • *standard of living*

obligatorio • *binding*

paro laboral • *strike*

partidario • *supporter*

patrono • *employer*

personal (m) • *personnel*

piquete laboral (m) • *picket*

prima • *bonus, premium*

por trabajo fuera de turno • *shift premium*

reclutar • *to recruit*

remuneración • *remuneration, payment*

representante sindical (m) • *union representative*

revisar • *to review*

sabotaje (m) • *sabotage*

salario • *wage (hourly), salary*

seguro • *insurance*

   contra accidente • *accident insurance*

   de salud • *health insurance*

   de vida • *life insurance*

sindical (adj) • *union*

sobresueldo • *bonus*

solicitante (m/f) • *applicant*

solicitar • *to apply for*

solicitud (f) • *application*

sueldo • *salary (weekly or monthly)*

supervisor de compensaciones • *payroll supervisor*

taller (m) • *shop, workshop*

técnica de caso • *case study*

   de discusión en grupos • *group discussion*

   de incidente • *situation technique*

   de simulación • *simulation technique*

trabajo a destajo • *piecework, production by units*

turno • *shift*

   de día • *day shift*

   de noche • *night shift*

   diurno • *day shift*

   nocturno • *night shift, graveyard shift*

valoración • *assessment*

Bienes y servicios

Una agencia de viajes, México. ¿Qué servicios le ofrece al consumidor este tipo de agencia?

Good merchandise, even hidden, soon finds buyers.
— TITO MACCIO PLAUTO

Long-range planning does not deal with future decisions, but with the future of present decisions.
— PETER F. DRUCKER

El que siembra vientos, recoge tempestades.
— PROVERBIO

Nuestro mensaje es sencillo: si quiere comprar Café de Colombia lo más importante es que la remuneración al productor sea consistente con los precios del mercado en un trato comercial equitativo, transparente y justo.

—FEDERACIÓN NACIONAL DE CAFETEROS DE COLOMBIA (http://www .federaciondecafeteros .org/particulares/es/ sostenibilidad_en_accion/ negocios_equitativos/, consultado: 16 julio 2009)

Traduzca al inglés la cita de arriba y luego comente en español el significado y la validez de esta cita para el mundo de los negocios en general. Dé un buen ejemplo que usted conozca o uno que pueda imaginarse de lo que pudiera suceder si no se sigue este mensaje.

8-1 ## Preguntas de orientación

Al hacer la «Lectura comercial», piense en las respuestas a las siguientes preguntas.

1. ¿Cuáles son algunas preguntas básicas que los gerentes de una empresa tienen que contestar sobre la producción o la oferta de servicios?

2. ¿En qué factores se basan sus decisiones?

3. ¿Qué es un servicio y cómo se clasifican los servicios?

4. ¿Cómo decide una empresa los servicios que va a ofrecer?

5. ¿Qué es un producto y cómo se clasifican los productos?

6. ¿En qué consiste la gestión productora?

7. ¿Qué pasos toman los gerentes para determinar y crear los productos que van a fabricar?

8. ¿Cuáles son las distintas políticas de compra?

9. ¿En qué consiste la administración de materiales?

10. ¿Cómo se puede clasificar el proceso de fabricación?

11. ¿Qué actividades deben emprender los jefes de producción para mantener y mejorar la calidad de los bienes elaborados?

12. ¿Qué opina usted del proverbio africano citado por Thomas Friedman en su importantísimo libro *La tierra es plana*?

13. En el contexto de los negocios, la producción de bienes y la oferta de servicios, ¿qué quiere decir la siguiente cita de Michael Hammer: "cuando los recuerdos exceden los sueños, es que el fin está cerca"?

14. ¿Está usted de acuerdo con la idea de que el mundo de los negocios es plano? ¿Hay diferentes retos para la ética empresarial en un mundo plano?

LECTURA COMERCIAL

Productos y servicios

Además de los asuntos referentes a recursos humanos, tratados en el capítulo anterior, el alto mando de una firma tiene otras responsabilidades administrativas para mejor lograr sus fines de lucro. Entre éstas figuran la producción de bienes y la oferta de servicios. Al iniciar estas actividades, los gerentes tienen que contestar algunas preguntas fundamentales: ¿Qué bienes van a producir y qué servicios van a ofrecer? ¿Cuántos? ¿Cómo van a producirlos y cómo van a ofrecerlos? ¿A quién? ¿Cuándo? ¿Dónde? ¿Cómo van a controlar el proceso manufacturero y la calidad del producto o servicio?

Con respecto a la primera pregunta, los gerentes procuran producir u ofrecer todo lo que le haga falta al ser humano, o sea, todo lo que se necesite para sobrevivir y progresar. En otras palabras, producen bienes y servicios que necesitan o desean los consumidores, para así satisfacer la demanda.

Servicios

Los bienes y servicios se asemejan en ciertos aspectos y se diferencian en otros. Ambos resultan del trabajo y satisfacen ciertas necesidades o deseos de los consumidores. También tienen valor económico, social y político, y comprenden toda la actividad productora y la riqueza de un país. Se distinguen en que la producción de bienes materiales resulta en algo tangible, mientras que la prestación de servicios es intangible. Por ejemplo, la instalación de un pozo de petróleo o una lavadora es un servicio, mientras que el pozo, el petróleo y la lavadora son productos. A menudo los bienes y los servicios se combinan, como en una compañía que fabrica y repara aparatos electrodomésticos.

En todos los países se ofrecen o se venden diariamente miles de servicios diferentes. Éstos pueden ser profesionales (financieros, técnicos, legales, médicos), semiprofesionales (reparaciones de automóviles o aparatos electrodomésticos), laborales (construcción, limpieza, jardinería), especiales (servicios de hostelería, viajes, recreo) o pueden ser de oficina (secretaría) o públicos (servicios de gobierno, seguridad, transporte). Se clasifican según los usos y modos de realización. Los usos pueden ser industriales o de consumo. Son industriales cuando se relacionan con la producción (el mantenimiento y reparación de las máquinas de una fábrica) y son de consumo cuando satisfacen alguna necesidad personal (la redacción de un testamento o la venta de alimentos, ropa, computadoras, automóviles, etc.).

En cuanto a su modo de realización, los servicios pueden ser humanos o mecánicos, o una combinación de los dos. Son humanos cuando los emprende una persona, como el contable que prepara las declaraciones de impuestos. Son mecánicos cuando los hace una máquina o aparato, por ejemplo, una lavadora o escalera automática. Frecuentemente el servicio es una combinación de los dos modos de ejecución: el contador que usa una computadora y una calculadora para preparar documentos contables. La calidad y la eficacia de cada servicio dependen de la habilidad de la persona o de la fiabilidad de la máquina que lo ejecuta.

Por supuesto, decidir cuáles servicios se van a proporcionar requiere un análisis de costos y beneficios, así como un estudio de mercado. Los análisis de costos y beneficios indican el punto donde los ingresos empiezan a superar los costos y gastos. Este análisis no sólo ayuda a precisar la rentabilidad de la empresa, sino que aporta información para mejorar la efectividad y la eficiencia de sus operaciones. Los estudios de mercado hacen lo mismo al proveer datos acerca de la conducta de los consumidores o usuarios en cuanto a la compra. Describen las actitudes, necesidades, motivos e idiosincrasias de cierto grupo de consumidores, y procuran explicar por qué se valen de unos servicios y no de otros. También analizan las condiciones económicas, sociopolíticas y tecnológicas en las cuales la empresa lleva a cabo sus actividades e informan acerca del tipo, calidad, precio, presentación y distribución de los servicios que se ofrecen, analizando el posible éxito en los mercados señalados.

En la mayoría de los países hispanohablantes predominan los servicios, al igual que en EUA. Esto lo muestra el porcentaje del PIB y el número de personas empleadas en este sector. Ambas cifras suelen ser, por lo general, más de la mitad del total y continúan subiendo (véase las Figuras 8-1 y 8-2).

BREVE VOCABULARIO ÚTIL

análisis de costo-beneficio (m) • *cost-benefit analysis*

bien (n) • *good*

  acabado • *finished good*

  duradero • *durable good*

compra • *buying*

  futura • *forward buying*

  inmediata • *hand-to-hand buying*

control (m) • *control*

  de calidad • *quality control*

  de fabricación • *production control*

  de flujo • *flow control*

  de orden • *order control*

elaboración • *manufacturing, processing*

horario • *schedule*

Entre las áreas de servicios más importantes figuran: hostelería y turismo, carreras profesionales, administración de empresas, administración pública (gobierno) y construcción. A menudo, éstas son las que rinden más posibilidades de trabajo así como mejores pagos. También indican la orientación económica del país. El turismo, por ejemplo, es una de las industrias más grandes del mundo, dando empleo a un 7.6% de los trabajadores mundiales y generando 9.4% de los ingresos globales (unos $5.5 billones [trillion] de dólares EUA) (*Time,* "Tourism: The Vacation Recession," 25 junio 2009, Global 2). La importancia del turismo (cultural, ecológico, de negocios, de sol y playa, de aventura, médico, científico, etc.) sigue en aumento en Latinoamérica donde en 2007 aportó un récord de $59.8 mil millones de dólares EUA (Naciones Unidas, Organización Mundial del Turismo).

Bienes

Los productos son bienes tangibles de dos tipos: de consumo e industriales. Bienes de consumo son aquéllos que se venden al público general. Pueden ser artículos de primera necesidad (comida, bebida, ropa), bienes secundarios (aparatos electrodomésticos, muebles) o bienes especiales o de lujo (joyería fina, automóviles de lujo). Hay que tener en cuenta que lo que representa un lujo puede variar según la cultura o contexto, que con el tiempo algunos lujos se convierten en necesidades o que durante una recesión algunas necesidades se convierten en lujos. Los bienes industriales, en cambio, son aquéllos que se usan para elaborar productos. Pueden

Figura 8-1 ▶ **Servicios (incluye gobierno) como porcentaje de PIB nacional en 2008** *(Gráfico de M. S. Doyle)*

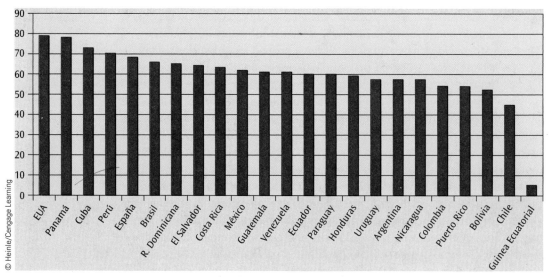

© Heinle/Cengage Learning

FUENTES: *CIA World Factbook 2009, The World Almanac and Book of Facts 2009* y *Almanaque mundial 2009*

Figura 8-2

Sector de servicios (incluye gobierno) como porcentaje PIB y de trabajadores nacionales en 2008 *(Gráfico de M. S. Doyle)*

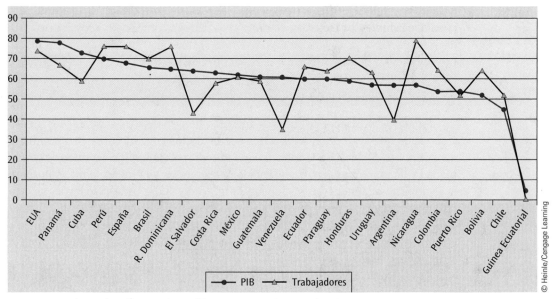

NOTA: Datos sobre trabajadores no disponibles para Guinea Ecuatorial en 2008.

FUENTES: *CIA World Factbook 2009, The World Almanac and Book of Facts 2009* y *Almanaque mundial 2009*

ser materias primas (hierro, cobre, plomo), bienes semiacabados (las piezas de una máquina o de un auto), bienes acabados (tornillos, martillos), bienes duraderos o de capital o de equipo (fábricas, computadoras) o bienes de abastecimiento (aceite para máquinas, papel para periódicos). Ambos tipos de productos se elaboran bajo la dirección de los gerentes de manufactura.

Las empresas hispanoamericanas no suelen establecer maquiladoras u otras fábricas de producción de costos reducidos fuera de sus fronteras debido a la disponibilidad de mano de obra barata dentro de sus países. En México, por ejemplo, se ensamblan en las maquiladoras tantos bienes que no sólo se exportan al exterior sino que se están creando nuevos centros industriales para el consumo nacional. Todas estas operaciones están produciendo cierta prosperidad económica, pero también representan problemas para la industria nacional tradicional: 1) la falta de tecnología y de peritos; 2) la escasez de capital y de modos de producción modernos; y 3) el aumento de la competencia encarnizada. También producen una serie de dificultades socioeconómicas tales como la falta de seguros médicos y sociales, salarios muy bajos, migración del campo a las ciudades y a los centros de maquila, explotación de la mujer, altas tasas de desempleo, etc. Algunos gobiernos y empresas, tanto hispanos como extranjeros, mediante subsidios o préstamos, han procurado cambiar esta realidad negativa, al menos en el sector industrial. Han instalado nueva maquinaria, han proporcionado capacitación, han privatizado empresas que pudieran competir en el mercado internacional y han concedido beneficios laborales adicionales.

Ahora, para determinar qué bienes y servicios se ofrecerán, hay que tener en cuenta los siguientes factores:

- estudio de mercado
- estado financiero empresarial
- gestión productora

Estudio de mercado. El estudio de mercado precisa detalles acerca de los bienes y servicios que se venden y los datos acerca de los compradores y su conducta consumidora. Se basa en la información que proporcionan los gerentes de contabilidad y de marketing, analiza el estado de ganancias y pérdidas, e informa sobre la segmentación, encuestas y sondeos de mercado. Todas estas actividades se describirán más detalladamente en el Capítulo 9. Después de examinar esta información, el alto mando o la gerencia general tiene una idea preliminar de qué bienes o servicios van a elaborar o prestar. Les queda averiguar el estado financiero de la empresa así como el costo-beneficio de la producción.

Estado financiero empresarial. Antes de iniciar la producción u oferta de bienes y servicios, los gerentes tienen que decidir si cierta actividad es factible y rentable. Tienen que averiguar si hay suficiente capital, personal y medios productivos disponibles para realizar la producción o la prestación de servicios, y tienen que analizar el costo-beneficio de lo que se piensa producir u ofrecer como servicio. En otras palabras, tienen que estudiar la información que proporcionan los contadores: balance general, estado de ganancias y pérdidas y el estado de flujo efectivo. Si determinan que hay suficientes fondos y que es o va a ser rentable cierta producción o actividad, entonces pueden tomar la decisión preliminar de emprenderla.

Gestión productora. En cuanto se reciban del alto mando las recomendaciones necesarias, los gerentes de producción las estudian y analizan para mejor realizar la producción. Es una labor compleja e intensa que requiere la atención, pericia y cooperación de todos los directores. Consta de las siguientes tareas:

1. determinar, en base a la información proporcionada por la gerencia general o alta gerencia, si se puede producir o no los bienes y servicios recomendados dentro de los medios y fondos disponibles y asignados.
2. si se producen, seleccionar y administrar los modos y medios de producción.
3. elaborar y controlar los bienes y servicios producidos:
   - especificar los productos de fabricación, teniendo en cuenta el tiempo que durará el producto después de su manufactura (la obsolescencia técnica o planificada).
   - seleccionar y administrar los materiales de producción.
   - elaborar y controlar los bienes producidos.

Especificación de los productos de fabricación. Una de las primeras tareas de los gerentes manufactureros es decidir qué productos se van a elaborar. Basados en los estudios de mercados y análisis de costos y beneficios, procuran justificar la producción de ciertos bienes y tratan de hallar maneras de mejorarlos y distinguirlos de los de la competencia.

Una parte importante de este proceso son los proyectos de investigación y desarrollo, los cuales constan de las siguientes fases:

1. conceptualización del producto por parte de los directores de tecnología o de ingeniería.
2. evaluación y selección de las ideas concebidas por parte de los ingenieros o técnicos, conforme a los criterios de manufactura y comercialización.
3. presentación a la alta gerencia de las ideas elegidas.
4. aprobación por ésta de los productos ideados.
5. elaboración de los productos.

Si la información obtenida por medio de este proceso apoya los productos existentes o propuestos, y si demuestra que el costo, el beneficio y la venta son favorables, los gerentes recomiendan su fabricación.

Selección y administración de los materiales de producción. La elaboración de productos consiste en la selección, compra y administración de materiales, máquinas y herramientas que necesita la fábrica para sus operaciones. Primero, los gerentes hacen periódicamente un inventario de la empresa. Revisan todos los materiales en existencia e inspeccionan los bienes muebles e inmuebles y el equipo. Si la empresa carece de materiales, los gerentes de compras precisan la descripción, cantidad y fecha de entrega de cada artículo, y procuran conseguir de sus abastecedores los mejores materiales al mejor precio. Según sus necesidades y estado financiero, se valen de una o más de las siguientes políticas:

1. **compras inmediatas.** Son las que se realizan con frecuencia y en pequeñas cantidades, especialmente al fluctuar los precios. Sirven para evitar la acumulación de existencias a precios altos.
2. **compras futuras.** Son las compras a un precio especificado, con la entrega y el pago en una fecha futura ya acordada.
3. **compras especulativas.** Son las compras realizadas con el propósito de obtener una ganancia rápida a raíz de un cambio (subida) de precio.
4. **compras por contrato.** Son las que se hacen con un solo proveedor para conseguir un trato favorable respecto a precios y fechas de entrega.
5. **compras por cotización sellada.** Son compras hechas por medio de la entrega de propuestas (ofertas de compra) selladas, las cuales son

estimaciones de precio que se le presentan a un cliente potencial. Las propuestas selladas se mantienen secretas, y no se comunican a otros competidores. La propuesta sellada no se revela hasta un momento señalado para garantizar la independencia de los ofertantes (postores, licitadores o licitantes).

6. **compras recíprocas.** Son las que le hace una firma al cliente y viceversa. Tienden a reducir el número de proveedores, a la vez que suben los precios de los bienes y servicios vendidos. Pueden representar una práctica abusiva y antieconómica, que se usa para mantener una clientela permanente.

Después de elegir la política deseada, los gerentes de compras, mediante cartas de cotización y otros documentos comerciales afines, hacen los pedidos. Precisan todos los datos necesarios—marca, clase, tamaño, estilo, color, número, precio por unidad y precio total—e indican las condiciones de pago, embalaje y transporte. Cuando llegan los materiales o bienes de equipo, los gerentes necesitan administrarlos. Los inspeccionan de acuerdo con los datos especificados en los pedidos y notifican a los proveedores de cualquier avería, defecto o discrepancia. Luego, asientan las compras de los materiales en los libros de contabilidad y anotan su localización desde su recepción hasta su transformación en productos acabados, en un proceso conocido como control de materiales. Después, emprenden el control de inventario, precisando el número de mercancías almacenadas, el nivel óptimo de materiales requeridos para la producción y los costos de inventario.

Una vez realizado el inventario, los gerentes de almacenaje y de tráfico guardan y transportan los bienes materiales, tanto dentro como fuera de la fábrica. Averiguan el espacio disponible para las existencias, así como su costo y localización, y ayudan a despachar los pedidos.

Elaboración y control de los bienes producidos. Después de hacer las compras requeridas y el inventario, los gerentes de producción elaboran y administran los productos. La elaboración de bienes materiales consiste en los procesos de fabricación y de control. La manufactura moderna depende más que nunca de la tecnología y la máquina herramienta, la cual «ha jugado un papel fundamental en el desarrollo tecnológico del mundo hasta el punto que no es una exageración decir que la tasa del desarrollo de máquinas herramientas gobierna directamente la tasa del desarrollo industrial» (Ing. Iván Escalona, «Diseño y manufactura asistidos por computadora», www.monografias.com). Al principio, «el factor predominante que condicionó todo automatismo fue el aumento de productividad. Posteriormente, debido a las nuevas necesidades de la industria aparecieron otros factores no menos importantes como la precisión, la rapidez y la flexibilidad» (Escalona). Actualmente, los programas CAD *(Computer Aided Design)*, CAM *(Computer Aided Manufacturing)* y CIM *(Computer Integrated Manufacturing)* se usan con el control numérico y los robots.

CAD/CAM [son el] proceso en el cual se utilizan los ordenadores o computadoras para mejorar la fabricación, desarrollo y diseño de los productos. Éstos pueden fabricarse más rápido, con mayor precisión o a menor precio, con la aplicación adecuada de tecnología informática.

Los sistemas de Diseño Asistido por Ordenador [...] pueden utilizarse para generar modelos con muchas, si no todas, de las características de un determinado producto. Estas características podrían ser el tamaño, el contorno y la forma de cada componente, almacenados como dibujos bi y tridimensionales. Una vez que estos datos dimensionales han sido introducidos y almacenados en el sistema informático, el diseñador puede manipularlos o modificar las ideas del diseño con mayor facilidad para avanzar en el desarrollo del producto. Además, pueden compartirse e integrarse las ideas combinadas de varios diseñadores, ya que es posible mover los datos dentro de redes informáticas, con lo que los diseñadores e ingenieros situados en lugares distantes entre sí pueden trabajar como un equipo. Los sistemas CAD también permiten simular el funcionamiento de un producto.

Hacen posible verificar si un circuito electrónico propuesto funcionará tal y como está previsto, si un puente será capaz de soportar las cargas pronosticadas sin peligro e incluso si una salsa de tomate fluirá adecuadamente desde un envase de nuevo diseño. Cuando los sistemas CAD se conectan a equipos de fabricación también controlados por ordenador, conforman un sistema integrado CAD/CAM.

(Iván Escalona, «Diseño y manufactura asistidos por computadora», http://www.gestiopolis.com/recursos/documentos/fulldocs/ger1/macives.htm, visitado 6/21/09)

1. ¿Qué son el CAD y la CAM, y qué ventajas ofrecen en la fabricación de productos?

2. ¿De qué pueden generar modelos y en qué formas pueden almacenarlos?

3. ¿Cómo facilitan CAD/CAM el trabajo en equipo de los diseñadores e ingenieros?

4. ¿Qué es la simulación del funcionamiento de un producto? ¿Cuáles son los ejemplos de simulación que se dan en esta breve lectura? ¿Conoce otros?

5. ¿Le parece que los CAD/CAM son necesarios para la manufactura de bienes? ¿Qué efectos tienen sobre el empleo/desempleo y la capacitación de empleados y trabajadores?

El proceso de fabricación se clasifica según su naturaleza, duración o carácter. El proceso, por naturaleza, puede ser:

1. **extractivo**, la extracción de minerales y otras sustancias del agua o de la tierra.

2. **analítico**, la descomposición o conversión de materiales básicos en otros finales, como el petróleo bruto en gasolina o la tela en ropa.

3. **sintético**, una combinación de elementos químicos o físicos para elaborar productos como rayón o automóviles.

Cuando se utiliza la línea de montaje en relación con la producción en masa, se llama **proceso de ensamble** o **de ensamblaje**.

La **producción por duración**, en cambio, tiene dos formas: continua o intermitente. En la primera, la producción es constante, mientras que en la segunda, la elaboración se realiza en diversos períodos de corta duración. La **producción por carácter** también es de dos clases: estándar u ordenada. En la primera se elaboran de modo continuo toda clase de bienes para el público. En la segunda, sólo se producen ciertos tipos de bienes, en lotes pequeños, para clientes particulares. Las firmas hispanas han tendido a valerse más de la producción intermitente y ordenada, y en los EE.UU. se ha utilizado más la producción continua y estándar.

Mientras los gerentes de producción eligen el sistema de elaboración más adecuado, los de inspección inician el control de fabricación. Coordinan y supervisan la mano de obra, el equipo y los materiales, y vigilan los distintos procesos de producción. Se sirven de dos formas para lograr sus fines: el control de órdenes y el control de flujo. Se utiliza el control de órdenes para pedidos individuales, y el de flujo para la producción continua y la venta futura.

En cualquier sistema, los gerentes generalmente adoptan los siguientes pasos de operación:

1. **planificación.** Analizar los pedidos y la disponibilidad de materiales y equipo, y precisar los procesos y el tiempo para llevarlos a cabo.

2. **ruta.** Determinar la vía y la secuencia de fabricación.

3. **programación.** Fijar los horarios de producción.

4. **ejecución del trabajo.** Comprobar la realización de cada etapa anterior, lo más eficazmente posible.

Al mismo tiempo que realizan la producción, los gerentes manufactureros también emprenden las siguientes actividades administrativas:

1. **mezcla de productos.** Determinar los diversos productos que se van a elaborar y los recursos y procedimientos que se utilizarán.

2. **mantenimiento del equipo.** Decidir los métodos preventivos o reparativos para conservar el buen estado del equipo.

3. **control de calidad, inspección y garantía de calidad.** Establecer las normas de producción. Si éstas no se siguen, o si se vende un producto defectuoso que causa daños o perjuicios, se corre el riesgo costoso de tener que indemnizar (responsabilidad del productor) a la persona o entidad perjudicada.

4. **mejoramiento de trabajo.** Realizar mejoras físicas y tecnológicas para facilitar los procesos de fabricación, el ambiente laboral y el control de producción.

En su imprescindible libro *La tierra es plana: Breve historia del mundo globalizado del siglo XXI* (*The World Is Flat* trad. de Inés Belautegui), el autor Thomas Friedman explica cómo la nueva realidad—lo normal nuevo—de la producción y la oferta de bienes y servicios tiene que aprovecharse de y competir en un mundo súbitamente aplanado por la tecnología, la **subcontratación** (*outsourcing*), el traslado de las fábricas y la **cadena de suministros** (*supply-chaining*). Cita un proverbio africano para caracterizar la nueva economía global que funciona de sol a sol sin jamás parar:

Cada mañana en África se despierta una gacela.
Sabe que tiene que correr más rápido que el león más veloz si no quiere que la mate.

Cada mañana se despierta un león.
Sabe que tiene que ganar a la gacela más lenta si no quiere morirse de hambre.
Da igual que seas león o gacela.
Cuando salga el sol, más te vale empezar a correr (125).

En el mundo plano de hoy y mañana, con la llegada económica de BRIC (Brasil, Rusia, India y China) y otros países competidores, hace falta ser atento, rápido, ágil e innovador, pues los leones del comercio fácilmente se pueden convertir en gacelas. Para cualquier empresa u operación, tal como afirma Michael Hammer, "cuando los recuerdos exceden los sueños, es que el fin está cerca" (467).

8-2 Actividades

1. **¿Qué sabe Ud. de negocios?** Vuelva a las «Preguntas de orientación» y a la pregunta que acompaña la foto al principio del capítulo, y contéstelas en oraciones completas en español.

2. **¿Qué recuerda Ud.?** Indique si las siguientes oraciones son *verdaderas* o *falsas* y explique por qué.

   a. La preparación de un informe es un producto.

   b. Los análisis de costos y beneficios y los estudios de mercado sólo sirven para tomar decisiones respecto a la elaboración de productos.

   c. Para determinar el precio de los productos, se hace el inventario de una empresa.

   d. La costumbre de cierta farmacia de comprar cinco cajas de aspirinas por semana es un ejemplo de compras futuras.

   e. En el proceso extractivo, los materiales son ensamblados frecuentemente a gran escala, como sucede con la fabricación de automóviles.

   f. La mezcla de productos y el control de calidad no son actividades administrativas tan importantes como la fabricación misma.

   g. El control de cantidad es la revisión detenida de productos, según ciertas normas de calidad y producción.

3. **Exploración.** Haga los siguientes ejercicios, usando sus propios conocimientos y opiniones personales.

   a. Algunos países hispanos se están convirtiendo en economías de servicios. ¿Qué servicio le proporcionaría Ud. al mundo hispano, si pudiera establecer su propia empresa? ¿Por qué?

   b. ¿Piensa Ud. que es esencial hacer un análisis de costos y beneficios de un producto o servicio antes de fabricarlo o ponerlo en venta? Explique.

   c. ¿Cuál política de compras le parece mejor para una pequeña empresa? ¿Mediana? ¿Grande?

   d. Si Ud. tuviera que elaborar un producto, ¿qué pasos administrativos seguiría?

   e. ¿Por qué es necesario controlar el proceso manufacturero?

   f. ¿Es más fácil dirigir una empresa de servicios o una de producción? Explique.

   g. ¿Cómo se relacionan los dichos que aparecen al principio del capítulo con los temas tratados?

8-3 Al teléfono

Pistas
15 y 16

1. Lea las siguientes preguntas. Después escuche atentamente la conversación telefónica del Capítulo 8 en el CD y conteste las preguntas. Puesto que la comprensión auditiva es una destreza comunicativa sumamente importante, se recomienda escuchar el CD varias veces.

   a. ¿Por qué llama Goods a Colombia?
   b. ¿De qué problemas quiere tratar Goods específicamente?
   c. ¿Qué responde el gerente de producción colombiano?
   d. ¿Qué diferencias culturales parecen dificultar un mayor entendimiento entre los dos hombres?

2. Basando sus comentarios en la conversación telefónica del ejercicio anterior, haga la siguiente llamada telefónica a otro/a estudiante de la clase. Cada persona deberá participar activamente en la conversación. Si necesita ayuda con esta actividad, véase el Apéndice 1, «Protocolo telefónico», página 457.

   Usted es el Sr. Barry Goods, vicepresidente de la empresa Ecuacol Tejidos en Atlanta, Georgia. Para responder a las preocupaciones del Sr. Platero Herrero, el gerente de su planta en Barranquilla, Colombia, llame usted al/a la presidente/a de Ecuacol y explique por qué se necesita enviar a Colombia a un/a técnico/a de habla española que sepa utilizar las nuevas máquinas computerizadas para enseñarle al personal en las fábricas a usarlas. Luego, comenten las desventajas culturales de los horarios que se consideran excesivos e injustos y que insisten en una jornada variable que a veces abarca siete días.

3. Haga la siguiente llamada telefónica a otro/a estudiante de la clase. Cada persona deberá participar activamente en la conversación. Si necesita ayuda con esta actividad, véase el Apéndice 1, «Protocolo telefónico», página 457.

   Ud. es jefe/a de control de producción de una compañía estadounidense de ropa que tiene una fábrica de tejidos en Quito. Se acaba de informar de una huelga que han declarado las obreras de esta plaza. Ellas se quejan no sólo de los bajos salarios sino también de los modos de producción obsoletos y peligrosos. Especialmente se quejan del uso de las antiguas máquinas de coser averiadas que han ocasionado lesiones a varias mujeres. Llame al/a la supervisor/a de la fábrica ecuatoriana y comente con él/ella cómo se pueden solucionar estos problemas, para poner fin a la huelga.

8-4 Navegando por Internet

Para hacer este ejercicio de Internet, visite la página web del libro. www.cengage .com/spanish/exito.

8-5 Ejercicios de vocabulario

Si le es necesario, consulte la «Lectura comercial» o la lista de vocabulario al final del capítulo para completar estos ejercicios.

1. **¡A ver si me acuerdo!** Usted está preparándose para entrevistar en español al gerente de compras de Inducom, S.A., una compañía industrial hispana recién instalada en su país. Sin embargo, se le olvidan a Ud. los siguientes términos en español. Un/a compañero/a lo/la ayuda a recordarlos al pedirle a usted que se los traduzca.

   a. *supplies*
   b. *routing*
   c. *CAM*
   d. *schedule*
   e. *cost-benefit analysis*
   f. *mass*
   g. *product mix*
   h. *storage*
   i. *assembly line*
   j. *supply-chaining*

2. **¿Qué significan?** Usted es gerente de compras para la compañía multinacional Ecuacaf, S.C., que produce café y otros alimentos y bebidas en Colombia y Ecuador para la exportación. Se le ha asignado a Ud. un/a nuevo/a ayudante a quien Ud. tiene que adiestrar en la operación de su departamento. Lo primero que quiere determinar es si su colega conoce las distintas políticas de compras y frases afines. Pídale a un/a compañero/a de clase que le explique los siguientes términos y que le dé algunos sinónimos si puede.

   a. compras inmediatas
   b. compras por contrato
   c. compras futuras
   d. compras por cotización sellada
   e. compras especulativas
   f. compras recíprocas
   g. proveedor
   h. subcontratación
   i. garantía de calidad
   j. elaboración
   k. bienes acabados
   l. bienes duraderos

3. **Entrevista profesional.** Ud. se presenta para una entrevista de trabajo con el/la gerente de producción de una compañía industrial quien le hace las siguientes preguntas para averiguar sus conocimientos del ámbito. Haga la entrevista con otro/a compañero/a de clase. No se olviden del protocolo ni de las cortesías.

   a. ¿En qué categorías se dividen los bienes y servicios?
   b. ¿Cómo se sabe si un producto es rentable?
   c. ¿Cuáles son las etapas de gestión productora?
   d. ¿Cuáles son las etapas del control de producción?
   e. ¿Qué necesitan hacer los gerentes de producción para evitar problemas de responsabilidad del productor?

4. **Traducciones.** Usted quiere repasar los elementos y las etapas de la producción como parte de un plan de fundación de su propia fábrica. También quiere mejorar su expresión escrita en español. Opta por traducir las siguientes oraciones porque le ayudan a lograr ambos objetivos.

   a. *Product management includes determining the goods to be made, selecting and managing the materials to be used, and manufacturing the products to be sold.*
   b. *Cost-benefit analysis helps to decide which products should be made based on production costs, volume, and anticipated profit.*

c. *Several types of materials can be used in the manufacturing process: raw materials, unfinished goods, finished goods, and capital goods and supplies.*

d. *Besides the various types of purchasing policies, managers must also take care of inventory and transportation.*

e. *Production itself is governed by planning, routing, scheduling, and performance control as well as by the specific processes of quality control and equipment maintenance.*

UNA VISTA PANORÁMICA DE COLOMBIA

Nombre oficial:	República de Colombia
Gentilicio:	colombiano/a
Capital y población:	Bogotá (Santa Fe de Bogotá): 7,772,000
Sistema de gobierno:	República
Jefe de Estado/Jefe de Gobierno:	Presidente Álvaro Uribe Vélez
Fiesta nacional:	20 de julio, Día de la Independencia (1810: de España)

Colombia

GEOGRAFÍA Y CLIMA

Área nacional en millas² y kilómetros²	Tamaño (comparado con EUA)	División política	Otras ciudades principales	Puertos principales	Clima	Tierra cultivable
439,736 m² 1,138,910 km²	Casi tres veces el tamaño de Montana	Un distrito capital y 32 departamentos	Medellín, Cali, Barranquilla, Cartagena	Barranquilla, Cartagena, Buenaventura	Tropical en la costa y las llanuras del este, más templado en la altiplanicie	4%

DEMOGRAFÍA

Año y población en millones			% urbana	Distribución etaria		% de analfa- betismo	Grupos étnicos
2010	2015	2025		<15 años	65+		
46.3	49.4	55.3	73%	29%	6%	7%	58% mestizo, 20% blanco europeo, 14% mulato, 4% africano, 1% amerindio

ECONOMÍA Y COMERCIO

Moneda Nacional	Tasa de infla- ción 2008	N° de trabajadores (en millones) y tasa de desempleo	PIB 2008 en millones $EUA	PIB per cápita	Distribución de PIB y de trabajadores por sector*			2008 Exporta- ciones en millones $EUA	2008 Importa- ciones en millones $EUA
					A	I	S		
El peso	7.7%	21.3 11.8%	$407,200	$9,000	9%	37%	54%	$41,000	$38,900
					22%	19%	59%		

*Para distribución del PIB y de los trabajadores (mano de obra): A = Agricultura, I = Industria, S = Servicios (y Gobierno).

Recursos naturales: Carbón, petróleo, gas natural, hierro, níquel, oro, plata, cobre, platino, esmeraldas, energía hidroeléctrica.

Industrias: Textiles, procesamiento de alimentos, petróleo, confección (ropa) y calzado, bebida, productos químicos, cemento, oro, carbón, esmeraldas, maquinaria, papel, productos de madera, farmacéuticos, equipo eléctrico.

COMERCIO

Productos de exportación: Derivados de petróleo, café, carbón, ferroníquel, esmeraldas, oro, bananas, flores recortadas, productos químicos y farmacéuticos, textiles y confecciones, azúcar, contenedores de papel de cartón, cemento, plásticos de resina y manufacturados, alimentos, tabaco.

Mercados: 35% EUA, 17% Venezuela, 4% Ecuador (2007).

Productos de importación: Equipo industrial y de transporte, maquinaria, alimentos, metales, productos químicos, vehículos de motor, combustibles, productos de papel, bienes de consumo.

Proveedores: 26% EUA, 10% China, 9% México, 7% Brasil, 4% Venezuela (2007).

Horario general de comercio: De lunes a viernes, desde las ocho de la mañana hasta las seis de la tarde. El almuerzo se come normalmente entre el mediodía y las dos de la tarde.

TRANSPORTE Y COMUNICACIONES

Kilómetros de carreteras y % pavimentadas	Kilómetros de vías férreas	N° de aeropuertos con pista de aterrizaje pavimentada	N° de líneas telefónicas	Radios por mil personas	Televisores por mil personas	N° de usuarios de Internet en millones
164,257/24%	3,304	103	7,900,000	539	279	12.1

IDIOMA Y CULTURA

Idiomas	Religión	Comidas y bebidas típicas/Modales
Español (oficial) y más de 60 lenguas indígenas (chibcha, guajiro, etc.)	90% católica romana	Arroz con pollo, frijoles con chicharrón, piquete, cuchuco, peto, arepa, sancocho, tamales, empanadas, changua, buñuelos, arroz de coco, café, aguardiente. No comer demasiado, pues da la impresión de que los anfitriones no le han dado suficiente de comer.

Horario normal del almuerzo y de la cena: Mediodía para el almuerzo; entre las siete y las ocho de la noche para la cena.

Gestos: Mantener el buen contacto visual al hablar con otra persona. Se considera maleducado el interrumpir a otra persona cuando habla y el dar un paso atrás para distanciarse de alguien al hablar. Bostezar en público indica aburrimiento o que uno tiene hambre. Para señalar la altura de un animal, se usa la mano con la palma hacia el suelo; pero para señalar la altura de una persona, se cambia la mano a una posición vertical o de costado. Poner una mano, con la palma abierta, bajo el otro codo indica que alguien es tacaño.

Cortesía: Durante el saludo, darse la mano sin apretar mucho. Cuando se visita la casa de alguien para comer o cenar, los anfitriones no esperan recibir ningún regalito, aunque se aprecian las flores, los chocolates y los pastelitos como señal de aprecio y de agradecimiento. Es descortés comer en público sin primero invitar a los presentes a probar un poco de su comida también. No hacer un regalo de azucenas o caléndulas porque son para los funerales.

LA ACTUALIDAD ECONÓMICA COLOMBIANA

Colombia es el único país del continente sudamericano que tiene fronteras con dos océanos: el Atlántico y el Pacífico. Tiene tres zonas geográficas fértiles: la costa al este, la sierra en el centro y una llanura selvática en el este. Su clima es tropical en las costas y la llanura (Cartagena y Barranquilla), primaveral y lluvioso en las montañas (Cali y Medellín) y templado en la altiplanicie (Bogotá). Por estar en el ecuador, la temperatura y los productos agrícolas cambian según la altitud. Se cosecha una gran variedad de cultivos, pero se destaca el famoso café colombiano, hasta hace poco la principal exportación del país. En 2008 fue el líder mundial en la producción y comercio de coca ilegal (http://www.co.all-biz.info/news/index .php?newsid=415), aunque hubo más extradiciones de narcotraficantes en 2007 bajo las políticas del Presidente Uribe. Sin embargo, provee un 90% de la cocaína que se consume en los EUA, la cual ha reemplazado al café como la principal fuente de ingresos nacionales y de lucro. Colombia es un país rico en recursos naturales como el petróleo, el carbón, el gas natural y otros minerales; y produce el 4% del níquel, el 15% del ferroníquel y más esmeraldas que cualquier otro país del mundo.

Las guerras civiles, entre conservadores y liberales, como «La Violencia» (1946–1956), han causado cientos de miles de muertes y la interrupción frecuente de la producción y distribución de bienes y servicios. El narcotráfico también ha dado lugar a muchas muertes y al soborno y la corrupción de oficiales y funcionarios estatales. Durante los años setenta y ochenta, varios presidentes colombianos lucharon contra varios grupos revolucionarios de izquierda: el M-19 (Movimiento 19 de Abril), las FARC (Fuerzas Armadas Revolucionarias de Colombia), y el ELN (Ejército de Liberación Nacional). Esta situación aumentó la inestabilidad y la violencia, lo que les permitió a los carteles del narcotráfico controlar sectores del país.

En la década de los noventa, se crearon varias organizaciones paramilitares derechistas como las Autodefensas Unidas de Colombia (AUC), ayudadas por el ejército y la policía y pagadas por los terratenientes, que fomentaron una reacción a los traficantes. Los presidentes colombianos entre 1990 y 2002 intentaron controlar la situación, pero sin mucho éxito, en parte porque en países como EUA hay una gran demanda de cocaína. César Gaviria Trujillo (1990–1994) ofreció leves castigos a los narcotraficantes que se entregaran a la policía, pero esta política tampoco tuvo mucho éxito. Ernesto Samper (1994–1998) fue acusado de haber usado dinero conseguido del tráfico de drogas, pero fue declarado inocente. Andrés Pastrana Arango, un conservador (1998–2002), prometió la eliminación de corrupción gubernamental. Su Plan Colombia, un esfuerzo serio contra la producción de drogas, recibió un apoyo de $EUA 1.3 mil millones. El ejército recibió más libertades en su trato de los grupos rebeldes, pero han aumentado los casos de violación de los derechos humanos por parte de los militares. Todo esto dio por resultado un aumento en los índices de secuestros y en los asesinatos cometidos por las guerrillas revolucionarias, las organizaciones paramilitares, los traficantes de drogas y los criminales. También causó la emigración de dos millones de refugiados.

En 2002, el liberal Álvaro Uribe Vélez llegó a la presidencia. Uribe pudo arreglar un acuerdo de paz que causó una gran desmovilización de las AUC y la entrega de las armas de miles miembros de las FARC, del ELN y de otros grupos. En 2005 se firmó la Ley de Justicia y Paz que redujo los castigos para los desmovilizados. Después de un cambio en la Constitución, Uribe fue reelegido en 2006 y luego las fuerzas del FARC fueron vencidas en las zonas urbanas, aunque seguían controlando las zonas rurales en el sur y el este del país. Entre 2002 y 2007 Colombia experimentó un desarrollo creciente debido a la seguridad doméstica, el alza en los precios de sus mercancías y las políticas económicas y sociales del Presidente. El desempleo bajó un 25% y la pobreza bajó un 20%. En 2008, debido a la crisis financiera mundial, el desarrollo económico decayó y Uribe tuvo que iniciar nuevas políticas para diversificar los destinos de las exportaciones y reducir la dependencia de su comercio con EUA y Venezuela. Actualmente la comunidad empresarial colombiana se preocupa mucho por el impacto de la recesión global, la demora en el Congreso de EUA para aprobar el Acuerdo de Promoción Comercial entre Estados Unidos y Colombia (*Colombia Trade Promotion Agreement* o *CTPA*) y un posible nuevo ajuste en la Constitución de Colombia que permitiría que Uribe volviera a ser elegido presidente una tercera vez en 2010, así causando una amenaza a la democracia en un país que históricamente ha sido una de las naciones hispanoamericanas más democráticas y progresistas. El gobierno estadounidense le ha pedido a Uribe que se abstenga de una tercera presidencia.

UNA VISTA PANORÁMICA DE ECUADOR

Nombre oficial:	República del Ecuador
Gentilicio:	ecuatoriano/a
Capital y población:	Quito: 1,701,000
Sistema de gobierno:	República
Jefe de Estado/Jefe de Gobierno:	Presidente Rafael Vicente Correa Delgado
Fiesta nacional:	10 de agosto, Día de la Independencia (de Quito de España en 1809). Ecuador logró su independencia de España en 1822.

Ecuador

GEOGRAFÍA Y CLIMA

Área nacional en millas² y kilómetros²	Tamaño (comparado con EUA)	División política	Otras ciudades principales	Puertos principales	Clima	Tierra cultivable
109,483 m² 283,560 km²	El tamaño de Colorado	22 provincias	Guayaquil, Cuenca, Machala, Portoviejo, Manta	Guayaquil, Manta, Esmeraldas, Puerto Bolívar	Tropical en la costa y en la selva amazónica, templado en los valles de las montañas	6%

DEMOGRAFÍA

Año y población en millones			% urbana	Distribución etaria		% de analfabetismo	Grupos étnicos
2010	2015	2025		<15 años	65+		
14.8	15.9	17.9	63%	31%	6%	9%	65% mestizo, 25% amerindio, 7% español, 3% africano

ECONOMÍA Y COMERCIO

Moneda Nacional	Tasa de inflación 2008	N° de trabajadores (en millones) y tasa de desempleo	PIB 2008 en millones $EUA	PIB per cápita	Distribución de PIB y de trabajadores por sector			2008 Exportaciones en millones $EUA	2008 Importaciones en millones $EUA
					A	I	S		
El dólar de EUA	8.6%	4.6 urbano	8.7%	$107,000	$7,700	7%	34%	60%	$19,400	$16,600
						8%	21%	70%		

*Para distribución del PIB y de los trabajadores (mano de obra): A = Agricultura, I = Industria, S = Servicios (y Gobierno).

Recursos naturales: Petróleo, pesca y mariscos (esp. el camarón), madera, oro, piedra caliza, energía hidroeléctrica.

Industrias: Extracción de petróleo, procesamiento de alimentos, textiles, pesca, productos de madera, de papel y de metal, productos químicos y farmacéuticos, plásticos.

COMERCIO

Productos de exportación: Petróleo, maquinaria y equipo de transporte, bananos, camarones, flores recortadas, pescado, café, cacao, madera, cáñamo.

Mercados: 51% EUA, 14% Guatemala, 11% Honduras, 6% Nicaragua (2007).

Productos de importación: Equipo de transporte, bienes de consumo, vehículos de motor, maquinaria, productos químicos, productos de petróleo, materias primas, materiales industriales, combustibles y lubricantes, bienes de consumo no durables.

Proveedores: 24% EUA, 10% Colombia, 8% China, 5% Brasil, 4% Japón (2007).

Horario general de comercio: De lunes a viernes, desde las ocho de la mañana hasta las seis de la tarde. El almuerzo se come normalmente entre el mediodía y las dos o dos y media de la tarde. Los sábados, desde las ocho de la mañana hasta las doce y media de la tarde.

TRANSPORTE Y COMUNICACIONES

Kilómetros de carreteras y % pavimentadas	Kilómetros de vías férreas	N° de aeropuertos con pista de aterrizaje pavimentada	N° de líneas telefónicas	Radios por mil personas	Televisores por mil personas	N° de usuarios de Internet en millones
43,670/15%	966	104	1,800,000	406	213	1.5

IDIOMA Y CULTURA

Idiomas	Religión	Comidas y bebidas típicas/Modales
Español (oficial), unos 15 idiomas indígenas, especialmente el quechua	95% católica romana	Arroz con pollo, locro, llapingachos, fritada, ceviche, empanadas, arroz con menestra, caldo de bola y cuy. Practicar el arte de la buena conversación durante la comida. Se come toda la comida servida, no se dejan restos en el plato.

Horario normal del almuerzo y de la cena: Sobre la una de la tarde para el almuerzo; entre las siete y las ocho de la noche para la cena.

Gestos: Se frunce la boca en una dirección para señalar algo allí. Se indica una dirección al mover la barbilla hacia arriba («*up the road*») o hacia abajo («*down the road*»). Para indicar que se vuelve pronto, con el dedo índice dibujar en el aire cerca de la cabeza uno o dos círculos. La mano extendida delante del cuerpo y movida de lado a lado indica que ya no queda más de algo (pescado, papas, tomates, etc.) o que el autobús o el taxi está lleno y que no hay cabida. No bostezar, gritar, chiflar o silbar en público. No señalar con el dedo índice para llamar la atención de alguien.

Cortesía: Saludar a cada individuo al llegar a una reunión o comida y despedirse individualmente al marcharse para no menospreciar a nadie o quedar mal. Cuando se visita la casa de alguien para comer o cenar, traer para los anfitriones un regalito como flores, chocolates o pastelitos. Se aceptan las visitas no anunciadas de antemano. Al visitar la casa de alguien, si se llega durante el almuerzo o la cena se le ofrecerá algo de comer y es descortés negarse a probar un poco de lo ofrecido.

LA ACTUALIDAD ECONÓMICA ECUATORIANA

Si bien Ecuador tiene mucho en común con Colombia, se diferencia de aquel en varios aspectos. Ambos se dividen en tres regiones y zonas climáticas casi idénticas y producen cultivos y minerales suficientes para satisfacer las necesidades de sus ciudadanos. Históricamente en la época pre-colonial, el sur de Colombia y todo Ecuador fueron parte del imperio incaico. Ecuador, con una población más indígena que la colombiana, dependió de una economía hasta los años sesenta que fue principalmente agrícola. Como resultado del progresivo proceso de empobrecimiento, los campesinos ecuatorianos tanto como los colombianos rurales han emigrado a las grandes ciudades en busca de una vida mejor, pero han encontrado muchas veces la dura realidad del desempleo y la pobreza urbana.

El petróleo ha llegado a ser la exportación más importante del país, por lo cual se dieron muchas fluctuaciones en la economía nacional durante la década de los noventa. En 1998, por ejemplo, Ecuador sufrió una crisis financiera debido a una repentina caída del precio internacional. Además, la crisis económica asiática causó dificultades en la economía ecuatoriana. Luego, los daños causados por las variaciones climáticas relacionadas con el Niño, sumados a una deuda presupuestaria y una deuda externa enorme ($16.400 millones EUA), la crisis de la industria bancaria, que produjo la dolarización y el uso del dólar de EUA como moneda nacional, provocaron manifestaciones callejeras.

Estas condiciones ocasionaron una serie de cambios presidenciales a finales del siglo XX: Abdalá Bucaram Ortiz («El Loco»), presidente por seis meses en 1996; Fabián Alarcón por cuatro días en 1997; Rosalía Arteaga Serrano por cuatro días en 1997; Fabián Alarcón otra vez por 8 meses entre 1997 y 1998; y Jamil Mahuad por 29 meses en 1998. Esta historia reciente de muchos cambios presidenciales no es nada nuevo en el Ecuador, pues entre 1830 y 1948 el país tuvo 62 presidentes y dictadores. Durante la breve presidencia de Jamil Mahuad, se concluyó en 1998 la guerra con Perú, la cual se había reanudado en 1995. En enero de 2000, Mahuad adoptó el dólar de EUA como la moneda nacional en un intento de reducir la inflación y estabilizar la economía. Doce días después, Mahuad fue derrocado por un golpe de estado planeado por militares y organizaciones indígenas. Gustavo Novoa Bejarano, vicepresidente bajo Mahuad, con el apoyo del militar Lucio Gutiérrez Borbúa, se hizo presidente.

Antes de la dolarización, el país había sufrido una caída en todos los sectores productores. Tanto los bancos como las empresas y otras entidades privadas y públicas, incluso el gobierno, por falta de capital, habían tenido dificultades en realizar sus operaciones y lograr sus metas. Por otra parte, las tasas de inflación y el desempleo habían subido, mientras que los precios de las principales fuentes de ingresos—el petróleo, los bananos, el café y el cacao—se habían estancado, impidiendo regenerar la prosperidad de los años anteriores. El gobierno de Noboa procuró firmar acuerdos con varias instituciones financieras, notablemente con el Fondo Monetario Internacional (FMI), y trató de poner en vigor reformas estructurales y fiscales para solventar la crisis y cambiar la coyuntura negativa del país. Hasta el cambio del sucre al dólar, todo había sido en balde, provocando manifestaciones populares.

Gutiérrez Borbúa ganó las elecciones presidenciales en 2003 con el apoyo de la históricamente marginada población indígena, cuyas manifestaciones por mejores condiciones laborales y más participación en la economía causaron una huelga nacional a fines de 2002. En abril de 2005, el Presidente Gutiérrez bajo las presiones de las grandes alzas en los precios de combustibles, transporte terrestre y electricidad e información divulgada sobre el posible uso de fondos del narcotráfico en las elecciones, tuvo que renunciar la presidencia. Su vicepresidente, Alfredo Palacio, asumió la oficina y se calmó el país. En 2006 Rafael Correa Delgado, el líder más fuerte en años recientes, fue elegido presidente. Ese mismo año en un referéndum, una gran mayoría de los ecuatorianos votaron por una Asamblea Constitucional para reformar la Constitución y las instituciones estatales. La Asamblea despidió al Congreso y dejó el poder en las manos del Presidente Correa. La nueva Magna Carta fue aprobada por el país en abril de 2009. Las nuevas políticas económicas futuras de Correa no quedan claras. La dolarización había estabilizado los resultados económicos desde 2000 hasta 2006 y con esto, más los ingresos de los altos precios de gasolina y la gran cantidad de remesas devueltas al país por trabajadores ecuatorianos en el extranjero, subió el PIB per cápita y bajó el índice de pobreza hasta 2007. Sin embargo, más recientemente Correa ha tenido que confrontar una serie de problemas: menos ingresos de gasolina y remesas, la crisis financiera global que amenaza las ganancias del ecoturismo en las Islas Galápagos, una falta de desarrollo en el sector de minería, quejas de empresas internacionales cuyos contratos sobre inversiones en la industria petrolera fueron violados, las preocupaciones económicas de EUA y sus propios empresarios basados en el puerto de Guayaquil y problemas fronterizos con Colombia relacionados con su ingreso en territorio ecuatoriano para atacar tropas de la FARC. Últimamente siguen las exageradas esperanzas de una nación buscando mejoras inmediatas.

8-6 Actividades

¿Qué sabe Ud. de Colombia y Ecuador?

1. A Ud. lo/la han contratado/a como asesor/a transcultural de negocios internacionales. Como tal, necesita informar a sus clientes sobre Colombia y Ecuador, y recomendar un plan de viaje de negocios a cada país. Investigue datos necesarios para poder desarrollar los temas a continuación.

   a. Describa la geografía de Colombia y Ecuador, refiriéndose a los siguientes temas: ubicación y tamaño de ambos países, capital y otras ciudades y puertos principales, división administrativa y clima. Compare el tamaño de Colombia con el de EUA. Compárelo con el tamaño del estado donde Ud. vive. Compare el tamaño de Ecuador con el de EUA y con el del estado donde Ud. vive.

   b. ¿Cuáles son las principales características demográficas y políticas de Colombia y Ecuador? ¿Quién es el jefe de estado de cada país? Compare las políticas sociales y económicas de estos líderes.

c. ¿Cuándo se celebra la fiesta nacional de cada país? ¿Qué otras fiestas públicas podrían afectar el éxito de un viaje de negocios? (Véase la Tabla 10-1, páginas 306–308.)

d. Describa la economía de cada país. Incluya datos sobre la moneda nacional, la tasa de inflación, el PIB y el PIB per cápita, el número de trabajadores (la mano de obra), la tasa de desempleo, los recursos naturales, las industrias nacionales, los productos de exportación e importación, los países destino (mercados) y proveedores (fuentes) de estas transacciones internacionales, y la balanza de comercio. ¿A cuánto se cotiza cada moneda nacional respecto del dólar EUA?

e. ¿Qué producto o servicio recomendaría Ud. vender en Colombia y Ecuador? ¿Por qué?

f. Compare la infraestructura de transportes y de comunicaciones de cada país.

g. ¿Cómo han cambiado los datos presentados en las secciones de «Vista panorámica» y «La actualidad económica» de este texto? Póngalos al día para cada país.

h. Basándose en «La actualidad económica» de cada país, ¿qué realidades, oportunidades y problemas destacaría y qué recomendaciones le daría al/a la cliente/a?

2. Usando Internet u otras fuentes informativas, prepare un plan (con presupuesto e itinerario) para sus clientes, quienes harán un viaje de negocios a Bogotá, Medellín, Quito y Cuenca. Busque las opciones en Internet, por teléfono, en una agencia de viajes o en el aeropuerto mismo. Comuníquese en español, siempre que sea posible.

a. Fechas de ida y vuelta.

b. Vuelos: aeropuertos de despegue y aterrizaje, líneas aéreas, horario; costos.

c. Transporte interno que se piensa usar en cada país: taxi, autobús, carro de alquiler, metro, tren, otro; costos.

d. Alojamiento y viáticos; costos.

e. La comida típica que van a pedir para la cena la primera noche en cada país.

f. Las formas de cortesía y los gestos que deben recordar, usar o evitar.

LECTURA CULTURAL

Actitudes hacia el tiempo y la tecnología

Hace algunos años un gerente de producción estadounidense, que hablaba poco español, visitó un país sudamericano para negociar un tratado comercial de transmisión de tecnología petrolera. Concertó la cita para las diez de la mañana con el jefe de ingeniería de la empresa sudamericana y llegó a la oficina puntualmente. Esperó impacientemente más de una hora hasta que llegó el ingeniero, quien no pudo acudir a tiempo a causa del tráfico. Éste hizo caso omiso de la inquietud del estadounidense y empezó a preguntarle amablemente sobre varias cosas, en especial sobre su viaje al país. El estadounidense se impacientó aún más, y finalmente insistió en que trataran el propósito comercial de la reunión.

Después de un rato, sin embargo, ambos hombres se dieron cuenta de que no se comprendían muy bien. El gerente estadounidense usaba en inglés términos comerciales y argot (*bottom line, touchdown, dog and pony show*, etc.) que el ingeniero desconocía. Éste, aunque hablaba algo de inglés, no sabía precisar muy bien su falta de comprensión. De todos modos, el ingeniero quería continuar la conversación e invitó al estadounidense a quedarse a comer. El estadounidense miró su reloj y le contestó que no podía porque tenía otra cita. Los dos se despidieron sin llegar a un acuerdo.

En EUA, debido al alto nivel de desarrollo industrial y al énfasis en la planificación organizada y consecutiva, a los estadounidenses les obsesiona el tiempo *(time is money, the early bird catches the worm, time lost is never regained, a stitch in time saves nine)* y la tecnología. Tienen una fama tradicional de adherirse a todos los horarios, sean de trabajo o de diversión, y se esfuerzan por ser puntuales para demostrar responsabilidad y eficiencia. Esto, sin embargo, está cambiando con la joven generación de los milenios, quienes buscan un equilibrio más relajado entre el trabajo y la vida, y para quienes la capacidad de multitarear y crear redes sociales va cobrando mayor importancia. No obstante, muchos estadounidenses se afanan por respetar los plazos fijados para cumplir con las obligaciones y se empeñan en prepararse para poder controlar situaciones imprevistas. Su orientación temporal es hacia el presente y el futuro; creen que con el tiempo y mediante sus propios esfuerzos, pueden controlar los sucesos de su vida. Esta actitud cultural también se ve en su interés por las estadísticas y la tecnología, y su fe en las mismas. Confían en que podrán alcanzar todas sus metas futuras si dedican el tiempo, la energía y los recursos a la investigación y desarrollo científicos, tecnológicos y económicos. Como señala la historia, estas características han impulsado muchos avances tecnológicos en los Estados Unidos, y su uso y compra no sólo por especialistas, sino por el consumidor general en todas partes del mundo.

Históricamente, en muchas partes del mundo hispano, la gente ha tenido hasta hace poco actitudes y conceptos distintos de los de los estadounidenses, lo cual no quiere decir necesariamente ni que mejores ni peores, sino diferentes. Con respecto al tiempo, tradicionalmente no se ha dado tanta importancia ni a la puntualidad ni al futuro, ni tanta a los horarios. Criados tradicionalmente en sociedades principalmente agrícolas en las cuales han predominado los ritmos lentos y cíclicos de la siembra y cosecha, los trabajadores agrícolas labraban día tras día y de sol a sol, y si no acababan cierta faena, la dejaban para el día siguiente. No se obsesionaban tanto por el tiempo ni vivían según el reloj, como había ocurrido en las sociedades industrializadas más tempranamente. Así que, aún hoy día si hay cosas que tienen que hacer o asuntos que despachar, a menos que sean urgentes o personales, muchas personas no se apresurarán ni a empezarlos ni a concluirlos. Los acabarán otro día o en otro momento, cuando puedan o cuando deseen. También, la iglesia católica tradicional en Hispanoamérica en gran parte había comunicado un mensaje de fatalismo y resignación, de que «se hará si Dios quiere» frase que también refleja que la voluntad del ser humano puede tener sus límites.

En cuanto a la tecnología, a través de los años no todos los países hispanoamericanos han tenido la capacidad o la oportunidad de emprender suficientes proyectos científicos ni de investigación. Esto se debe, en parte, al hecho de que muchas empresas de países más desarrollados han sido renuentes a proveer capacitación tecnológica a los países en desarrollo, por proteger su ventaja competitiva. Quizás por estos motivos, los países hispanoamericanos han carecido de suficientes científicos y técnicos, aunque hay figuras sobresalientes, por ejemplo, en Argentina: en 1947 Bernard Houssay recibió el premio Nobel de Fisiología y Medicina; en 1970 el Dr. Luis Leloir recibió el Premio Nobel de Química; en 1972 un equipo de cirujanos transplantó con éxito un ovario a una mujer que no podía tener hijos; en 1974 la Central Atómica empezó sus operaciones como la primera de su tipo en Iberoamérica; y en 1984 César Milstein compartió el Premio Nobel de Fisiología y Medicina. En realidad, la falta de peritos ha sido una de las razones por las cuales los países hispanoamericanos no se han industrializado o post-industrializado tanto como las otras naciones occidentales y han tenido que recurrir a técnicos extranjeros y tecnología importada. Pero esto está cambiando al acelerarse la modernización, aunque de manera desigual, en toda Latinoamérica, especialmente en las grandes capitales y ciudades donde abunda más la tecnología de punta.

En las últimas décadas, muchos jóvenes hispanoamericanos han emigrado de sus países para estudiar en programas más orientados hacia las ciencias, la administración de empresas y la tecnología de punta en las mejores universidades de los países más desarrollados en Norteamérica o Europa. Después, algunos han regresado a sus países de origen para tomar puestos de máxima responsabilidad e importancia en el sector privado o público. Por eso, especialmente en los países hispanos más industrializados, se están adoptando nuevas actitudes y costumbres, y se están tomando nuevas medidas en cuanto a los horarios y la tecnología. (Pero también muchos de los jóvenes profesionales y líderes que se titulan en universidades norteamericanas no vuelven después a sus países con sus especializaciones, sino que se quedan en EUA para vivir y trabajar, lo que representa una fuga de cerebros.) Argentina, Colombia, Chile, España, México, Panamá y Costa Rica, especialmente, están imitando los países más desarrollados. Con respecto a la hora, se han impuesto nuevas prácticas en el horario laboral, la siesta y la puntualidad. Por ejemplo, en 1999 se aprobó en México una ley que elimina la hora de la siesta para los empleados gubernamentales, les permite sólo una hora para el almuerzo y no les autoriza trabajar después de las seis de la tarde. También se ha incrementado el número de horas y días que permanecen abiertas las tiendas, las agencias comerciales y gubernamentales, y las oficinas empresariales y de servicios (bancos, teléfonos, restaurantes, etc.). Como ha sucedido mundialmente en muchas ciudades progresistas desde hace treinta años, los administradores están enfatizando la puntualidad y luchando contra el ausentismo.

Con respecto a la notoria impuntualidad latinoamericana, la reciente «Campaña Nacional por la Puntualidad», lanzada en Ecuador el 1° de octubre de 2003, representa un interesante caso de esfuerzo cívico por crear una nueva cultura nacional que se caracterizará por «empezar a tiempo y terminar a tiempo» (www.participacionciudadana.org, 15/11/04). Aquel día los ecuatorianos hicieron el acto simbólico de igualar sus relojes para iniciar una nueva época en la que llegar a tiempo es un acto de respeto a los demás. El portavoz de la campaña ha sido Jefferson Pérez, campeón mundial de marcha y medallista de oro en los Juegos Olímpicos de 1996 en Atlanta. Y es que la impuntualidad tenía un precio nacional enorme, equivalente a unos 2,500 millones de dólares anuales, o sea, casi un 10% del PIB. Marcelo Fernández, director de la Universidad Internacional de Ecuador, había calculado que con el dinero perdido anualmente por los atrasos, el país podría pagar la deuda externa de cinco años o construir 95,000 aulas escolares (www.elrondador.com/noticias, 1° octubre 2003). Entre los principales infractores contra la puntualidad, figuran los que trabajan para el gobierno, los militares, los hombres de negocios (quienes se atrasan en un 11.6% de sus compromisos) y los estudiantes (un 22% de sus compromisos) («Don't Be Late in Ecuador,» http://travel.discovery.com, 01/10/03). Pero no será nada fácil cambiar este aspecto de la cultura ecuatoriana, en la cual la costumbre de llegar tarde se considera una «defensa de aquellos impuntuales», puesto que el atraso es perfectamente lógico si uno piensa que todos los demás van a llegar tarde también, es decir, ¿por qué adelantarse? Sin embargo, la «Campaña Nacional por la Puntualidad» representa un intento digno de admiración de formar parte de las «naciones puntuales», o sea, de la economía mundial moderna regida por el «tiempo del reloj» (en que los horarios se imponen sobre los sucesos) y no por el «tiempo de los sucesos» (en que los acontecimientos humanos se imponen sobre los horarios). (James Surowiescki, «Punctuality Pays,» www.newyorker.com, 29/03/04)

Lo mejor para un extranjero que visita un país hispano en plan de negocios, es siempre acudir puntualmente a las citas comerciales en la espera de que las reuniones empiecen a la hora indicada. No obstante, en las regiones menos industrializadas, especialmente en el campo y en los pequeños pueblos, todavía se conservan los antiguos conceptos y costumbres, de modo que quien visite estos lugares tiene que ser flexible, observante y atento, y sobre todo cortés, respetuoso y sincero con sus clientes, sus empleados y otros contactos. El tiempo tiene un gran valor tanto en los países hispanos como en EUA, pero se pueden notar diferencias en la manera de usar el tiempo. Pero sin duda, la rapidez, la eficiencia y la puntualidad se hacen prioridades cada vez más en el mundo de los negocios globales.

Comparación general de conceptos del tiempo

EUA	Mundo hispano
Imperativo categórico.	Concepto más relativo y fluido.
Considerado como objeto de gran valor.	La persona vale más que el horario.
Fecha límite/plazo de entrega absoluto.	Fecha límite/plazo de entrega generalmente más flexible.
«Ahora» significa en este mismo momento.	«Ahora» o «ahorita» puede significar que se hará en un momento, («luego» o «al tiro» en Chile), o cuando se pueda (en un rato o ratito).
Cultura de reuniones muy ajustadas.	Programación de menos reuniones al día.
Puntualidad significa «a la hora en punto».	«Mañana» puede significar sencillamente que «no en este momento».

EUA	Mundo hispano
La cena de las 8:00 empieza a las 8:00.	La cena de las 8:00 puede empezar después de las 8:00 (media hora o una hora más tarde).
Las fiestas o reuniones sociales se programan para empezar y terminar a cierta hora, e.g., de 8-10.	Las fiestas o reuniones sociales normalmente empezarán después de las 8:00 (media hora o una hora más tarde) y no se indica a modo de aguafiestas que los invitados se tienen que marchar a una hora señalada («Lo hemos pasado bien, ahora los echamos de casa»). Las fiestas suelen terminar cuando terminan, una prueba más de que las personas y los eventos importan más que el reloj.

En Hispanoamérica, la importancia de conocer bien y de establecer un alto nivel de confianza entre los negociantes sigue siendo un elemento cultural muy importante. El fiarse de alguien es un proceso lento que requiere tiempo y buena voluntad, pero es la clave para no crear barreras ni dificultar las relaciones comerciales. Un/a representante de una empresa que intente ir directamente al grano en las negociaciones comerciales encontrará más dificultades para triunfar en el mundo hispano que la persona que logre establecer fuertes enlaces personales a través del tiempo. La paciencia, al igual que la rapidez, también puede valer oro en los negocios.

8-7 Actividades

1. **¿Qué sabe Ud. de la cultura?** Demuéstrelo contestando las preguntas a continuación.

   a. Compare las actitudes tradicionales estadounidenses e hispanas con respecto al tiempo y a la tecnología, refiriéndose en especial a los distintos orígenes y sus características más notables. ¿Es verdad que existen notables diferencias? ¿Existen también semejanzas? Explique con ejemplos.

   b. ¿Qué factores impiden un mayor desarrollo económico en los países hispanos?

   c. En muchas ciudades o regiones urbanas hispanoamericanas ahora se le da más importancia a la puntualidad («hora americana») y a la tecnología. ¿Qué factores influyen en estas actitudes?

   d. ¿Por qué se lanzó en Ecuador la «Campaña Nacional por la Puntualidad»? ¿Ha tenido éxito esta campaña? Busque más información en Internet.

   e. Utilizando la información cultural de esta sección, ¿cómo resolvería Ud. el conflicto de la narración entre el hispano y el estadounidense al principio de la lectura?

Figura 8-3 Actitudes hacia el tiempo

© Heinle/Cengage Learning

 2. **Minidrama cultural.** Dramaticen lo siguiente y contesten las preguntas.

La Srta. Paula Taylor, gerente de producción de una compañía de ropa estadounidense, acaba de llegar a Guayaquil. Está allí para visitar la fábrica de tejidos que pertenece a su firma, para evaluar el proceso de fabricación y descubrir por qué el proceso no rinde ni la calidad ni la cantidad previstas por la casa matriz. Taylor tiene una cita a las once de la mañana con el gerente ecuatoriano de la fábrica y acude puntualmente. Su anfitrión, el licenciado Osvaldo Lara, no llega hasta las once y cuarto, y no explica su demora. Además, Lara le hace un gesto dibujando rápidamente dos círculos en el aire con el dedo índice y desaparece por otros cinco minutos. Taylor se siente ofendida por esta falta de puntualidad. Cuando por fin se presenta el Lic. Lara, Taylor quiere ir al grano del asunto, pero el Lic. Lara prefiere dedicar un ratito a las cortesías sociales para romper el hielo. Al tratar finalmente el asunto que les interesa, el Lic. Lara sugiere que hagan una visita a la fábrica. A Taylor la escandaliza lo que ve: obreras que, al parecer, no hacen nada, salvo servirse de modos productivos obsoletos...

Srta. Taylor: Me parece que la productividad de las obreras deja mucho por desear.

Lic. Lara: Perdone, señorita Taylor, pero me parece que Ud. se equivoca. Hemos alcanzado todas las cuotas mensuales y con productos de alta calidad. También, las obreras sólo están descansando un rato.

Srta. Taylor: No sé... parece que no están haciendo nada. Además, las pocas que están trabajando todavía se sirven de métodos obsoletos

	y prácticas anticuadas. ¿Qué les pasa? ¿No les gusta cumplir con las indicaciones y directrices de la casa matriz? (Con una sonrisa de superioridad.)
Lic. Lara:	No, señorita. Son muy diligentes y capaces. Bueno... es que todavía no conocen muy bien los nuevos métodos y las máquinas, y creen que los antiguos medios son iguales si no superiores a los modernos y...
Srta. Taylor:	¡No lo son! Además, la compañía ha invertido mucho dinero tanto en los nuevos medios de producción para mejorar e incrementar lo producido, como en capacitar a las obreras. ¡Ellas tienen que usarlos!
Lic. Lara:	Bueno, señorita, es que ninguna entendió porque las instrucciones orales y las escritas se dieron en inglés. Es gente humilde y buena y...
Srta. Taylor:	Esto no tiene nada que ver. Lo que nos interesa es que trabajen y que produzcan y que se sirvan de los nuevos medios de producción. ¿Entendido?
Lic. Lara:	(Algo molesto) Claro que sí, Srta. Taylor. Estamos aquí para servirle.

a. ¿Qué es lo que todavía tiene que aprender la Srta. Taylor? Defienda su selección.

- A los hispanoamericanos les importa el resultado final y no los medios para alcanzarlo, y no aprecian lo nuevo.
- Los hispanoamericanos tienen una actitud más templada respecto al trabajo y su realización.
- Los hispanoamericanos son perezosos y torpes y nunca ven la importancia de ser puntuales ni cumplidores en sus deberes.

b. ¿Qué significa el gesto que hace el Lic. Lara al llegar?

c. ¿Qué estará pensando el Lic. Lara de su encuentro con la Srta. Taylor?

SÍNTESIS COMERCIAL Y CULTURAL

8-8 Actividades comunicativas

1. **Situaciones para dramatizar.** Lea las siguientes situaciones y después haga el papel en español con otro/s estudiante/s, usando las siguientes opciones como punto de partida. Cada persona deberá participar activamente en la dramatización. No olviden el protocolo ni las cortesías.

a. *You are a purchasing manager for a new, small U.S. gasoline chain and are thinking of doing business with the* Corporación Estatal Petrolera Ecuatoriana *(CEPE), a consortium that produces most of the crude oil for Ecuador. Your current needs for oil are modest but may increase in the future. You need to decide on a purchasing policy and meet with the*

Ecuadorean representative of CEPE with whom you have been in contact and who is visiting the U.S. You discuss the following:
- the most appropriate purchasing policy.
- the number and price of the barrels to be purchased.
- the anticipated delivery date.

b. *You are a production manager of a U.S.-based clothing chain that has a plant in Barranquilla. Your firm asks you to discuss with Colombian plant officials who are in your country the following problems, which have resulted in decreased output and sales:*
- *seemingly poor worker attitudes: little dedication, constant lateness, absenteeism, and disregard for production schedules.*
- *a lack of quality control and a policy and mechanism to carry it out.*
- *suggestions for improving each of the above problem areas using both tact and knowledge of cross-cultural differences.*

2. **Comprensión y comunicación.** Para este ejercicio basado en el vídeo de *Éxito comercial, pase al encarte central del texto, VídeoTexto página 9.*

3. **Actividad empresarial.** Usted y un/a amigo/a trabajan para una compañía que investiga los mercados hispanoamericanos nacionales e internacionales. Unos nuevos empresarios se han puesto en contacto con su firma para enterarse de los bienes y servicios o productos más rentables. Como expertos en estos asuntos, se les ha encargado emprender algunas averiguaciones. Uds. deciden realizarlas según la siguiente división temática:

a. los bienes y servicios que necesitan los hispanohablantes que viven dentro del país donde se ubica la compañía de Uds. (seleccionen un país).

b. los productos que requieren los mexicanos, centroamericanos y caribeños hispanos.

c. los bienes y servicios que se necesitan en Sudamérica (o de los países andinos o del Cono Sur).

Después de hacer las investigaciones, recopilen todos los datos en un informe escrito que explica por qué los bienes y servicios elegidos son los más rentables; preséntenselo oralmente, sin leerlo, a la clase.

4. **Minicaso práctico.** Lea el caso y conteste las preguntas a continuación.

Ya desde 1878, el gobierno de Ecuador desarrollaba en la zona amazónica y oriental del país, una zona ecológicamente frágil habitada por varias tribus de indígenas y donde se concentra el 5% de todas las especies de plantas y animales del mundo, lo que sería más tarde la industria petroquímica. En 1937 contrató primero a Shell Corp., y luego en 1964 a Texaco Petroleum Co., subsidiaria de Texaco Corp., para explorar la región en busca de petróleo. Texaco, en particular, iba a diseñar los pozos de petróleo y construir el oleoducto que llevaría el petróleo a la costa del Pacífico a través de los Andes. Para realizar el proyecto, se formó un consorcio entre Petroecuador, compañía estatal ecuatoriana, y Texaco y se firmó un acuerdo de 28 años según el cual aquél sería dueño principal del consorcio y éste socio menor. Durante este período, Texaco contrató a 840 empleados y a 2,000 trabajadores y, además de abastecer las necesidades petroquímicas del país, percibió rentas equivalentes al 50% del PNB de Ecuador. No obstante estos logros económicos y financieros, resultaron graves problemas ecológico-sociales.

Al explotar los yacimientos petrolíferos, Texaco, sin ningún control regulatorio por parte del gobierno ecuatoriano, el cual desconocía las consecuencias de la explotación petrolera, decidió echar los residuos tóxicos de la perforación de petróleo en hoyos de tamaño de una piscina grande al lado de los pozos. Esto no era la costumbre en cuanto a la disposición de tales desperdicios, los cuales se introducían lentamente en la tierra poco fértil de modo que no contaminaran el medioambiente. Después de depositar los restos tóxicos en los hoyos, los restos empezaron a llegar a los ríos y arroyos cercanos y así ocurrió año tras año por casi 30 años. Sólo se ha descubierto recientemente que estos desechos tóxicos no sólo han contaminado el sistema geoecológico, especialmente el del agua, sino que se ha relacionado con la deforestación, la erosión del suelo y los efectos negativos sobre la biodiversidad, además de causar graves enfermedades como el cáncer. De hecho, las tribus indígenas que habitan esta zona amazónica y que mayormente padecieron y siguen padeciendo de las consecuencias de actos de las compañías petroleras, han reclamado contra éstas en la corte, acusándolas de discriminación ambiental y racial además de económico-social, alegando que Texaco en especial no contrataba a trabajadores de origen indio. El pleito se resolvió al pagar Texaco a los demandantes 176 millones de dólares (EUA). Entretanto, la compañía estadounidense declaró que no había hecho nada injusto ni inapropiado. Los demandantes siguen quejándose de los abusos e injusticias y aun le han puesto a Texaco otros pleitos, incluso en los Estados Unidos, sin resolver ninguno de ellos hasta la fecha. Lo que sí han logrado es llamar la atención al problema y a otros semejantes.

a. Describa brevemente la historia de la industria petrolera ecuatoriana de 1878 a 1964 así como la zona afectada.
b. ¿Cómo y por qué se involucró Texaco en el desarrollo de la industria petrolera de Ecuador? ¿Con qué problemas tuvo que enfrentarse y cómo se resolvieron?
c. Si hubiera sido Ud. el encargado de Texaco, ¿qué habría hecho para que no ocurriera tal situación y cómo habría solucionado los problemas resultantes para evitar los pleitos y el rencor?

(Caso basado en <<Ecuador: Justice Case Studies>> de Kristi-Jacques [www .umich. edu/~snre492/Jones/texaco.htm. Visitado: 20 junio 2009])

8-9 **Análisis y comparación**

Estudie la Tabla 8-1 y haga los ejercicios que aparecen a continuación. Use también sus conocimientos y, cuando haga falta, otras fuentes informativas como un diccionario, Internet, etc. Los ejercicios se pueden hacer individualmente, en parejas o en pequeños grupos para discutir en clase.

Tabla 8-1 **Recursos naturales y principales industrias de los países hispanos, Brasil y Estados Unidos**

País	Recursos naturales	Principales industrias nacionales
Argentina	Las pampas (llanuras fértiles), plomo, cinc, estaño, cobre, hierro, manganeso, petróleo, uranio.	Procesamiento de alimentos, láctea, aceite vegetal, azúcar, papel, vino, automóviles, textiles, refinación de petróleo, maquinaria y equipo, hierro, cemento, productos químicos y petroquímicos, bienes de consumo duraderos, imprenta, metalurgia, acero.
Bolivia	Gas natural, petróleo, cinc, tungsteno, antimonio, plata, plomo, oro, hierro, estaño, madera, energía hidroeléctrica.	Minería, fundición, petróleo y derivados del petróleo, procesamiento de alimentos y de bebidas, tabaco, artesanía, textiles y ropa.
Chile	Cobre, madera, hierro, nitrato, metales y piedras preciosas, molibdeno, energía hidroeléctrica.	Minería de cobre y de otros minerales, fabricación de metales, procesamiento de alimentos y de pescado, bebidas, hierro y acero, madera y productos de madera, equipo de transporte, cemento, textiles, derivados del petróleo, papel.
Colombia	Carbón, petróleo, gas natural, hierro, níquel, oro, plata, cobre, platino, esmeraldas, energía hidroeléctrica.	Textiles, procesamiento de alimentos, bebidas, petróleo, confección (ropa), calzado, bebida, productos químicos, cemento, oro, carbón, esmeraldas, maquinaria, papel.
Costa Rica	Energía hidroeléctrica.	Procesamiento de alimentos, textiles y ropa, materiales para construcción, abono, productos de plástico, turismo y ecoturismo, equipo médico, microprocesadores, electrónica, papel.
Cuba	Níquel, cobalto, hierro, cobre, manganeso, sal, madera, sílice, petróleo, cromo, tierra cultivable.	Azúcar, procesamiento de alimentos, bebidas, refinación de petróleo, tabaco, textiles, productos químicos, productos de madera y de papel, metales (esp. el níquel), hierro, cemento, abono, equipo de transporte y maquinaria (esp. agrícola), bienes de consumo, construcción, productos farmacéuticos.
Ecuador	Petróleo, pesca y mariscos (esp. el camarón), madera, oro, piedra caliza, energía hidroeléctrica.	Petróleo, procesamiento de alimentos, textiles, pesca, productos de madera, de papel y de metal, productos químicos y farmacéuticos, plásticos, minerales.
El Salvador	Energía hidroeléctrica y geotérmica, petróleo, tierra cultivable.	Procesamiento de alimentos y de bebidas, ropa y calzado, textiles, petróleo, productos químicos, abono, muebles, metales y minerales, jabón.
España	Carbón, lignito, hierro, uranio, mercurio, pirita de cobre y de hierro, espato flúor, yeso, cinc, plomo, tungsteno, caolín, potasa, energía hidroeléctrica, tierra cultivable.	Textiles, ropa, calzado, procesamiento de alimentos y de bebidas, metales y manufacturas de metal, productos químicos y petroquímicos, construcción de barcos, automóviles, herramientas mecánicas, bienes de consumo, productos electrónicos, turismo, arcilla, productos de refracción, productos farmacéuticos, equipo médico.

Tabla 8-1	(continuación)

País	Recursos naturales	Principales industrias nacionales
Guatemala	Petróleo, níquel, maderas poco comunes, pesca, chicle, energía hidroeléctrica.	Azúcar, alimentos, maquinaria, textiles y ropa, muebles, productos químicos, petróleo, metales, caucho (goma), turismo.
Guinea Ecuatorial	Aceite, petróleo, madera, oro, manganeso, uranio, gas natural, bauxita, diamantes, tantalio, arena y gravilla, arcilla.	Petróleo, pesca, aserraderos, gas natural
Honduras	Madera, oro, plata, cobre, plomo, cinc, hierro, antimonio, carbón, pesca, energía hidroeléctrica.	Azúcar, café, textiles y ropa, productos de madera, químicos, cemento, cigarros, productos alimenticios.
México	Petróleo, plata, cobre, oro, cinc, plomo, gas natural, madera.	Petróleo, alimentos y bebidas, tabaco, sal, productos químicos, minería, hierro, acero, textiles y ropa, papel, vehículos de motor, bienes durables de consumo, turismo.
Nicaragua	Oro, plata, cobre, tungsteno, plomo, cinc, madera, pesca.	Procesamiento de alimentos y de bebidas, productos químicos y de metal, maquinaria, minería, cemento, ladrillo y azulejo, textiles y ropa, calzado, refinación y distribución de petróleo, calzado, madera.
Panamá	Cobre, caoba y bosques, camarones, energía hidroeléctrica.	Construcción, refinación y productos de petróleo, cemento, azúcar, procesamiento de alimentos y de bebidas, metalistería (trabajo en metales), productos químicos, papel y productos de papel, imprenta, minería, ropa, muebles.
Paraguay	Energía hidroeléctrica, madera, hierro, manganeso, piedra caliza.	Elaboración y empacado de carne, machaqueo de semillas oleaginosas, molienda y aserrado, cervecería, textiles, azúcar, cemento, construcción, minería, productos de madera, cuero, electricidad, energía hidroeléctrica.
Perú	Cobre, plata, oro, petróleo, madera, pesca, hierro, carbón, fosfatos, potasa, energía hidroeléctrica, gas natural.	Minería y refinación de minerales, fabricación de metales, extracción y refinación de petróleo, gas natural, pesca, textiles y ropa, procesamiento de alimentos y de bebidas (en particular los refrescos o las bebidas gaseosas), cemento, ensamble de automóviles, acero, construcción de barcos, plásticos, papel, barnices y lacas.
Puerto Rico	Cobre, níquel, potencial de petróleo.	Productos farmacéuticos y electrónicos, ropa, alimentos, maquinaria (eléctrica y no eléctrica), metales, derivados del petróleo, textiles, turismo.
República Dominicana	Níquel, bauxita, oro, plata.	Turismo, azúcar, minería de ferroníquel y de oro, textiles (maquila), cemento, tabaco, cerveza, energía hidroeléctrica productos farmacéuticos.

(continúa)

Tabla 8-1 *(continuación)*

País	Recursos naturales	Principales industrias nacionales
Uruguay	Tierra cultivable, energía hidroeléctrica, minerales, pesca, granito, mármol.	Procesamiento de carne (frigoríficos), maquinaria eléctrica, equipo de transporte, productos de petróleo, productos químicos, lana, pieles, azúcar, textiles, calzado, artículos de cuero, llantas y neumáticos, cemento, refinación de petróleo, vino, tabaco, procesamiento de alimentos y de bebidas.
Venezuela	Petróleo, gas natural, carbón, hierro, oro, bauxita, otros minerales, energía hidroeléctrica, diamantes.	Petróleo, petroquímica, cemento, abono, vehículos y piezas de repuesto, telecomunicaciones, minería de hierro, materiales para construcción, procesamiento de alimentos y bebidas, textiles, calzado, químicos, plásticos, acero, aluminio, ensamblaje de vehículos de motor.
Brasil	Petróleo, hierro, oro, bauxita, magnesio, níquel, fosfatos, platino, uranio, árboles maderables, estaño.	Textiles, zapatos, productos químicos, cemento, hierro, siderurgia, madera, aviones, vehículos de motor y piezas de repuesto, otra maquinaria y equipo, aluminio, papel y derivados, juguetes, vinos y licores, automóviles, galletas, computadoras, electrodomésticos, ropa, muebles, teléfonos celulares.
Estados Unidos	Carbón, cobre, plomo, molibdeno, fosfatos, uranio, bauxita, oro, hierro, níquel, potasa, plata, mercurio, tungsteno, cinc, petróleo, gas natural, bosques y madera, pesca.	Petróleo, acero, cobre, barro, sal, plásticos, producción y ensamble de vehículos de motor, industria aeroespacial, telecomunicaciones, productos químicos, electrónica, procesamiento de alimentos y de bebidas, bienes de consumo, madera, minería, cemento, construcción de aviones y de barcos, enseres menores, pesca, papel, instrumentos de medicina, cigarros, muebles, equipo fotográfico.

FUENTES: U.S. Department of State Background Notes, *CIA World Factbook 2009* y *The World Almanac and Book of Facts 2009, Almanaque mundial 2009*

1. ¿Qué es un recurso natural? ¿Cómo se relacionan las industrias de un país con sus recursos naturales?

2. ¿Cuáles son los recursos naturales de México? ¿Qué importante recurso natural tiene en común con Venezuela?

3. ¿Qué importante recurso natural tienen en común Argentina y Uruguay?

4. ¿En qué país hispano son las esmeraldas un recurso natural importante? ¿Los diamantes?

5. ¿Cuáles son los recursos naturales de España? ¿Para qué se usan el lignito, el uranio y el caolín? Busque la respuesta en un libro de consulta (una enciclopedia, un diccionario) o en Internet.

6. ¿Qué es el procesamiento de alimentos? ¿La refinación de petróleo? ¿El ensamble de vehículos de motor? ¿La confección? ¿La metalistería? ¿El empaque de carne? ¿El abono? ¿El calzado? ¿La maquila?

7. ¿Qué son los bienes de consumo? Dé algunos ejemplos.

8. ¿Qué es el turismo? ¿En qué países hispanos es el turismo una importante industria nacional? ¿Qué es el ecoturismo? ¿Ha visitado usted algún país hispano en plan de turista? Comente su experiencia. ¿Qué elementos (recursos naturales y de servicio humano) se requieren para fomentar una industria turística exitosa? ¿Qué tipos de turismo hay y cuáles le interesan a usted y por qué?

9. ¿Qué países hispanos consideran la energía hidroeléctrica un importante recurso natural? ¿Qué países cuentan con energía geotermal? ¿Qué son la energía hidroeléctrica y la energía geotermal?

10. Divídase la clase en cuatro grupos de estudiantes para que cada uno haga un breve resumen de los recursos naturales del Caribe hispanoparlante, América Central, los países andinos y los países del Cono Sur.

 Posibilidades profesionales

El campo de bienes y servicios, o sea, de producción comprende muchos cargos tales como los de gerente de producción o de compraventa, director/a de control de calidad, abastecedor/a, capataz, etc. Para más información y para una actividad que le ayude a saber más sobre el tema, véase Capítulo 8 de «Posibilidades profesionales», que se encuentra en www.cengage.com/spanish/exito.

VOCABULARIO

Aquí se presentan los principales términos de este capítulo. Al final del libro hay un glosario más completo.

abastecedor/a • *supplier*

almacenaje (m) • *storage*

almacenamiento • *storage*

aparato electrodoméstico • *electrical household appliance*

avería • *damage, breakdown*

averiado • *damaged, broken down*

bienes (m/pl.) • *goods*

  de abastecimiento • *supplies*

  de capital o de equipo • *capital goods*

  de consumo • *consumer goods*

  de lujo • *luxury goods*

  especiales • *specialty goods*

  industriales • *industrial goods*

  semiacabados • *unfinished goods*

cadena de suministros • *supply-chaining*

carta de cotización • *quotation letter*

competencia encarnizada • *cut-throat competition*

compra • *buying*

  especulativa • *speculative buying*

  por contrato • *contract buying*

  por cotización sellada • *auction (sealed bid) buying*

  recíproca • *reciprocal buying*

conducta en la compra • *buying behavior*

control • *control*

  de calidad • *quality control (QC)*

  de equipo (m) • *equipment control*

  de fabricación • *production control*

  de inventario • *inventory control*

  de materiales • *materials control*

costo-beneficio • *cost-benefit*

(continúa)

VOCABULARIO *(continuación)*

cuota • *quota, capacity*

elaborar • *to make, manufacture*

embalaje (m) • *packing, packaging*

embarcar • *to ship, send*

en existencia • *in stock*

ensamblaje (m) • *assembly*

ensamble (m) • *assembly*

envase • *bottle, can, box, carton*

envío • *shipment*

existencia • *stock*

fabricación • *manufacturing*

fabricar • *to manufacture*

fecha de entrega • *delivery date; deadline*

   límite • *deadline*

flete (m) • *freightage, transportation charge*

garantía de calidad • *quality assurance*

gastos de tramitación • *handling charges*

género • *good, merchandise*

gestión • *management*

licitante (m/f) • *bidder*

línea de montaje • *assembly line*

mantenimiento de equipo • *equipment maintenance*

marca • *brand*

mezcla de productos • *product mix*

ofertante (m/f) • *bidder*

oferta sellada • *sealed bid*

pedido • *order, purchase order*

período de entrega • *delivery time or schedule*

pieza de repuesto • *spare part*

planificación • *planning*

plazo de entrega • *deadline*

política de compras • *purchasing policy*

proceso • *process*

   analítico • *analytic process*

   de ensamble • *assembly process*

   de fabricación • *manufacturing process*

   extractivo • *extraction process*

   sintético • *synthetic process*

producción • *production*

   continua • *continuous production*

   estándar • *standard production*

   intermitente • *intermittent production*

   masiva, en masa o en serie • *mass production*

   ordenada o en pequeños lotes • *small-batch production*

   por carácter • *character of production*

   por duración • *time of production*

   por naturaleza • *nature of production*

programación • *scheduling*

proveedor/a • *supplier*

proveer • *to provide, supply*

recuento • *count, recount*

reparación • *repair*

repuesto • *spare part*

responsabilidad del productor • *product liability*

ruta • *routing*

subcontratación • *outsourcing*

usuario • *user*

Marketing I: Mercados y publicidad

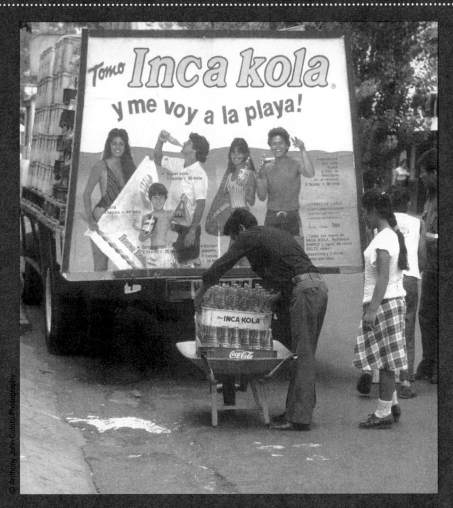

El nacionalismo en la publicidad, Lima, Perú. ¿Qué piensa Ud. del nacionalismo en los anuncios, por ejemplo, cuando se dice «*Buy American*»? "¿Quiénes son los presuntos consumidores? ¿Cómo funciona la psicología del anuncio?

© Anthony John Coletti Photography

People will buy anything that's one to a customer.
— SINCLAIR LEWIS

A hamburger by any other name costs twice as much.
— EVAN ESAR

Quien miente, ofende a la buena gente.
— PROVERBIO

9-1 Preguntas de orientación

Al hacer la «Lectura comercial», piense en las respuestas a las siguientes preguntas.

1. ¿Qué es el marketing?

2. ¿Son sinónimos el marketing y la publicidad? Explique.

3. ¿Cuáles son los cuatro elementos fundamentales del marketing?

4. ¿Qué son las cuatro «Pes» del marketing?

5. ¿Qué es el concepto de utilidad de un producto y cuáles son las cuatro utilidades? Dé un buen ejemplo de un producto que tiene utilidad y explique por qué la tiene.

6. ¿Cuáles son las funciones universales del marketing? ¿Cuáles de ellas se pueden excluir y por qué?

7. ¿En qué se diferencian los métodos primarios de los secundarios en la recopilación de datos sobre un mercado?

8. ¿Qué tipos de estudios y evaluaciones realiza típicamente una empresa de investigación de mercados?

9. ¿Qué consideraciones entran en la segmentación de un mercado?

10. ¿Por qué es importante la creación y la administración de una buena marca comercial? ¿Qué es la lealtad del consumidor y por qué es una meta clave en los anuncios? ¿Cómo se puede crear o perder tal lealtad? ¿Qué tipo de protección ofrece la marca registrada? ¿Qué ocurrió en el caso de «Coke»?

11. ¿Cuáles son las tres categorías principales del fomento de ventas? Dé ejemplos.

12. ¿En qué se diferencian las técnicas de la venta dura y la venta blanda? ¿Qué opina usted de la venta dura? ¿Ha sido alguna vez víctima de esta estrategia de ventas? Comente.

13. ¿Qué medios publicitarios se emplean en la venta masiva? ¿Qué es la publicidad en Internet? ¿Cómo funciona? ¿Cuáles son algunas ventajas de este medio publicitario? ¿Cómo podrían ser diferentes dos anuncios para el mismo producto, uno en español para el consumidor hispano y el otro en inglés para el consumidor anglo-estadounidense? Comente sobre elementos como la psicología que se podría usar, los símbolos, las imágenes, etc. ¿Conoce usted algún buen ejemplo de estas diferencias en dos anuncios?

14. ¿Qué factores especiales son importantes en el marketing internacional? ¿Qué es la localización en los anuncios y por qué piensa usted que es importante?

LECTURA COMERCIAL
Segmentación del mercado y publicidad

Una vez que la empresa tenga disponibles los bienes o servicios que desea venderle al público, hace falta entrar más plenamente en el aspecto comercial llamado marketing (o mercadeo, mercadotecnia, mercadología). El marketing se define como el «conjunto de principios y prácticas que buscan el aumento del comercio, especialmente de la demanda» y como el «estudio de los procedimientos y recursos tendentes a este fin» (Diccionario de la lengua española, 23ª ed.). Bernard y Colli lo definen más específicamente como el «estudio del mercado orientado a describir las posibles salidas de la producción en un futuro inmediato o lejano, teniendo en cuenta las necesidades actuales o futuras, y las perspectivas de investigación y de adaptación de la empresa» (Diccionario económico y financiero). En otras palabras, es a la vez el arte y la ciencia de cómo hacer llegar el producto o servicio a manos del consumidor en el lugar y momento en que éste los desee, a un precio razonable para el cliente y lucrativo para la empresa. Es un proceso continuo—fundamentado en una estrategia de cómo, dónde y cuándo—que abarca todos los pasos entre la fabricación de una mercancía (o la oferta de un servicio) y su compra y posesión por parte de los consumidores. Por eso, esencialmente toda decisión empresarial tiene en cuenta el marketing. Es mucho más que la mera publicidad, aunque a menudo se consideran erróneamente estos dos términos, marketing y publicidad, como sinónimos. La publicidad se refiere a la función informativa del mercadeo. De hecho, de cada dólar gastado por el consumidor estadounidense, aproximadamente 50 centavos cubren los costos de producción. Los otros 50 centavos son para los costos de marketing: aproximadamente 45 centavos de estos se destinan al transporte y almacenaje, mientras que unos cinco centavos se gastan en la publicidad.

En general, en el marketing intervienen cuatro elementos fundamentales: el producto (o servicio), el precio, el lugar de disponibilidad y el fomento de ventas. En inglés, frecuentemente se refiere a estos cuatro elementos básicos del marketing como **«las cuatro Pes»** (*product, price, place, promotion*). Existe un equivalente en español: (1) **producto**, (2) **precio**, (3) **plaza** (mercado, lo cual incluye distribución y almacenaje) y (4) **promoción**. Respecto al precio, es importante recordar que el precio mínimo (*floor price*) siempre cubrirá los costos de producción y comercialización para que la empresa no pierda dinero; el precio máximo o tope (*ceiling price*) será el que tolera el mercado, es decir, lo máximo que el consumidor esté dispuesto a pagar por una mercancía o por un servicio. Todo esto responde al concepto de **utilidad** de una mercancía. Para que exista esta utilidad, es necesario que un producto o servicio tenga: (1) la **forma** deseada por el comprador (por ejemplo, el resultado de una producción, de una cosecha o de una investigación realizada por un asesor); (2) en un **lugar** apropiado (donde lo necesite y lo pueda adquirir el consumidor o usuario); (3) en el **tiempo o momento** deseado (para la fecha cuando lo necesite el comprador) para que luego se facilite; (4) la **posesión** por parte del comprador. Veamos el ejemplo de una taza de café que el consumidor desea comprar al despertarse por la mañana: si sólo se le ofrecen los granos sin moler y sin agua, carece de la forma deseada; si se le dice al consumidor que tiene que ir a otro sitio que queda a dos kilómetros de distancia, falta la función de lugar, pues quiere tomarse el café aquí mismo en lugar de tener que ir hasta allá; si se le comunica que tendrá que volver en dos horas, no hay utilidad de tiempo o momento, pues desea tomar ese café ahora mismo y no más tarde; y si el consumidor no tiene suficiente dinero para pagar por el café que quiere tomar, faltará la utilidad de posesión. Al fin y al cabo, la mejor prueba de utilidad es la realización de la transacción comercial, es decir, la compra de esa buena taza de café aquí y ahora.

También hay que tener en cuenta una serie de funciones universales del marketing: financiamiento, compra, venta, transporte, almacenaje, estandarización y clasificación (control de cantidad y calidad), riesgo e información. El financiamiento es el dinero necesario para producir, transportar, almacenar, vender y comprar mercancías, mientras que el riesgo es el hecho de que una empresa nunca está segura de que los consumidores compren sus mercaderías, las cuales, además, pueden sufrir daños, pérdidas, hurtos o hacerse obsoletas y pasar de moda. Todas estas funciones ayudan a realizar las utilidades de forma, lugar, tiempo y posesión. Aunque el número de intermediarios que se necesita para desempeñar estas funciones puede variar (muchas veces una sola persona o empresa [por ejemplo, las MIPYME] realiza varias, sin tener que contratar a otros intermediarios para hacerlo), no se pueden eliminar las funciones mismas, pues siempre están presentes de alguna manera en el marketing.

Hoy en día se acepta la teoría de que es el consumidor quien, interesado en sus propios deseos y necesidades, determina lo que se vende y se compra, en contraste con la antigua noción de que este proceso lo controlaban las necesidades o deseos del fabricante o vendedor. Para alcanzar al consumidor presunto, el director de marketing necesita investigar el mercado mediante observaciones directas y pruebas y ensayos del producto o servicio para ver cómo reaccionan los compradores potenciales. También se usan el muestreo estadístico, los grupos de enfoque, los sondeos y las encuestas (en persona, por correo, por teléfono, por vía electrónica, por medio de las televentas o del telemarketing) para saber mejor quién es el cliente y qué es lo que quiere. Éstos son los métodos primarios (directos) de recopilación de datos, es decir, la información que uno mismo busca y reúne.

Entre los métodos secundarios (indirectos, es decir, buscados por otros), más económicos para la compañía, están el repaso de los datos ya existentes dentro de la empresa o la investigación de datos disponibles en fuentes fuera de la empresa. Por ejemplo, si uno quiere saber el número de residentes hispanos en cada región de los Estados Unidos, sería mucho más económico y rápido buscar esta información en una base de datos o en Internet (www.census.gov), que empezar a contar cabezas. Una empresa de investigación de mercados típicamente realiza sondeos y evaluaciones cualitativos y cuantitativos, por ejemplo, de mercados (existentes y nuevos), de motivaciones de consumo, de perfiles de clientes, de opinión y actitud, de imagen y posicionamiento, de precios, de imagen corporativa y de impacto publicitario. Los dos métodos, el primario y el secundario, aportan información que ayuda con el lanzamiento de un producto o servicio, el cual se distingue de otros productos y servicios porque ahora se dirige a un cliente en particular. En otras palabras, el mercado se divide en segmentos que agrupan a individuos con necesidades y deseos semejantes, para así convertir un mercado impreciso y genérico en uno específico.

Al determinar un mercado particular, es útil considerar factores como la edad, el salario, el lugar geográfico, etc. En Hispanoamérica, por ejemplo, se identificaron en 1985 cinco mercados tradicionales, basándose tanto en una segmentación demográfica, social y cultural como geográfica y regional: México, Brasil, el Caribe, la Hispanoamérica europea y la Hispanoamérica indígena (Marlene Rossman, *Marketing News*, Vol. 19, No. 21, 11, octubre 1985: 10). Otra posible segmentación sería la que se basa en distintos acuerdos como el TLCAN, CAFTA-DR y MERCOSUR. Todo esto contribuye a la identificación **demográfica** (¿cuántos? y ¿dónde?) y la **psicográfica** (¿quiénes? y ¿cómo son?). De este modo se le presta tanta atención al individuo y su composición **psicológica** como al grupo (los elementos **socioantropológicos**) y a las maneras en que se interrelacionan los individuos y los grupos sociales (las consideraciones **sociopsicológicas**). Esto ayuda a entender cómo una misma conducta puede ser el resultado de diferentes motivaciones, deseos o necesidades, por ejemplo, que no todo el mundo ve una misma película por las mismas razones. Cabe añadir que también existen los mercados ilegales, es decir, el estraperlo o el mercado negro para muchos artículos (tabaco, música, repuestos para autos, etc.) y para el dinero mismo (cambio negro o de contrabando).

Una vez que se precisa el mercado de un producto, se puede crear una marca distintiva para ayudar al consumidor a reconocer la mercancía que la empresa ha puesto en venta. La marca es una palabra o frase, un símbolo o un diseño (o una combinación de los tres elementos) que identifica el producto o servicio del vendedor y lo distingue de otros productos o servicios. Se debe convertir en algo familiar, conocido y seguro, que muchas veces se asocia con la calidad o las características particulares que se buscan en un producto: el sabor refrescante de una Pepsi o Coca-Cola, la seguridad del funcionamiento de una máquina IBM o Sony, el lujo de un Mercedes-Benz o BMW, etc. Una marca también sirve para crear lealtad, un elemento notable entre los consumidores hispanos, hacia el producto o la empresa. Para que la marca sea una marca comercial o de fábrica en EUA, hace falta registrarla con el gobierno federal. La marca registrada protege la identificación de un producto en todo el país o en el extranjero. Esta protección se basa en el territorio (lugar indicado) y la prioridad (quién registró primero su marca). Pero esta protección se puede poner en peligro si su propietario no defiende el uso exclusivo que estipula el nombre o símbolo seleccionado. Esto explica por qué la Coca-Cola Enterprises Inc. quiso asegurarse que pedir una «Coke» (marca registrada en 1945) en los bares y restaurantes no resultara indistintamente en la venta de una Pepsi o Seven-Up en lugar de una Coca-Cola. De no ejercer este control administración de marcas, «Coke» podría llegar a representar cualquier refresco gaseoso y perdería el vigor de ser una marca registrada, tal como ocurrió con los productos aspirin y kleenex. Pero la realidad es que hoy, en el sur de EUA, la gente se refiere generalmente a un refresco gaseoso como «*coke*», como «*pop*» en el noroeste y en el centro, y como «*soda*» en el noreste y California. La Xerox Corporation, por otra parte, sí ha logrado que su marca registrada, Xerox, no se use como un sinónimo de «fotocopiar».

Como se indicó antes, el fomento de ventas representa sólo un aspecto informativo del mercadeo. Pero es una parte clave, pues llama la atención de los consumidores sobre los productos y servicios. No basta con sólo producir y distribuir un producto o servicio: es necesario promoverlo. Es decir, informar a los presuntos consumidores y usuarios que existe; explicar su uso, sus ventajas y cómo se diferencia de otros productos que ya existen en el mercado; indicar el lugar, momento y precio de venta; y animar y persuadir al consumidor a que lo compre.

Hay tres categorías de fomento de ventas: la venta personal, la promoción y la venta masiva. La venta personal, cuya estrategia puede variar entre la dura (la técnica de ejercer muchísima presión sobre el comprador para intimidarlo y dominarlo hasta la sumisión) y la blanda (la que ocurre cuando un vendedor es menos agresivo y apabullante y le explica directamente a un cliente los beneficios de su producto). La promoción es una oferta al consumidor: «Si compra Ud. cinco cajas, le daremos la sexta gratis». La venta masiva incluye los anuncios, la publicidad gratuita y las relaciones públicas.

Los anuncios o avisos informan sobre los productos y servicios; el fabricante o comerciante paga por ellos y su objetivo es influir al consumidor. Un producto o servicio se puede anunciar a nivel local, regional, nacional o internacional. En el campo internacional, a menudo se recurre a la localización de los anuncios, la cual se logra por medio de una adaptación cultural (transculturación) cuyo propósito es transformar un anuncio extranjero de modo que ya no parezca venir de otra cultura o lengua. Se sabe que el consumidor presunto se presta mucho más a la compra si el producto o servicio se anuncia en su propia lengua. Los anuncios en general brindan una descripción del producto, sus beneficios y, a veces, un lema llamativo. Algunos de los productos más anunciados, por orden decreciente, son: alimentos y bebidas, ropa, artículos para el hogar, automóviles y refrescos. En un solo día, el ciudadano estadounidense típico percibe miles de anuncios publicitarios por diferentes medios de difusión: televisión, radio, prensa, letreros, carteleras, catálogos, guías telefónicas, folletos, boletines en Internet. La publicidad en Internet está ganando más adeptos cada año en la nueva «e-conomía», caracterizada por «e-clientes» y «netprendedores». Esta «netpublicidad» usa *banners*, *pop-ups* (o ventanas emergentes), botones, rascacielos, hipervínculos, robapáginas, pantallas en miniatura, buscadores, comunidades virtuales, grupos de noticias, boletines informativos, salas de conversación y anuncios por correo electrónico para publicitar los productos y servicios de forma continua las 24 horas del día. Como medio publicitario es relativamente barato, de fácil acceso y edición, permite el acceso a más clientes, y ofrece un alcance nacional y global. En este nuevo mundo de compraventa en línea, la «netpublicidad», que ya compite con y complementa los medios electrónicos tradicionales de televisión y radio, empieza a hacerse un elemento necesario de la comunicación publicitaria con las sociedades modernas en continuo movimiento.

Comercial de *Got Milk*? premiado por sorprendente creatividad hispana. «La Llorona» gana la distinción de plata en los Premios Anuales de Publicidad Hispana de la Revista *Ad Age*.

El comercial se basa en la leyenda hispana de «La Llorona» y representa una importante expresión de la estrategia de la Junta de Procesadores de Leche de California para dirigirse a los jóvenes hispanos biculturales y bilingües. El comercial en español fue desarrollado por estudiantes hispanos de Los Ángeles y se transmitió en las redes televisivas de habla inglesa y española de California [...] En la película es plena noche y la Llorona se desplaza a través de una casa de familia buscando, por supuesto, un poco de leche. Al abrir la nevera, la Llorona se sorprende y dice «Leche», deja de llorar (por primera vez en siglos) y levanta el cartón de leche con alegría. Pero resulta que el cartón está vacío y en un dramático impulso de desesperación,

cierra la puerta de un golpe y vuelve a llorar y a lamentarse. El comercial termina con su ahora famosa pregunta... *GOT MILK*?

(Hispanic PR Wire, 4/10/02. Reprinted with permission.)

1. ¿Por qué se premió al comercial de *Got Milk*? ¿Quién otorgó el premio?

2. ¿Quién desarrolló el comercial en español y dónde?

3. ¿En qué se basa el comercial en español y a qué segmento del mercado se dirige? ¿Qué opina Ud. de esta segmentación? Comente.

4. ¿De qué trata la leyenda de la Llorona? Busque alguna foto o imagen de la Llorona. ¿Qué ocurre durante el anuncio mismo?

5. ¿Qué otras leyendas hispanas se podrían adaptar para la creación de comerciales en español? ¿Qué personajes históricos o famosos se podrían adaptar de manera parecida? ¿Por qué piensa Ud. que es eficaz este tipo de estrategia cultural en los anuncios?

La publicidad gratuita ocurre cuando la empresa no paga los medios difusivos utilizados, sino sólo el tiempo (sueldos y salarios) de su propio personal. Esto ocurre a veces cuando el nombre de un producto o un gerente o empleado aparece en una foto o se menciona en una noticia periodística o en una entrevista televisada. Las relaciones públicas, por otra parte, se distinguen de los anuncios y la publicidad gratuita en que se limitan a «crear o desarrollar un ambiente de simpatía e interés alrededor de una empresa» (Bernard y Colli, página 1,165). Representan un deseo de mejorar y fijar la imagen positiva de la compañía en la comunidad, en la que la empresa, por ejemplo, patrocina un equipo de béisbol o fútbol, cuyos jugadores se ponen camisetas que tienen el nombre de la compañía. A veces se combinan elementos de relaciones públicas con la publicidad gratuita y/o los anuncios.

Es de suma importancia enfatizar que el marketing internacional requiere ciertas consideraciones especiales. Hay que examinar la estructura sociocultural de un país y sus factores dinámicos: composición étnica, idioma, religión, principios y actitudes, educación, clases sociales, tecnología, instituciones, etc. El ambiente político y legal cobra una importancia crítica. Es necesario comprenderlo y prever los cambios que pueda haber. También pueden existir diferencias respecto a la estética y el simbolismo aceptables en otra cultura, lo mismo que tabúes que pueden resultar en la censura de ciertos objetos o imágenes. Una empresa que siempre tenga en cuenta estos factores se dirige hacia el éxito en su fomento de ventas internacionales.

9-2 Actividades

1. **¿Qué sabe Ud. de negocios?** Vuelva a las «Preguntas de orientación» al principio del capítulo y a la pregunta que acompaña la foto y contéstelas en oraciones completas en español.

2. **¿Qué recuerda Ud.?** Indique si las siguientes oraciones son *verdaderas* o *falsas*, y explique por qué.

   a. El marketing es una parte de los anuncios publicitarios.

   b. La mayor parte de los gastos de marketing se dedican a los anuncios.

   c. La utilidad de tiempo es igual a la de forma.

   d. Las empresas comerciales siempre corren algún riesgo en el marketing de sus productos.

   e. La sociología y la psicología son útiles para segmentar en grupos el mercado de un producto o servicio.

   f. Una marca registrada nunca puede perder su valor protector.

   g. El marketing internacional se caracteriza por una serie de factores no dinámicos.

3. **Exploración.** Haga los siguientes ejercicios, usando sus conocimientos y opiniones personales.

   a. ¿Por qué cree Ud. que hoy en día es el consumidor quien determina lo que se vende, en lugar del productor o vendedor? ¿Qué papel tiene el gobierno en esta determinación?

   b. ¿Qué otros factores consideraría Ud., además de los que se mencionan en la lectura (edad, salario, etc.) para segmentar un mercado?

   c. ¿Qué opina Ud. de la segmentación que hizo Rossman del mercado hispanoamericano en 1985? ¿Cómo lo segmentaría ahora? ¿Sería diferente? Explique.

   d. Dé ejemplos de marcas comerciales bien conocidas en EUA y en diferentes países hispanos, y comente sobre lo que asocia con estas marcas.

   e. ¿Qué anuncio publicitario en español le ha parecido a Ud. muy eficaz en los últimos años? ¿Por qué? Si usted puede, tráigalo a clase para analizarlo.

   f. Dé algunos ejemplos de la publicidad gratuita y las relaciones públicas. Haga comentarios sobre su efectividad.

   g. Al comparar diferentes medios difusivos, ¿cuáles son algunas ventajas y desventajas de usar uno en lugar de otro?

   h. ¿Cómo se relacionan los dichos que aparecen al principio del capítulo con los temas tratados?

9-3 Al teléfono

Pistas
17 y 18

1. Lea las siguientes preguntas. Después escuche atentamente la conversación telefónica del Capítulo 9 y conteste las preguntas. Puesto que la comprensión auditiva es una destreza comunicativa

sumamente importante, se recomienda escuchar la conversación
varias veces.

   a. ¿Cuál es el propósito de la llamada de la Sra. Paz a la agencia publicitaria?

   b. ¿Por qué han bajado las ventas de cuero en los Estados Unidos?

   c. ¿Qué recomendaciones hace la Sra. Paz para mejorar la imagen de la Casa de Cuero en los Estados Unidos?

   d. ¿Qué plan de acción va a seguir el Sr. Gonzalo?

2. Basando sus comentarios en la conversación telefónica del ejercicio anterior, haga la siguiente llamada telefónica a otro/a estudiante de la clase. Cada persona deberá participar activamente en la conversación. Si necesita ayuda para esta actividad, véase el Apéndice 1, «Protocolo telefónico», página 457.

     Usted es la Sra. Graciela Paz de García, la nueva directora de marketing de Casa de Cuero en Argentina. Llame al/a la gerente general de su empresa para informarle que la empresa necesita esforzarse más en asuntos del medio ambiente en Argentina y aumentar sus inversiones en los centros benévolos dedicados a las especies de animales en peligro de extinción en el país. Comenten Uds. la importancia del mercado estadounidense en el mercado del cuero.

3. Haga la siguiente llamada telefónica a otro/a estudiante de la clase. Cada persona deberá participar activamente en la conversación. Si necesita ayuda con esta actividad, véase el Apéndice 1, «Protocolo telefónico», página 457.

     Ud. es director/a de la agencia publicitaria Palavisión. Acaba de recibir una llamada de uno/a de sus clientes más importantes. Éste/a le pide explicaciones de por qué, después de tres semanas, el anuncio que Ud. diseñó y colocó no ha producido más ventas de su nuevo producto, como Ud. le había prometido. También se queja del juego de colores usado en el anuncio, porque es diferente de lo que él/ella esperaba. Ud. intenta calmarlo/la aduciendo diversas razones.

9-4 Navegando por internet

Para hacer este ejercicio de Internet, visite la página web del libro en www.cengage .com/spanish/exito.

9-5 Ejercicios de vocabulario

Si le es necesario, consulte la «Lectura comercial» o la lista de vocabulario al final del capítulo para completar estos ejercicios.

1. **¡A ver si me acuerdo!** Pensando en la posibilidad de establecer una relación comercial, Ud. va a conversar con una persona de negocios de un país hispano. Sin embargo, se le olvidan a usted los siguientes términos en español. Pida a un/a compañero/a que se los traduzca.

a. *marketing*	e. *sign*	h. *damages*
b. *opinion poll*	f. *advertising agency*	i. *middleman*
c. *advertisement*	g. *registered*	j. *to sponsor*
d. *slogan*	*trademark*	

2. **¿Qué significan?** A Ud. le interesa la posibilidad de trabajar en una agencia de publicidad en un país hispanoparlante. Sin embargo, no sabe lo que significan ciertos términos que se usan frecuentemente en el mercadeo. Ud. decide consultarlos con un/a amigo/a. Pídale a un/a compañero/a de clase que le explique los siguientes términos y que le dé algunos sinónimos.

a. patrocinar	e. televentas	h. utilidad
b. venta masiva	f. localización	i. encuesta
c. marca de fábrica	g. pasarse de	j. lema
d. promoción	moda	

3. **Entrevista profesional.** Ud. ha solicitado un puesto de director de publicidad en una empresa multinacional que requiere ciertos conocimientos de la terminología de este campo. Entre las preguntas que le hace el/la director/a de personal, figuran las siguientes. Con un/a compañero/a, realicen la entrevista. No olvide el protocolo ni las cortesías.

a. ¿Qué porcentaje de un dólar gastado por el consumidor en los Estados Unidos en la compra de un producto se atribuye a la publicidad? Comente.

b. ¿Cuáles son los cuatro elementos que caracterizan la utilidad de una mercancía?

c. ¿Que necesita hacer el director de marketing para identificar al consumidor presunto?

d. ¿Cuáles son algunos ejemplos de elementos socioantropológicos?

e. ¿Para qué sirve una marca registrada?

4. **Traducciones.** Un/a amigo/a suyo/a que está inscrito/a en un programa de maestría en publicidad acaba de empezar a estudiar español. Él/Ella conoce poco vocabulario necesario para funcionar eficazmente en ese contexto. Usted lo/la ayuda al pedirle que él/ella traduzca las siguientes oraciones sobre el tema.

a. *Marketing is concerned with getting the right product to the right consumer at the right time and price.*

b. *Although marketing and advertising are often referred to as the same thing, advertising is, in fact, a small but extremely important part of marketing.*

c. *The universal functions of marketing—finance, buying, selling, transportation, storage, grading and classification, risk, and information—are always present in one form or another.*

d. *An important consideration in marketing is market segmentation, which groups consumers according to age, sex, education, profession, income, social class, geographic location, ethnic composition, and other factors.*

e. *In international marketing it is important to bear in mind that things aren't always what they seem. One must learn to listen for the hidden voice of another culture, a voice which often subtly distinguishes that culture from one's own.*

UNA VISTA PANORÁMICA DEL PERÚ

Nombre oficial:	República del Perú
Gentilicio:	peruano/a
Capital y población:	Lima: 8,012,000
Sistema de gobierno:	República constitucional
Jefe de Estado/Jefe de Gobierno:	Presidente Alan García
Fiesta nacional:	28 de julio, Día de la Independencia (1821: de España)
Fiesta nacional:	12 de octubre, Día Nacional (también llamado Día de la Hispanidad y Nuestra Señora del Pilar)

Perú

GEOGRAFÍA Y CLIMA

Área nacional en millas^2 y kilómetros^2	Tamaño (comparado con EUA)	División política	Otras ciudades principales	Puertos principales	Clima	Tierra cultivable
496,226 m^2 1,285,220 km^2	Tres veces el tamaño de California	12 regiones, 24 departamentos y una Provincia Constitucional	Arequipa, Chiclayo, Cuzco, Huancayo, Trujillo, Ayacucho, Piura, Iquitos	Callao, Chimbote, Ilo, Matarani, Salaverry	Árido y templado en la costa, de templado a frío en los Andes, cálido y húmedo en las tierras bajas orientales	3%

DEMOGRAFÍA

Año y población en millones			% urbana	Distribución etaria		% de analfa-betismo	Grupos étnicos
2010	2015	2025		<15 años	65+		
29.9	31.6	34.7	73%	29%	6%	12%	45% amerindio, 37% mestizo, 15% blanco europeo, 3% africano, japonés, chino y otros

ECONOMÍA Y COMERCIO

Moneda nacional	Tasa de inflación 2008	N° de trabajadores (en millones) y tasa de desempleo	PIB 2008 en millones $EUA	PIB per cápita	Distribución de PIB y de trabajadores por sector A I S			2008 Exporta-ciones en millones $EUA	2008 Importa-ciones en millones $EUA
El nuevo sol	6.7%	10.2 8.4%	$238,900	$8,500	9%	21%	70%	$33,300	$29,100
					1%	21%	76%		

*Para distribución del PIB y de los trabajadores (mano de obra): A = Agricultura, I = Industria, S = Servicios (y Gobierno).

Recursos naturales: Cobre, plata, oro, petróleo, madera, pesca, hierro, carbón, fosfatos, potasa, gas natural, hidroelectricidad.

Industrias: Minería y fabricación de metales, petróleo, pesca, textiles y ropa, procesamiento de alimentos y de bebidas (en particular los refrescos o las bebidas gaseosas), cemento, ensamble de automóviles, acero, construcción de barcos, plásticos, papel, barnices y lacas.

COMERCIO

Productos de exportación: Cobre, cinc, harina de pescado, petróleo crudo y productos de petróleo, plomo, plata refinada, textiles, ropa y accesorios, café, algodón, azúcar.

Mercados: 27.1% EUA, 12.4% Reino Unido, 7.7% China, 7.6% Suiza, 4.7% Chile, 4.4% Japón, 35.9% otros países.

Productos de importación: Maquinaria, equipo de transporte, productos alimenticios, petróleo, hierro, acero, productos químicos y farmacéuticos, cereales, automóviles.

Proveedores: 28.6% EUA, 10% España, 7.5% Chile, 5.1% Brasil, 4.5% Colombia, 44.3% otros países.

TRANSPORTE Y COMUNICACIONES

Kilómetros de carreteras y % pavimentadas	Kilómetros de vías férreas	Nº de aeropuertos con pista de aterrizaje pavimentada	Nº de líneas telefónicas	Radios por mil personas	Televisores por mil personas	N° de usuarios de Internet en millones
72,146/10%	2,041	44	2,300,000	273	147	7.6

IDIOMA Y CULTURA

Idiomas	Religión	Comidas y bebidas típicas/Modales
Español, quechua (oficial), aimara y otras lenguas indígenas	81% católica romana	Ceviche, anticucho, corvina, ocopa, ají de gallina, papa a la huancaina, mazamorra morada, pisco. Mantener las manos, no los codos, encima de la mesa al comer. Comer toda la comida servida. No hablarle a una sola persona en la mesa, sino incluir a los demás en la conversación.

Horario general de comercio: De lunes a sábado, desde las ocho de la mañana hasta las cinco de la tarde. Muchas tiendas pequeñas cierran entre la una y las tres de la tarde. La semana laboral del Perú, 48 horas, es una de las más largas del mundo.

Horario normal del almuerzo y de la cena: Sobre la una de la tarde para el almuerzo; entre las seis y las ocho de la noche para la cena.

Gestos: Para que se acerque alguien, mover los dedos (arañar) con la palma de la mano hacia el suelo. Tocarse bajo el ojo con el dedo índice es señal de ¡ojo!, tener cuidado. Cruzar las piernas con el tobillo de un pie sobre la rodilla de la otra pierna es aceptable para los hombres pero no para las mujeres. Cruzar las piernas, una rodilla sobre la otra, es aceptable para las mujeres pero no para los hombres. Tocarse la cabeza varias veces con el dedo índice puede significar que «Estoy pensando» o que «Es tonta esa persona». La mano extendida delante del cuerpo con la palma hacia el suelo y un movimiento de los dedos hacia afuera significa «Vete». Mover la mano y el antebrazo hacia el cuerpo significa «Quiero que me pague». Poner una mano con la palma abierta hacia arriba y bajo el codo del otro brazo, significa tacañería. Se frunce la boca en una dirección para señalar algo allí.

Cortesía: Saludar individualmente a cada persona al llegar a una reunión o comida y despedirse de cada una al marcharse para no menospreciar a nadie y quedar mal. Se aceptan las visitas no anunciadas de antemano. No se espera que el invitado le lleve un regalito a los anfitriones al ir a su casa a cenar o a una fiesta, aunque se aprecian los chocolates, un buen vino o una buena marca de whisky. Después de la invitación, se pueden mandar rosas a los anfitriones, pero no rosas de color rojo porque tienen una connotación romántica, y tampoco 13 rosas porque éste es el número de la mala suerte. Ojo con regalarle a alguien un cuchillo (e.g., en plan de abrecartas) porque se podría interpretar como un corte o una ruptura de relaciones. Cuidado con admirar demasiado un artículo porque el peruano puede sentirse obligado a regalarle ese artículo que tanto admira usted.

LA ACTUALIDAD ECONÓMICA PERUANA

Perú tiene potencial para ser un país muy rico debido tanto a sus recursos naturales—pesca, hidrocarburos y minerales—como al impacto comercial de su variada historia cultural. La arquitectura de su capital colonial en Cuzco y la ciudad perdida de la civilización incaica, Machu Picchu, son importantes atracciones turísticas. Debido a sus puertos en el océano Pacífico, Perú representa un enlace comercial importante entre la región (incluyendo Brasil), EUA y Asia. El lago Titicaca, una atracción turística compartida con Bolivia, es el lago navegable de mayor altitud del mundo. Desafortunadamente, Perú ha sufrido de corrupción gubernamental y no ha podido resolver los problemas asociados con la desigualdad social y económica. A pesar de sus riquezas abundantes, Perú sufrió muchos altibajos en las tres décadas anteriores a 1990. Durante ese período, hubo muchos programas dirigidos hacia las reformas sociales, pero éstos solamente empeoraron la situación y aumentaron la pobreza. Se creó una falta de confianza en las instituciones gubernamentales y en la economía en términos generales. Además, la hiperinflación desbordada había alcanzado una tasa de 1,720% en 1988. El valor adquisitivo del inti, la moneda de esa época, se devaluó en más del 50% en muy poco tiempo. El alto índice de desempleo y la escasez de artículos de primera necesidad agravaron la situación. En 1989 cayó el gobierno cuando redujo los gastos públicos y los servicios, causando menos productividad. La crisis empeoró aún más y se convirtió en un ambiente anárquico debido a las acciones terroristas de grupos como Sendero Luminoso, un grupo maoísta, y Túpac Amaru. A causa de la violencia política entre el gobierno y estos dos grupos revolucionarios, murieron miles de personas, mayormente indígenas, entre 1980 y 1990. Durante la misma época, la economía informal, o sea, los trabajadores que funcionan fuera del sistema económico oficial y sin pagar impuestos, había llegado a niveles extraordinarios, una realidad cuyo impacto negativo fue investigado por el autor peruano Hernando de Soto en su libro *El otro sendero*.

En 1990 Alberto Fujimori, hijo de inmigrantes japoneses, ganó las elecciones presidenciales con sus promesas de reforma gubernamental y económica y de poner fin al terrorismo. En parte recibió el apoyo popular en las elecciones debido a la presunta corrupción del presidente existente, Alan García (1985–90). En los años noventa, Perú se dedicó más al mercado libre con muchas privatizaciones en la minería, la electricidad y las telecomunicaciones. Después de su primer triunfo electoral, Fujimori impuso un programa de austeridad que resultó en una reducción de las actividades económicas a corto plazo. Esa baja terminó a finales de 1990 con un aumento de la producción en un 2.4%. Debido a los acuerdos unilaterales de Fujimori con el Fondo Monetario Internacional (FMI) y el Banco Mundial, Perú saldó sus enormes deudas externas. Ese mismo año, Fujimori finalmente capturó al jefe de Sendero Luminoso, Abimael Guzmán.

Fujimori volvió a ser elegido presidente en 1995. Dos años después, hubo una profunda reducción en la inflación, y los insumos de capital aumentaron a niveles sin precedente. Desgraciadamente, la combinación del impacto agrícola y pesquero de El Niño, un evento climático imprevisiblemente cíclico, la crisis financiera de

Asia en 1998 y la inestabilidad de los mercados brasileños interrumpió el desarrollo. En septiembre de 2000, el presidente Fujimori renunció a la presidencia debido a escándalos relacionados con su Director de Seguridad, Vladimiro Montesinos, y fue reemplazado por el presidente del Congreso, Valentín Paniagua. Montesinos, quien había huido del país, fue encontrado en Venezuela, y luego fue deportado al Perú para enfrentar juicios por narcotráfico, enriquecimiento ilícito, asesinatos y lavado de dinero. Todavía está encarcelado en la Base Naval de Callao.

En las elecciones de junio de 2001, Alejandro Toledo Manrique fue elegido presidente, siendo el primer presidente peruano de origen indígena. Originalmente Fujimori quedó exiliado en el Japón, pero en 2006 fue extraditado, encarcelado y condenado a 25 años en la cárcel por las atrocidades cometidas en los últimos años de su presidencia. En 2002, Toledo trató de privatizar las empresas de energía, gestión que tuvo que cancelar debido a violentas manifestaciones contra dicha política. En 2004, el Presidente enfrentó numerosas dificultades al tratar de poner en práctica iniciativas para reducir la pobreza. Sus esfuerzos por aumentar la inversión en programas sociales resultaron en escándalos y la caída en su popularidad nacional. Alan García, aunque había sido declarado culpable de corrupción por la Corte Suprema en 1992, regresó al Perú después de la encarcelación de Fujimori, y ganó las elecciones de 2006. En la segunda vuelta recibió un 52.5% del voto popular por sus ataques verbales contra Hugo Chávez y el apoyo inesperado del presidente en ese momento, Alejandro Toledo. García ha podido conservar excelentes resultados macroeconómicos. En realidad, Perú logró un desarrollo sostenido desde 1993 hasta 2007 basado en las estadísticas económicas, mejores acuerdos comerciales, más consumo doméstico, adicionales inversiones extranjeras y aumentos en la producción de la minería y la construcción. Las exportaciones de cobre, oro, cinc, textiles y harina de pescado a China, Brasil, Chile y EUA han ayudado mucho debido a los buenos precios de estos productos en el mercado global. A fines de 2008 China y Perú, con $7,500 millones de comercio durante ese año, anunciaron un Tratado de Libre Comercio entre los dos países que debería estar vigente para 2010. A pesar de estos triunfos, los peruanos menos adinerados, sin embargo, han visto recientemente un aumento en los precios de los productos de primera necesidad, causando una caída en el apoyo al presidente García, quien trata de convertir el país en el modelo de libre comercio en la región e intenta mejorar las relaciones con sus países vecinos en América del Sur y EUA. Actualmente, la crisis global está teniendo un impacto negativo en el PIB (o PBI) en Perú. A pesar del desarrollo económico, la pobreza de millones de peruanos marginados de la economía sigue causando unas quejas constantes y permite que pequeños grupos de antiguos miembros de Sendero Luminoso, apoyados por los fondos del narcotráfico, vuelvan a causar dificultades en la región entre los Andes y la selva amazónica.

UNA VISTA PANORÁMICA DE BOLIVIA

Nombre oficial:	República de Bolivia
Gentilicio:	boliviano/a
Capital y población:	La Paz (administración gubernamental): 1,576,000 (metro); 830,000 (ciudad). Sucre (constitucional y judicial): 183,000.
Sistema de gobierno:	República
Jefe de Estado/Jefe de Gobierno:	Presidente Juan Evo Morales Ayma
Fiesta nacional:	6 de agosto, Día de la Independencia (1825: de España)

© Heinle/Cengage Learning

Bolivia

GEOGRAFÍA Y CLIMA

Área nacional en millas² y kilómetros²	Tamaño (comparado con EUA)	División política	Otras ciudades principales	Puertos principales	Clima	Tierra cultivable
424,164 m² 1,098,580 km²	El tamaño de Tejas y California juntos	9 departamentos	Santa Cruz Cochabamba, Oruro	Ninguno, pero el país tiene derecho de uso libre en los puertos de Argentina, Brasil, Chile y Paraguay	Varía según la altitud, desde tropical y húmedo a semiárido y frío	2%

DEMOGRAFÍA

Año y población en millones			% urbana	Distribución etaria		% de analfabetismo	Grupos étnicos
2008	2015	2025		<15 años	65+		
9.9	10.8	12.5	64%	36%	5%	13%	55% amerindio, (30% quechua, 25% aimara), 30% mestizo, 15% blanco europeo

ECONOMÍA Y COMERCIO

Moneda nacional	Tasa de inflación 2008	N° de trabajadores (en millones) y tasa de desempleo		PIB 2008 en millones $EUA	PIB per cápita	Distribución de PIB y de trabajadores por sector			2008 Exportaciones en millones $EUA	2008 Importaciones en millones $EUA
						A	I	S		
El boliviano	11.5%	4.5	7.5%	$43,700	$4,700	11%	37%	52%	$6,400	$4,800
						40%	17%	43%		

*Para distribución del PIB y de los trabajadores (mano de obra): A = Agricultura, I = Industria, S = Servicios (y Gobierno).

Recursos naturales: Gas natural, petróleo, cinc, tungsteno, antimonio, plata, plomo, oro, hierro, estaño, madera, hidroelectricidad.

Industrias: Minería, fundición, petróleo, procesamiento de alimentos y de bebidas, tabaco, artesanía, textiles y ropa.

COMERCIO

Productos de exportación: Metales, gas natural, café, plata, madera, joyería, soja en grano, estaño, petróleo, azúcar.

Mercados: 32% EUA, 18% Colombia, 15% Reino Unido, 15% Brasil, 6% Perú, 14% otros países.

Productos de importación: Bienes de capital (equipo industrial y medios de producción), productos químicos, petróleo, alimentos.

Proveedores: 24% EUA, 17% Argentina, 15% Brasil, 9% Chile, 5% Perú, 30% otros países.

Horario general de comercio: De lunes a viernes, desde las nueve de la mañana hasta el mediodía y desde las dos hasta las seis de la tarde.

TRANSPORTE Y COMUNICACIONES

Kilómetros de carreteras y % pavimentadas	Kilómetros de vías férreas	N° de aeropuertos con pista de aterrizaje pavimentada	N° de líneas telefónicas	Radios por mil personas	Televisores por mil personas	N° de usuarios de Internet en millones
62,479/6%	3,504	16	666,600	675	118	1

IDIOMA Y CULTURA

Idiomas	Religión	Comidas y bebidas típicas/Modales
Español (oficial), quechua (oficial), aimara (oficial), guaraní y otras lenguas indígenas	95% católica romana, 5% protestante evangélico	Salteñas, trucha, picante de pollo, plato paceño, chicha. Bolivia tiene muchas variedades de papa que se sirven de muchas maneras, muchas veces con una salsa picante llamada llajua. Se espera que el invitado pruebe toda la comida servida. Al terminar de comer, desearles «Buen provecho» a los otros.

Horario normal del almuerzo y de la cena: Mediodía o la una de la tarde para el almuerzo; sobre las nueve de la noche para la cena.

Gestos: Espacio físico reducido entre las personas que conversan; a veces se toca el hombro o el antebrazo de la otra persona al hablar. Muchas veces los amigos y conocidos se dan un abrazo al saludarse o para las mujeres, un beso en la mejilla. Para que se acerque un niño, la mano con la palma hacia abajo, cerrar y arañar con los dedos juntos. Para decir «no» a algo, se levanta la mano con la palma hacia afuera y se la mueve de lado a lado (parecido al gesto de «so-so» en EUA). Usar el dedo índice en este gesto significa un «no» muy fuerte. Una palmadita en la espalda o en el hombro de alguien indica amistad y aprobación. Un puño con el dedo pulgar colocado entre el dedo índice y el dedo corazón (el gesto «fig») equivale al gesto «to give the finger» en EUA.

Cortesía: Para saludar, darse la mano con un apretón firme, pero no excesivamente fuerte. A veces, si se tiene la mano sucia, se puede ofrecer el antebrazo o el codo en lugar de la mano. Cuando se llega a una reunión o a una fiesta, se saluda a cada persona presente y también se despide uno de cada individuo al marcharse. Mantener el contacto visual con la persona con quien se habla (mirarla a los ojos), lo que indica interés y sinceridad; no hacerlo puede interpretarse como recelo o desconfianza. Cuando se come o cena en casa de alguien, llevarles a los anfitriones un detalle como flores, chocolates o una buena marca de whisky. Si los anfitriones le dan algún regalito al invitado, no abrirlo delante de ellos sino después. Ojo con regalarle a alguien un cuchillo, pues puede interpretarse como ruptura de las buenas relaciones con esta persona.

LA ACTUALIDAD ECONÓMICA BOLIVIANA

Bolivia es un país rodeado de tierra (Brasil, Paraguay, Argentina, Chile y Perú) sin salida directa al océano, lo cual sube los costos de transporte comercial. Varios hechos históricos han causado pérdidas significativas de parte de su territorio y de la estabilidad de su sistema democrático: la devastadora Guerra del Pacífico (1879–84) con Chile que resultó en la pérdida de Atacama, rica en nitrato y minerales, y su salida al mar; la cesión a Brasil en 1903 de Acre, donde se producía caucho; violentas manifestaciones fomentadas por los mineros indígenas históricamente marginados; y la Guerra del Chaco (1932–35) por la cual Bolivia entregó mil millas cuadradas del Gran Chaco a Paraguay.

Bolivia, con un PIB per cápita de $4,700 EUA (2008), sigue siendo uno de los países más pobres de Hispanoamérica. Entre 1981 y 1992, por ejemplo, la tasa media de inflación anual se presentó oficialmente en un 220%. En 1985 Bolivia alcanzó una tasa de hiperinflación anual de 25,000%, considerada la más alta del mundo para una economía en tiempo de paz.

Para hacerle frente a la hiperinflación, en 1987 el gobierno adoptó una nueva moneda nacional, el boliviano, el cual representaba un corte de los seis ceros finales del antiguo peso (un boliviano equivaldría a un millón de pesos). Los obreros de Bolivia, un país dedicado a la minería, también han sufrido castigos por parte de la oligarquía por la militancia de los sindicatos. En 1988, el papa Juan Pablo II visitó el país y abogó por una mayor justicia para los indígenas de Sudamérica y los mineros bolivianos.

A pesar de su larga historia de golpes de estado, altibajos económicos y controles locales semifeudales, Bolivia es un país cuya estabilidad política y social comenzó a consolidarse en los últimos quince años del siglo XX. El presidente Víctor Paz Estenssoro (1985–89) inició nuevas políticas económicas dirigidas hacia el mercado libre, las cuales redujeron la hiperinflación a una inflación de sólo un 20% en 1988. En 1989 el Congreso Boliviano eligió presidente a Jaime Paz Zamora (1989–93). Lo siguió Gonzalo Sánchez de Lozada (1993–97), quien puso en práctica muchas reformas económicas, como un acuerdo de libre comercio con México y otro con el MERCOSUR. Además, privatizó varias empresas nacionales. No fue siempre fácil, porque en 1995 el gobierno declaró un estado de sitio por 90 días después del fracaso de las negociaciones con sindicatos tradicionalmente fuertes.

El próximo presidente, el general Hugo Bánzer Suárez (1997–2001), trató de mantener un ambiente positivo para atraer más inversiones por medio de la iniciación de un programa contra la corrupción. La privatización de la empresa estatal Yacimientos Petrolíferos Fiscales Bolivianos (YPFB) del sector de hidrocarburos permitió la construcción del gasoducto de Bolivia a Brasil y fue uno de los avances en la infraestructura energética más importantes en la historia de Latinoamérica. La inauguración del gasoducto a comienzos de 2000 inició el transporte de gas natural de Bolivia a Brasil bajo las estipulaciones del contrato de compra–venta entre Petrobras y YPFB, con una vigencia de 1999–2019. Bolivia ya se ha convertido en el centro de la industria energética de la región y es uno de los líderes del mundo en este sector.

En 2002, Gonzalo Sánchez de Lozada ganó la presidencia de nuevo al prometer la continuación de las políticas de reforma. El próximo año, hubo manifestaciones populares contra él y luego en 2005 contra su vicepresidente Carlos Diego Mesa Gisbert que llevaron a la dimisión de los dos presidentes sobre la exportación del gas natural. Evo Morales Ayma, del Partido Movimiento al Socialismo, fue el primer boliviano con orígenes indígenas que fue elegido presidente. En 2006 Morales nacionalizó la industria de energía y exigió que las empresas extranjeras vendieran un 51% de sus intereses al estado. En febrero de 2009 una nueva Constitución Política del Estado, aprobada por un 60% del pueblo, ofrece mayores derechos a la población indígena y ofende a los sectores tradicionalmente ricos. Además, el periodo de mandato de la Presidenta o del Presidente del Estado (Evo Morales, en este caso) es de cinco años, y puede ser reelecta o reelecto. La capital oficial que se menciona es Sucre, aunque la capital *de facto* permanece en La Paz. Sus planes para redistribuir muchas tierras y reducir restricciones en la producción de coca van a encontrar oposición tanto entre los grupos nacionales tradicionalmente conservadores como en el extranjero, y una tasa de inflación de 11.5% (2008), la falta de inversiones extrajeras (sólo 16.7% del PIB) y restricciones en el comercio con EUA en un ambiente económico de crisis internacional, van a complicar la política de Evo Morales.

9-6 Actividades

¿Qué sabe Ud. de Perú y Bolivia?

1. A Ud. lo/la han contratado/a como asesor/a transcultural de negocios internacionales. Como tal, necesita informar a sus clientes sobre Perú y Bolivia, y recomendar un plan de viaje de negocios a cada país. Investigue los datos pertinentes para poder desarrollar los temas a continuación.

   a. Describa la geografía de Perú y Bolivia, refiriéndose a los temas siguientes: ubicación y tamaño de ambos países, capital y otras ciudades y puertos principales, división administrativa y clima. Compare el tamaño de Perú con el de EUA. Compárelo con el tamaño del estado donde Ud. vive. Compare el tamaño de Bolivia con el de EUA y con el del estado donde Ud. vive.

   b. ¿Cuáles son las principales características demográficas y políticas de Perú y Bolivia? ¿Quién es el jefe de estado de cada país y cómo se comparan? ¿Cuáles son los países de Hispanoamérica más pobres que Bolivia?

   c. ¿Cuándo se celebra la fiesta nacional de cada país? ¿Qué otras fiestas públicas podrían afectar el éxito de un viaje de negocios? (Véase la Tabla 10-1, páginas 306–308.)

   d. Describa la economía de cada país. Incluya datos sobre la moneda nacional, la tasa de inflación (¿cuál fue la tasa de inflación de Bolivia en 1985?), el PIB y el PIB per cápita, el número de trabajadores (la mano de obra), la tasa de desempleo, los recursos naturales, las industrias nacionales, los productos que se exportan e importan, los países destino (mercados) y proveedores (fuentes) de estas transacciones internacionales, y la balanza de comercio. ¿A cuánto se cotiza cada moneda nacional respecto al dólar de EUA? ¿Cuál fue la balanza comercial de cada país según la información en este libro? ¿En la actualidad?

e. ¿Qué producto o servicio recomendaría usted vender en Perú y Bolivia? ¿Por qué?

f. Compare la infraestructura de transportes y de comunicaciones de cada país. ¿Qué obstáculos geográficos han tenido que superar históricamente Perú y Bolivia para mejorar su economía?

g. ¿Cómo han cambiado algunos de los datos presentados en las secciones de «Vista panorámica» y «La actualidad económica» de este texto? Póngalos al día para cada país.

h. ¿Qué es el fenómeno climatológico llamado El Niño? ¿Qué efectos económicos tiene en los países del Pacífico, como Perú?

i. ¿Dónde se halla el lago Titicaca y qué distinción tiene?

j. ¿Qué son Sendero Luminoso y el Movimiento Túpac Amaru? ¿Qué efecto han tenido sobre la economía peruana?

k. Basándose en «La actualidad económica» de cada país, ¿qué realidades, oportunidades y problemas económicos y políticos destacaría y qué recomendaciones le daría al/a la cliente/a?

2. Usando Internet u otras fuentes informativas, prepare un plan (con presupuesto e itinerario) para sus clientes, quienes harán un viaje de negocios a Lima y La Paz. Busque las opciones en Internet, por teléfono, en una agencia de viajes o en el aeropuerto mismo. Comuníquese en español, cuando sea posible.

a. Fechas de ida y vuelta.

b. Vuelos: aeropuertos de despegue y aterrizaje, líneas aéreas, horario; costos.

c. Transporte interno que se piensa usar en cada país: taxi, autobús, carro de alquiler, metro, tren, otro; costos.

d. Alojamiento y viáticos; costos.

e. La comida típica que van a pedir para la cena la primera noche en cada país.

f. Las formas de cortesía y los gestos que deben recordar, usar o evitar.

LECTURA CULTURAL

Lengua, lenguaje y anuncios

En el mundo actual hay entre 6,700 y 10,000 lenguas distintas, pero sólo unas cien lenguas oficiales se usan entre las 227 naciones del mundo. (Véase las páginas 12–13 del Capítulo 1 para más detalles sobre las lenguas del mundo.) Esto sugiere que hay, por lo tanto, un mínimo de 6,700 culturas distintas. Ésta es una consideración clave para la traducción y localización (adaptación cultural) requeridas de los anuncios publicitarios interculturales.

Oscar Wilde observó agudamente que los Estados Unidos e Inglaterra son dos naciones separadas por una lengua común. Algunos ejemplos de lo acertado de esta penetrante observación son los equivalentes léxicos de *elevator* y *lift* o *subway* y *tube*. También existe el ejemplo de un anuncio en Inglaterra que fomentaba la venta de una aspiradora de marca Electrolux, con el lema *Nothing sucks like an*

Electrolux, admisible en ese país pero inaceptable y risible en el inglés de los Estados Unidos.

La advertencia de Wilde también sirve para el español como lengua nacional de veinte países más Puerto Rico y EUA. Por ejemplo: «autobús» en España es «camión» en México y «guagua» en Puerto Rico y en las Islas Canarias, mientras que «guagua» se refiere a «bebé» en los países andinos. Para algunos, «camión» se traduce al inglés como *truck*, para otros como *bus*, dos vehículos totalmente diferentes. Además de emplear a veces diferentes vocablos para referirse a una misma cosa (e.g., pajilla, caña, pitillo, popote, bombilla = *drinking straw*) o un solo vocablo para referirse a cosas distintas, también hay países hispanos donde se habla más de una lengua oficial, como sucede con el uso del español y el quechua en el Perú; el español, el quechua y el aimara en Bolivia; y el español y el guaraní en Paraguay. Esto indica que a veces será aconsejable poner un anuncio oral en más de una sola lengua para alcanzar distintos sectores del mismo país.

Para tener en cuenta estas diferencias lingüísticas y culturales, es importante crear anuncios que eviten los errores en la promoción internacional de los productos. La industria automotriz nos ofrece buenos ejemplos de los malos anuncios. Un ejemplo es la anécdota o la «leyenda urbana» del auto de marca «Nova» que quiso vender General Motors en los setenta en los países hispanohablantes, sin considerar la fácil interpretación que se podría asociar con el producto de que «no va», es decir, que no funciona (véase www.snopes.com/business/misxlate/nova .asp). Ford anunció su camión ligero como la «Fiera» (*wild beast o dragon lady*) y tuvo otra mala aventura cuando anunció en México su nuevo carro «Comet» con el nombre «Caliente» (*hot* como en *horny*). La American Motors Corp. no se dio cuenta de que, al anunciar su carro en Puerto Rico (donde no se lidian toros), «Matador» significaba *killer*, y Mitsubishi anunció un nuevo vehículo todoterreno como el «Pajero» (en argot en español: persona que practica el onanismo), el cual tuvo que cambiar rápidamente a «Montero». En 2002, Nissan lanzó al mercado su vehículo todoterreno con el nombre de Moco (*bugger*) y en 1999 Mazda había lanzado su modelo Laputa, el cual continuó vendiéndose hasta 2007 (http://www .batfa.com/newcar-mazdalaputa.htm).

El anuncio de Parker Pen en Hispanoamérica prometía que su nueva tinta evitaría los «embarazos» (*pregnancies*) no deseados. En Bélgica y Francia, «Body by Fisher» (para los carros,) se tradujo al flamenco como «cadáver (*corpse*) por Fisher» y «Bran Buds» de Kellogg se tradujo al sueco como «granjero quemado» (*burnt farmer*). En China el anuncio de Pepsi-Cola, «*Come alive with Pepsi*», se convirtió en «Salga Ud. de la tumba y beba Pepsi» mientras que Coca-Cola ya había experimentado con una traducción fonética de su marca en el mismo país, lo cual dio por resultado «Muerda el renacuajo de cera» (*Bite the wax tadpole*, aunque esto también parece ser un mito o una leyenda urbana). Otro caso en China es el de Kentucky Fried Chicken, cuyo lema «*finger-lickin' good*» se tradujo literalmente como «Cómase los dedos», ni siquiera como «Chúpese los dedos». Olympia intentó anunciar su nueva fotocopiadora en Chile bajo el nombre de «ROTO» (*something broken o low-class Chilean man*), y Braniff Airlines invitó a sus pasajeros a volar «en cueros», lo cual se presta fácilmente a una interpretación de «*fly naked*». Fueron errores cómicos, a primera vista, y luego grotescos; pero fueron errores que, además de prestarse a burla, costaron tiempo y dinero.

El lenguaje de la publicidad—el modo de expresarse, el vocabulario (connotaciones y subtextos) y el tono empleados, prestando atención a sus diferentes asociaciones culturales—tiene que ser preciso en su creación, traducción y adaptación, a fin de evitar faltas garrafales de traducción, la cual es el arte de usar otras palabras para expresar el mismo mensaje (concepto) con el propósito de producir el mismo efecto que la versión original. Los anuncios, además de caracterizarse por palabras claves que identifican y describen el producto, con un juego de diseño y colores atractivos, casi siempre tienen un lema que la compañía crea como punto de referencia y asociación para el consumidor. El teléfono Nokia 6230, con cámara de vídeo, le promete al usuario «Tu vida con repetición instantánea, para compartirla al momento». Para la comida, Goya nos tranquiliza con el lema de que «¡Si es GOYA... tiene que ser bueno!» Para las mujeres, la revista Vanidades llama la atención de sus presuntas lectoras con el lema «No hay mujer sin vanidades»; L'Oreal se ha presentado como «Tu maquillaje secreto»; y Anímale (de Suzanne de Lyon) ha puesto solamente «Libérala», una invitación que parecía referirse tanto a la nueva fragancia anunciada como a la seductora joven mujer semidesnuda pintada como una tigresa. Para los hombres, Sybaris (Eau de toilette de Puig) ha representado «La cultura del placer». UPS (United Parcel Service) tiene «Paquetes que se comunican» y ha sido «Tan seguro como si lo llevara Ud. mismo». En cuanto a las tarjetas de crédito, Visa siempre «Está donde quieres llegar» y Diners Club International nos dice que «El mundo está abierto a posibilidades infinitas. Esta tarjeta es la llave». En el mundo de los automóviles, el Ford Five Hundred 2005 nos anuncia que «Querrás que todos sepan que es tuyo»; el Nissan Altima V6 2005 nos atrae con la frase «Para ver y ser visto», que se dirige al deseo humano de tener una buena presencia; el Renault 19 ha sido la «Fuerza emergente»; el Ibiza II de Seat fue «Hecho para su gente»; Mercedes-Benz nos anuncia que «Manejar se volvió más emocionante»; BMW «es la prueba que las cosas clásicas nunca salen de moda»; y el Alfa Romeo se asocia con «La pasión de conducir». Nescafé ha sido «Para amantes del café solo. Los que realmente aman el buen café». El cigarrillo Marlboro, con su foto típica de un masculinísimo «cowboy» estadounidense, le invitaba al consumidor a que «Venga adonde está el sabor», mientras que la marca Camel le proporcionaba «El sabor de la aventura» con su famoso camello. Y, como último ejemplo, tenemos el Nike ubicuo con su mundialmente conocido lema «Sólo hazlo», apelando a nuestros sentimientos de ser campeones y hombres y mujeres de acción.

La precisión de la palabra, el tono y el registro de expresión, junto con la imagen y la fuerza de asociación despertada en el consumidor, son algunos de los elementos clave para el éxito de las campañas publicitarias interculturales. Un producto o servicio no se vende sólo lingüística sino también culturalmente. Para realizar una campaña exitosa, hay que acudir a agencias publicitarias y a traductores profesionales que conozcan a fondo los diferentes contextos culturales, pues en muy pocas ocasiones se logrará éxito con una traducción literal, hecha por una persona inexperta en este campo. ¡Ojo! La traducción es también adaptación o «transculturación», lo cual requiere conocimientos de localización, es decir, el saber cómo hacer que un anuncio parezca haber sido creado en la lengua y la cultura nativas del consumidor. Ser bilingüe no es sinónimo de ser bicultural, y el ser bilingüe y bicultural no significa que se tenga la capacidad de hacer buenas traducciones. Se trata más bien de ser bi-alfabetizado y poder escribir bien. ¡Y cuidado con el uso ingenuo de la traducción automática o por computadora! Para este tipo de traducción hará falta un buen trabajo de comprobación y posredacción. (Para experimentar con esto, haga algunas traducciones con un traductor automático como www.freetranslation.com, www.free-translator.com o www.world.altavista.com.)

9-7 Actividades

1. **¿Qué sabe Ud. de la cultura?** Demuéstrelo contestando las preguntas a continuación.

   a. ¿Qué opina de la idea de que aprender una lengua también significa aprender una cultura? Justifique su opinión.

   b. Dé ejemplos de diferentes palabras en español empleadas en diferentes países hispanohablantes para referirse a una misma cosa. Dé ejemplos de una misma palabra que se refiere a distintas cosas, según el país hispano.

   c. Además del español, ¿qué otras lenguas oficiales hay en las llamadas naciones hispanoparlantes? ¿Hay otras lenguas no oficiales que se usan también? Dé ejemplos. (Véase la Tabla 6-1, páginas 182–183.)

   d. Comente sobre algunos de los ejemplos presentados del fracaso publicitario internacional. Intente averiguar en Internet si el caso del carro «Nova» es meramente una leyenda urbana. ¿Conoce otros casos malogrados u otras leyendas urbanas? Comente.

   e. ¿Qué es un lema? ¿Cuáles son algunos ejemplos de lemas en inglés que le han parecido buenos? ¿Cómo los traduciría al español? ¿Y de lemas en español y su traducción al inglés?

   f. ¿Piensa Ud. que a veces las compañías usan imágenes indebidas para vender sus productos? Comente.

2. **Asimilador cultural.** Lea lo siguiente y haga los ejercicios a continuación.

   Michael Dover, un joven californiano recientemente contratado por la Agencia Publicitaria Martí y Martí, S. L., de Miami, entra a la oficina de la directora, Lucinda Miller Díaz, para entregarle su traducción de un anuncio que un negociante regional quiere usar en español. El texto en inglés dice: «*Embarrassed by your old set of wheels? Got you singing the blues? Then switch your tune with a new pickup from McEwan's, the good truck dealer*». Después de buscar las palabras en un diccionario (comete el gran error de considerar sólo la primera definición presentada para cada palabra), su traducción dice «¿Embarazado por su conjunto de ruedas? ¿Le tiene cantando los azules? Entonces cambie su aire con una nueva troca de reparto de McEwan's, el buen traficante de trocas». Al repasarlo, Miller Díaz sonríe y luego pone los ojos en blanco, chascando la lengua.

a. ¿Por qué reacciona de esta manera la Sra. Miller Díaz?

b. ¿Qué problemas hay en la traducción?

c. Traduzca al inglés el sentido literal de la traducción que ha hecho Michael Dover al español. ¿Qué valor tiene este ejercicio de control llamado «retrotraducción», en el cual se vuelve a traducir lo traducido a la lengua original?

d. ¿Cómo traduciría Ud. al español el anuncio de McEwan's?

SÍNTESIS COMERCIAL Y CULTURAL

9-8 Actividades comunicativas

1. Situaciones para dramatizar. Lea las siguientes situaciones y después haga el papel en español con otro/s estudiante/s, usando las siguientes opciones como punto de partida. Cada persona deberá participar activamente en la dramatización. No olviden el protocolo ni las cortesías.

a. *You are responsible for selling directly to a single Spanish-speaking customer, to a small group, or to a larger group (represented by the class) any one product or service of your own choosing. Be as convincing as possible since the individual(s) may not always agree with your sales pitch. Sell the product or service, convince your potential customer to part with his/her money! (Afterward, discuss with your classmates the psychology you used and different sales styles—the hard sell, soft sell, etc.)*

b. *You and your partner, co-owners of a successful electronics company in San Antonio, are meeting to discuss your mutual desire to enhance the image of your business in the community. You discuss various options, among them:*

- *Sponsoring a basketball league.*
- *Sponsoring a soccer team.*
- *Sponsoring a youth center for boys and girls.*
- *Creating tuition scholarships for the city high school to send one graduate a year to the state university.*

c. *You have been sent by your boss in Lima to spend the day in the food section of a large department store handing out samples of a new American product—a yogurt for snacks, diet meals, or desserts—to shoppers. A teenager and an elderly person have stopped to listen to your explanation that the yogurt is the result of NASA's space technology; it comes in different flavors; and is vitamin-fortified, low-calorie, and all-natural. A special feature is that it stays frozen without refrigeration, and has a little plastic spoon inside for immediate consumption, and the spoon itself is consumable at the end of the delicious mini-meal. As the two people taste your samples and make comments, you promote the product further by telling them that if they buy a six-pack, they will also receive a free minipack of two extra yogurts.*

2. **Comprensión y comunicación.** Para este ejercicio basado en el vídeo de *Éxito comercial*, pase al encarte central del texto, VídeoTexto página 10.

3. **Actividad empresarial.** Ud. y un/a compañero/a de clase trabajan para una empresa de consultoría y han sido contratados/as para reunirse con un grupo de enfoque (cinco o seis compañeros de clase) con el propósito de aprender y evaluar su opinión sobre un nuevo producto que piensa lanzar al mercado su cliente. Piensen ustedes dos en algún producto apropiado y formulen un cuestionario para la reunión. Después, reúnanse con el grupo de enfoque y hagan el estudio de opinión.

4. **Minicaso práctico.** Lea el caso y haga los ejercicios a continuación.

VIBO (Vinos de Bolivia), una agencia de más de 15 años de experiencia en la producción publicitaria y el fomento de ventas, está organizando el cuarto festival anual titulado «Exposición de Vinos Bolivianos» en el cual se reúnen productores en la elaboración y crianza de vinos de calidad, exportadores nacionales, importadores extranjeros, y vendedores y distribuidores internacionales. La exposición ha tenido lugar cada año en la ciudad capital de La Paz en enero. VIBO desea que todos aprovechen su evento y que sea el más celebrado y elogiado en todo el país, pues los vinos bolivianos van ganando más fama regional por su buena calidad. Desgraciadamente, en los primeros tres intentos de promover esta feria, la empresa ha encontrado inconvenientes para atraer a suficientes participantes a La Paz, así que sus directores arreglan una reunión con varios representantes de las bodegas para presentar unas nuevas ideas. Es importante aumentar de 25 a 45 el número de empresas que participan. Ud. es uno de esos oficiales que está planeando la reunión y la próxima feria. Reúnase con varios compañeros y/o colegas para hacer lo siguiente:

a. Compare/n las ventajas de trasladar el festival de La Paz a Santa Cruz de la Sierra para poder atraer a más participantes. Incluyan información sobre las atracciones como parques, museos, misiones, el pantanal y aspectos de ecoturismo, la historia de los eventos incaicos y coloniales, y contacto con varios grupos étnicos.

b. Prepare/n un breve informe sobre los méritos de expandir el congreso a productores de la industria nacional de lácteos y no sólo de vinos.

c. Investigue/n la disponibilidad y la calidad de hoteles apropiados en las dos ciudades.

d. Organice/n una lista de actividades y servicios que se puedan ofrecer a los presuntos clientes como degustaciones, espectáculos, bailes, etc.

e. Haga/n una presentación oral de sus recomendaciones a la clase.

9-9 Análisis y comparación

Estudie la Tabla 9-1 y haga los ejercicios que aparecen a continuación. Use también sus conocimientos y, cuando haga falta, otras fuentes informativas como un diccionario, un *Almanaque mundial*, Internet, etc. Los ejercicios se pueden hacer individualmente, en parejas o en pequeños grupos para conversar en clase.

1. ¿Por qué es importante la infraestructura de transportes para el comercio de un país?

2. ¿Cuáles son algunas de las ventajas y desventajas del transporte por carretera, ferrocarril y avión? Piense en los tipos de mercancías que se pueden distribuir, la cantidad o el volumen, los costos comparativos de transporte, la rapidez, la flexibilidad, etc.

3. ¿Cuántos kilómetros de carreteras hay en cada uno de los siguientes países: Chile, Guatemala, Guinea Ecuatorial, Venezuela, Bolivia y EUA? ¿Cuántos kilómetros de carreteras hay en total entre todos los países hispanos? Compare este número total con el número de kilómetros de carreteras en EUA.

4. Entre los países hispanos, ¿cuáles son los tres que tienen el mayor porcentaje de carreteras pavimentadas? ¿Cuáles son los tres países con el menor porcentaje de carreteras pavimentadas? Haga una gráfica visual que presente esta información comparativa en orden decreciente de porcentajes.

5. ¿Cuántos kilómetros de vías férreas hay en cada uno de los siguientes países: México, Argentina, Cuba, Perú y EUA? ¿Cuántos kilómetros de vías férreas hay en total para los países andinos? ¿Y en los del Cono Sur? ¿Cuántos kilómetros de vías férreas hay en total para los países hispanos? Compare este número con el total de kilómetros de vías férreas en EUA.

6. ¿Cuáles son los cuatro países hispanos con el mayor número de aeropuertos con pista de aterrizaje pavimentada? ¿Y los cuatro países hispanos con el menor número? Usando los datos de la tabla, compare el número total de aeropuertos de los países hispanos con el número total de EUA.

7. Usted y dos o tres compañeros de clase han sido contratados/as como consultores/as de logística de transportes para una empresa que importa los siguientes productos: vino de España y de Chile, esmeraldas y café de Colombia, y cerveza de México. El vino español sale por buque de Valencia y llega al puerto de Nueva York; el vino chileno sale por barco de Valparaíso y llega al puerto de Los Ángeles; las esmeraldas colombianas salen por avión de Bogotá; el café colombiano sale por barco de Barranquilla y llega al puerto de Nueva Orleáns; la cerveza mexicana, la cual sale de Veracruz, puede empezar su ruta a EUA por barco, tren o camión. Conversen y preparen un plan de transporte para cada uno de estos productos, de modo que lleguen finalmente a las tiendas de Denver, Chicago y Miami y/o a las de las ciudades donde ustedes viven. Usen un mapa de EUA para indicar las carreteras, las líneas férreas y los aeropuertos (por ejemplo, para las conexiones aéreas) que ustedes recomendarían.

Tabla 9-1 Los países hispanoparlantes, Brasil y EUA: Carreteras, vías férreas y número de aeropuertos con pista de aterrizaje pavimentada

País	Carreteras kilómetros	% pavimentadas	Vías férreas (kilómetros)	Número de aeropuertos con pista de aterrizaje pavimentada
Argentina	231,374 (2004)	30%	31,902 (2006)	154 (2007)
Bolivia	62,479 (2004)	6%	3,504 (2006)	16 (2007)
Chile	80,505 (2004)	21%	6,585 (2006)	79 (2007)
Colombia	164,257 (2005)	24%	3,304 (2006)	103 (2007)
Costa Rica	35,330 (2004)	24%	278 (2007) (la línea férrea está casi inoperante)	36 (2007)
Cuba	60,858 (2000)	49%	4,226 (más 7,742 km utilizados por los cañaverales) (2006)	70 (2007)
Ecuador	43,670 (2006)	15%	966 (2006)	104 (2007)
El Salvador	10,886	26% (2000)	283 (fuera de servicio debido a la falta de mantenimiento) (2007)	4 (2007)
España	681,224 (2006)	100%	14,974 (2006)	96 (2007)
Guatemala	14,095 (2000)	35%	886 (2006)	12 (2007)
Guinea Ecuatorial	2,880	0%	0	5 (2007)
Honduras	13,603	20%	699 (2006)	12 (2007)
México	356,945 (2006)	50%	17,665 (2006)	231 (2007)
Nicaragua	19,036 (2005)	12%	La línea nacional está casi inoperante: 6 km	11 (2007)
Panamá	11,978 (2002)	36%	355 (2006)	54 (2007)
Paraguay	29,500 (2006)	51%	36 (2006)	13 (2007)
Perú	78,829 (2004)	14%	1,989 (2006)	54 (2007)
Puerto Rico	26,186 (2007)	95%	96	17 (2007)
Rep. Dominicana	19,705 (2002)	50%	517 (más 1,226 kms operados por las compañías de azúcar) (2006)	18 (2008)
Uruguay	77,732 (2004)	10%	2,073	9 (2007)
Venezuela	96,155 (2002)	34%	682	128
Brasil	1,751,868 (2004)	6%	29,295 (2006)	718 (2007)
Estados Unidos	6,465,799 (2007)	65%	226,612 (2005)	5,143 (2007)

FUENTES: U.S. Department of State Background Notes, *CIA World Factbook 2009, The World Almanac and Book of Facts 2009* y *Almanaque mundial 2009*

GeoReconocimiento

Mire los mapas del Capítulo 9 en la página web del libro (**www.cengage.com/spanish/exito**) y haga los ejercicios.

Posibilidades profesionales

Las carreras de marketing internacional son múltiples y abarcan todos los quehaceres de este campo, particularmente las de identificación de mercados; perfiles de presuntos consumidores o usuarios; publicidad y creación de anuncios (lo cual conlleva la traducción y la localización); estudios de imagen y posicionamiento, de precios, de impacto publicitario; diversos muestreos estadísticos, etc. Aunque muchos trabajos son de tipo gerencial, hay otros de especialistas, consultores y coordinadores. Para más información al respecto y para una actividad que le ayude a saber más sobre el tema, véase Capítulo 9 de «Posibilidades profesionales» que se encuentra en www.cengage.com/spanish/exito.

VOCABULARIO

Aquí se presentan los principales términos de este capítulo. Al final del libro hay un glosario más completo.

agencia • *agency*
  de publicidad • *advertising agency*
  publicitaria • *advertising agency*
boletín informativo • *newsletter*
buscador • *search engine*
cambio • *exchange, change*
  de contrabando • *black market exchange*
  negro • *black market exchange*
cartelera • *billboard*
circular (f) • *form, letter*
compra • *buying, purchasing*
consumidor/a • *consumer*
  presunto • *potential consumer*
diseño • *design*
elaboración • *production*
estraperlo • *black market*
fabricante (m/f) • *manufacturer*
folleto • *pamphlet*
gratuito • *free (of cost)*

hipervínculo • *hyperlink*
insumos • *supplies*
intermediario • *intermediary, middleman*
lanzamiento • *launching (of campaign)*
lenguaje (m) • *language style or jargon*
letrero • *sign*
  luminoso • *lighted, neon sign*
marca • *mark*
  comercial • *trademark*
  de fábrica • *trademark*
  registrada • *registered trademark*
medio • *means, medium*
  de difusión (difusivo) • *advertising medium*
  publicitario • *advertising medium*
mercado negro • *black market*
mercantil (adj) • *related to marketing*
muestreo • *sampling*
pasar de moda • *to go out of style or fashion*
patrocinar • *to sponsor*

(continúa)

precio • *price*

   máximo • *ceiling price*

   mínimo • *floor price*

prensa • *the press*

promoción de ventas • *sales promotion*

prueba • *proof, test, trial (as in product test)*

rascacielos (s/pl) • *skyscraper*

recopilación de datos • *compilation of data, data summary*

relaciones públicas • *public relations*

robapáginas (m/s/pl) • *page or screen filler (a type and size of ad used in Spain and Latin America)*

sala de conversación • *chat room*

surtido • *line of products*

telemarketing (m) • *telemarketing, telesales*

televentas • *telesales*

utilidad • *utility*

valla • *billboard*

venta • *sale*

   agresiva • *hard sell*

   blanda • *soft sell*

   en masa • *mass selling*

   personal • *personal selling*

Marketing II: Compraventa, transporte y almacenaje

Artesanía de moda, Santiago, Chile. Describa todo lo que ve en la foto. ¿Qué tipo de venta se hace aquí, al por mayor o al por menor? Comente.

A salesman is one who sells goods that won't come back to customers who will.
— ANÓNIMO

Vende caro y compra barato y no te faltará perdiz en el plato.
— PROVERBIO

Mercadeo: conjunto de operaciones por las que ha de pasar una mercancía desde el productor al consumidor.
— *DICCIONARIO DE LA LENGUA ESPAÑOLA*

10-1 Preguntas de orientación

Al hacer la «Lectura comercial», piense en las respuestas a las siguientes preguntas.

1. ¿Cuáles son las funciones del marketing?

2. En términos generales, ¿cuáles son las diferencias entre el mayorista y el minorista? Dé un ejemplo de un mayorista de estanterías, un proveedor directo y un mayorista sin almacén.

3. ¿Qué alternativas tiene el fabricante para comercializar sus productos?

4. ¿Qué son la cadena de suministros y la tecnología de flujo de pedidos? ¿Cómo funcionan? Dé algunos ejemplos.

5. ¿Cuáles son las tres formas generales de fletar mercancías? Dé ejemplos de cada una. ¿Qué ventajas y desventajas tiene cada una?

6. ¿Qué factores se consideran para escoger el medio de transporte?

7. ¿Qué se comprende por la palabra «almacén»? ¿Cuáles son los tipos de almacén que se utilizan para la venta al por menor? Dé un ejemplo de cada tipo.

8. ¿Cuál es el método más común que utilizan las empresas para enfrentarse al riesgo? ¿En qué consiste?

9. ¿Qué factores tiene que considerar el gerente al determinar los precios para el consumidor?

10. ¿Qué tipos de descuento hay para los clientes? ¿Cuál es el más común y en qué consiste?

LECTURA COMERCIAL

La compraventa y otras funciones del marketing

Después de fabricar un producto y planear la entrada al mercado, la gerencia nece-sita realizar una serie de funciones continuas para poner el producto en manos del cliente. Entre éstas figuran:

1. la venta del producto y su distribución al cliente, ya sea éste el mayorista, el agente, el detallista, el gobierno o el consumidor mismo.

2. el transporte del producto para facilitar la entrega por medio de los diversos canales de distribución.

3. el almacenaje de los productos no utilizados inmediatamente.

4. el control de riesgo.

5. la estructuración de precios para competir en el mercado.

La venta del producto y su distribución

Los fabricantes de un producto a menudo tienen que trabajar con otros indivi-duos o empresas que les sirvan de intermediarios para hacer llegar el producto al consumidor. Cada vez que participa un intermediario, aumenta el costo del producto o del servicio. Los objetivos de los intermediarios y del proceso de distribución son: (1) la entrada del vendedor al mercado nacional o internacional y (2) la facilidad (física, temporal y monetaria) de adquirir los productos o servicios por parte de un comprador.

El mayorista. En general, hay dos tipos de mayoristas: los **comerciantes mayoristas** compran sus mercancías para revenderlas al por mayor (*wholesale*) a los minoristas o, a veces, directamente a los consumidores. Compran en grandes cantidades, toman posesión física y son los dueños de los bienes comprados. Su función varía de industria a industria y según su especialización. Hay mayoristas, como los ferreteros, que se dedican a la venta de toda gama de productos dentro de cierta clase de mercancías, mientras hay otros que se especializan en una clase o marca específica de productos, por ejemplo, los vendedores de repuestos de automóviles o de herramientas de carpintero. También existen los siguientes especialistas:

1. **el mayorista de estanterías:** tiene sus propios estantes y los abastece con productos como los que se usan para la belleza, la higiene o la salud.
2. **el proveedor directo:** vende bienes de los cuales tiene el título, pero trata de evitar su posesión física cuando sea posible; entrega las mercancías directamente al comprador, según un convenio acordado de antemano.
3. **el mayorista sin almacén:** entrega mercancías para las cuales la rapidez es sumamente importante, como en el caso de víveres y combustibles.

La segunda clase de mayorista es el **agente.** Éste no es dueño de la mercadería que vende. Su única función es la venta de las mercancías de un productor. Además es comisionista, es decir, recibe su remuneración por comisión, un porcentaje del precio de la venta.

El minorista o **detallista.** Este vendedor compra sus mercancías de los fabricantes o de diversos mayoristas para luego vendérselas, **al detalle** (o **al por menor** o **al menudeo**) al consumidor individual, como la zapatería que vende un solo par de zapatos. Se caracteriza por su especialización. Es fácil hacerse detallista, pero también es común fracasar, debido a la competencia entre los muchos detallistas y al riesgo involucrado.

Canales de distribución. El fabricante puede escoger entre varios medios de distribución para sus productos (véase la Figura 10-1). Puede vender directamente al consumidor, por medio del mayorista o minorista, o puede distribuir sus productos por medio de un agente. En esta selección, siempre es importante considerar las siguientes condiciones del intermediario: su situación económica; su reputación y relaciones con los clientes; sus edificios, almacenes y medios de transporte; y las posibilidades de venta debido a las ventajas de distribución. El fabricante tiene que reconocer que un control exclusivo del mayorista en las ventas puede reducir su propia influencia en la determinación del precio de venta y reventa.

Hoy en día, tal como lo explica Thomas Friedman en *La tierra es plana*, uno de los principales aplanadores del comercio mundial es la incesante **cadena de suministros** "con su sucesión de entrega, clasificación, **carga**, distribución, compra,

Figura 10-1 Flujos de bienes producidos. La ruta tradicional y otras posibilidades para el fabricante *(Gráfico de M. S. Doyle)*

LA FÁBRICA

Produce para vender en GRANDES cantidades

1 Ruta tradicional

Mayoristas Compran y venden en grandes cantidades.

2

Minoristas o detallistas Compran y venden en pequeñas cantidades.

3

CONSUMIDOR O USUARIO FINAL

© Heinle/Cengage Learning

manufacturación, pedido, entrega, clasificación, carga..." (139–140). Una compañía transportista como UPS utiliza "algoritmos aplicados a cadenas de suministro," los cuales representan una "rama de las matemáticas" denominada **tecnología de flujo de pedidos**," cuyo propósito es "ajustar constantemente el despliegue de camiones, barcos, aviones e instalaciones ... con el flujo diario de envíos de todo el mundo" (Friedman 159). En la Hacienda Ojo de Agua, S.A., ubicada en la zona atlántica de Costa Rica, que se dedica a la producción y el empaque de piña fresca y de fruta deshidratada para Del Monte, la piñera puede **rastrear** cualquier envío, identificar la fruta dañada durante su ruta y reemplazarla antes de que llegue al consumidor.

El transporte y el almacenaje

El desarrollo económico de los EUA se atribuye en gran parte a la existencia de sistemas de transporte modernos. Sin ellos se hace difícil la distribución de los productos y se limita el desarrollo económico de cualquier país. La importancia del transporte y del almacenaje se refleja en los costos. La combinación de estas dos funciones representa casi el 50% de los costos totales del mercadeo. Entre los diferentes tipos de flete hallamos:

1. **flete terrestre:** camión, ferrocarril y oleoducto (tubería provista de bombas para conducir el petróleo a larga distancia) o gasoducto (tubería de grueso calibre para conducir a distancia gas combustible, procedente por lo general de emanaciones naturales)

2. **flete marítimo o fluvial:** cabotaje (navegación o tráfico de buques entre los puertos de su nación sin perder de vista la costa), cabotaje de petroleros, líneas exteriores de pasaje y carga en forma de **buque** o **transbordador**, y **barcaza** (**lanchón** para transportar carga de los buques a tierra, o viceversa), **gabarra** (barco pequeño y chato destinado a la carga y descarga en los puertos) o **chalana** (embarcación menor, de fondo plano, que sirve para transportes en aguas de poco fondo y que se acopla a otras para ser remolcada por **remolcadores** en la navegación fluvial)

3. **flete aéreo:** avión

En el contrato transportista o **conocimiento de embarque**, el **flete** es el precio o porte del alquiler de un medio de transporte (camión, barco, avión u otro vehículo o parte del mismo) estipulado en el **fletamento** (el contrato mercantil en que se indica el flete). Flete también se refiere a la carga que se transporta por mar o por tierra, o al vehículo o transporte mismo. El **fletante** es el naviero (dueño o compañía propietaria) o quien lo represente. Y el **fletador**, el que contrata al fletante, es el encargado de entregar la carga que ha de transportarse, es decir, la persona que envía la **mercancía** por medio de un transportista.

Hay tres tipos de empresa de transporte: (1) el transportista **público**, quien sirve a todo el mundo; (2) el transportista **por contrato**, quien no ofrece un servicio público, sino que comercia exclusivamente con clientes especiales y para una industria en particular; y (3) el transportista **privado**, quien trabaja para una empresa particular.

El medio de transporte tiene que corresponder a las necesidades de la empresa. Hay varios factores que influyen en la decisión de usar un solo o una combinación de medios transportistas. Estos factores son el costo, la rapidez, la flexibilidad respecto a la extensión geográfica y la entrega de mercancías de gran volumen. El medio más económico es la vía navegable; el más rápido para largas distancias es el aéreo; el más flexible geográficamente es el camión; el que puede transportar mayor volumen es el buque. Aunque el ferrocarril no es el mejor transporte en ninguna de las categorías mencionadas, en muchos casos ofrece la mejor combinación de ventajas en cuanto a volumen (el uso de **contenedores** o *containers*), cierta rapidez y precio. El camión generalmente se emplea en los trayectos cortos a lugares donde no llega el ferrocarril. La tarifa no es tan alta como la de un vagón completo de ferrocarril. Las autopistas de buena calidad que permiten la entrega rápida de mercancías aumentan la rapidez y la flexibilidad y reducen el costo de la entrega. Muchos países cobran impuestos o construyen autopistas de peaje o de cuota para mantener en buen estado las carreteras. Otra forma de transporte,

Santiago/EFE—El Gobierno chileno habilitará una nueva terminal marítima de libre tránsito que permitirá a Bolivia disponer de almacenaje gratuito en el puerto de Iquique, a 1.857 kilómetros al norte de la capital Santiago. El inicio de operaciones de esta terminal, la tercera de este tipo, está pendiente sólo del intercambio de notas en las cancillerías de ambos países, que mantienen un tratado de libre tránsito desde 1904, según informó ayer el diario *El Mercurio*.

De acuerdo con la información de la Dirección de Fronteras y Límites más de un siglo después de que las terminales de Arica y Antofagasta entraran en funcionamiento, ahora se incorporará el puerto de Iquique, después de que Chile haya adoptado su legislación interna. El libre tránsito es un régimen jurídico que exime de tasas y contribuciones al paso de cargas de diferente naturaleza y en todas las circunstancias. Sin embargo, al privatizar el puerto de Arica, este beneficio dejó de existir.

Bolivia perdió sus 400 kilómetros de costa en la Guerra del Pacífico, conflicto de finales del siglo XIX en el que fue aliada de Perú contra Chile, que derrotó a ambos países. Los puertos del Pacífico son importantes en el comercio de Bolivia, ya que por ellos pasa el grueso de sus exportaciones, equivalentes a unos 3,000 millones de dólares.

Según la Dirección de Fronteras y Límites de la Cancillería, en los puertos chilenos habilitados para el libre tránsito, Bolivia ejerce controles aduaneros y goza de gratuidad en el almacenamiento de mercancías por un plazo de un año para las importaciones y de dos meses para las exportaciones, coste que es absorbido por el Estado chileno. Bolivia no mantiene relaciones diplomáticas con Chile desde 1962, salvo un paréntesis abierto en los años 70 por los entonces dictadores de ambas naciones Hugo Banzer y Augusto Pinochet, respectivamente. Desde 2006, Chile y Bolivia han experimentado un inusitado acercamiento de la mano de sus presidentes Michelle Bachelet y Evo Morales, quienes aprobaron una agenda bilateral de trece puntos que incluye la demanda marítima boliviana. ("Chile habilita terminal para almacenaje gratuito en Iquique," La Prensa, 23/06/09, http://www.laprensa.com.bo/noticias/23-06-09/noticias.php?nota=23_06_09_nego3.php)

1. ¿Cuál es el tema de este artículo?

2. ¿Dónde está ubicado el puerto de Iquique? En términos geográficos y políticos, ¿por qué es importante para Bolivia?

3. ¿Qué significa el término *libre tránsito*? ¿Por qué lo necesita Bolivia?

4. ¿Cuáles son los beneficios específicos que recibirá Bolivia respecto a las importaciones? ¿Y para las exportaciones?

5. ¿Cómo han cambiado las circunstancias políticas en Chile y Bolivia desde los años 70 hasta la actualidad?

6. ¿Piensa usted que la comunidad internacional debería ayudar a buscar soluciones políticas y económicas cuando hay conflictos fronterizos entre diferentes naciones, o se debería dejar en manos de las naciones en conflicto? Comente.

por oleoducto o gasoducto, es rápida y económica cuando se trata de transportar fluidos, semifluidos y gases.

El almacenaje de mercancías siempre ha sido una función vital del marketing. Hay varios tipos de almacén que se adaptan a las necesidades de la empresa. La palabra «almacén» abarca tanto el concepto de edificio o local donde se depositan géneros de cualquier especie, generalmente mercancías, como el concepto de tienda de comercio, sea ésta una tienda de ventas al por mayor o al por menor. Los almacenes más importantes suelen ser los siguientes:

1. **el almacén general:** ha existido desde tiempos antiguos para el abastecimiento y la venta de herramientas agrícolas, lencerías y víveres. Con la invención del camión y el mejoramiento de las carreteras, el almacén general va desapareciendo.

2. **el almacén:** ofrece una variedad de artículos de calidad, por ejemplo, equipo para deportistas.

3. **el gran almacén:** es el almacén general moderno con distintos departamentos, cada uno con su propio gerente o comprador especializado. Frecuentemente se encuentra en los centros comerciales o en las afueras de las ciudades.

4. **el supermercado, el hipermercado (un gran supermercado que trata de atraer a gran número de clientes con precios relativamente bajos) y el mercado de descuentos:** compran un gran volumen de mercancías y por eso pueden reducir el precio para el consumidor.

5. **el minorista sin almacén:** comercia con ventas a domicilio, por correo, por teléfono, por medio de un distribuidor automático (o máquina expendedora), por medio de vendedores ambulantes o por computadora.

6. **la concesión (o franquicia):** licencia o derecho otorgado a una persona para vender los productos o servicios de una empresa en una zona particular. Este tipo de negocio ha alcanzado mucha fama en la industria de «la comida rápida» y hay gasolineras y concesionarios de automóviles que también funcionan así.

7. **el centro comercial o el «mall»:** es un tipo de almacenaje al detalle más reciente en el que varios minoristas se reúnen en un edificio grande, con frecuencia en las afueras de una ciudad. Ofrece un gran surtido de artículos de calidad en sus propios almacenes o tiendas. A veces hay un supermercado, un banco y un cine. Además, hay estacionamiento alrededor de las tiendas y un gran almacén, un hipermercado o una gran tienda de descuentos para atraer a los consumidores.

El control de riesgos

En la distribución y el transporte de mercancías o servicios, cada operación corre el peligro de sufrir de un siniestro. Esta incertidumbre de que algo malo o inesperado suceda se llama riesgo. Los fabricantes y los intermediarios suelen protegerse contra el riesgo con un **seguro**, un contrato por el cual el riesgo lo asume la compañía de seguros con el pago de una **prima** (el precio del seguro). Entre los tipos de seguros más importantes para el comerciante figuran el seguro contra incendios, el de automóviles, el de vida, el de accidente, el de salud, el de responsabilidad civil o contra terceros, el de falta de cumplimiento, el de transporte y el seguro contra todo riesgo.

La estructuración de precios

Al estructurar los precios, el gerente debe considerar bien varios factores:

1. el estado actual y el futuro de la economía.

2. la oferta y la demanda.

3. la flexibilidad de la demanda o de la oferta; es decir, el impacto del precio sobre la cantidad que se puede vender (la elasticidad del precio).

4. la competencia y su impacto en los precios.

5. el costo de producción.

6. los objetivos de la gerencia, los cuales determinan la importancia del volumen de ventas, la participación en el mercado o la tasa de rendimiento.

7. la situación financiera y comercial de la empresa, la cual espera alguna señal del líder de precios de la industria (generalmente la compañía más grande) de que éste va a subir o bajar los precios.

8. los distribuidores, para que todos reciban un margen de beneficios adecuado.

9. los reglamentos y las leyes estatales que rigen los mercados.

El precio que se les cotiza a los clientes es el precio de **catálogo**. La cantidad que paga el consumidor, es decir, el precio **de venta** o **de mercado**, puede igualar al precio de catálogo, aunque frecuentemente varía según la oferta y la demanda y los descuentos ofrecidos. El **descuento por pronto pago** es el más común. Especifica el número de días que se tiene para pagar hasta el vencimiento de la factura (por ejemplo, 30 días) y el porcentaje del descuento (por ejemplo, 3%) si se paga la factura antes de cierto número de días (por ejemplo, diez). Se expresa de la siguiente manera: 3/10, neto 30. Con esto se indica que hay un descuento del 3% si se paga la factura dentro de diez días o se hace el pago total dentro de 30 días. Si se tarda más de 30 días tendrá que pagar también la tasa de penalización (el interés) sobre el importe total debido. Hay otros descuentos como la **rebaja** al revendedor, el descuento por cantidad, el descuento comercial, el descuento por promoción, la rebaja al comprador y la rebaja por la compra en efectivo.

En fin, desde la producción misma, hasta la distribución y la última venta del producto al consumidor o usuario final, hay una serie de procesos importantes que necesitan investigación y análisis, planificación y ejecución y, sobre todo, coordinación e integración. La venta

© Jeff Gilbreath

Una subasta es el método más eficaz de poner a la venta el ganado. ¿Cómo se determinan los precios en una subasta? ¿Qué otros bienes o productos se venden de esta manera?

es una operación bastante difícil y compleja, especialmente en el campo internacional, pero de ella depende todo el éxito comercial en el mundo actual de los negocios.

10-2 Actividades

1. **¿Qué sabe Ud. de negocios?** Vuelva a las «Preguntas de orientación» que se hicieron al principio del capítulo y a las preguntas que acompañan las fotos y contéstelas en oraciones completas en español.

2. **¿Qué recuerda Ud.?** Indique si las siguientes oraciones son *verdaderas* o *falsas* y explique por qué.

   a. El mayorista vende en pequeñas cantidades.

   b. Los agentes suelen ser dueños de la mercadería que venden.

   c. El comisionista es un agente que toma posesión física de la propiedad que vende y recibe un sueldo fijo como pago.

   d. Es fácil tener éxito como detallista o minorista.

   e. La mayor parte de los costos de distribución es la de los costos de los intermediarios.

   f. El precio de mercado es el precio que paga el comprador que paga en efectivo.

3. **Exploración.** Haga los siguientes ejercicios, usando sus conocimientos y opiniones personales.

   a. Explique cómo llegan los siguientes productos al mercado donde usted vive: el jabón a la farmacia; el café al supermercado; los carros a los concesionarios de automóviles.

   b. ¿Qué efecto tienen las siguientes características de un intermediario: reputación, situación económica, edificios, almacenes y medios de transporte?

   c. ¿Cuáles son las ventajas y las desventajas de diversos medios de transporte para la distribución de mercancías? Describa las diferentes embarcaciones que se usan en el transporte marítimo y fluvial.

   d. Compare el cabotaje de petróleo y el oleoducto como medios de distribución.

   e. ¿Qué tipo de seguro piensa Ud. que sería el más importante para una empresa? ¿Por qué? ¿Es necesario tener cobertura en varias áreas? Explique.

   f. Describa la comercialización de algún producto que Ud. prefiere comprar al detalle. Comience después de su producción y analice su distribución, transporte, almacenaje, seguro y precio final.

   g. ¿Cómo se relacionan los dichos que aparecen al principio del capítulo con los temas tratados?

10-3 Al teléfono

Pistas
19 y 20

1. Lea las siguientes preguntas. Después escuche atentamente la conversación telefónica del Capítulo 10 y conteste las preguntas. Puesto que la comprensión auditiva es una destreza comunicativa sumamente importante, se recomienda escuchar la conversación varias veces.

a. ¿Por qué llama Miranda Olivares, del Supermercado Este, a Óscar Lagos?

b. ¿A qué se deben las subidas en el costo del pan, según Óscar Lagos?

c. Según Miranda Olivares, ¿cómo son los precios del pan de Óscar Lagos?

d. ¿Qué sugiere Lagos para compensar el alto costo inicial de Pan Celestial?

e. ¿Cómo sabemos que Miranda Olivares no está convencida del uso de los cupones?

2. Basando sus comentarios en la conversación telefónica del ejercicio anterior, haga la siguiente llamada telefónica a otro/a estudiante de la clase. Cada persona deberá participar activamente en la conversación. Para ayuda con esta actividad, véase el Apéndice 1, «Protocolo telefónico», página 457.

Usted es Miranda Olivares, gerenta del Supermercado Este en Valparaíso, Chile. Llame a Óscar Lagos y Zurrieta, quien entrega Pan Celestial a su mercado, para explicar que la campaña publicitaria especial usando cupones no ha aumentado la venta de su pan y que usted tendrá que cancelar los pedidos. Óscar pide una prórroga del plazo para investigar más el efecto de los cupones.

3. Haga la siguiente llamada telefónica a otro/a estudiante de la clase. Cada persona deberá participar activamente en la conversación. Si necesita ayuda para esta actividad, véase el Apéndice 1, «Protocolo telefónico», página 457.

Usted es un/a mayorista de estanterías que quiere colocar bien su champú en los estantes de una farmacia en Concepción. El/La farmacéutico/a le comunica que a él/ella le parece que no hay suficiente espacio en los pasillos para sus mercancías en este momento. Trate de convencerlo/a de que debería aceptar sus productos y descríbale cómo Ud. va a estructurar los precios y cuántas visitas por semana hará a la farmacia con sus mercaderías. Describa con más detalles su plan de colocación.

10-4 Navegando por Internet

Para hacer este ejercicio de Internet, visite la página web del libro en http://www.cengage.com/spanish/exito

10-5 Ejercicios de vocabulario

Si le es necesario, consulte la «Lectura comercial» o la lista de vocabulario al final del capítulo para completar estos ejercicios.

1. **¡A ver si me acuerdo!** Pensando en la posibilidad de establecer una relación comercial, Ud. va a conversar con una persona de negocios de un país hispano. Sin embargo, se le olvidan a usted los siguientes términos en español. Pida a un/a compañero/a que se los traduzca.

a. *charterer*   e. *franchise*   h. *retailer*

b. *pipeline*   f. *coastal shipping*   i. *middleman*

c. *barge*   g. *warehouse*   j. *supply-chaining*

d. *vending machine*

2. **¿Qué significan?** A Ud. le interesa la posibilidad de trabajar en una oficina de mercadeo en un país hispanoparlante. Sin embargo, no sabe lo que significan ciertos términos que se usan frecuentemente en el comercio. Ud. decide consultarlos con un/a amigo/a. Pídale a un/a compañero/a de clase que le explique los siguientes términos y que le dé algunos sinónimos.

   a. siniestro   e. descuento por pronto pago

   b. entrega   f. conocimiento de embarque

   c. almacenaje   g. precio de catálogo

   d. autopista de peaje   h. flete

3. **Entrevista profesional.** Ud. se ha presentado como candidato para un puesto de director de marketing en una empresa multinacional que requiere ciertos conocimientos de la terminología de ese campo. Entre las preguntas que le hace el/la director/a de personal, figuran las siguientes. Con un compañero/a, realicen la entrevista. No olviden el protocolo ni las cortesías.

   a. ¿A qué se refiere el concepto de responsabilidad civil?

   b. ¿Cómo explica Ud. el descuento de 3/15, neto 30?

   c. ¿Cuáles son los fletadores más importantes en el comercio internacional y cómo se diferencian en el costo de transporte?

   d. ¿Cuáles son los beneficios de un hipermercado en comparación con otros tipos de almacenes?

   e. ¿Qué medio de transporte usaría Ud. para transportar líquidos? ¿Gases? ¿Ganado? ¿Botellas de vino? ¿Joyas? ¿Por qué?

4. **Traducciones.** Un/a amigo/a suyo/a que está inscrito/a en un programa de maestría en marketing acaba de empezar a estudiar español. Él/Ella sabe poco del vocabulario necesario para funcionar eficazmente en este contexto. Usted lo/la ayuda al pedirle que él/ella traduzca las siguientes oraciones que informan sobre el tema.

   a. *In order to increase the volume of sales, a marketing manager has to conduct extensive studies.*

   b. *Merchant wholesalers usually assume physical possession and ownership of the goods they sell.*

   c. *Agents and brokers are not owners of merchandise; rather, their purpose is to sell a producer's merchandise.*

   d. *Common carriers, contract carriers, and private carriers offer delivery services to different types of clients.*

   e. *Successful marketing is a difficult operation requiring coordination and integration between different individuals and their activities.*

UNA VISTA PANORÁMICA DE CHILE

Nombre oficial:	República de Chile
Gentilicio:	chileno/a
Capital y población:	Santiago: 5,720,000
Sistema de Gobierno:	República
Jefe de Estado/Jefe de Gobierno:	Presidente Miguel Juan Sebastián Piñera Ecenique
Fiesta nacional:	18 de septiembre, Día de las Fiestas Patrias (Independencia 1818: de España)

Chile

GEOGRAFÍA Y CLIMA

Área nacional en millas² y kilómetros²	Tamaño (comparado con EUA)	División Política	Otras ciudades principales	Puertos principales	Clima	Tierra cultivable
292,260 m² 756,950 km²	Un poco más grande que Tejas	13 regiones (incluye la Región Metropolitana de Santiago) y 51 provincias	Concepción, Viña del Mar, Valparaíso, Antofagasta, Temuco	Valparaíso, Arica, Antofagasta, Iquique	Árido y desértico en el norte, mediterráneo en el centro, fresco y húmedo en el sur	5%

DEMOGRAFÍA

Año y población en millones			% urbana	Distribución etaria		% de analfabetismo	Grupos étnicos
2010	2015	2025		<15 años	65+		
16.7	17.4	18.6	88%	23%	9%	4%	95% blanco europeo y mestizo, 5% amerindio

ECONOMÍA Y COMERCIO

Moneda nacional	Tasa de inflación 2008	N° de trabajadores (en millones) y tasa de desempleo		PIB 2008 en millones $EUA	PIB per cápita	Distribución de PIB y de trabajadores por sector *			2008 Exportaciones en millones $EUA	2008 Importaciones en millones $EUA
						A	I	S		
El peso	8.8%	7.3	7.5%	$252,900	$15,400	5%	51%	45%	$69,100	$59,200
						13%	23%	64%		

*Para distribución del PIB y de los trabajadores (mano de obra): A = Agricultura, I = Industria, S = Servicios (y Gobierno).

Recursos naturales: Cobre, madera, hierro, nitrato, metales y piedras preciosas, molibdeno, energía hidroeléctrica.

Industrias: Minería de cobre y otros minerales, fabricación de metales, procesamiento de alimentos y de pescado (especialmente trucha y salmón), harina de pescado, bebidas, hierro y acero, madera y productos de madera, equipo de transporte, cemento, textiles, derivados de petróleo, papel.

COMERCIO

Productos de exportación: Bienes de consumo, cobre y otros minerales y metales, pescado y harina de pescado, productos de madera, papel, productos químicos y de petróleo, fruta y vegetales, pescado, vino, alimentos, químicos.

Mercados: 15% China, 13% EUA, 11% Japón, 6% Países Bajos, 6% Corea del Sur, 5% Italia, 5% Brasil (2007).

Productos de importación: Químicos, petróleo y productos del petróleo, combustibles, maquinaria industrial, vehículos de motor, equipo eléctrico y de telecomunicaciones, gas natural, alimentos, bienes de consumo.

Proveedores: 17% EUA, 11% China, 10% Brasil, 10% Argentina (2007).

Horario general de comercio: De lunes a viernes (o sábado), desde las nueve de la mañana hasta las seis de la tarde. En algunos lugares se practica la hora de la siesta y se cierran las tiendas entre el mediodía y las tres o cuatro de la tarde.

TRANSPORTE Y COMUNICACIONES

Kilómetros de carreteras y % pavimentadas	Kilómetros de vías férreas	N° de aeropuertos con pista de aterrizaje pavimentada	N° de líneas telefónicas	Radios por mil personas	Televisores por mil personas	N° de usuarios de Internet en millones
80,505/21%	6,585	79	3,300,000	354	240	5.6

IDIOMA Y CULTURA

Idiomas	Religiones	Comidas y bebidas típicas/Modales
Español (oficial), mapuche, quechua, aimara, alemán, inglés, francés	70% católica romana, 15% protestante, 7% otro	Empanadas de horno, pastel de choclo, cazuela de ave, churrasco, mariscos, caldillo de congrio, sopaipillas, manjar. No repetir (comer una segunda vez); no marcharse inmediatamente después de comer.

Horario normal del almuerzo y de la cena: Sobre la una y media de la tarde para el almuerzo; sobre las ocho de la noche para la cena.

Gestos: Se evita hacer muchos gestos con las manos, no se hacen tanto como en otros países hispanos. Es esencial mantener un buen contacto de ojos al hablar con otra persona. Las cosas como el dinero se entregan con la mano directamente a otra persona, no se tiran o dejan sobre un mostrador o una mesa para que las recoja el otro. Poner una mano, con la palma abierta, bajo el otro codo indica que alguien es tacaño. El gesto norteamericano de «ven acá» (el antebrazo extendido con la mano palma hacia arriba y los dedos que se mueven hacia el cuerpo de uno) significa que uno busca camorra («*to pick a fight*»). Hacer un puño y golpearlo contra la palma de la otra mano es un gesto obsceno que equivale al gesto «*to give the finger*» en EUA.

Cortesía: Durante el saludo, darse la mano con un apretón firme. Los hombres se ponen de pie cuando entra una mujer al cuarto y le dan la mano si ésta primero les ofrece la suya en forma de saludo. Cuando se visita la casa de alguien para comer o cenar, traer para los anfitriones un regalito como flores, pan o una buena botella de vino. Intentar probar un poco de toda la comida servida.

LA ACTUALIDAD ECONÓMICA CHILENA

A lo largo de su historia, a pesar de unas epocas sangrientas, Chile ha mantenido uno de los sistemas políticos más democráticos de Hispanoamérica y en los últimos diez años ha sido una sólida economía modelo de libre comercio. En realidad, Chile tiene excelentes oportunidades para competir eficazmente en la economía mundial y una investigación reciente ha identificado los once sectores más prometedores que incluyen acuacultura, *offshoring,* turismo, porcicultura-avicultura, fruticultura, minería de cobre, alimentos procesados, servicios financieros, logística y transporte, comunicaciones y construcción (http://issuu.com/creainnova/docs/clusters_de_la_economia_chilena/1?mode=a_p).

En Chile hay tres regiones distintas: un desierto en el norte, un fértil valle central y la región de clima frío cerca de la zona antártica. En cuanto al transporte terrestre, siempre ha tenido dificultades debido a la topografía de los Andes y el desierto, pero el país ha desarrollado uno de los mejores sistemas ferroviarios de Hispanoamérica. El transporte aéreo es importante por razones geográficas; LAN (Línea Aérea Nacional) fue privatizada en 1990. Es la mayor aerolínea del país y mantiene operaciones en Perú, Ecuador y la República Dominicana. Respecto al transporte marítimo, el cabotaje es importante debido a la dificultad del transporte terrestre. En el campo internacional, Antofogasta, Iquique, Arica y Valparaíso son los puertos más importantes. En efecto, los puertos del norte de Chile compiten con los del sur del Perú para atraer el flete comercial boliviano y brasileño. Con la importancia internacional de la Cuenca del Pacífico en el siglo XXI, este comercio es sumamente importante. Bolivia no ha mantenido relaciones diplomáticas con Chile desde 1962, pero recientemente el Ministerio de Relaciones Exteriores de Chile inició discusiones con oficiales bolivianos acerca del uso de una terminal portuaria en Iquique para los propósitos comerciales internacionales de Bolivia bajo el régimen de tránsito libre sin restricciones (http://educamposv.lacoctelera.net/post/2009/07/02/bolivia-y-chile-dan-otro-paso-y-acuerdan-compartir-silala). El comercio internacional siempre ha sido un factor crítico para la economía chilena. Durante el siglo XIX, Chile desarrolló una dependencia casi total de la industria de nitratos, la cual constituía el 50% de la renta nacional. En las dos primeras décadas del siglo XX, la industria de nitratos decayó, pero la producción de cobre en los años treinta ayudó a sostener la economía chilena a pesar de las pérdidas económicas de los nitratos. Inmediatamente antes y después de la Segunda Guerra Mundial hubo problemas causados por los conflictos entre los intereses de los funcionarios e industriales chilenos para establecer industrias nacionales, como la de cobre, y los intereses de las empresas internacionales norteamericanas. Este contexto, más un fuerte terremoto, alentó al gobierno a crear, en 1939, la Corporación de Fomento de la Producción (CORFO), organismo encargado de fomentar y coordinar el desarrollo económico del país. Concentra sus actividades hoy en día en el desarrollo de las innovaciones de las pequeñas y medianas empresas y en la financiación de estudios para residentes chilenos y extranjeros.

Muchos países hispanoamericanos ofrecen ejemplos históricos de caudillismo, un tipo de gobierno dictatorial en el que domina la imposición de un control tiránico por parte de un líder fuerte. A éste se le llama cacique o caudillo. Chile no ha sufrido tanto este flagelo gracias a su larga historia de democracia. Sin embargo, el general Augusto Pinochet Ugarte se hizo presidente en 1973 cuando el ejército derrocó y asesinó a Salvador Allende, presidente socialista elegido democráticamente en 1970. En esa época (1973–90), hubo muchas preocupaciones por la falta de derechos humanos y la tortura y el asesinato de muchas personas. Aún después de renunciar al control del gobierno en 1990, Pinochet no se retiró de la vida pública y mantuvo un papel clave en limitar el castigo judicial a los militares acusados de cargos criminales.

Para oponerse al control del régimen de Pinochet, en los años noventa y en los primeros años del siglo XXI, se formó una alianza denominada la Concertación de Partidos por la Democracia. Bajo este grupo, fueron elegidos cuatro presidentes populares consecutivos: dos presidentes del Partido Demócrata Cristiano (PDC), Patricio Aylwin (1990–94) y Eduardo Frei (1994–2000), y dos presidentes del Partido Socialista (PS), Ricardo Lagos Escobar (2000–2006) y Michelle Bachelet (2006–2010). La política moderada estatal facilitó la apertura de sus mercados y las privatizaciones de muchas empresas estatales. También, permitió la entrada de Chile como miembro asociado de MERCOSUR (Brasil, Paraguay, Uruguay y Argentina). Bajo estos líderes elegidos democráticamente, Chile mantuvo su fuerte desarrollo económico de los años ochenta y logró mejorar su posición internacional debido al progreso en la situación de los derechos humanos.

De hecho, Chile ha establecido uno de los sistemas económicos de Hispanoamérica más orientados hacia el mercado libre. La alianza de Concertación que sucedió la dictadura de Pinochet ha podido reducir aún más el papel del gobierno en la economía y a la vez ha dirigido los gastos públicos hacia beneficios sociales. Se eliminó la deuda externa por medio de la capitalización de deudas. Entre los mecanismos utilizados para conseguir estos logros figuran: (1) mercados financieros sin regulación; (2) cuentas personales de jubilación obligatorias que han reemplazado el sistema de seguro social nacional; (3) aranceles reducidos para abrir la economía a los mercados y a la competencia internacional; (4) eliminación de subvenciones y subsidios costosos; (5) tipos de cambio realistas de divisas; (6) tasas de interés determinadas por el mercado; (7) sueldos basados en la mano de obra disponible (oferta y demanda); (8) diversificación de los productos; (9) mejor distribución de la renta nacional; (10) y la entrada de los partidos políticos, sindicatos, fuerzas armadas e iglesias en el sector empresarial con un mayor interés socioeconómico y humano en las necesidades de los que carecen de recursos y oportunidades. Aunque se ha mencionado la posibilidad de privatizar completamente la Corporación Nacional del Cobre de Chile (Codelco Chile), ésta todavía mantiene el marco legal de una empresa estatal autónoma y se relaciona con el gobierno por medio del Ministerio de Minería. Codelco es el primer productor de cobre del mundo y controla alrededor del 40% de las reservas mundiales de este metal y con 1,54 millones de toneladas de cobre fino en 2008.

Michelle Bachelet fue la primera mujer en ser nombrada al Ministerio de Defensa de Chile en 2002. Luego, en 2006 llegó a ser la primera Presidenta de la República. Su padre había muerto de un ataque de corazón durante su encarcelación bajo las torturas de los oficiales de Pinochet en 1974. Una de las decisiones presidenciales de Bachelet fue la de no ofrecer un funeral estatal a la muerte del ex presidente Pinochet en 2006. Sólo hubo un servicio militar al cual no asistió ella. Cuando fue elegida presidenta en 2006, Bachelet había ganado el 54% de los votos, pero en junio del mismo año, esa cifra había bajado al 44% y al 38% en agosto, un porcentaje que indica menos apoyo por ella que por cualquiera de los cuatro presidentes de la Concertación desde 1990. La falta de apoyo se debió a las malas condiciones económicas mundiales que causaron rápidas bajas en los sueldos profesionales y técnicos y a las altas cifras de desempleo e inflación entre la gente más pobre. Respecto a su política internacional, ella viajó a UE y EUA y trató de establecer vínculos permanentes con los otros países de la región sudamericana. Por sus esfuerzos, varias empresas multinacionales trasladaron la sede a Santiago. A fines de 2009, Sebastián Piñera fue elegido Presidente de Chile.

Muchos turistas viajan a Chile para disfrutar de las playas de Viña del Mar, los centros de esquí en los Andes, la belleza de Patagonia y el encanto de la Isla de Pascua. Entre los asuntos difíciles con que tendrá que enfrentarse Chile están la baja participación de la mujer chilena en la fuerza laboral (la cifra más baja de Latinoamérica) y las grandes diferencias entre el sueldo de la mujer y el del hombre. Según datos de la CASEN 2006, la participación laboral femenina en Chile alcanzó 43,3%, tasa todavía muy por debajo de la media latinoamericana, en torno al 50% (Panorama Laboral 2006; OIT [http://www.mideplan.cl/casen/]) Hay una inquietud por el futuro próximo debido a varios factores: la débil economía mundial, menos actividad de compraventa en el sector doméstico, menos acceso al capital para las pequeñas y medianas empresas y para la gente común, menos demanda para la exportación de sus productos en general y una baja en el precio de venta del cobre.

10-6 Actividades

1. **¿Qué sabe Ud. de Chile?** A usted lo/la han contratado/a como asesor/a transcultural de negocios internacionales. Como tal, necesita informar a sus clientes sobre Chile y recomendar un plan de viaje de negocios al país. Averigüe los datos pertinentes para poder abarcar los temas a continuación.

   a. Describa la geografía de Chile, refiriéndose a los siguientes temas: ubicación y tamaño del país, capital y otras ciudades y puertos importantes, división administrativa y clima. Compare el tamaño de Chile con el de EUA. Compárelo con el tamaño del estado donde Ud. vive.

   b. ¿Cuáles son las principales características demográficas y políticas de Chile? ¿Quién es el presidente actual?

   c. ¿Quién fue Salvador Allende? ¿Cuáles han sido los resultados de la dictadura de Augusto Pinochet a largo plazo? ¿Quién es Michelle Bachelet? ¿Qué contacto tuvo ella con Pinochet? Explique.

d. ¿Cuándo se celebra la fiesta nacional de Chile? ¿En qué otras fechas hay fiestas públicas que podrían afectar el éxito de un viaje de negocios? (Véase la Tabla 10-1, páginas 306–308.)

e. Describa la economía chilena. Incluya datos sobre la moneda nacional, la tasa de inflación, el PIB y el PIB per cápita, el número de trabajadores (la mano de obra), la tasa de desempleo, los recursos naturales, las industrias nacionales, los productos que se exportan e importan, los países destino (mercados) y proveedores (fuentes) de estas transacciones internacionales, y la balanza de comercio (la que se publica en este libro vs. la actual). ¿A cuánto se cotiza la moneda chilena respecto al dólar de EUA?

f. Compare el PIB y el PIB per cápita de Chile con los de los países miembros de MERCOSUR. ¿Qué ventajas geográficas aporta Chile a este acuerdo? ¿Cuáles son los aspectos del convenio que benefician a Chile?

g. ¿Qué producto o servicio recomendaría Ud. vender en Chile? ¿Por qué?

h. Describa la infraestructura de transportes y de comunicaciones de Chile. ¿Qué desventajas geográficas ha sufrido la economía chilena históricamente? ¿Qué cambios tecnológicos han convertido esas desventajas en ventajas en la actualidad?

i. ¿Cómo han cambiado algunos de los datos presentados en las secciones de «Vista panorámica» y «La actualidad económica» de este texto? Póngalos al día.

j. Basándose en la lectura de la «La actualidad económica» chilena, ¿qué realidades, oportunidades y problemas destacaría y qué recomendaciones le daría al/a la cliente/a?

2. Usando Internet u otras fuentes informativas, prepare un plan (con presupuesto e itinerario) para sus clientes, quienes harán un viaje de negocios a Santiago y Antofagasta:

a. Fechas de ida y vuelta (el viaje durará seis días).

b. Vuelos: aeropuertos de despegue y aterrizaje, líneas aéreas, horario; costos.

c. Transporte interno que se piensa usar en el país: taxi, autobús, carro de alquiler, metro, tren, otro; costos.

d. Alojamiento y viáticos; costos.

e. La comida típica que van a pedir para la cena la primera noche.

f. Las formas de cortesía y los gestos que deben recordar, usar o evitar.

LECTURA CULTURAL

Imperialismo español, religión y comercio

El imperio español influyó tanto en la operación de la economía hispanoamericana colonial que ésta se parecía más a un sistema feudal que a una economía capitalista del siglo XIX. La actual República de Chile antes se consideraba un área pobre y lejana del Imperio Español. Las leyes obligaban a que las colonias importaran bienes de España en barcos españoles. Así, el contrabando llegó a tener una importancia exagerada desde el principio. Chile podía comerciar una vez al año con España solamente por medio de la flota española que llegaba a Panamá. Los mercaderes que navegaban a Panamá por el antiguo Perú cruzaban el istmo de Panamá con mulas para obtener mercaderías en las ferias donde los españoles controlaban los precios. Las dificultades de transporte y de capital les prohibían a muchos intermediarios chilenos comerciar tan económicamente como los peruanos.

La política económica española no permitía la competencia comercial. España autorizó el monopolio y creó haciendas públicas para proveer comida, ropa y otros materiales de primera necesidad en Chile. La mano de obra estaba formada por esclavos, indios y arrendatarios. Por esto, no hubo trabajo remunerado hasta el siglo XVIII. Tampoco existía un mercado abierto. La monarquía española mantuvo control del sector industrial hasta la guerra de independencia en el siglo XIX (1810–18).

La estructuración de los precios la determinaban unos cuantos comerciantes que querían establecer un monopolio, entre ellos, Antonio Núñez, quien llegó a Chile en el siglo XVI para construir almacenes en Valparaíso. Comerció entre Santiago y Valparaíso con sus yernos, que eran capitanes de barcos. Formó una empresa pesquera en Santiago. Ofreció llevar pescado al cabildo de Santiago si éste estructuraba precios razonables durante un período de tres años. El cabildo consintió, pero antes de traer el primer pescado, Núñez subió el precio debido a los costos de los barcos y las redes de distribución. Núñez quería un monopolio con precios fijos, trabajo barato y mercados cautivos y protegidos por el gobierno.

Aparte de los impuestos sobre los indios, los esclavos y los pobres por parte del gobierno, la Iglesia católica quiso mantener el statu quo. Prometía una vida después de la muerte y defendía los intereses de los hacendados y los mercaderes ricos. A pesar de los esfuerzos de individuos dentro de la Iglesia que lucharon por

El general chileno Augusto Pinochet recibe la Santa Comunión. El presidente cubano Fidel Castro se encuentra con el Papa Juan Pablo II durante la vista de éste a Cuba en 1998, donde ofició misas públicas concurridas por miles de personas. Busque más información acerca de esta visita histórica (en un almanaque o en Internet) y comente con sus compañeros de clase algunos de los temas políticos tratados por el Papa. ¿Cómo se relacionan la política, sea de derecha o izquierda, y la religión en Hispanoamérica?

defender los derechos de los pobres, ésta comunicaba un mensaje de resignación o fatalismo hacia la vida. El gobierno controlaba la Iglesia y la usaba para promover los intereses del estado. La Inquisición sirvió para limitar las tendencias revolucionarias del pueblo.

Entre los varios grupos religiosos del Chile colonial, se destacaban los jesuitas. Tenían fama de ser los más disciplinados, los más trabajadores y los de mayor carácter moral y financiero. Los hacendados ricos, las autoridades gubernamentales, los comerciantes y otros grupos religiosos se opusieron a los jesuitas y los expulsaron de Hispanoamérica en 1767.

En muchas de las otras órdenes religiosas eran comunes la corrupción y el soborno. Hasta la Guerra de Independencia, la Iglesia católica fue el banquero, la sociedad de contratación y quizás el hipotecario más grande de Hispanoamérica. En 1970, la Iglesia finalmente se deshizo de sus bienes raíces y valores negociables. En las últimas décadas ha sido una voz más fuerte contra la opresión, aunque las iglesias protestantes evangélicas y la Iglesia de Jesucristo de los Santos de los Últimos Días siguen creciendo rápidamente en toda Latinoamérica, superando los cincuenta millones de feligreses hoy en día.

Según los autores Harris y Moran, algunos demógrafos calculan que en Latinoamérica hay una conversión al evangelismo de 400 personas por hora, producida en parte por el "televangelismo", que se está popularizando mucho. Este movimiento de «cristianos convertidos» (*born-again Christians*) corresponde a la creciente urbanización e industrialización de Latinoamérica. Refleja un cambio de actitud hacia la vida en el cual la resignación o el fatalismo ante los hechos y el destino («el hombre propone y Dios dispone») cede plazo a un espíritu más emprendedor y de mayor responsabilidad y capacidad de mejorar la condición individual y colectiva. Además de esta evolución sociorreligiosa, existe también la religión popular: la santería, el espiritismo, el vudú y la superstición, que juegan un papel bastante importante en la vida diaria de muchos hispanos. Sin embargo, como afirman Harris y Moran, el gerente con operaciones en Latinoamérica necesita tener en cuenta que la Iglesia católica sigue siendo un importante elemento cultural (*Managing Cultural Differences*, página 380).

En todos los países del mundo hispano hay días de fiestas nacionales. En Chile son el Año Nuevo, el primero de enero; la Batalla de Iquique, el 21 de mayo; el Día de la Independencia, el 18 de septiembre; y el Día de la Raza, el 12 de octubre. Además, a causa de la gran influencia de la Iglesia católica en la historia y en la vida económica del país y de Hispanoamérica en general, hay en Chile una gran cantidad de fiestas religiosas: Semana Santa con el Viernes Santo; la Inmaculada Concepción, el 8 de diciembre; las Pascuas; la Asunción, el 15 de agosto; el día de Todos los Santos, el primero de noviembre; y la Navidad, el 25 de diciembre. Sin embargo, no se celebran los días de los santos patrones como en la mayoría de los países hispanos.

Durante los días de fiesta, florecían los mercados al aire libre en los cuales se practicaba el regateo, un proceso de negociación de precio entre el comprador y el vendedor. Existe todavía en muchos mercados y pequeñas tiendas en

Hispanoamérica (en las que no se indican los precios fijos de los artículos) y refleja la importancia del trato directo y personal en los negocios en esta cultura.

10-7 Actividades

1. **¿Qué sabe Ud. de la cultura?** Demuéstrelo contestando las siguientes preguntas.

   a. ¿Qué efecto tuvo el imperio español en la economía hispanoamericana colonial?

   b. ¿Cómo controlaba España el comercio con sus colonias?

   c. ¿Cómo se satisfacían las necesidades básicas en las colonias hispanoamericanas?

   d. ¿Cómo describiría Ud. el control que ejerció Antonio Núñez en el comercio colonial de Chile?

   e. ¿Qué es el fatalismo? ¿Cómo ha influido en el pensamiento hispano?

   f. ¿Qué influencia tuvo la Iglesia católica en la economía de Chile? ¿Y los jesuitas? Y más recientemente, ¿qué influencia han tenido otras religiones?

   g. ¿Qué son la religión popular, la santería, el espiritismo, el vudú y la superstición? Busque información sobre estas prácticas en Latinoamérica en Internet y otras fuentes informativas. ¿Es Ud. supersticioso/a? Comente.

   h. ¿Qué es el regateo? Si Ud. ha regateado en un mercado, describa su experiencia. ¿Existe el regateo en los EUA? Explique.

2. **Asimilador cultural.** Lea lo siguiente y conteste las preguntas a continuación.

   Nuel South, estudiante graduado de Administración de Empresas Internacionales, tiene su práctica profesional con una firma llamada Laboratorios Fármaco en Valparaíso. Su departamento de producción ha elaborado una nueva cápsula para aspirinas que protege contra las inyecciones de veneno que han amenazado a los consumidores y la industria en los últimos años. South habla muy bien el español.

   Su supervisora de práctica, la directora de marketing de Fármaco, Julia Montt de Balmaceda, se encarga de la estandarización y estructuración de precios. La nueva cápsula es un poco más grande que la común y contiene un 10% más de medicamento. Montt quiere saber si los médicos y los farmacéuticos creen que sus pacientes van a comprar el nuevo producto a un precio más alto. Ella quiere que South visite personalmente a algunos profesionales en las tres distintas regiones de Chile. South ha seguido cursos de mercadeo en una universidad prestigiosa de los Estados Unidos. Montt lo selecciona por su dominio del español y su don de gentes.

   —Nuel, quiero que pases una semana en las provincias del norte, cerca de Antofagasta, una semana en la provincia de Magallanes, en el sur, y luego una semana aquí en los alrededores de Santiago, investigando las opiniones de los médicos y los farmacéuticos sobre nuestra cápsula. Debes entrevistar personalmente a varios individuos en cada región. Te daré la lista de nombres. Durante la última semana, puedes completar un informe con los resultados de tu investigación. Es importante saber lo que opinan los que tratan directamente con nuestros clientes.

—Pues, de acuerdo, señora. Es muy buena idea saber exactamente lo que opinan los distribuidores de nuestros productos. ¿Qué le parece esta idea? Si preparo una encuesta con la información necesaria durante la tercera semana de diciembre, podríamos mandársela directamente a estos individuos en cada región con algunas muestras para sus clientes. Después de dos semanas, puedo llamarlos por teléfono o enviarles un «email» y pedirles fácilmente su opinión sobre las muestras. Así podemos evitar que yo pase dos semanas fuera de la oficina. Hay otros proyectos que requieren mi atención inmediata. Gracias al buen sistema de correo de Chile, las muestras llegarán rápidamente y así sabremos si las características de la nueva cápsula son adecuadas.

Julia Montt de Balmaceda reflexiona un momento antes de responder a los comentarios de su asistente estadounidense...

a. ¿En qué mes del año piensa South enviar sus muestras? ¿Cómo podrían influir las fiestas navideñas en su proyecto?
b. ¿Qué diferencias culturales van a influir en la interacción entre Nuel South y su supervisora?
c. ¿Qué le va a decir la directora de marketing a su subordinado acerca de las comunicaciones impersonales?
d. ¿Por qué sugiere South su propio plan de investigación? ¿Qué efecto tendrá su plan en las personas con las cuales piensa comunicarse? ¿En su supervisora?

SÍNTESIS COMERCIAL Y CULTURAL

10-8 Actividades comunicativas

1. **Situaciones para dramatizar.** Lea las siguientes situaciones y después haga el papel en español con otro/s estudiante/s, usando las siguientes opciones como punto de partida. Cada persona deberá participar activamente en la dramatización. No olviden el protocolo ni las cortesías.

   a. *You are a food distributor in Santiago planning the calendar for the entire fiscal year. You realize that you will need more help right before the holiday seasons. Discuss the needs you anticipate with one of your managers.*
   b. *You work with a manager of a Chilean trucking firm that has been unable to deliver a large load of perishable fruit at the docks because of a recent ban on its export to the United States. Although your immediate supervisor is a bit pessimistic about what could be done, you don't want the fruit to go to waste. You are talking with a local priest/minister about how the food can be made available at a considerable discount to the people in his parish. The priest/minister discusses the options with you. (To address a priest in Spanish-speaking countries, it is common to use the word "Padre" followed by his first name, e.g., Padre José.)*

Después de dramatizar las situaciones, comente con sus compañeros de clase cómo ha influido en sus decisiones la información cultural de este capítulo.

2. **Comprensión y comunicación.** Para este ejercicio basado en el vídeo de Éxito comercial, pase al encarte central del texto, VídeoTexto página 11.

3. **Actividad empresarial.** Uds. trabajan para una empresa multinacional que tiene muchas ventas en Chile y los países miembros de MERCOSUR: Argentina, Brasil, Uruguay y Paraguay. Bolivia, Chile, Colombia, Ecuador, Perú y Venezuela tienen estatus de estado asociado. El/La presidente/a de la empresa ha decidido instalar una fábrica para el ensamble de automóviles en una de las ciudades de uno de los países de esta región. La preocupación principal es la estabilidad del gobierno y la estabilidad de la moneda de estos países. Es muy posible que otros factores históricamente problemáticos también puedan causar dificultades. Les pide sugerencias sobre la decisión que él/ella tendrá que tomar. Es importante investigar y luego comparar Chile con dos países que son miembros o asociados de MERCOSUR, enfocándose en los siguientes factores:

a. la estabilidad gubernamental durante los últimos veinte años.

b. el valor de la moneda nacional durante el mismo período y el valor actual.

c. el número de posibles consumidores en estos países hoy en día.

d. las dificultades que puedan causar el uso de las lenguas indígenas que hablan los trabajadores en su trato con los capataces, quienes hablan sólo español.

Después de completar su investigación, recopilen los datos en un informe escrito con listas o tablas que contengan la información indispensable para hacer un breve análisis del caso. Luego presenten el informe oralmente sin leerlo.

4. **Minicaso práctico.** Lea el caso y haga los ejercicios a continuación.

Empresa Chilena de Barcos (ECB), una de las compañías más dedicadas a la economía global en Chile, sabe bien que en el proceso del marketing, cada etapa añade más valor al costo del producto al consumidor. En la exportación de productos chilenos a EUA o cualquier otro país, sea cercano o lejano, cada una de las siguientes etapas aumenta el precio: el transporte en camión de la fábrica al tren; el transporte en tren hasta el puerto en Chile; el transporte en sus barcos al puerto extranjero; los costos de descarga en el puerto de destino; los servicios y cobros del distribuidor regional; los costos de diversos intermediarios; los costos de su llegada al minorista que vende el producto; y los costos en las tiendas individuales hasta la llegada a las manos del consumidor en su casa.

Desgraciadamente, los riesgos para los navieros han aumentado a comienzos del siglo XXI debido a varios peligros que influyen en los costos de la seguridad. Uno de ellos es la piratería, algo que casi nunca había ocurrido durante el siglo pasado. Recientemente, ha habido ataques de piratas en Brasil. También ha habido atentados cerca de Singapur del Lejano Oriente, una región cada vez más importante para los exportadores chilenos. Otro nuevo factor de seguridad es el énfasis en las amenazas del terrorismo, especialmente después del 11 de septiembre de 2001. Aunque la reacción ha sido lenta, EUA ha puesto en práctica medidas de seguridad adicionales para proteger el transporte marítimo, principalmente en los barcos que llevan contenedores. La nueva tecnología, el entrenamiento de personal de seguridad y todos los costos relacionados con estas prácticas han causado alzas en los costos. Además, las demoras suben el costo de hacer negocios.

Rodrigo Benitez Valdez, un naviero chileno que trabaja con ECB, cuenta lo que le ocurrió hace tres semanas cuando uno de sus barcos fue atacado en el puerto de Belém, Brasil. Usando lanchas rápidas para acercarse, los piratas subieron al vapor y les robaron a la tripulación. Luego, escaparon sin dejar huellas.

a. ¿Cuál va a ser el impacto de la situación sobre Rodriguez Benitez Valdez y su empresa transportista en Chile?

b. ¿Qué medidas debe tomar ECB para reducir los costos? Deberían evitar estos destinos completamente o tienen que hacer otros ajustes?

c. ¿Cómo van a reaccionar los fabricantes cuando Benitez les explique que tendrá que aumentar los cargos?

d. ¿Qué les van a decir los funcionarios gubernamentales chilenos a los oficiales del Ministerio de Estado de EUA acerca de los cargos adicionales? ¿Cómo reaccionarán los oficiales norteamericanos ante las quejas?

f. Conversen sobre este problema, como si Ud. y su compañero/a fueran las personas involucradas en los siguientes escenarios:

- Rodrigo Benitez Valdés habla con otros navieros sobre la piratería y el terrorismo.
- Benitez Valdés habla con varios tripulantes que ya tienen miedo de la piratería y la posibilidad de futuros encuentros violentos.
- Benitez y los gerentes de ECB hablan del alza de precios y sus causas.
- Un/a consumidor/a preocupado/a se queja porque tiene que pagar más por el producto en el almacén.
- El Ministro de Relaciones Exteriores de Chile y un oficial del Ministerio de Estado de los EUA negocian las nuevas condiciones transportistas.
- El fabricante del producto (cobre, por ejemplo, cuya demanda mundial ha bajado debido a la crisis económica) habla con el naviero.
- Los piratas hablan de su éxito y planifican otros ataques.
- El director del puerto de Charleston, Carolina del Sur, en EUA, responde cuando ECB le informa que no puede seguir utilizando su puerto debido a los altos costos de seguridad.

VídeoTexto

Este encarte central se basa en el vídeo de *Éxito comercial*, el cual fue filmado con actores hispanos profesionales. Incluye los siguientes ejercicios para los capítulos 3–14:

1. **Antes de ver.** Este ejercicio de calentamiento, acompañado de un fotograma de cada capítulo de vídeo, prefigura en términos muy generales el tema comercial tratado en el vídeo.

2. **Al ver.** Aquí las preguntas prefiguran el contenido específico de cada capítulo del vídeo. Se leen antes de ver el vídeo, luego se ve el vídeo y después se vuelve a las preguntas para contestarlas.

3. **Ud. es el/la intérprete.** En esta actividad comunicativa, los estudiantes siguen un guión, basado en el vídeo, para practicar la interpretación (traducción oral). En grupos de tres, un/a estudiante traduce del inglés al español y del español al inglés, sin mirar el texto, el diálogo que leen otros dos estudiantes en voz alta con un tono y ritmo naturales. Las barras (*slashes*) en el texto indican una pausa por parte de la persona que está leyendo el diálogo, para ayudar al / a la intérprete. Estas pausas son importantes para los intérpretes porque facilitan su trabajo de traducción consecutiva. Al trabajar con un/a intérprete, es importante recordar hacer pausas naturales y no hablar en parrafadas que le complican innecesariamente el trabajo profesional.

Después de usar el guión escrito para hacer el trabajo de intérprete, se invita al/a la estudiante a volver al vídeo para practicar la interpretación sin guión. Primero, se trata de la intepretación consecutiva, usando la pausa del vídeo cuando haga falta. Después se puede experimentar con una interpretación simultánea, sin pausas, lo cual representa un reto más difícil. También se puede practicar con la pronunciación, el ritmo y la soltura en español por medio de un ejercicio de seguimiento de cerca (*shadowing*) en el que se repite casi simultáneamente en español las mismas palabras dichas por los actores.

Además de estos ejercicios y actividades comunicativas, a continuación se recomiendan otras posibilidades basadas en el VídeoTexto:

- Antes de ver el vídeo, escúchelo una vez sin mirarlo para concentrarse en la comprensión aural. Discuta brevemente lo escuchado. Después, vea el vídeo y luego haga los ejercicios. ¿Comprendió más la primera vez sin las imágenes, o más la segunda vez con los actores?

- Tome notas sobre diversos aspectos del vídeo—e.g., la manera (semiótica) de vestirse de los protagonistas, la sicología que usan, su paralenguaje (gestos y tono de voz)—y luego discútalas en clase. ¿Cómo se relaciona el paralenguaje con las palabras que dicen los protagonistas? ¿Respaldan o contradicen el mensaje comunicado por las palabras?

- Resuma objetivamente para un/una compañero/a de clase lo que ha ocurrido en el vídeo. O haga un resumen con cambios o falsedades para ver si su compañero/a capta la información errónea y se la corrige.

- Después de ver el vídeo, imagine lo que occurirá después si no termina en ese momento. ¿Cómo se desarrollará más el tema entre los actores y qué dirán? Para esta actividad, se puede escribir y entregar un nuevo fin o imaginarse otro fin para actuarlo.

Índice del VídeoTexto

COMPRENSIÓN Y COMUNICACIÓN

Antes de ver

Conteste las siguientes preguntas antes de mirar el vídeo.

1. ¿Qué estilo administrativo prefiere usted en los negocios?

2. Describa la postura física y las actitudes (están contentos, enfadados, etc.) de los dos actores en la foto. ¿Qué tema estarán discutiendo?

Al ver

En el vídeo, Thomas Davidson y Raúl García son dos gerentes que conversan acerca de cómo organizar la estructura administrativa de una nueva sucursal estadounidense en Tijuana. Lea las siguientes preguntas y después mire el vídeo. Luego vuelva a las preguntas para contestarlas.

1. Además de los señores Davidson y García, ¿quién participa en esta conversación? ¿Cuál es su función?

2. ¿Qué tipo de estilo gerencial recomienda Davidson? Comente.

3. Según Davidson, ¿qué ayuda a levantar la moral de los empleados? ¿Está usted de acuerdo? Comente.

4. ¿Le parece a usted que el Sr. García está totalmente de acuerdo con lo que dice el Sr. Davidson? ¿Cree que seguirá las recomendaciones de Davidson después de la reunión? Explique.

Ud. es el/la intérprete

Siga el guión y haga el papel de intérprete entre Thomas Davidson y Raúl García. Traduzca del inglés al español y del español al inglés, sin mirar el texto, el diálogo que leerán otros dos estudiantes en voz alta. Ellos harán una pausa después de cada barra para permitir su traducción. Acuérdense todos de usar un tono y ritmo de diálogo natural.

Sr. Davidson: Our upper level management believes in a democratic management style. / We like all our employees to feel free to provide input on issues that affect them.

INTÉRPRETE: _____

Sr. García: Sí, comprendo, pero mis colegas no se sienten cómodos cuando participa todo el mundo / en lo que ellos consideran como su responsabilidad.

INTÉRPRETE: _____

Sr. Davidson: Yes, I don't mean that every employee will be knocking on upper management's door / or that each employee will have an equal say with management when decisions are made. / We have found, though, that employees often provide valuable information / that has been overlooked by management. / All we're interested in is that employees feel free to express their opinions. / This could be achieved through employee representatives / or through an open line of communication with supervisors. / We think it helps morale.

INTÉRPRETE: _____

Sr. Garcia: Sí, creo que se puede crear este tipo de ambiente de trabajo. / Comprendo que es necesario que los empleados se sientan como una parte importante de la empresa. / Siempre ponen más interés en lo que hacen / si piensan que esto representa una participación de tipo personal. / Pero hay que tener en cuenta que una empresa y sus proyectos necesitan dirección, / y que esa dirección debe provenir de la gerencia. / El éxito depende de los empleados, pero a ellos les hace falta nuestro liderazgo.

INTÉRPRETE: _____

Ahora vuelva al vídeo y haga una interpretación consecutiva, usando la pausa del vídeo cuando le haga falta. Después intente hacer una interpretación simultánea, sin pausas.

La banca y la contabilidad

COMPRENSIÓN Y COMUNICACIÓN

Antes de ver

Conteste las siguientes preguntas antes de mirar el vídeo.

1. ¿Cómo es su propio banco? ¿Qué servicios bancarios ofrece?
2. ¿Qué se imagina que le está entregando la banquera al cliente en la foto?

Al ver

En el vídeo, Manuel Ubico Barrios entra a un banco para abrir una cuenta corriente. Lo atiende la Srta. Margaret López. Lea las siguientes preguntas y después mire el vídeo. Luego vuelva a las preguntas para contestarlas.

1. ¿Quiénes son las dos personas que hablan?
2. ¿Cuál es el propósito de la visita del Sr. Ubico?
3. ¿Por qué prefiere el Sr. Ubico una cuenta conjunta?
4. ¿Cuánto es el balance mínimo que se requiere para la cuenta corriente y cuál es la consecuencia de no cumplir con este requisito?
5. ¿Cree usted que el cliente volverá para abrir una cuenta en este banco? Comente.
6. ¿Qué otros servicios bancarios pudo haber ofrecido la Srta. López?

Ud. es el/la intérprete

Siga el guión a continuación y haga el papel de intérprete entre Manuel Ubico Barrios y la Srta. Margaret López. Traduzca del inglés al español y del español al inglés, sin mirar el texto, el diálogo que leerán otros dos estudiantes en voz alta. Ellos harán una pausa después de cada barra para permitir su traducción. Acuérdense todos de usar un tono y ritmo de diálogo natural.

Srta. López: *Please have a seat. My name is Margaret López and this is _____, who will serve as our interpreter. / How may we help you?*

INTÉRPRETE: _____

Sr. Ubico: Buenos días. Gracias. Me llamo Manuel Ubico Barrios y quisiera abrir una cuenta corriente.

INTÉRPRETE: _____

Srta. López: *Would you like an individual or a joint account?*

INTÉRPRETE: _____

Sr. Ubico: Una cuenta conjunta, por favor, para mi esposa y para mí.

INTÉRPRETE: _____

Srta. López: *Fine. You will have to fill out this form and you and your wife will need to sign this card. / Then you must return everything to me. / How much do you wish to deposit?*

INTÉRPRETE: _____

Sr. Ubico: Dos mil dólares. ¿Cobra el banco por los cheques?

INTÉRPRETE: _____

Srta. López: *Yes and no. You pay ten cents for each check unless you keep a minimum balance of $250 in your account. / In that case, you pay nothing. / You will also receive 2% interest on your account.*

INTÉRPRETE: _____

Sr. Ubico: ¿Puedo obtener cheques personalizados?

INTÉRPRETE: _____

Srta. López: *Yes. You can select one of these colors and designs. / By the way, we should also inform you that the bank offers a wide range of services, / from savings accounts and time deposits to various types of investments.*

INTÉRPRETE: _____

Sr. Ubico: No tengo mucho dinero ni tampoco soy buen inversionista. / Con tal que mi esposa y yo tengamos lo suficiente para vivir cómodamente, no nos preocupa demasiado el dinero.

INTÉRPRETE: _____

Srta. López: *Very well. If we can be of further help, please let us know.*

INTÉRPRETE: _____

Ahora vuelva al vídeo y haga una interpretación consecutiva, usando la pausa del vídeo cuando le haga falta. Después intente hacer una interpretación simultánea, sin pausas.

COMPRENSIÓN Y COMUNICACIÓN

Antes de ver

Conteste las siguientes preguntas antes de mirar el vídeo.

1. ¿Ha alquilado usted alguna vez un apartamento, una casa o una oficina de negocios? ¿Qué factores deben considerarse en el contrato de alquiler, de parte del arrendador y el arrendatario?

2. ¿Qué se imagina que le estará explicando la señora al hombre?

Al ver

En el vídeo, la Sra. Marta Fromberg discute con el Sr. Joaquín Villanueva las condiciones de arrendamiento de un local de negocios. Lea las siguientes preguntas y después mire el vídeo. Luego vuelva a las preguntas para contestarlas.

1. ¿Cuál es el tema principal de este encuentro entre la Sra. Fromberg y el Sr. Villanueva?

2. ¿Cuándo se tienen que pagar las mensualidades?

3. ¿Cuáles son los servicios que se incluyen en el alquiler?

4. ¿Puede hacer la Sra. Fromberg cualquier arreglo que quiera en la sala de recepción? Explique.

Ud. es el/la intérprete

Siga el guión a continuación y haga el papel de intérprete entre la Sra. Martha Fromberg y el Sr. Joaquín Villanueva. Traduzca del inglés al español y del español al inglés, sin mirar el texto, el diálogo que leerán otros dos estudiantes en voz alta. Ellos harán una pausa después de cada barra para permitir su traducción. Acuérdense todos de usar un tono y ritmo de diálogo natural.

Sra. Fromberg: *I want to go over the rent conditions one more time. / When can we move our staff into the building? / How much is the advance deposit, and what will the monthly rent be?*

INTÉRPRETE: _____

Sr. Villanueva: Muy bien. El contrato lleva fecha vigente del 5 de marzo de este año. / El pago inicial será de $3,000 EUA y la mensualidad será $1,500 EUA / pagaderos del primero al 5 de cada mes.

INTÉRPRETE: _____

Sra. Fromberg: *The initial rent period is for one year. / Will it automatically renew itself for the following year? / Also, do I understand correctly that the utilities are included in the rent?*

INTÉRPRETE: _____

Sr. Villanueva: El contrato se vence anualmente. / Para continuar con el arrendamiento, habrá que firmar otro contrato en el último mes vigente del presente contrato, / y así sucesivamente. / Respecto a los servicios de agua, luz y gas, no se incluyen en el alquiler.

INTÉRPRETE: _____

Sra. Fromberg: *Oh, I see. I misunderstood about the utilities, but that's no problem. / Also, I'd like to do some minor repairs in the reception area.*

INTÉRPRETE: _____

Sr. Villanueva: De acuerdo. Eso está bien mientras se me avise de antemano y mientras no afecte la estructura del local / y se obtengan previamente los correspondientes permisos oficiales.

INTÉRPRETE: _____

Ahora vuelva al vídeo y haga una interpretación consecutiva, usando la pausa del vídeo cuando le haga falta. Después intente hacer una interpretación simultánea, sin pausas.

COMPRENSIÓN Y COMUNICACIÓN

Antes de ver

Conteste las siguientes preguntas antes de mirar el vídeo.

1. ¿Cómo diseñaría Ud. su propia oficina de negocios? ¿Cómo serían los muebles y qué máquinas y equipo tendría? ¿Por qué?

2. ¿De qué aspecto de la oficina moderna hablan en la foto y qué significa el gesto que le hace la mujer al hombre?

Al ver

En el vídeo, la Sra. Amy Cortés de Rivas, natural de Luisiana y esposa de un gerente panameño, hace una visita a la oficina de su marido. Al entrar al edificio, intenta hablar con el conserje, Juan Cruz Escudero, sobre los cambios que se han hecho en la oficina de su esposo durante los últimos seis meses en Panamá. Lea las siguientes preguntas y después mire el vídeo. Luego vuelva a las preguntas para contestarlas.

1. ¿Qué es lo que se ha hecho en la oficina del marido de la Sra. Cortés de Rivas?

2. ¿Cuáles han sido algunos de los beneficios de la nueva iluminación?

3. ¿Cómo se relacionan los contratos y otros documentos con la frase «ojos de águila»?

4. ¿Cuál es la relación entre la Sra. Cortés de Rivas y el Sr. Cruz? ¿Cómo se explica que ella lo llame Juan (el tuteo) pero que luego lo trate también de «usted»?

Ud. es el/la intérprete

Siga el guión a continuación y haga el papel de intérprete entre la Sra. Amy Cortés de Rivas y Juan Cruz Escudero. Traduzca del inglés al español y del español al inglés, sin mirar el texto, el diálogo que leerán otros dos estudiantes en voz alta. Ellos harán una pausa después de cada barra para permitir su traducción. Acuérdense todos de usar un tono y ritmo de diálogo natural.

Sra. Cortés: *My husband tells me that morale has really improved in the office since the changes were made last March.*

INTÉRPRETE: _____

Sr. Cruz: Sí, señora, me parece que así es. Todos parecen estar de mejor humor cuando llegan al trabajo. / Ya era hora de que se renovara un poco la oficina.

INTÉRPRETE: _____

Sra. Cortés: *Well, Juan, it certainly looks a lot nicer. My husband's really pleased with the new lighting. / He says it helps the secretaries when they type or work with the adding machines. / I think it also helps him to read the contracts and balance sheets. / You know, his eyes aren't what they used to be.*

INTÉRPRETE: _____

Sr. Cruz: Sí, y el nuevo aire acondicionado les encantó a todos el verano pasado cuando hizo tanto calor. / También dicen que las nuevas computadoras han reducido mucho el papeleo que había antes. / ¡Si viera usted lo rápidas que son esas máquinas!

INTÉRPRETE: _____

Sra. Cortés: *I know, I've heard all about it. It seems like the office staff is happier, too, / because of the new paint job and the addition of a salad bar in the cafeteria. / That was my idea. Have you eaten there yet?*

INTÉRPRETE: _____

Sr. Cruz: No, todavía no, señora, pero ya lo haré. Dicen que las ensaladas son muy buenas. / Bueno, señora, que pase usted un buen día. Adiós.

INTÉRPRETE: _____

Ahora vuelva al vídeo y haga una interpretación consecutiva, usando la pausa del vídeo cuando le haga falta. Después intente hacer una interpretación simultánea, sin pausas.

Los recursos humanos y las relaciones laborales

COMPRENSIÓN Y COMUNICACIÓN

Antes de ver

Conteste las siguientes preguntas antes de mirar el vídeo.

1. ¿Qué temas discute el liderazgo sindical con la gerencia? ¿Qué puede ocurrir cuando marchan mal las negociaciones laborales?
2. En la foto, ¿parece estar de acuerdo el representante sindical con lo que está escuchando? Comente.

Al ver

En el vídeo, la Srta. Ana María Salas, nueva directora de recursos humanos de una empresa estadounidense situada en Maracaibo, habla con el Sr. Ricardo Martínez, jefe del sindicato que representa a los obreros de la firma. Discuten la semana laboral de los trabajadores. Lea las siguientes preguntas y después mire el vídeo. Luego vuelva a las preguntas para contestarlas.

1. ¿Quiénes tienen que trabajar normalmente 44 horas semanalmente y quiénes 40 horas?
2. ¿Cuál es el premio por el trabajo de sobretiempo?
3. ¿Cuáles son las dos metas de la gerencia de la empresa?
4. ¿Cuáles son algunas de las tácticas empleadas por la compañía para evitar las huelgas entre los trabajadores?

Ud. es el/la intérprete

Siga el guión a continuación y haga el papel de intérprete entre la Srta. Ana María Salas y el Sr. Ricardo Martínez. Traduzca del inglés al español y del español al inglés, sin mirar el texto, el diálogo que leerán otros dos estudiantes en voz alta. Ellos harán una pausa después de cada barra para permitir su traducción. Acuérdense todos de usar un tono y ritmo de diálogo natural.

Srta. Salas: As you know, the maximum work week for salaried employees is 44 hours, or 40 hours at night. / For manual laborers it is 40 hours, or 36 hours at night, all with a minimum 25% premium for overtime.

INTÉRPRETE: _____

Sr. Martínez: Sí, señorita, bien sabemos lo que la ley permite. / Pero nos gustaría negociar un contrato con

una prima más grande para los pocos trabajadores que trabajarán las horas extras.

INTÉRPRETE:

_____

Srta. Salas: I don't know if that can be done. / We're trying to find ways to keep costs down while, at the same time, increasing production. / I'll take it to management to see if it's negotiable.

INTÉRPRETE: _____

Sr. Martínez: Bueno, nos damos cuenta de las dificultades que hemos encontrado en el pasado con la aprobación de nuestras propuestas. / Además, sabemos que Uds. han empleado ciertos métodos para rechazarlas / como el cierre patronal del agosto pasado y el uso de esquiroles para forzarnos a volver a trabajar. / También nos hemos enterado de una lista negra que se utilizó contra los trabajadores que buscaron empleo en otros lugares.

INTÉRPRETE: _____

Srta. Salas: Well, Sr. Martínez, as you well know, those activities are illegal here and we deny the use of such tactics. / Your strike activities are also illegal. / Perhaps we should look for some satisfactory form of conciliation. / If that isn't possible, we will certainly submit to the decision of an arbiter after the process of arbitration is complete. / In the end, it's only a question of what's best in order to increase the productivity of our workers.

INTÉRPRETE: _____

Sr. Martínez: Bueno, nosotros también nos preocupamos por el bienestar de nuestros socios.

INTÉRPRETE: _____

Ahora vuelva al vídeo y haga una interpretación consecutiva, usando la pausa del vídeo cuando le haga falta. Después intente hacer una interpretación simultánea, sin pausas.

COMPRENSIÓN Y COMUNICACIÓN

Antes de ver

Conteste las siguientes preguntas antes de mirar el vídeo.

1. ¿Dónde ocurre la reunión entre los dos hombres de la foto? ¿Qué requisitos hay para organizar y controlar la capacidad productiva de una fábrica?
2. En la foto, ¿qué estará apuntando el gerente en su cuaderno con respecto a la eficiencia de la fábrica?

Al ver

En el vídeo, el Sr. Dennis James es el jefe de producción de una compañía estadounidense que vende papel. Está en Cali para ayudar al supervisor, el Ingeniero Pedro Rojas Restrepo, a organizar la nueva fábrica que acaba de mandar construir la empresa estadounidense. Lea las siguientes preguntas y después mire el vídeo. Luego vuelva a las preguntas para contestarlas.

1. ¿Qué le ofrece el Sr. Rojas al Sr. James al principio y al final de su encuentro? ¿Por qué?
2. ¿Quién es el dueño de Leñera, Sociedad de Responsabilidad Limitada y cuáles son algunas ventajas de esta situación?
3. ¿Quién es el Lic. Jiménez de Quesada y de qué se va a ocupar la semana entrante?
4. ¿Qué opina usted de la conducta del Sr. James durante su reunión con el Sr. Rojas?

Ud. es el/la intérprete

Siga el guión a continuación y haga el papel de intérprete entre el Sr. Dennis James y el Ingeniero Pedro Rojas Restrepo. Traduzca del inglés al español y del español al inglés, sin mirar el texto, el diálogo que leerán otros dos estudiantes en voz alta. Ellos harán una pausa después de cada barra para permitir su traducción. Acuérdense todos de usar un tono y ritmo de diálogo natural.

Ing. Rojas: *Buenos días, Sr. James. Espero no haber tardado mucho en llegar.*

INTÉRPRETE: _____

Sr. James: Well, I thought you had forgotten about our meeting. Let's get down to business.

INTÉRPRETE: _____

Ing. Rojas: *¿No quiere Ud. tomar un café? Es el mejor del mundo. Por favor, tome una tacita.*

INTÉRPRETE: _____

Sr. James: No, thank you. I have several urgent things I need to discuss with you. What are your current purchasing policies?

INTÉRPRETE: _____

Ing. Rojas: *Bueno, ya tenemos un contrato con Leñera, S. de R. L., compañía de mi cuñado, para comprar toda la madera que necesitemos. / No sólo la compramos a un buen precio sino con buenas condiciones de pago.*

INTÉRPRETE: _____

Sr. James: That's great! Where are the purchase orders and who is taking care of the books?

INTÉRPRETE: _____

Ing. Rojas: *No se preocupe, Sr. James. El Lic. Laureano Jiménez de Quesada, nuestro contable, se encarga de todo.*

INTÉRPRETE: _____

Sr. James: That may well be, but I need to examine the books and report to the main office.

INTÉRPRETE: _____

Ing. Rojas: *Muy bien, Sr. James, pero el Lic. Jiménez no estará hasta la semana que viene.*

INTÉRPRETE: _____

Sr. James: Okay, but make sure I get the books. / With regard to production, we recommend that you use flow control. / Also, please monitor each phase of production. We want high quality as well as high production.

INTÉRPRETE: _____

Ing. Rojas: *Nosotros también, pero tenemos que discutir lo del control de flujo. Pero, antes, tomémonos aquella tacita de café.*

INTÉRPRETE: _____

Ahora vuelva al vídeo y haga una interpretación consecutiva, usando la pausa del vídeo cuando le haga falta. Después intente hacer una interpretación simultánea, sin pausas.

Marketing I: Mercados y publicidad

COMPRENSIÓN Y COMUNICACIÓN

Antes de ver

Conteste las siguientes preguntas antes de mirar el vídeo.

1. ¿Cómo segmentaría usted el mercado estadounidense para un nuevo champú? ¿Dónde trataría de vender el producto?
2. Las personas de la foto discuten el mercado estadounidense. ¿Son compañeros de trabajo o tienen otra relación profesional? Explique.

Al ver

En el vídeo, el Sr. Jaime Vilá Chávarri, presidente de Lujo, una firma peruana que produce jabones de categoría, está en San Francisco para hablar con la Sra. Elaine Brownstein, directora de publicidad para la agencia Intermark. Vilá quiere saber cómo segmentará ella el mercado para sus jabones en los Estados Unidos y qué medios publicitarios piensa usar. Lea las siguientes preguntas y después mire el vídeo. Luego vuelva a las preguntas para contestarlas.

1. ¿Por qué está el Sr. Vilá de visita en San Francisco?
2. ¿Cómo piensa Brownstein identificar a los consumidores potenciales?
3. Al tratar el tema de precio, ¿cuáles son las consideraciones expresadas por Vilá y Brownstein?
4. ¿Dónde piensa Brownstein anunciar el producto peruano? ¿Cuáles serían otras posibilidades que recomendaría usted?

Ud. es el/la intérprete

Siga el guión a continuación y haga el papel de intérprete entre el Sr. Jaime Vilá Chávarri y la Sra. Elaine Brownstein. Traduzca del inglés al español y del español al inglés, sin mirar el texto, el diálogo que leerán otros dos estudiantes en voz alta. Ellos harán una pausa después de cada barra para permitir su traducción. Acuérdense todos de usar un tono y ritmo de diálogo natural.

Sr. Vilá: Los Estados Unidos representan un mercado importantísimo pero difícil para nuestro jabón. / El problema que veo es cómo dividir un mercado tan grande en segmentos adecuados / para aprovechar al

máximo nuestra penetración en el mercado estadounidense.

INTÉRPRETE: _____

Sra. Brownstein: Well, we'll begin by trying to identify potential customers according to sex, age, education, occupation, and geographic region. / We'll also look at data regarding small towns versus large cities. / We plan to test the product in places like Boston, Chicago, St. Louis, Denver, and San Francisco.

INTÉRPRETE: _____

Sr. Vilá: Me parece muy bien. No sé si la cuestión de la clase social será importante o no, / pues en el Perú y en otros mercados hispanoamericanos nuestro jabón, por ser algo más caro, se vende más entre clientes de la clase alta.

INTÉRPRETE: _____

Sra. Brownstein: The cost shouldn't be prohibitive for anybody in the United States. / I'm not sure that it's as much of a question of social class here. / Rather it's an appeal to taste, to those willing to spend a few extra cents to bathe with a fine, perfumed soap.

INTÉRPRETE: _____

Sr. Vilá: ¿Qué medios publicitarios cree usted que serían los mejores para anunciar el jabón?

INTÉRPRETE: _____

Sra. Brownstein: I would suggest a series of popular magazines, such as *Fine Living* and *Woman Athlete*. / Also flight magazines and catalogs from the companies that will carry the soap. / I'm thinking of a couple of TV ads as well, so that people can see the soap in color and being used by real people.

INTÉRPRETE: _____

Ahora vuelva al vídeo y haga una interpretación consecutiva, usando la pausa del vídeo cuando le haga falta. Después intente hacer una interpretación simultánea, sin pausas.

Marketing II: Compraventa, transporte y almacenaje

COMPRENSIÓN Y COMUNICACIÓN

Antes de ver

Conteste las siguientes preguntas antes de mirar el vídeo.

1. ¿Cree Ud. que una práctica profesional ayuda para conseguir un buen trabajo? Explique.
2. Al tratar el tema transportista, ¿qué detalles discuten en la foto?

Al ver

En el vídeo, el Sr. Mistral, nuevo director de mercadeo de Minasal, una empresa minera en Antofagasta, habla con la Srta. Chambers, su asistente de práctica, sobre las posibilidades de transportar sus productos al sur de Chile. Lea las siguientes preguntas y después mire el vídeo. Luego vuelva a las preguntas para contestarlas.

1. ¿Qué es el cabotaje?
2. ¿Para qué tipo de mercancías se usan los buques?
3. ¿Qué efectos desea analizar la Srta. Chambers y por qué?
4. Según Chambers, ¿qué tipo de transporte probablemente ofrezca la mejor combinación de ventajas?

Ud. es el/la intérprete

Siga el guión a continuación y haga el papel de intérprete entre el Sr. Mistral y la Srta. Chambers. Traduzca del inglés al español y del español al inglés, sin mirar el texto, el diálogo que leerán otros dos estudiantes en voz alta. Ellos harán una pausa después de cada barra para permitir su traducción. Acuérdense todos de usar un tono y ritmo de diálogo natural.

Sr. Mistral: *Según lo que tengo entendido, esta empresa transporta sus productos al sur de Chile por ferrocarril.*

INTÉRPRETE: _____

Srta. Chambers: But the train isn't the most economical way to transport anything. / It would seem better to me to deliver the bulk materials through the port here in Antofagasta by coastal shipping / and to send the

rest of the materials by truck, particularly if the amount is less than a full train carload.

INTÉRPRETE: _____

Sr. Mistral: *Ud. lleva poco tiempo en Chile y no se ha dado cuenta de la mala calidad de algunas de nuestras carreteras. / En el caso de mercancías de gran volumen, no tenemos suficientes embarques para utilizar buques de transporte.*

INTÉRPRETE: _____

Srta. Chambers: Before we make a final decision, I would like to study the effects of cost, speed, and bulk delivery on the setting of prices to our consumers.

INTÉRPRETE: _____

Sr. Mistral: *Bien. No se olvide de averiguar el costo de los seguros. / Las inseguridades del mercado y el transporte también son factores de costo importantes.*

INTÉRPRETE: _____

Srta. Chambers: We will probably have to move to a combination of means of transportation in order to meet the needs of our various products. / On the other hand, train delivery may offer the best combination. / By the way, do you use common carriers or contract carriers?

INTÉRPRETE: _____

Sr. Mistral: *Por lo general, utilizamos nuestros propios transportistas privados.*

INTÉRPRETE: _____

Ahora vuelva al vídeo y haga una interpretación consecutiva, usando la pausa del vídeo cuando le haga falta. Después intente hacer una interpretación simultánea, sin pausas.

COMPRENSIÓN Y COMUNICACIÓN

Antes de ver

Conteste las siguientes preguntas antes de mirar el vídeo.

1. ¿Qué es la hiperinflación y cómo afecta el comercio internacional?
2. Al hablar del transporte internacional de mercadería, ¿qué documentos transportistas menciona la Directora de Ventas en la foto?

Al ver

En el vídeo, Janet Vargas, natural de Carolina del Norte y nueva Directora de Ventas para la sucursal de una empresa estadounidense en Asunción, habla con su agente de ventas de más experiencia, el Sr. Rafael Morales Oviedo, sobre la administración de ventas en esa parte de Hispanoamérica, especialmente con países vecinos como Brasil, Argentina y Bolivia. Vargas acaba de llegar de Raleigh y se sorprende al enterarse de que existen grandes diferencias en la gerencia de ventas en países con problemas inflacionarios. Lea las siguientes preguntas y después mire el vídeo. Luego vuelva a las preguntas para contestarlas.

1. ¿Qué es lo que presupone la Srta. Vargas con respecto al crédito comercial?
2. ¿Por qué dice el Sr. Morales que «siempre se intenta cobrar en dinero efectivo»?
3. Según Morales, ¿cómo se pueden proteger los vendedores del riesgo de la hiperinflación?
4. Explique la broma del Sr. Morales sobre el taxi y el autobús.

Ud. es el/la intérprete

Siga el guión a continuación y haga el papel de intérprete entre Janet Vargas y el Sr. Rafael Morales Oviedo. Traduzca del inglés al español y del español al inglés, sin mirar el texto, el diálogo que leerán otros dos estudiantes en voz alta. Ellos harán una pausa después de cada barra para permitir su traducción. Acuérdense todos de usar un tono y ritmo de diálogo natural.

Srta. Vargas: I see here that we've had some large orders placed by some long-standing customers in Brazil, Argentina, and Bolivia. / They're all asking for

commercial credit, which I suppose will be something along the lines of 2/10, net 30.

INTÉRPRETE:

Sr. Morales: No señorita, lo siento, pero no se puede proceder de ese modo aquí. / Es demasiado arriesgado ofrecer un plazo de tiempo en un crédito comercial a causa de la alta inflación. / Siempre se intenta cobrar en dinero efectivo antes de enviar las mercancías porque, incluso antes de que se seque la tinta sobre un cheque de pago, el dinero ya ha empezado a perder su valor.

INTÉRPRETE: _____

Srta. Vargas: Really? Back home the normal terms of sale usually include a discount for payment made in ten days, or the full amount is payable in thirty, / especially in dealing with known customers.

INTÉRPRETE: _____

Sr. Morales: Sí, pero aquí se vive en una situación constante de hiperinflación y así se podría perder dinero en lugar de ganarlo. / Por eso, siempre se pide un pago inmediato en líquido o un pago en dólares.

INTÉRPRETE: _____

Srta. Vargas: I knew inflation was a real problem and that several governments had gotten into trouble by printing too much money in order to pay for wage hikes, etc., but I never imagined . . .

INTÉRPRETE: _____

Sr. Morales: Es penoso, pero cierto. / Incluso, aquí se dice que es más barato tomar un taxi que un autobús porque el taxi no se paga hasta el final del viaje. / Para entonces, la tarifa ya cuesta menos.

INTÉRPRETE: _____

Ahora vuelva al vídeo y haga una interpretación consecutiva, usando la pausa del vídeo cuando le haga falta. Después intente hacer una interpretación simultánea, sin pausas.

La entrada en el mercado internacional:
Los países hispanoparlantes

COMPRENSIÓN Y COMUNICACIÓN

Antes de ver

Conteste las siguientes preguntas antes de mirar el vídeo.

1. En el comercio internacional, ¿por qué es necesario viajar? ¿Qué elementos son necesarios en la preparación de un presupuesto de viaje de negocios?

2. En la foto, ¿qué tipo de información busca la directora en su agenda con respecto a un viaje de negocios que necesita programar?

Al ver

En el vídeo, Teresa Sánchez, una gerente de ventas, tiene que hacer un viaje de negocios a México. Discute con su asistente, Roberto Toledo, algunos detalles del itinerario y del presupuesto para el viaje. Lea las siguientes preguntas y después mire el vídeo. Luego vuelva a las preguntas para contestarlas.

1. ¿En qué fecha tiene que estar Teresa Sánchez en Puebla? ¿Y en Veracruz?

2. ¿Cómo piensa viajar Sánchez a Veracruz?

3. ¿Cuánto piensa Roberto Toledo que costará el viaje entero? ¿Y por partes detalladas?

4. ¿De qué se trata el memorándum del vice presidente y qué efecto tendrá sobre el presupuesto del viaje de Teresa Sánchez?

Ud. es el/la intérprete

Siga el guión a continuación y haga el papel de intérprete entre Teresa Sánchez y Roberto Toledo. Traduzca del inglés al español y del español al inglés, sin mirar el texto, el diálogo que leerán otros dos estudiantes en voz alta. Ellos harán una pausa después de cada barra para permitir su traducción. Acuérdense todos de usar un tono y ritmo de diálogo natural.

Teresa Sánchez: Tengo que estar en Puebla para el día catorce. La reunión será a las once de la mañana. Por eso, necesito llegar el día antes. / Después de dos días en Puebla, hay otra reunión con unos clientes en Veracruz. / Así que, vamos a ver, estaré de viaje durante cinco días, desde el día trece hasta el diecisiete. / Puedo volver a Filadelfia la noche del día diecisiete.

INTÉRPRETE: _____

Roberto Toledo: Muy bien, lo tengo todo apuntado. ¿A qué hora quiere salir de Filadelfia el día trece?

INTÉRPRETE: _____

Teresa Sánchez:
Prefiero que sea por la mañana, pues tendré que pasar por aduanas al llegar a México, y luego tomar un vuelo nacional de la capital a Puebla.

....

INTÉRPRETE: _____

Roberto Toledo: Bien. Y para llegar a Veracruz, ¿también en avión?

INTÉRPRETE: _____

Teresa Sánchez: Sí, Roberto, en avión, también por la mañana, el día dieciséis. / Y luego, al día siguiente, la vuelta a Filadelfia, a la hora que sea.

INTÉRPRETE: _____

Roberto Toledo: Y para el alojamiento, ¿necesito llamar para hacer las reservaciones?

INTÉRPRETE: _____

Teresa Sánchez: Sí, por favor. Me gustaría quedarme en buenos hoteles en el centro de cada ciudad. / Bueno, habrá que añadir los viáticos, para las comidas, los taxis y otros detalles. / ¿Cuánto te parece que necesitaré para el viaje?

INTÉRPRETE: _____

Roberto Toledo: Bueno, unos $1,300 dólares por los vuelos de primera clase. / Luego, cuatro noches de hotel, unos $500. Y por todo lo demás, unos $500. / Yo lo calculo en un total de aproximadamente $2,300 por el viaje en total. ¿Qué te parece?

INTÉRPRETE: _____

Teresa Sánchez: Bien, Roberto. Mire a ver si se pueden cortar un poco los gastos. / Ayer mismo recibí un memorándum del vice presidente, anunciando que nos teníamos que cuidar todos de los gastos no esenciales.

INTÉRPRETE: _____

Ahora vuelva al vídeo y haga una interpretación consecutiva, usando la pausa del vídeo cuando le haga falta. Después intente hacer una interpretación simultánea, sin pausas.

COMPRENSIÓN Y COMUNICACIÓN

Antes de ver

Conteste las siguientes preguntas antes de mirar el vídeo.

1. ¿Qué son la importación y la exportación? ¿Qué formas de transporte y de pago existen en el comercio internacional?

2. Al hablar de flete, ¿cuáles son algunos INCOTERMS que menciona la agente compradora de la foto?

Al ver

En el vídeo, el Sr. Víctor Martínez, dominicano cuya empresa exporta azúcar a los EE.UU., está en Nueva Orleáns para finalizar con la Srta. Vicky Nadal, agente compradora de una compañía estadounidense, los términos de venta de treinta toneladas de azúcar crudo. Lea las siguientes preguntas y después mire el vídeo. Luego vuelva a las preguntas para contestarlas.

1. ¿De qué tema trataban las conversaciones telefónicas entre Martínez y Nadal?

2. ¿Cómo se pagará por el azúcar dominicano?

3. ¿Qué ha hecho Washington con respecto al azúcar importado de la República Dominicana?

4. ¿Qué remedio se plantea Martínez ante la política de Washington? ¿Quiénes pueden ayudarlo?

Ud. es el/la intérprete

Siga el guión a continuación y haga el papel de intérprete entre el Sr. Víctor Martínez y la Srta. Vicky Nadal. Traduzca del inglés al español y del español al inglés, sin mirar el texto, el diálogo que leerán otros dos estudiantes en voz alta. Ellos harán una pausa después de cada barra para permitir su traducción. Acuérdense todos de usar un tono y ritmo de diálogo natural.

Sr. Martínez: De acuerdo con nuestras conversaciones telefónicas, le enviaremos las treinta toneladas de azúcar crudo por vía marítima a principios del mes

entrante. / Uds. deberán recibir el azúcar para el día ocho.

INTÉRPRETE: _____

Srta. Nadal: Good. Our bank will issue a letter of credit which should reach you by your return to the Dominican Republic next week. / As we've agreed, delivery will be made CIF, FOB delivered.

INTÉRPRETE: _____

Sr. Martínez: Bien. El precio de venta incluirá el flete y los seguros hasta el puerto de Nueva Orleáns. / Uds. saben que también les podemos ofrecer más azúcar, en caso de que tuvieran interés . . .

INTÉRPRETE: _____

Srta. Nadal: Believe me, we'd like to buy more sugar from you, but Washington has recently imposed a quota on sugar from the Dominican Republic. / The 300 or so tons allowed last year have been reduced to about 150 this year.

INTÉRPRETE: _____

Sr. Martínez: Sí, ya lo sé. Es una mala noticia para nosotros, ya que vendíamos una gran cantidad de azúcar a los Estados Unidos. / Bueno, supongo que el único remedio será empezar a buscar nuevos clientes en otros países para negociar la buena cosecha que hemos tenido este año.

INTÉRPRETE: _____

Ahora vuelva al vídeo y haga una interpretación consecutiva, usando la pausa del vídeo cuando le haga falta. Después intente hacer una interpretación simultánea, sin pausas.

Las perspectivas para el futuro

COMPRENSIÓN Y COMUNICACIÓN

Antes de ver

Conteste las siguientes preguntas antes de mirar el vídeo.

1. ¿Por qué cambian continuamente las condiciones de la economía mundial? ¿Cuáles son algunos de los principales retos para la globalización económica y comercial?

2. Al hablar del futuro para el comercio mundial, ¿qué dice la mujer en la foto?

Al ver

En el vídeo, la Sra. Schultz, de Iowa, y el Sr. Echeverría, de Venezuela, son gerentes de dos diferentes empresas multinacionales en Illinois, pero con sucursales en varios países sudamericanos. Conversan acerca de las dificultades de dirigir una empresa bajo las condiciones continuamente cambiantes de la economía mundial. Lea las siguientes preguntas y después mire el vídeo. Luego vuelva a las preguntas para contestarlas.

1. ¿De qué tema trata la conversación entre la Sra. Schultz y el Sr. Echeverría?

2. ¿Qué paradoja observa Echeverría con el nacionalismo y el proteccionismo y la creación de mercados comunes y otros acuerdos comerciales semejantes?

3. ¿Qué quiere decir Shultz con la frase "all boats rise with the tide of fair global trade"?

4. ¿Qué le causa un estrés constante al Sr. Echeverría?

5. ¿Por quién apuesta la Sra. Schultz para hallar soluciones en el futuro? ¿Está usted de acuerdo con ella? Comente.

Ud. es el/la intérprete

Siga el guión a continuación y haga el papel de intérprete entre la Sra. Schultz y el Sr. Echeverría. Traduzca del inglés al español y del español al inglés, sin mirar el texto, el diálogo que leerán otros dos estudiantes en voz alta. Ellos harán una pausa después de cada barra para permitir su traducción. Acuérdense todos de usar un tono y ritmo de diálogo natural.

Sra. Schultz: *It is becoming more and more difficult to manage a company because of the changing global economy. / We've got to adjust constantly to the economic realities that are forcing us to become part of a transnational system.*

INTÉRPRETE: _____

Sr. Echeverría: Sí, y todo eso a pesar de que bastantes países parecen hacerse cada día más nacionalistas y más proteccionistas. / ¿Cómo se puede explicar esto cuando a la vez se están creando nuevos mercados regionales como el Tratado de Libre Comercio de América del Norte, la Unión Europea y Mercosur?

INTÉRPRETE: _____

Sra. Schultz: *I know, I know. We've just got to be efficient and economical. / In what seems to be an increasingly confrontational world political scene, it's important to close the gaps within an integrated world economy, / one that helps all boats rise with the tide of fair global trade.*

INTÉRPRETE: _____

Sr. Echeverría: Sí, creo que para hacerlo bien nos hacen falta la intuición para poder predecir los resultados de nuestras decisiones, / son necesarias la habilidad para integrar los conocimientos académicos y prácticos, / y la capacidad para guiar a otros y comunicar eficazmente sus ideas a los interesados. / ¡Sufro de un estrés constante! A veces no sé dónde se hallarán las soluciones.

INTÉRPRETE: _____

Sra. Schultz: *That's for sure! And don't forget the need to consider the ethical consequences and humanitarian considerations as we try to come up with profitable solutions that are also green and sustainable across the globe. / It's so fortunate that our company has facilitated frequent interaction among those of us from different regions and cultural backgrounds. / It has allowed us to increase our mutual respect and deepen our cross-cultural understanding. / I think our generation will need a lot of help from the next generation, with their ideas and talent, optimism and good will. / In that regard, maybe the future is pretty bright. In the end, my money's on them!*

INTÉRPRETE: _____

Ahora vuelva al vídeo y haga una interpretación consecutiva, usando la pausa del vídeo cuando le haga falta. Después intente hacer una interpretación simultánea, sin pausas.

Análisis y comparación

Estudie la Tabla 10-1 y haga los ejercicios que aparecen a continuación. Use también sus conocimientos y, cuando haga falta, otras fuentes informativas como un *Almanaque mundial*, Internet, etc. Los ejercicios se pueden hacer individualmente, en parejas o en pequeños grupos para discutir en clase.

1. ¿Qué es la fiesta nacional de un país? ¿Qué tipo de evento se conmemora con la fiesta nacional? ¿Qué son las fiestas públicas?

2. ¿Cuándo se celebran las fiestas nacionales de México, España, Argentina, Colombia, Ecuador y EUA?

3. ¿Cuáles países hispanos celebran su independencia de España en 1810? ¿Cuáles la celebran en 1821?

4. ¿Cuáles son los países hispanos que no lograron su independencia de España sino de otro país? Explique.

5. ¿Qué países de la Tabla 10-1 no celebran el Día del Trabajo o no lo celebran el 1° de mayo?

6. ¿Qué tipo de fiesta pública (política, religiosa, etc.) predomina en los países hispanos? ¿Por qué piensa usted que es así?

7. ¿Cuándo celebran muchos países hispanoamericanos la fiesta pública del Descubrimiento de América? ¿Cuáles son otros nombres que recibe esta fiesta pública?

8. En algunos países hispanos se celebra el aniversario (del nacimiento o de la muerte) de alguna figura nacional importante: Benito Juárez (México), José de San Martín (Argentina), Simón Bolívar (Venezuela y Ecuador), José Gervasio Artigas (Uruguay), Francisco Morazán (Honduras) y José Barbosa (Puerto Rico). ¿Quiénes fueron estas figuras históricas?

9. También se celebran los aniversarios de batallas o treguas. ¿Qué fue la Batalla de Puebla en México? ¿La Batalla de Rivas en Costa Rica? ¿La Batalla de Carabobo en Venezuela? ¿La Batalla de Pichincha en Ecuador? ¿La Paz del Chaco y la Victoria del Boquerón en Paraguay? ¿El asalto al Cuartel Moncada en Cuba? ¿Qué evento conmemora el Día del Mar en Bolivia?

10. ¿Por qué es importante tener en cuenta el calendario y las fiestas nacionales y públicas de un país con el cual se comercia?

11. Usted ha sido contratado/a como consultor/a por una empresa cuyo/a director/a de ventas desea hacer el siguiente viaje de negocios para visitar a posibles clientes nuevos:

   - *14–16 de agosto en España*
   - *14 y 15 de septiembre en Guatemala*
   - *16 y 17 de septiembre en México*

   ¿Qué problemas hay con este itinerario? ¿Qué cambios le recomendaría usted para su visita a estos tres países?

Tabla 10-1   **Fiesta nacional y otras fiestas públicas de los países hispanoparlantes, Brasil y EUA**

País	Fiesta nacional	Otras fiestas públicas
Argentina	25 mayo: Primer Gobierno Patrio; 9 julio: Proclamación de la Independencia (1810: de España)	6 ene. (Epifanía); 23–24 feb. (Carnavales); c. 9–10 abr. (Jueves Santo y Viernes Santo); 1 mayo (Día del Trabajo); 25 mayo (Fiesta Cívica); 10 jun. (Día de la Soberanía Nacional/Día de la Islas Malvinas); c. 11 jun. (Corpus Christi); 20 jun. (Día de la Bandera); 15 ago. (Asunción); 17 ago. (Muerte del General José de San Martín); 21 sept. (Día del Estudiante); 12 oct. (Día de la Raza); 1 nov. (Todos los Santos); 8 dic. (La Inmaculada Concepción)
Bolivia	6 agosto: Día de la Independencia Nacional (1818: de España)	Carnaval (el sábado antes del Miércoles de Ceniza); 19 mar. (Día del Padre); 23 mar. (Día del Mar); c. 10 abr. (Viernes Santo); Semana Santa; 27 mayo (Día de la Madre); c. 11 jun. (Corpus Christi); 1 nov. (Día de Todos los Santos)
Brasil	7 septiembre, Día de la Independencia Nacional (1822: de Portugal)	c. 28 feb. (Carnaval); c. 16 abr. (Páscoa = Pascua); 21 abr. (Tiradentes); 1 mayo (Dia do Trabalho); Festas Juninas (coinciden con las fiestas de San Juan y San Pedro); c. 11 jun. (Corpus Christi); 12 oct. (Nossa Senhora Aparecida); 2 nov. (Finados = Día de los Difuntos); 15 nov. (Proclamação da República); 25 dic. (Natal = Navidad)
Chile	18 septiembre: Día de la Independencia Nacional (1818: de España)	c. 10–11 abr. (Viernes Santo y Sábado Santo); 21 mayo (Día de las Glorias Navales); 15 ago. (Día de la Asunción); 11 sep. (Día de la Liberación Nacional); 19 sep. (Día de las Glorias del Ejército); 12 oct. (Día de la Raza); 1 nov. (Día de Todos los Santos); 8 dic. (Día de la Inmaculada Concepción)
Colombia	20 julio: Día de la Independencia Nacional (1810: de España)	6 ene. (Santos Reyes); 19 mar. (San José); c. 9–10 abr. (Jueves Santo y Viernes Santo); 21 mayo (Ascensión); c. 11 jun. (Corpus Christi); 29 jun. (San Pedro y San Pablo); 7 ago. (Batalla de Boyacá); 12 oct. (Día de la Raza); 1 nov. (Todos los Santos); 11 nov. (Independencia de Cartagena); 8 dic. (La Inmaculada Concepción)
Costa Rica	15 septiembre: Día de la Independencia Nacional (1821: de España)	19 mar. (San José); c. 9–10 abr. (Jueves Santo y Viernes Santo); 11 abr. (Día de Juan Santamaría/Batalla de Rivas); Semana Santa; 1 mayo (Día del Trabajo); c. 11 jun. (Corpus Christi); 29 jun. (San Pedro y San Pablo); 25 jul. (Anexión del Partido de Nicoya); 2 ago. (Nuestra Señora de los Ángeles); 15 ago. (Día de la Madre); 15 sept. (Día de la Independencia de América Central); 12 oct. (Día de la Raza); 8 dic. (La Inmaculada Concepción de María)
Cuba	10 julio: Día del Inicio de la Lucha por la Independencia; 1 enero: Triunfo de la Revolución	1 mayo (Día del Trabajo); segundo domingo de mayo (Día de la Madre); 26 jul. (Día del Asalto al Cuartel Moncada [1953]); con la excepción de la Navidad, reconocida como fiesta nacional en 1998, no se celebran oficialmente las fiestas religiosas
Ecuador	10 agosto: Día de la Declaración de Independencia Nacional (1809)	c. 23–24 feb. (Carnavales); c. 9–10 abr. (Jueves Santo y Viernes Santo); 24 mayo (Batalla de Pichincha); en jun., Inti Raimi (Festival del Sol); 24 jul. (Natalicio de Bolívar); 9 oct. (Independencia de Guayaquil); 12 oct. (Día de la Raza); 2 nov. (Día de los Fieles Difuntos); 3 nov. (Independencia de Cuenca)

Tabla 10-1   (*continuación*)

País	Fiesta nacional	Otras fiestas públicas
El Salvador	15 septiembre: Día de la Independencia Nacional (1821: de España)	c. 8–11 abr. (Semana Santa); 1 mayo (Día del Trabajo); 10 mayo (Día de la Madre); 11 jun. (Corpus Christi); 17 jun. (Día del Padre); c. 5–6 ago. (El Salvador del Mundo); 12 oct. (Día de la Raza); 2 nov. (Día de los Fieles Difuntos)
España	12 octubre: Día de la Hispanidad	6 ene. (Epifanía del Señor); 19 mar. (San José); c. 9–10 abr. (Jueves Santo y Viernes Santo); 11 jun. (Corpus Christi); 25 jul. (Santiago Apóstol); 15 ago. (Asunción de la Virgen); 6 dic. (Día de la Constitución Española); 8 dic. (La Inmaculada Concepción)
Guatemala	15 septiembre: Día de la Independencia Nacional (1821: de España)	6 ene. (Epifanía); c. 8–11 abr. (Semana Santa); 1 mayo (Día del Trabajo); 30 jun. (Día del Ejército); 15 ago. (Día de la Asunción); 12 oct. (Día de la Raza); 20 oct. (Conmemoración de la Revolución de 1944); 1 nov. (Día de Todos los Santos); 8 dic. (La Virgen de Concepción); 24 dic. (Nochebuena); 31 dic. (Fin de Año)
Guinea Ecuatorial	12 octubre: Día de la Independencia Nacional (1968: de España)	c. 10–11 abr. (Viernes Santo y Sábado Santo); c. 5 jun. (Corpus Christi); 5 jun. (Natalicio del Presidente); 3 ago. (Día de las Fuerzas Armadas); 15 ago. (Día de la Constitución); 8 dic. (La Inmaculada Concepción)
Honduras	15 septiembre: Día de la Independencia Nacional (1821: de España)	c. 9–11 abr. (Semana Santa); 14 abr. (Día de las Américas); 1 mayo (Día del Trabajo); 3 oct. (Nacimiento de Morazán); 12 oct. (Descubrimiento de América); 21 oct. (Día de las Fuerzas Armadas)
México	16 septiembre: Día de la Independencia Nacional (conmemora *El grito*) (1810: de España)	6 ene. (Día de los Reyes); 5 feb. (Día de la Constitución); 24 feb. (Día de la Bandera); 21 mar. (Aniversario del Nacimiento de Benito Juárez); 9–11 abril (Jueves Santo, Viernes Santo y Sábado Santo); 1 mayo (Día del Trabajo); Cinco de mayo (Batalla de Puebla); 12 oct. (Descubrimiento de América o Día de la Raza); 1-2 nov. (Día de los Muertos); 12 dic. (Nuestra Señora de Guadalupe)
Nicaragua	15 septiembre: Día de la Independencia Nacional (1821: de España)	c. 9–10 abr. (Jueves Santo y Viernes Santo); 1 mayo (Día del Trabajo); 19 jul. (Día de la Liberación); 14 sep. (Batalla de San Jacinto); 2 nov. (Día de los Fieles Difuntos); 8 dic. (La Inmaculada Concepción)
Panamá	3 noviembre: Separación de Colombia (1903: la Separación de Panamá de Colombia); 4 nov: Día de la Bandera; 28 nov.: Independencia de España	9 ene. (Día de los Mártires); c. 24 feb. (Martes de Carnaval); c. 10 abr. (Viernes Santo); 15 ago. (Fundación de la Ciudad de Panamá; se celebra sólo en la ciudad de Panamá); 2 nov. (Día de los Difuntos); 5 nov. (Día de Independencia; se celebra sólo en la ciudad de Colón); 11 nov. (Primer Grito de la Independencia); 28 nov. (Independencia Panameña de España [1821]); 8 dic. (La Inmaculada Concepción); c. e dic. (Día de la Madre)
Paraguay	14 mayo: Día de la Independencia Nacional (1811: de España)	1 mar. (Día de los Héroes); c. 9–10 abr. (Semana Santa); c. 15 mayo (Día de la Madre); 12 jun. (Día de la Paz del Chaco); 30 jul. (Día de la Amistad); 15 ago. (Fundación de Asunción); 29 sep. (Día de la Victoria de Boquerón); 12 oct. (Descubrimiento de América o Día de la Raza); 1 nov. (Todos los Santos); 8 dic. (Nuestra Sra. de los Milagros de Caacupé)
Perú	28 julio: Día de la Independencia Nacional (1821: de España)	24 jun. (Día del Campesino); 29 jun. (San Pedro y San Pablo); 19 jul. (Día Nacional); 30 ago. (Santa Rosa de Lima); 8 oct. (Día de las Fuerzas Armadas); 1 nov. (Todos los Santos); 8 dic. (La Inmaculada Concepción)

(continúa)

Tabla 10-1 *(continuación)*

País	Fiesta nacional	Otras fiestas públicas
Puerto Rico	4 julio: Día de la Independencia de EUA	6 ene. (Reyes Magos); 11 ene. (Aniversario de Eugenio María de Hostos); segundo lunes de ene. (Día de Martin Luther King); c. 22 feb. (Día de Washington); 22 mar. (Día de la Emancipación); c. 10 abr. (Semana Santa); 18 abr. (Aniversario de José de Diego); 27 mayo (Día de la Conmemoración); 17 jul. (Aniversario de Muñoz Rivera); 25 jul. (Día de la Constitución); 28 jul. (Natalicio de José C. Barbosa); c. 7 sep. (Día del Trabajo); 12 oct. (Día de la Raza); c. 12 nov. (Día del Veterano); 19 nov. (Descubrimiento de Puerto Rico); el cuarto jueves del mes de noviembre (Día de Acción de Gracias)
República Dominicana	27 febrero: Día de la Independencia Nacional (1844: de Haití)	6 ene. (Santos Reyes); 21 ene. (Nuestra Señora de Altagracia); c. 27 ene. (Día de Duarte); 10 abr. (Viernes Santo); 11 jun. (Corpus Christi); 16 jul. (Fundación de la Sociedad La Trinitaria); 16 ago. (Día de la Restauración); c. 16 sep. (Nuestra Señora de las Mercedes); 12 oct. (Descubrimiento de América o Día de la Raza); 1 nov. (Día de Todos los Santos)
Uruguay	25 agosto: Día de la Independencia Nacional (1825: de Brasil)	6 ene. (Epifanía, Día de los Niños); c. 23–24 feb. (Carnaval); c. 11–12 abr. (Pascua de Resurrección/Semana Santa); 19 abr. (Aniversario de los Treinta y Tres); 1 mayo (Día del Trabajo); 19 jun. (Aniversario de Artigas); 18 jul. (Día de la Constitución); 12 oct. (Descubrimiento de América o Día de la Raza); 2 nov. (Día de los Fieles Difuntos); 8 dic. (Día de las Playas); 25 dic. (Navidad, Día de la Familia)
Venezuela	5 julio: Día de la Independencia Nacional (1811: de España)	c. 23–24 feb. (Carnaval); c. 9–10 abr. (Semana Santa); 24 jun. (Batalla de Carabobo); 24 jul. (Natalicio de Bolívar); 12 oct. (Día de la Raza); 17 dic. (Aniversario de la Muerte del Libertador); 31 dic. (Fin de Año)
EUA	4 julio: Día de la Independencia Nacional (1776: de Inglaterra)	Segundo lunes de ene. (Día de Martin Luther King); 22 feb. (Día de los Presidentes); c. 25 mayo (Día de Recordación); c. 7 sep. (Día del Trabajo); 12 oct. (Día de Colón); 11 nov. (Día de los Veteranos); el cuarto jueves del mes de noviembre (Día de Acción de Gracias)

NOTA: Hay un gran número de días de fiesta que se celebran regionalmente y en las diferentes ciudades de Latinoamérica. Se limita este resumen sólo a los principales días de fiesta. Los que tienen fecha variable se indican con c. (circa, alrededor de); e.g., la fecha de Semana Santa y la de la Pascua pueden variar hasta un mes de año en año. El año nuevo se celebra en todos estos países.

FUENTES: *Almanaque mundial 2009* y *Culturgram 2006.*

Posibilidades profesionales

Si abundan las carreras de marketing internacional con respecto a la publicidad y los productos que se venden y promocionan, también las hay en los campos de la distribución, transporte y almacenaje. Los puestos más comunes y corrientes son los de director/a de compraventa o de distribución, agentes de transporte y supervisores de almacén. Para más información al respecto y para una actividad que le ayude a aprender más sobre el tema, véase Capítulo 10 de «Posibilidades profesionales» en www.cengage .com/spanish/exito.

Aquí se presentan los principales términos de este capítulo. Al final del libro hay un glosario más completo.

agente (m/f) • *agent*

  de subasta • *auction agent*

  de ventas • *sales agent*

a granel • *in large quantity or volume, bulk*

almacén (m) • *store*

  de artículos de calidad • *specialty shop*

  general • *general store*

al por mayor • *wholesale*

arancel (m) • *tariff*

autopista de peaje (de cuota) • *toll road, tollway*

barcaza • *barge*

bomba • *pump (e.g., for pumping oil through a pipeline)*

cabotaje (m) • *coastal traffic, cabotage*

cadena de suministros • *supply-chaining*

carga • *packing; cargo*

centro comercial • *shopping center, mall*

chalana • *barge, lighter*

comerciante (m/f) • *merchant*

  al por mayor • *merchant wholesaler*

comisionista (m/f) • *commision merchant or agent*

concesión • *franchise*

concesionario • *dealer (e.g., car dealer)*

conocimiento de embarque • *bill of lading*

contenedor • *container (e.g., large metallic containers for bulk shipping of goods)*

control de riesgo (m) • *risk management*

corredor/a • *broker*

costo • *cost*

  fijo • *fixed cost*

  variable • *variable cost*

de gran volumen • *bulky, bulk*

descarga • *unloading (e.g., of merchandise)*

descuento • *discount*

por promoción • *promotion allowance*

por pronto pago • *discount for quick payment*

por el compro en efectivo • *discount for cash payment*

sobre cantidad • *volume discount*

detallista (m/f) • *retailer*

  sin almacén • *non-store retailer*

distribuidor automático • *vending machine*

emanación • *emanation, source, point of origin*

  natural • *natural source or point of origin (e.g., of oil, natural gas)*

embarcación • *vessel, craft, boat*

entrega • *delivery*

estante (m) • *shelf*

estibador • *stevedore*

estructuración de precios • *pricing, setting of prices*

excedente (m) • *surplus*

falta de cumplimiento • *failure to comply, noncompliance*

ferretero • *hardware dealer*

fletador/a • *shipper (one who hands over goods to be delivered)*

  aéreo/a • *air shipper*

  fluvial • *inland water shipper (river-related)*

  marítimo/a • *ocean/sea-going shipper*

fletamento • *contract for chartering or rental of means of transportation; transportation, carriage*

fletante (m/f) • *charterer, owner of a means of transport*

flete (m) • *freight (cargo, price or means of shipment)*

franquicia • *franchise*

gabarra • *barge*

gama • *range (of products, etc.)*

gran almacén (m) • *department store*

(continúa)

intermediario • *intermediary, middleman*

lanchón • *barge*

máquina expendedora • *vending machine*

margen de beneficio (m) • *profit margin*

mayorista (m/f) • *wholesaler*

   de estanterías • *rack jobber*

   sin almacén • *truck wholesaler*

menudeo • *retail*

mercadería • *product*

mercado • *market*

   al contado • *cash market*

   de descuentos • *discount store*

mercancías de gran volumen • *bulk material*

Ministro de Relaciones Exteriores • *Secretary of State*

minorista • *retailer*

naviero • *ship owner*

oleoducto • *pipeline*

piratería • *piracy*

porte • *price (freight, carriage price)*

precio • *price*

   de catálogo • *list price*

   de mercado • *market price*

prima • *premium*

proveedor directo • *drop shipper (desk jobber)*

rebaja • *rebate*

   al comprador • *customer rebate*

   al revendedor • *trade discount*

regateo • *haggling, bargaining*

rastrear • *to trace or track (a shipment)*

remolcador • *tug, tugboat, towboat; tow truck*

remolcar • *to tug, tow*

representante de fábrica (m/f) • *manufacturer's agent*

revendedor/a • *retailer*

riesgo • *risk*

seguro • *insurance*

   contra incendios • *fire insurance*

   contra terceros • *liability insurance*

   contra todo riesgo • *comprehensive insurance*

   de automóviles • *car insurance*

   de falta de cumplimiento • *non-compliance (surety)*

   de responsabilidad civil • *liability insurance*

siniestro • *damage*

subasta • *auction*

surtido • *assortment, selection*

tarifa por menos de un vagón completo • *less than carload on train (l.c.l.)*

tasa de rendimiento • *rate of return (on investment)*

tecnología de flujo de pedidos • *package flow technology*

transporte (m) • *transportation*

transportista (m/f) • *carrier, means of transportation and delivery*

   por contrato • *contract carrier*

   privado • *private carrier*

   público • *common carrier*

trayecto • *haul or run (delivery of goods)*

   corto • *short haul*

   largo • *long haul*

tubería • *pipe, piping (e.g., for oil pipeline)*

venta • *sale*

   al por mayor • *wholesaling*

   al por menor (al detalle) • *retailing*

   domiciliaria (a domicilio) • *door-to-door sales*

   por correo • *mail-order sales*

Las finanzas

Bolsa de valores, Buenos Aires, Argentina. ¿Qué es lo que se vende en la bolsa? ¿Por qué? ¿Qué tipo de remuneración reciben los corredores? ¿Y los inversionistas?

© Martín Zabala/Xinhua Press/Corbis

The worst investment you can have is cash.

— WARREN BUFFET, CEO BERKSHIRE HATHAWAY, INC.

If you're not happy with the price of a particular stock, just wait a minute.

— ANÓNIMO

Lo que prestas a hombre de mala paga, escríbelo en el agua.

— PROVERBIO

Traduzca al español la cita de arriba. ¿Por qué considera ASX que la manipulación de los mercados o la bolsa es una actividad no ética? ¿Está usted de acuerdo con esta consideración? Explique. ¿Cuáles serían algunos ejemplos de tal manipulación? ¿Conoce usted algún caso? Comente.

11-1 Preguntas de orientación

Al hacer la «Lectura comercial», piense en las respuestas a las siguientes preguntas.

1. ¿Qué significa la palabra «finanzas»? ¿Qué origen etimológico tiene?

2. Al referirse a fuentes financieras, ¿en qué se distingue la autofinanciación del financiamiento externo?

3. ¿Qué es el financiamiento a corto plazo? ¿De qué diferentes fuentes puede proceder este tipo de financiación?

4. ¿Cómo se consiguen los fondos de financiamiento externo a largo plazo?

5. ¿Qué es la financiación por medio de obligaciones o bonos?

6. ¿Qué es una acción? ¿Qué tipos de acciones hay y en qué se diferencian?

7. ¿Qué es un dividendo? ¿Qué es un dividendo diferido?

8. ¿Qué es la bolsa de valores? ¿Y un/a bolsista?

9. ¿Qué son el MERVAL, el IPC y el IBEX? ¿Qué tipo de información proporcionan a los inversores?

10. ¿En qué se diferencia el riesgo sistemático del no sistemático en el mundo de las finanzas?

11. ¿Cómo funciona una cartera de acciones bien diversificada para reducir el riesgo del inversionista?

12. ¿Qué otros tipos de riesgo se presentan en el mundo financiero internacional? ¿Qué es la hiperinflación y en cuáles países hispanos se ha dado? Comente con cifras.

13. ¿Cuáles son algunas de las bolsas principales del mundo hispano? ¿En qué año se fundó la Bolsa Mexicana de Valores? ¿Y la Bolsa de Comercio de Buenos Aires, la Bolsa de Valores de Caracas y la Bolsa de Comercio de Santiago? Use Internet para buscar esta información.

LECTURA COMERCIAL

El financiamiento, los inversionistas y la bolsa

Consideremos por un momento la siguiente situación: un individuo ahorra dinero y lo guarda en casa en un chanchito, una hucha (alcancía) o caja fuerte. Ese dinero carece de utilidad porque no se usa para producir o adquirir nada. Tampoco crece, porque no devenga ningún interés. Al contrario, con el tiempo normalmente pierde valor, a causa de la inflación. Al mismo tiempo, hay una empresa que quiere atraer a más inversionistas. Es decir, desea aumentar los fondos que necesita para extender y mejorar sus operaciones. Tanto aquel individuo como la compañía se podrían ayudar mutuamente. El individuo podría invertir parte de sus ahorros en las actividades de la empresa y ésta, a su vez, podría usar este financiamiento para pagar sus proyectos. El beneficio para el individuo sería el aumento del valor potencial de su dinero por medio de intereses o una participación en las ganancias de la empresa. Con esta relación mutuamente beneficiosa, uno entra en el campo de las finanzas.

El vocablo **finanzas** viene etimológicamente del latín *finis* (frontera, extremo, fin), y se refiere a la idea del buen fin de una actividad comercial. Financiar, según Bernard y Colli, es «poner los medios para que al final de la operación las necesidades en recursos de dinero, medios de pago o valores estén cubiertos». Es importante el tiempo, pues, como explican Bernard y Colli, «el buen fin de un proyecto o una operación puede concentrarse al final de un largo período» (*Diccionario económico y financiero*, pág. 685).

El dinero para los proyectos comerciales de una sociedad puede provenir de la **autofinanciación** o de la financiación externa. Si la fuente es autofinanciera, los fondos proceden de las reservas o de los beneficios de la empresa misma, es decir, de su propio capital o patrimonio. La financiación externa la constituyen otras personas o instituciones, generalmente en forma de préstamos a corto o a largo plazo, de obligaciones o bonos corporativos, o de aumentos de capital social, los cuales resultan de las aportaciones de los socios y de los inversionistas que compran participación o acciones en la compañía. En general, las sociedades requieren una combinación de ambas fuentes de financiamiento, la interna y la externa, para satisfacer su demanda de fondos adicionales.

El financiamiento externo a corto plazo de una empresa lo constituyen los fondos requeridos para financiar las operaciones cotidianas, como el renuevo del inventario. En general, procede del crédito comercial, de los préstamos garantizados y de los préstamos no garantizados. El **crédito comercial** se recibe de empresas abastecedoras o suministradoras con las cuales se mantiene el trato comercial. Es una forma de «préstamo» concedido por los vendedores. Según este arreglo, el abastecedor manda la mercancía pedida, acompañada de una factura que indica los artículos enviados, su precio por unidad, su precio total y las condiciones del crédito, y luego espera—se fía de—que el comprador pague la cantidad debida en el plazo concertado. Los **préstamos garantizados** o **prendarios** son aquéllos respaldados por un **aval** o una garantía subsidiaria (*collateral*). Un **empréstito** es un préstamo que toma el Estado o una corporación o empresa, especialmente cuando está representado por títulos negociables o al portador. En caso de impago por parte del prestatario, el prestamista o acreedor adquiere el derecho a propiedades o prendas de aquél por el valor del préstamo. Los **préstamos no garantizados** (**préstamos sin caución** o **a la firma** o **a sola firma**), en cambio, son aquéllos cuya probabilidad de **reintegro** se basa únicamente en la buena reputación y la firma del **prestatario**.

La **financiación a corto plazo** normalmente dura menos de un año, mientras que las de medio y largo plazo duran generalmente de uno a cinco, diez o más años, respectivamente. Los fondos de financiamiento externo a largo plazo generalmente se consiguen por medio de **obligaciones** o **bonos** de sociedad anónima o por la emisión y venta de **acciones**.

Una sociedad anónima que emite bonos solicita financiación por medio de obligaciones. Los **bonos corporativos** y las **obligaciones** son sinónimos que se

acción *stock*

  ordinaria *common stock*

  preferente *preferred stock*

bolsa de valores *stock market*

bolsista (m/f) *stockbroker*

caja fuerte *safe*

cartera de acciones *stock portfolio*

fuente (f) *source*

hucha *piggy bank, money box*

inversionista (m/f) *investor*

préstamo *loan*

vencimiento *maturity*

refieren a un título de deuda comúnmente **amortizable** (recuperable): el primer término se usa en los Estados Unidos y en muchos países hispanoamericanos, el segundo es derivado del uso francés y se emplea más en España. Servirse de bonos corporativos para el financiamiento comercial quiere decir que una sociedad utiliza dinero «prestado» que con el tiempo tendrá que devolverle al **inversionista** (prestamista) con un interés **devengado**, el cual representa el precio del préstamo. En general, la **fecha de vencimiento** de un bono corporativo es de diez a treinta años. Al **vencerse**, la corporación se hace responsable de reembolsar el préstamo por su valor nominal (el principal o capital original invertido/prestado) más cualquier interés devengado. Los bonos u obligaciones de una sociedad pueden emitirse como bonos **nominativos** (a nombre del prestamista) o como bonos **al portador** (donde no figura el nombre del prestamista). En España, por ejemplo, se emiten al portador, mientras que en los Estados Unidos son nominativos. Otras clases de bonos que funcionan de manera semejante son los bonos de ahorro, los del Estado o municipio, y los del Tesoro.

La **financiación externa a largo plazo** de una sociedad anónima también se puede lograr con la **emisión** y venta de **acciones**. Con este tipo de financiamiento la empresa no se hace responsable del pago de un interés acumulado sobre un capital que tendrá que reembolsar, sino que la acción vendida representa la venta de una fracción del capital de la sociedad. En otras palabras, el inversionista que compra acciones se hace propietario parcial o fraccionario de la corporación. Las acciones, al igual que los bonos, pueden ser nominativas o al portador. Las nominativas suelen llevar el nombre, domicilio y profesión del propietario y sólo se pueden transferir a otra persona por cesión registrada en los libros de la sociedad. Si se emiten al portador, se pueden traspasar a otra persona por simple entrega.

Las acciones de una sociedad anónima pueden ser **ordinarias (comunes)** o **preferentes (preferidas, prioritarias, privilegiadas)**. Las ordinarias dan el derecho a recibir un **dividendo** variable declarado (una porción de los beneficios anunciados periódicamente por la Junta General de la sociedad) y el derecho a votar (de tener una voz en la dirección de la sociedad) en la Junta General de Accionistas. El beneficio que recibe la empresa es la aportación de nuevo capital, pero el aumento del número de acciones ordinarias (del número de propietarios y sus votos) diluye el control corporativo de los organizadores originales. Las acciones preferentes, en cambio, generalmente carecen de derecho a voto, pero tienen el derecho a recibir un dividendo, limitado a una cantidad fija, y si es posible para la compañía (pues su buena fama depende de ello), regular y continua. El inversionista se arriesga más al invertir en las acciones ordinarias que en las preferentes, porque los beneficios que se reciben en forma de dividendo dependen más exclusivamente de las ganancias de la sociedad. Si la empresa experimenta problemas, es posible que se corten los dividendos por un período. Pero si todo va bien, los que poseen acciones ordinarias pueden recibir aún mayores beneficios en forma de dividendos o alzas en el valor de las acciones. En el caso de un **dividendo diferido**, cuando se ha postergado para una fecha futura la distribución de beneficios a los accionistas, las acciones preferentes recuperan sus dividendos antes que las ordinarias. Otra diferencia entre los dos tipos de acciones es que la preferente, en caso de liquidación de la sociedad, tiene derecho prioritario a recuperar el dinero invertido. Sin embargo, los bonos corporativos (y otros acreedores) tienen la primera prioridad en el orden de compensación, antes que cualquier accionista. La Tabla 11-1 resume, desde el punto de vista del inversor individual, las diferencias fundamentales entre las tres clases de inversión.

El intercambio y la compraventa de acciones, desde las de primera clase o más alta categoría hasta las que se cotizan a menos de un dólar, se gestionan en un mercado especial llamado bolsa de valores. La **bolsa de valores**, llamada *organized exchange* en los Estados Unidos, es un lugar fijo y comercialmente centralizado, como el *New York Stock Exchange (NYSE)*. También existe en este país un mercado no organizado (*over-the-counter market, OTC* por sus siglas en inglés), llamado así porque las acciones no se intercambian en la bolsa, sino que su transacción se lleva a cabo por medio de corredores y agentes que no trabajan directamente en ninguna bolsa. Es un mercado en el cual la compraventa se efectúa electrónicamente y por teléfono.

Las bolsas de valores son importantes porque facilitan la participación de instituciones e individuos en las grandes sociedades anónimas. **Bolsa** o **mercado**

....

Tabla 11-1 Comparación entre bonos, acciones ordinarias y acciones preferidas, desde el punto de vista del inversionista

Tema	Bonos/ Obligaciones	Acción ordinaria	Acción preferente
Representación	Prestamista de fondos	Propietario de capital social	Propietario de capital social
Derecho de voto	Normalmente no	Normalmente sí	Normalmente no
Tipo de beneficio posible	Interés (hasta la fecha de vencimiento) y alza en el valor (precio) del bono	Dividendo (varía según las declaraciones de ganancias) y alza	Dividendo (en cantidad uniforme) y alza
Beneficio garantizado	Sí, normalmente	No	No (pero recibe su dividendo antes que los tenedores de acciones ordinarias)
Orden de derecho a recompensa en caso de liquidación de la sociedad	Prioritario (junto con otros acreedores)	Tercero	Segundo
Riesgo	Menor	Más alto	Menor que para la acción ordinaria, pero más alto que para los bonos

alcista (*bull market*) es un período optimista del mercado en que se produce un aumento general de compraventa y de los precios cotizados. Es decir que los inversionistas piensan que pagarán menos por sus acciones si las compran ahora en lugar de más tarde. El propósito es comprar la acción a un precio bajo para poder venderla luego a un precio más alto. **Bolsa o mercado bajista** (*bear market*) es el inverso, un período de pesimismo y de reducción general de los precios cotizados. En esta situación, el vendedor de acciones piensa que ganará más dinero si las vende en ese momento porque prevé que van a bajar aún más sus precios en el futuro. Un índice bursátil (*stock market index*) representa un resumen estadístico de la variabilidad (los altibajos) de los precios y las rentabilidades de diferentes acciones a lo largo del tiempo. Hay muchos índices. En EUA, por ejemplo, tres de los más importantes son: 1) el Promedio Industrial Dow Jones (*Dow Jones Industrial Average*) que informa acerca de las 30 compañías industriales más grandes del país; 2) el índice S&P 500, considerado por muchos como el más representativo puesto que informa acerca de las 500 compañías más grandes del mundo; y 3) el índice NASDAQ, un informe electrónico acerca de más de 5000 compañías mundialmente, en particular las de tecnología y las nuevas empresas que tienen potencial de crecimiento, por lo cual el NASDAQ suele ser aún más especulativo. Algunos de los principales índices en el mundo hispano son el MERVAL (Mercado de Valores) en Argentina, el IBEX (*Iberia Index*) en España y el IPC (Índice de Precios y Cotizaciones) en México.

La consideración clave a tener en cuenta al invertir o especular en la bolsa de valores, especialmente en las acciones ordinarias, es que cualquier inversión siempre representa un riesgo para el inversionista. La cantidad y calidad del riesgo depende de si se considera la acción individualmente o como parte de una cartera de acciones diversificada. El riesgo percibido se clasifica de dos maneras: (1) **riesgo sistemático**, el cual se refiere a factores que afectan a todo sector y sociedad comercial, como la política y el estado económico de un país, la inflación y las reformas impositivas, y (2) **riesgo no sistemático**, el cual afecta solamente a un sector o una compañía en particular, como la baja general del precio por barril de petróleo, la corrupción (e.g., el desfalco) y el encarcelamiento del presidente de cierta empresa o la declaración de huelga de sus trabajadores. Por lo tanto, desde el punto de vista de los inversionistas, el mundo de las finanzas trata de la administración del riesgo financiero y de cómo reducir al mínimo los riesgos personales. Para reducir el riesgo, se recurre a una cartera de inversión bien diversificada. Esta cartera sirve de contrapeso a la conducta de cualquiera de los sectores o empresas individuales. Los investigadores han determinado que tal cartera se logra mediante una combinación de un mínimo de 7-10 clases de inversiones: acciones, bonos, caja, materia prima (trigo, azúcar, etc.), metales preciosos e industriales y otros sectores como energía, industria, tecnología, farmacéuticos, bienes de consumo, etc. Para asegurar una buena diversificación y una administración profesional, muchas personas invierten su dinero en un **fondo mutuo o de inversión común o colectivo** (*mutual fund*) o en un **fondo de inversión mobiliaria** (*ETF, exchange traded fund*). En fin, la diversificación representa una estrategia de no jugárselo todo a una carta.

Para poder comprar o vender acciones u otros títulos en el mercado de capitales es necesario acudir a un agente o firma de bolsa. En el caso de que el inversor haya comprado acciones, las mismas se acreditan a las 72 horas en una subcuenta habilitada a su nombre en la Caja de Valores, que es la depositaria de los títulos. En caso de que el inversor haya realizado una venta, las acciones se retiran de su subcuenta en Caja de Valores y como contrapartida se acreditarán los fondos correspondientes a esa operación. Por las operaciones realizadas, los inversores pagan derechos de mercado, derechos de bolsa y una comisión a la firma de bolsa. Esta última no es fija y varía entre cada firma de bolsa habilitada.

El mercado ofrece una amplia gama de alternativas de inversión para que cada individuo pueda elegir aquélla que más le convenga a sus necesidades e intereses. Esta elección depende, entre otras variables, del monto de que disponga para invertir, el tiempo durante el cual pueda prescindir de los fondos, el retorno que desea obtener y el nivel de riesgo que esté dispuesto a asumir. No todas las personas tienen la misma tolerancia al riesgo. Las más conservadoras prefieren una inversión con mayor grado de certeza en el futuro pero saben que deben resignar rendimientos. En el otro extremo, los inversores más arriesgados eligen instrumentos de inversión que implican menor grado de certeza pero mayor promesa de ganancias futuras.

En el mercado de capitales cotizan acciones y otros títulos de empresas de diversos sectores como energía, servicios, financiero, industrial, siderúrgico, exportación de materias primas, agropecuario y petrolero, entre otros. Los inversores buscan comprar títulos que según su visión estén subvaluados; o sea, que su precio en el mercado esté por debajo del valor que el inversor cree que merece el título.

(De "Cómo invertir" [http://www.bcba.sba.com.ar/invertir/comoinv .php] y "Cómo decidir la mejor inversión" [http://www.bcba.sba .com.ar/invertir/comodecidir.php], Bolsa de Comercio de Buenos Aires [BCBA], consultado: 21 agosto 2009.)

1. ¿A quién tiene que acudir un/a inversor/a para poder comprar o vender acciones u otros títulos en el mercado?

2. ¿Qué ocurre en la subcuenta del/de la inversor/a cuando compra y vende acciones? Describa el proceso para cada actividad.

3. ¿Qué tienen que pagar los inversores por las operaciones realizadas?

4. ¿Cuáles son algunas de las variables que se consideran al elegir entre las alternativas de inversión?

5. ¿Qué es la tolerancia al riesgo y cuáles son los dos extremos? En cuanto al riesgo, ¿qué tipo de inversor/a es usted? Explique.

6. ¿Cuáles son algunos de los sectores que se cotizan en el mercado de capitales? ¿Tiene usted alguna inversión en estos sectores? Comente. ¿Cómo le va la inversión?

7. ¿Qué quiere decir que un título está subvaluado y por qué se recomienda comprar este tipo de valor? ¿Qué otras recomendaciones haría usted para los que tienen interés en invertir en una bolsa de valores?

Al hablar de las finanzas internacionales, hay diferentes clases de **riesgo** que necesita considerar el acreedor o inversionista. Existe el riesgo comercial o la posibilidad de insolvencia o incapacidad de pagar por parte de un comprador extranjero. Existe el riesgo político en forma de guerras, revoluciones, terrorismo, sabotaje y nacionalización o expropiación, y el riesgo de la fluctuación en el cambio de divisas, que mide el valor de una moneda nacional en términos de otra moneda nacional. También existe el riesgo de la inflación (la pérdida de valor) o la de **hiperinflación** (una inflación de más del 25% al año) de una moneda nacional extranjera, y hay la posibilidad de una recesión o una depresión económica, todos problemas que han padecido los países hispanoamericanos en las últimas décadas. Bolivia, por ejemplo, ha sido una nación azotada por la hiperinflación en la década de los ochenta. Para 1985 su tasa de inflación anual había subido a un 25,000% y para 1987 los mismos artículos que habían costado 100 pesos en 1980 ya costaban más de ocho millones. Otro ejemplo se ha dado en Nicaragua, donde en 1991 la inflación había subido a una tasa anual de 13,500%. Cuando hay hiperinflación, es difícil extender cualquier crédito comercial o tolerar demoras en el recibo de un pago, porque antes de que se seque la tinta en la factura, la cantidad ofrecida como pago ya ha empezado a perder su valor original. Una espera de varias semanas en el pago de mercancías puede resultar en la completa anulación de ingresos reales por esos artículos. Incluso, irónicamente, se puede perder dinero en la venta. La hiperinflación requiere transacciones comerciales con pago inmediato en dinero en efectivo. Esto permite depositar inmediatamente ese dinero en cuentas que devenguen un alto interés, o cambiarlo por una moneda más estable, o se puede efectuar las transacciones en \$EUA, euros u otras monedas nacionales más estables, o se puede recurrir al trueque de bienes y recursos, en lugar de usar dinero.

En una **recesión**, en cambio, se contrae el PIB de un país durante dos trimestres consecutivos, y se reducen también la riqueza del país, la producción y la renta nacional. En cuanto a la **depresión** económica, se dice que es la caída del 10% del PIB en un año, y que afecta a varios países, dura más tiempo (más de 10 años) y es más grave e intensa que la recesión. Actualmente, para la mayoría de los economistas, el mundo está en una fuerte recesión que se aproxima a una depresión económica que puede encaminarse a la hiperinflación en el próximo futuro.

Entre las bolsas del mundo hispano se hallan las siguientes: en España, la Bolsa de Madrid, la Bolsa de Barcelona, la Bolsa de Valencia y la Bolsa de Bilbao; en México, la Bolsa Mexicana de Valores; en Argentina, la Bolsa de Comercio de Buenos Aires, la Bolsa de Córdoba y la Bolsa de Rosario; en Chile, la Bolsa de Comercio de Santiago; en Colombia, la Bolsa de Bogotá y la Bolsa de Medellín, S.A.; en Venezuela, la Bolsa de Valores de Caracas; en Honduras, la Bolsa Centroamericana de Valores, S.A.; en Perú, la Bolsa de Valores de Lima; y en Ecuador, la Bolsa de Valores de Guayaquil. También existen la Bolsa Boliviana de Valores, S.A., la Bolsa Nacional de Valores de Costa Rica, la Bolsa de Valores de El Salvador y la Bolsa de Valores de Nicaragua. De gran importancia para Latinoamérica también son las diferentes bolsas de Brasil, como la Bolsa de Valores de São Paulo, la Bolsa de Valores do Río de Janeiro, la Bolsa de Mercadería de Brasilia y la Bolsa de Valores do Paraná.

11-2 Actividades

1. **¿Qué sabe Ud. de negocios?** Vuelva a las «Preguntas de orientación» que se hicieron al principio del capítulo y a las preguntas que acompañan la foto y contéstelas en oraciones completas en español.

2. **¿Qué recuerda Ud.?** Indique si las siguientes oraciones son *verdaderas* o *falsas* y explique por qué.

   a. El dinero que no se invierte generalmente pierde valor.

   b. La autofinanciación se basa en fuentes internas y externas para satisfacer su demanda de fondos adicionales.

   c. Un préstamo sin caución sólo requiere la buena fama y la firma del prestamista.

   d. Los bonos corporativos indican que el/la inversionista es propietario/a fraccional de una sociedad anónima.

   e. Las acciones ordinarias son menos arriesgadas que las preferentes y sus dividendos normalmente son más limitados.

   f. Los tenedores de acciones preferentes son los primeros en una recompensa en caso de liquidación de una compañía.

   g. Para reducir el riesgo bursátil, se recomienda crear una cartera de acciones bien diversificada, con un mínimo de dos tipos de acciones.

   h. El riesgo político no es un factor muy importante en las finanzas internacionales, en comparación con la hiperinflación.

3. **Exploración.** Haga los siguientes ejercicios, usando sus conocimientos y opiniones personales.

   a. ¿Es necesario el crédito comercial para el financiamiento a corto plazo? Explique.

   b. ¿Qué opina Ud. de los préstamos no garantizados? ¿Ha hecho Ud. alguna vez este tipo de préstamo? ¿A algún pariente o amigo? ¿Qué pasó?

   c. Entre los bonos, las acciones ordinarias y las acciones preferentes, ¿cuál tipo de inversión prefiere Ud.? ¿Por qué?

   d. ¿Ha especulado Ud. alguna vez, o conoce a alguien que lo haya hecho, con inversiones en la bolsa de valores? ¿Cómo le resultó?

   e. ¿Qué piensa Ud. de la lógica de reducir el riesgo del inversionista con una cartera de acciones bien diversificada? ¿Qué acciones incluiría Ud. en la creación de su propia cartera?

   f. ¿Cuáles son las divisas más fuertes en este momento en el mundo? ¿En qué países está fuerte el dólar? ¿Dónde está débil?

   g. ¿Cómo se relacionan los dichos al principio del capítulo con los temas tratados?

  11-3 Al teléfono

Pistas
21 y 22

1. Lea las siguientes preguntas. Después escuche atentamente la conversación telefónica del Capítulo 11 y conteste las preguntas. Puesto que la comprensión auditiva es una destreza comunicativa sumamente importante, se recomienda escuchar la conversación varias veces.

   a. ¿Por qué llama la Sra. Bono a Bull Securities?

   b. ¿De qué dependen las recomendaciones de la Srta. Stock?

c. ¿Por qué quiere invertir cien mil dólares la Sra. Bono?

d. ¿Qué quiere la Srta. Stock que haga la Sra. Bono antes de venir a la oficina?

 2. Basando sus comentarios en la conversación telefónica del ejercicio anterior, haga la siguiente llamada telefónica a otro/a estudiante de la clase. Cada persona deberá participar activamente en la conversación. Si necesita ayuda con esta actividad, véase el Apéndice 1, «Protocolo telefónico», página 457.

Usted es la Sra. Solitario Bono, una viuda de 60 años cuyo esposo ha fallecido recientemente. Llame a Brenda Bear, la secretaria de la asesora financiera Penny Stock, para concertar una cita. Resuma otra vez la suma de capital, el propósito de las inversiones y el riesgo que quiere correr. Además, usted tiene algunas preguntas sobre algunos términos financieros en el formulario que se tiene que llenar antes de la entrevista (e.g., a corto plazo, a largo plazo, acciones y dividendos) que la secretaria le explica.

 3. Haga la siguiente llamada telefónica a otro/a estudiante de la clase. Cada persona deberá participar activamente en la conversación. Si necesita ayuda para esta actividad, véase el Apéndice 1, «Protocolo telefónico», página 457.

Ud. es un/a proveedor/a que habla con un/a antiguo/a cliente suyo/a que le pide el envío inmediato de veinte cajas de mercancía bajo el crédito comercial de costumbre. Ud. le informa que el envío no se puede hacer hasta el día siguiente y que no hay ningún problema con enviarle una factura con términos comerciales de 3/10, neto 30. Antes de colgar, le aclara el resto de la factura (descripción de lo pedido, precio por unidad y precio total).

11-4 Navegando por Internet

Para hacer este ejercicio de Internet, visite la página web del libro en www.cengage .com/spanish/exito.

11-5 Ejercicios de vocabulario

 Si le es necesario, consulte la «Lectura comercial» o la lista de vocabulario que aparece al final del capítulo para completar estos ejercicios.

1. **¡A ver si me acuerdo!** Pensando en la posibilidad de establecer una relación comercial, usted va a conversar con una persona de negocios de un país hispano. Sin embargo, se le olvidan a usted los siguientes términos en español. Un/a compañero/a lo/la ayuda a recordarlos al pedir que usted se los traduzca.

a. *finance*

b. *bull market*

c. *loan*

d. *lender*

e. *supplier*

f. *well-diversified stock portfolio*

g. *long-term*

h. *corporate bond*

i. *stock*

j. *deferred dividend*

2. **¿Qué significan?** A usted le interesa la posibilidad de hacer unos préstamos e inversiones en Paraguay. Sin embargo, no sabe cómo explicar en español lo que significan ciertos términos que se usan frecuentemente al hablar de inversiones y préstamos. Ud. decide consultarlos con un/a amigo/a. Pídale a un/a compañero/a de clase que le explique los siguientes términos y que le dé algunos sinónimos si puede.

   a. capital
   b. bolsa de valores
   c. financiación
   d. acreedor
   e. préstamo sin caución

   f. préstamo garantizado
   g. bono
   h. empréstito
   i. acción común
   j. acción preferente

3. **Entrevista profesional.** Usted quiere aclarar algunos detalles sobre las finanzas porque ha podido conseguir una entrevista para un puesto financiero en Uruguay. Por lo tanto, usted desea ensayar la entrevista en español y le pide a un/a compañero de clase, experto/a en este campo, que le haga las siguientes preguntas. En el caso de que usted no pueda contestar alguna pregunta, su compañero/a lo/la ayudará.

   a. En una sociedad anónima, ¿cómo se consigue generalmente la financiación externa?
   b. ¿Qué beneficios generan los bonos y las acciones?
   c. ¿De qué sirve una cartera de acciones bien diversificada?
   d. ¿Qué es un prestamista? ¿Un préstamo sin caución?
   e. ¿Cuáles son algunos de los riesgos del financiamiento internacional?

4. **Traducciones.** Un/a amigo/a suyo/a tiene que hacer una presentación general sobre finanzas. Acaba de empezar a estudiar el tema y, por lo tanto, sabe poco del vocabulario financiero. Usted lo/la ayuda al pedirle que él/ella traduzca al español las siguientes oraciones que informan sobre ciertos aspectos del tema.

   a. *To finance a company is to provide new or additional funds for its growth.*
   b. *Short-term external financing can be in the form of commercial credit, secured loans, and unsecured loans.*
   c. *Long-term external corporate financing is acquired through the issue of corporate bonds and stocks.*
   d. *The holders of corporate bonds earn interest while stockholders earn dividends.*
   e. *Risk for investors, which is always present, can be minimized by establishing a well-diversified portfolio.*

UNA VISTA PANORÁMICA DE PARAGUAY

Nombre oficial:	República del Paraguay (en guaraní: Tetä Paraguáype)
Gentilicio:	paraguayo/a
Capital y población:	Asunción: 1,870,000
Sistema de gobierno:	República constitucional
Jefe de Estado/Jefe de Gobierno:	Fernando Armindo Lugo Méndez
Fiesta nacional:	14 de mayo, Día de la Independencia (1811: de España)

Paraguay

GEOGRAFÍA Y CLIMA

Área nacional en millas² y kilómetros²	Tamaño (comparado con EUA)	División política	Otras ciudades principales	Puertos principales (de río)	Clima	Tierra cultivable
157,047 m² 406,750 km²	Casi tan grande como California	El Distrito Capital y otros 17 departamentos	Pedro Juan Caballero, Encarnación, Ciudad del Este	Asunción, Villeta, San Antonio, Encarnación.	Subtropical: templado al este del Río Paraguay, semiárido al oeste	6%

DEMOGRAFÍA

Año y población en millones			% urbana	Distribución etaria		% de analfabetismo	Grupos étnicos
2010	2015	2025		<15 años	65+		
7.2	8	9.9	59%	37%	5%	6%	95% mestizo, 2% blanco europeo, 3% amerindio

ECONOMÍA Y COMERCIO

Moneda nacional	Tasa de inflación 2008	N° de trabajadores (en millones) y tasa de desempleo		PIB 2008 en millones $EUA	PIB per cápita	Distribución de PIB y de trabajadores por sector*			2008 Exportaciones en millones $EUA	2008 Importaciones en millones $EUA
						A	I	S		
El guaraní	11%	2.8	5.4%	$29,100	$4,300	23%	17%	60%	$6,900	$7,400
(pl. guaraníes)						31%	17%	52%		

*Para distribución del PIB y de los trabajadores (mano de obra): A = Agricultura, I = Industria, S = Servicios (y Gobierno).

Recursos naturales: Energía hidroeléctrica, madera, hierro, manganeso, piedra caliza, tierra cultivable.

Industrias: Elaboración y empacado de carne, machaqueo de semillas oleaginosas, molienda y aserrado, cervecería, textiles, azúcar, cemento, construcción, minería, productos de madera, cuero, electricidad, energía hidroeléctrica.

COMERCIO

Productos de exportación: Electricidad, carne, algodón, cereales, soja, madera, aceite vegetal, carne procesada, cueros y pieles, yerba mate, café, madera para construcción.

Mercados: 28% Argentina, 15% Uruguay, 13% Brasil, 6% Chile, 5% Alemania, 5% Rusia (2007).

Productos de importación: Maquinaria, combustibles, lubricantes, productos de petróleo, maquinaria eléctrica, tractores, piezas para vehículos, productos electrónicos, bienes de consumo y de capital (equipo industrial), productos alimenticios, materia prima, tabaco, equipo de transporte, químicos, pienso.

Proveedores: 30% Brasil, 23% EUA, 14% Argentina, 9% China (2007).

Horario general de comercio: De lunes a viernes, desde las siete de la mañana hasta las doce del mediodía y desde las tres de la tarde hasta las seis.

TRANSPORTE Y COMUNICACIONES

Kilómetros de carreteras y % pavimentadas	Kilómetros de vías férreas	N° de aeropuertos con pista de aterrizaje pavimentada	N° de líneas telefónicas	Radios por mil personas	Televisores por mil personas	N° de usuarios de Internet en millones
29,500/51%	36	13	331,100	182	205	.28

IDIOMA Y CULTURA

Idiomas	Religión	Comidas y bebidas típicas/Modales
Español y guaraní (ambos oficiales)	90% católica romana, 10% protestante («menonita»)	Arroz, frijoles, maíz, plátanos, pollo, carne, pescado, sancocho, bollo, guacho, verduras y frutas, chicha. Halagar a los anfitriones por la buena comida servida.

Horario normal del almuerzo y de la cena: Sobre la una de la tarde para el almuerzo; entre las seis y las siete de la noche para la cena.

Gestos: Para anunciar o avisar la llegada a la casa de alguien, a veces se baten las manos antes de pasar al patio o al jardín. El gesto de «*thumbs up*» (un puño con el dedo pulgar apuntado hacia arriba) significa aprobación. El gesto de «*A-Okay*» (un círculo formado por el dedo pulgar y el dedo índice) es obsceno y equivale al gesto «*to give the finger*». Hacerle un guiño a alguien se puede interpretar como una insinuación sexual. Darse un toque a la barbilla con la punta del dedo índice significa que uno no sabe la respuesta. Levantar o inclinar la cabeza rápidamente hacia atrás significa que «Se me olvidó».

Cortesía: Saludar individualmente a cada persona al llegar a una reunión o comida y despedirse de cada una al marcharse para no menospreciar a nadie y quedar mal. Mantener buen contacto visual con la otra persona durante una conversación. Se aceptan las visitas no anunciadas de antemano. Ojo con regalarle a alguien un cuchillo porque se podría interpretar como un corte o una ruptura de relaciones.

LA ACTUALIDAD ECONÓMICA PARAGUAYA

Paraguay, lo mismo que Bolivia, es una nación cercada de tierra, sin litoral o salida directa al mar, lo cual da por resultado costos de transporte más altos. Tampoco cuenta con importantes recursos minerales ni petróleo. El país experimentó tres dictaduras durante los sesenta años después de su independencia de España en 1811. La tercera, la de Francisco Solano López, resultó en una guerra catastrófica contra la Triple Alianza de Uruguay, Brasil y Argentina (1864–70) en la cual murió la mitad de la población del país y se perdió el acceso directo al mar. Un siglo más tarde, un golpe de estado en 1989 puso fin a la dictadura militar de 35 años del Presidente Alfredo Stroessner (1954–89), época caracterizada por un exceso de controles nacionales, barreras y tarifas comerciales que ahuyentaron a los inversionistas extranjeros. Hacía falta fomentar la rápida industrialización del país. Clave en todo esto fue aprovechar la energía hidroeléctrica abundante y barata, en especial la facilitada por la presa Itaipú, un proyecto comercial conjunto con el Brasil, terminado en 1981. En 1989, Stroessner fue derrocado por un golpe de estado del general Andrés Rodríguez.

Al elegirse Presidente en 1989, Rodríguez deseaba seguir una política económica de libre mercado y eliminar muchos de los controles nacionales. Además, planeaba lograr una industrialización rápida. En 1990 fue aprobado un nuevo código electoral que prohibía la afiliación de los miembros de las fuerzas armadas y la policía con los partidos políticos. En 1991, los presidentes y los ministros de Asuntos Exteriores de Argentina, Brasil, Uruguay y Paraguay se reunieron en la capital paraguaya para firmar el Tratado de Asunción, el cual creó un nuevo Mercado Común del Sur, conocido como Mercosur. Bolivia y Chile luego han participado también como países observadores.

En 1993 Juan Carlos Wasmosy, también del Partido Colorado, ganó la presidencia, siendo así el primer presidente paraguayo libremente elegido en los 182 años de independencia del país. Bajo Wasmosy, hubo una crisis financiera en los años 1995 y 1997, cuando fueron a la bancarrota casi todas las empresas nacionales y sólo pudieron sobrevivir las empresas extranjeras. Hasta recientemente, Paraguay no pudo recuperarse de los efectos de esas bajas económicas. En 1996 se puso a prueba la joven democracia paraguaya cuando el general Lino César Oviedo, excomandante del Ejército, encabezó una rebelión militar, la cual fue rechazada por la ONU, EUA y otros países de la región. En 1998 ganó la elección presidencial Raúl Cubas, amigo de Oviedo quien, desde la prisión, también se había postulado como candidato a las elecciones. Poco después de ser elegido, Cubas liberó a Oviedo e ignoró un fallo de la Corte Suprema que había ordenado la reencarcelación de Oviedo. Con esta crisis gubernamental, Cubas abandonó la presidencia en 1999 y huyó del país. Se asesinó al vice presidente, Luis María Argaña, y poco después, Luis González Macchi prestó juramento como el tercer presidente por cinco años. Gónzalez no pudo lograr una alianza entre los partidos políticos y la economía casi se hundió. A finales de su mandato en 2002, Macchi fue condenado por ser responsable de la recesión y por su mala administración de 16 millones de dólares de fondos estatales, pero pudo mantener control hasta la próxima elección.

Al celebrar las campañas presidenciales de 2003, Paraguay inauguró a Nicanor Duarte Frutos como el primer presidente protestante, no católico y de la religión menonita. El nuevo presidente prometió eliminar los altos índices de corrupción y la insolvencia de la economía nacional. Aunque fue candidato del Partido Colorado, su presidencia inició 1) una política económica no neoliberal; 2) un interés en entablar relaciones con los gobiernos vecinos, incluso con los presidentes Chávez de Venezuela y Lula de Brasil y la presidenta Kirchner de Argentina; y 3) un rechazo de la organización ALCA. Duarte permitió que se construyera la base militar en la zona de la Triple Frontera y que las tropas norteamericanas combatieran el narcotráfico y el posible terrorismo islámico. Al final de su mandato, Duarte Frutos intentó cambiar la Constitución para poder reelegirse, lo que enojó a muchos representantes de su partido. Cuando renunció a su candidatura en 2008, Fernando Armindo Lugo Méndez, ex obispo de una región pobre y de la Alianza Patriótica por el Cambio (APC), fue elegido presidente, poniendo fin a más de 60 años del control del conservador Partido Colorado. Lugo ha prometido combatir la desigualdad económica y la corrupción. También intenta instituir una reforma de la tierra y otros cambios sociales.

Desgraciadamente, la economía de Paraguay sigue contando con el sector informal. Éste consiste tanto en la reexportación de bienes de consumo importados (mobiliario y máquinas de oficina, cigarrillos, whisky, aparatos electrónicos, música, etc.) a los países vecinos como en las actividades comerciales de miles de microempresas y vendedores ambulantes. En Ciudad del Este, ubicada en la llamada «Triple Frontera» con Brasil y Argentina, se ve operar en especial la economía informal y el contrabando. La riqueza nacional se sigue quedando en manos de una pequeña élite, y, aunque se han reducido la inflación y el desempleo y se ha mejorado algo la economía, continúan los problemas actuales: la deuda nacional, la falta de infraestructura adecuada y de trabajadores calificados, la deforestación nacional, la reforma agraria y la diversificación económica. Todavía queda mucho para que se desarrolle económicamente Paraguay, particularmente frente a la crisis financiera global.

UNA VISTA PANORÁMICA DE URUGUAY

Nombre oficial:	República Oriental del Uruguay
Gentilicio:	uruguayo/a
Capital y población:	Montevideo: 1, 513,000
Sistema de gobierno:	República
Jefe de Estado/Jefe de Gobierno:	Presidente José Alberto Mujica Cordano
Fiesta nacional:	25 de agosto, Día de la Independencia (1828: de Brasil)

Uruguay

GEOGRAFÍA Y CLIMA

Área nacional en millas² y kilómetros²	Tamaño (comparado con EUA)	División política	Otras ciudades principales	Puertos principales	Clima	Tierra cultivable
68,039 m² 176,220 km²	Casi tan grande como Oklahoma	19 departamentos	Salto, Paysandú Las Piedras, Melo, Rivera, Minas, Tacuarembó, Punta del Este	Montevideo, Punta del Este, Paysandú, Colonia, Nueva Palmira	Templado, caluroso	7%

DEMOGRAFÍA

Año y población en millones			% urbana	Distribución etaria		% de analfabetismo	Grupos étnicos
2010	2015	2025		<15 años	65+		
3.3	3.6	3.7	94%	22%	13%	2%	88% blanco europeo, 8% mestizo, 4% africano

ECONOMÍA Y COMERCIO

Moneda nacional	Tasa de inflación 2008	N° de trabajadores (en millones) y tasa de desempleo	PIB 2008 en millones $EUA	PIB per cápita	A	I	S	2008 Exportaciones en millones $EUA	2008 Importaciones en millones $EUA
El peso uruguayo	9.2%	1.6 7.6%	$42,700	$12,300	10% 9%	33% 15%	57% 76%	$6,000	$7,000

*Para distribución del PIB y de los trabajadores (mano de obra): A = Agricultura, I = Industria, S = Servicios (y Gobierno).

Recursos naturales: Tierra cultivable, energía hidroeléctrica, minerales, pesca, granito, mármol.

Industrias: Procesamiento de carne (frigoríficos), maquinaria eléctrica, equipo de transporte, productos de petróleo, productos químicos, lana, pieles, azúcar, textiles, calzado, artículos de cuero, llantas y neumáticos, cemento, refinación de petróleo, vino, tabaco, procesamiento de alimentos y de bebidas.

COMERCIO

Productos de exportación: Carne, cereales, madera, productos lácteos, pieles, productos de cuero y lana, pescado y mariscos, arroz, verduras, textiles, productos químicos, materias plásticas, vino, software.

Mercados: 18% Brasil, 8% Argentina, 5% Federación Rusa, 4% Antillas Holandesas, 4% Reino Unido, 4% EUA, 3.5% China, 3.5% Alemania (2008).

Productos de importación: Maquinaria y equipo, vehículos de motor, aviones, insecticidas, equipo de telecomunicaciones, productos químicos, minerales, papel, plásticos, petróleo crudo y productos del petróleo, combustibles, alimentos procesados, productos metálicos.

Proveedores: 19% Brasil, 18% Argentina, 10% EUA, 9% China, 8% Paraguay, 5% Nigeria (2007).

Horario general de comercio: De lunes a viernes, desde las nueve de la mañana hasta las siete de la tarde.

TRANSPORTE Y COMUNICACIONES

Kilómetros de carreteras y % pavimentadas	Kilómetros de vías férreas	Nº de aeropuertos con pista de aterrizaje pavimentada	Nº de líneas telefónicas	Radios por mil personas	Televisores por mil personas	N° de usuarios de Internet en millones
77,732/10%	2,073	9	987,000	603	531	.97

IDIOMA Y CULTURA

Idiomas	Religión	Comidas y bebidas típicas/Modales
Español (oficial), portuñol o brasilero (mezcla de portugués y español en la frontera con Brasil)	47% católica romana, 23% otro, 17% ateo o agnóstico, 11% protestante	Carne (asado), el chivito (sándwich de carne de res), estofado o guiso, dulce de leche. El mate es la principal bebida (infusión caliente) y se puede ver tomar a toda hora, en cualquier lugar. La variedad de vino Tannat es característica. Aunque es común usar el pan para limpiar el plato al final de la comida, no es bien visto en comidas formales o de negocios.

Horario normal del almuerzo y de la cena: Sobre la una de la tarde para el almuerzo; entre las ocho y media y las diez de la noche para la cena.

Gestos: Para llamarle la atención a alguien, es común hacer un chasquido con los dedos o hacer un sonido de «ch-ch». Es común llamar a las personas denominándolas «ché». El gesto de «*thumbs up*» o dedo pulgar hacia arriba, significa aprobación. El gesto de «*A-Okay*» equivale al gesto «*to give the finger*». Poner una mano con la palma abierta hacia arriba y bajo el codo del otro brazo, significa que alguien es tacaño. Rozarse la barbilla hacia afuera con las uñas y con la palma hacia el cuerpo significa que uno no sabe la respuesta o que no le importa algo. Encogerse rápidamente de hombros quiere decir «¿Qué pasa aquí?». Un bostezo indica aburrimiento y que ya es hora de terminar una reunión. El saludo entre hombres y/o mujeres de negocios en ambientes formales es con un apretón de manos, pero en ambientes menos formales se estila saludar con un beso en la mejilla entre hombre-mujer, mujer-mujer o incluso cuando existe confianza entre hombres.

Cortesía: Bostezar delante de alguien puede interpretarse como aburrimiento con esa persona. No poner los pies sobre una mesa u otro mueble. Las personas no se sientan sobre una mesa. No se espera que el invitado traiga un regalito para los anfitriones al ir a la casa de alguien para cenar o para una fiesta, aunque se aprecian las flores, especialmente las rosas, o un buen vino o una buena marca de whisky (Uruguay es uno de los países con mayor consumo de whisky escocés per cápita del mundo). Se considera descortés hacer una visita no anunciada a la casa de alguien durante las horas del almuerzo y de la cena. En reuniones de negocios se espera puntualidad, pero se admite una tolerancia de quince minutos. En eventos, reuniones o comidas sociales es conveniente llegar 15 minutos después de la hora de la cita, ya que nadie (incluso los anfitriones) estarán preparados o llegando a la hora citada.

LA ACTUALIDAD ECONÓMICA URUGUAYA

La importancia de la industria ganadera del Uruguay tiene su base histórica en la presidencia de José Batlle y Ordóñez (190–07, 1911–15), quien fundó un gobierno dedicado a cambios sociales apoyado por la industria de la carne y la lana. Desde los comienzos del siglo XX hasta finales de la Segunda Guerra Mundial, el país llegó a conocerse como "la Suiza de América" por haber establecido leyes para proteger los derechos de la religión y el divorcio, el sufragio femenino, la educación gratuita y obligatoria, y los servicios públicos estatales (electricidad, telefonía, agua, etc.). Pero en 1955 comenzó una crisis económica que duró hasta 1973, lo que generó inestabilidad social y la creación del movimiento revolucionario "Tupamaro". Este movimiento se responsabilizó por atentados, secuestros y saqueos, hasta que se impuso ese año un golpe de estado militar. La dictadura resultante duró hasta la restauración democrática iniciada en 1985, cuando Julio María Sanguinetti fue elegido presidente. El voto popular consagró la ley de amnistía general, tanto para militares como para los tupamaros, responsables de abusos de los derechos humanos (torturas, asesinatos y desaparecidos).

En 1992 Luis Alberto Lacalle, del Partido Nacional, fue elegido presidente de Uruguay. Lacalle creó un gobierno de coalición, pero ese mismo año el electorado votó contra su plan de privatización. En 1994, Uruguay consiguió acuerdos económicos muy importantes con sus vecinos, Brasil, Paraguay y Argentina, que condujeron a la creación del MERCOSUR. Uruguay tiene un mercado nacional muy limitado, pero se considera como muy buen punto de entrada a los grandes mercados de Argentina y Brasil. También es de suma importancia para el Uruguay el comercio internacional con los grandes mercados de EUA y la UE.

En marzo de 1994, Julio María Sanguinetti fue reelegido presidente y un año después, Uruguay se hizo miembro del MERCOSUR. El Grupo Andino y el MERCOSUR, reunidos en Montevideo, decidieron flexibilizar y expandir aún más la propuesta original para crear la Zona de Libre Comercio. Uruguay logró reducir la inflación monetaria del 129% en 1990 al 8.6% en 1998. Las mujeres uruguayas ganaron el 34% de los ingresos nacionales, el porcentaje más alto de todos los países latinoamericanos. El país tiene menos pobreza que cualquier otro país hispanoamericano, una población mayormente urbana y bien educada, y la distribución de los ingresos nacionales se parece a la de los países más industrializados del mundo.

En 1999, Jorge Batlle, del Partido Colorado, fue elegido presidente. En 2000 se iniciaron las investigaciones de los casos de 169 personas desaparecidas durante los doce años de dictadura militar (1973–85). También se firmó un acuerdo con el Fondo Monetario Internacional (FMI) para redefinir el marco fiscal y financiero del sistema bancario nacional para privatizar la industria petrolera nacional. La devaluación ocurrida en Brasil en enero de 1999 y luego la crisis en Argentina en diciembre de 2001, llevó a Uruguay a una terrible crisis financiera y la ruptura de la cadena de pagos. La recesión económica en 2002 fue severa debido a la dependencia de las economías de Argentina y Brasil, las cuales también sufrían recesiones en esa época. Varios bancos importantes que también operaban en la región fueron intervenidos por la autoridad monetaria. Algunos fueron recapitalizados y otros fueron a la quiebra. El desempleo subió al 17%, los salarios cayeron el 22% y la sociedad en su conjunto sufrió un fuerte impacto. Mientras que otros países de la región se declaraban en mora, Uruguay optó por honrar sus compromisos de deuda pública y obtuvo financiamiento del FMI, organismo que prestó mil millones de dólares para capitalizar los bancos estatales uruguayos y así también honrar los compromisos de deudas.

Tradicionalmente, los dos partidos políticos de Uruguay son el Partido Colorado de ideología variada y el Partido Nacional (Blanco), tradicionalmente conservador. En 2006 la coalición izquierdista llamada «Encuentro Progresista-Frente Amplio-Nueva Mayoría» ganó las elecciones y se eligió como Presidente de la República a Tabaré Vásquez, quien asumió la presidencia con una situación económica en recuperación y una fuerte demanda internacional por los bienes que Uruguay producía. Durante su mandato el país continuó la fuerte inversión de empresas extranjeras que encontraron en Uruguay un país que ofrecía seriedad institucional. La fuerte extranjerización de la tierra y los altos precios de las mercancías uruguayas generaron un impacto en el aumento de la productividad del recurso tierra del que el país dispone. Durante estos años la inversión extranjera también fue importante en el sector inmobiliario en Punta del Este, uno de los principales destinos turísticos de Latinoamérica. El mayor ingreso de divisas permitió reducir la pobreza en el Uruguay, el cual, a diferencia de los otros países hispanoamericanos, aspira a recobrar su posición privilegiada entre los países más industrializados del mundo. La crisis financiera mundial de 2008 tuvo un impacto negativo en los precios internacionales de algunos de los productos que Uruguay vende al mundo, así como en la inversión externa; esto se va a traducir en una desaceleración del crecimiento económico que se había previsto para el 2009. En las elecciones de 2009, José Alberto Mujica Cordano fue elegido presidente.

11-6 Actividades

¿Qué sabe Ud. de Paraguay y Uruguay?

1. A Ud. lo/la han contratado/a como asesor/a transcultural de negocios internacionales. Como tal, necesita informar a sus clientes sobre Paraguay y Uruguay, y recomendar un plan de viaje de negocios a cada país. Averigüe los datos pertinentes para poder abarcar los temas a continuación.

    a. Describa la geografía de Paraguay y Uruguay, refiriéndose a los siguientes temas: ubicación y tamaño de ambos países, capital y otras ciudades y puertos principales, división administrativa y clima. Compare el tamaño de Paraguay con el de EUA. Compárelo con el tamaño del estado donde Ud. vive. Compare el tamaño de Uruguay con el de EUA y con el del estado donde Ud. vive.

b. ¿Cuáles son las principales características demográficas y políticas de Paraguay y Uruguay? ¿Quién es el jefe de estado de cada país?

c. ¿Cuándo se celebra la fiesta nacional de cada país? ¿Qué otras fiestas públicas podrían afectar el éxito de un viaje de negocios? (Véase la Tabla 10-1, páginas 306–308.)

d. Describa la economía de cada país. Incluya datos sobre la moneda nacional, la tasa de inflación, el PIB y el PIB per cápita, el número de trabajadores (la mano de obra), la tasa de desempleo, los recursos naturales, las industrias nacionales, los productos que se exportan e importan, los países destino (mercados) y proveedores (fuentes) de estas transacciones internacionales, y la balanza de comercio. ¿A cuánto se cotiza cada moneda nacional respecto al dólar EUA? ¿Cuál fue la balanza comercial de cada país según la información en este libro? ¿En la actualidad?

e. Describa la economía informal de Paraguay.

f. Compare el PIB y el PIB per cápita de Paraguay con los de Uruguay. Compare el PIB y PIB per cápita de ambos países con los de Argentina y Brasil.

g. ¿Qué producto o servicio recomendaría vender en Paraguay y en Uruguay? ¿Por qué?

h. Compare la infraestructura de transportes y de comunicaciones de cada país.

i. ¿Cómo han cambiado algunos de los datos presentados en las secciones de «Vista panorámica» y «La actualidad económica» de este texto? Póngalos al día para cada país.

j. ¿En qué aspectos sociales se ha destacado Uruguay históricamente?

k. Basándose en la «La actualidad económica» de cada país, ¿qué realidades, oportunidades y problemas destacaría y qué recomendaciones le daría al/a la cliente?

2. Usando Internet u otras fuentes informativas, prepare un plan (con presupuesto e itinerario) para sus clientes, quienes harán un viaje de negocios a Montevideo y Asunción. Saldrán del aeropuerto de la ciudad donde usted vive en este momento y estarán tres días en cada capital. Busque las verdaderas posibilidades en Internet, por teléfono, en una agencia de viajes o en el aeropuerto mismo. Comuníquese en español, si es posible.

a. Fechas de ida y vuelta.

b. Vuelos: aeropuertos de despegue y aterrizaje, líneas aéreas, horario; costos.

c. Transporte interno que se piensa usar en cada país: taxi, autobús, carro de alquiler, metro, tren, otro; costos.

d. Alojamiento y viáticos; costos.

e. La comida típica que van a pedir para la cena la primera noche en cada país.

f. Las formas de cortesía y los gestos que deben recordar, usar o evitar.

LECTURA CULTURAL

Dinero, riqueza y estatus social

El dinero y la riqueza tienen una gran importancia cultural en los Estados Unidos. Desde sus orígenes, la actitud protestante estadounidense interpretó la producción y la acumulación de riquezas como señal de la bendición de Dios, una recompensa por haber sido diligente y laborioso. Hoy en día, se percibe a EUA—tanto desde afuera como desde adentro—como el país materialista y consumidor por antonomasia. Hay críticos que dicen que el dólar ya no sirve sólo para satisfacer las necesidades y los deseos de supervivencia y de consumo, sino que se ha convertido en un fin en sí mismo, un anhelado símbolo social de prestigio y éxito, un trofeo para exhibirse. Es decir que el mérito del individuo estadounidense y su posición social se miden por la cantidad de dinero alcanzado, ahorrado, invertido y gastado. En una fiesta o reunión social en EUA, muchas veces la primera pregunta que se hacen los desconocidos es: «*What do you do?*». La interpretación literal es: «¿Qué hace usted?» o «¿A qué se dedica usted?» Pero lo que puede ocultar esa pregunta rompehielos es otra más profunda: «¿Cuánto dinero gana usted?» Es decir, al norteamericano le interesa saber la profesión o carrera de la otra persona, porque esta información le sirve como medida económica del otro (es banquero, tendrá un sueldo anual de X dólares, merece o no merece la pena hablar con él). Así que el saludo típico en estas situaciones a veces tiene como verdadero propósito cultural el definir a la otra persona por lo que hace profesionalmente y el dinero que gana, es decir, su estatus socioeconómico.

España e Hispanoamérica están de acuerdo con los Estados Unidos en que todo el mundo quiere vivir mejor; todos quieren tener más dinero para satisfacer sus necesidades y deseos. Pero en las culturas hispanas, el dinero y la riqueza no han llegado a ocupar un lugar tan exaltado como en EUA. Hay muchos más pobres—muchas más limitaciones reales sobre los apetitos de consumo—en Hispanoamérica, especialmente en los sectores indígena y afrolatino. La pobreza es un asunto que requiere mucha atención y una solución. Aunque existe un gran deseo y una indudable necesidad en los países hispanos de atraer más dinero en forma de inversión extranjera, también existe el deseo de mantener la autonomía económica nacional. No se quiere que el dinero extranjero y la prosperidad tengan como precio la independencia nacional. Esto se demuestra históricamente en las restricciones impuestas a los inversionistas extranjeros y en las nacionalizaciones industriales. Los países en desarrollo quieren protegerse de la influencia y el control ejercidos por las naciones industriales y postindustriales como EUA y los países de la UE. Modernizarse, industrializarse y desarrollarse son procesos que muchas veces entran en conflicto con las ideas sobre la estabilidad, la tradición y el conservadurismo que existen en muchas partes de Hispanoamérica. Además, a nivel individual pueden prevalecer otras consideraciones, como la familia y las amistades, el título de trabajo que se tiene o el puesto que se ocupa, mucho más que en EUA. En fin, el dinero sí es necesario e importante, pero no lo es todo.

El célebre filósofo inglés Francis Bacon (1561–1626) dijo que «El genio, la agudeza y el espíritu de una nación se revelan en sus proverbios». Los siguientes proverbios iluminan un poco más las actitudes culturales de España e Hispano-américa hacia el dinero y la riqueza. Por una parte, se dice que «Pobreza no es vileza» y que «No hay mayor riqueza que el contentamiento». Pero por otra parte, se afirma la importancia del dinero: «Poderoso caballero es don Dinero», «Quien tiene din, tiene don», «Tanto tienes, tanto vales», «Las palabras del pobre nunca son escuchadas», «Hombre sin dinero, pozo sin agua» y «Con mucho dinero, todo es hacedero». Sobre los ahorros, se sostiene que «El que guarda, halla». De contraer deudas, se declara que «Quien presta a un amigo, compra un enemigo». Respecto a la avaricia, se manifiesta que «Al avaro siempre le falta» y que «El que más tiene, más quiere». Y por último, hay tres refranes que se hallan también en muchas otras culturas: «El tiempo es oro», «El dinero es la raíz de todos los males» y «No es oro todo lo que reluce». Otros dichos y proverbios sobre el tema son:

- El dinero llama al dinero. (Dinero llama dinero.)
- De pico, todos somos ricos.
- Al que tiene lleno el bolsillo, no le faltan amigos.
- El dinero mueve montañas.
- Contra la fortuna no vale arte.
- Dinero matagalán.
- Buena lata para mala sardina.
- A la mala venta, mala cuenta.
- Por dinero, baila el perro/Por la plata baila el mono.
- Quien paga, manda.
- Tanto tienes, tanto vales.
- Al perro que tiene dinero se le llama señor perro.
- El dinero es un buen sirviente pero un pésimo maestro (Cervantes).
- Cuando el dinero habla, la verdad calla.
- El dinero hace malo lo bueno.
- Mejor es paz con pobreza que turbación y riqueza.
- Cuando la pobreza entra por la puerta, el amor sale por la ventana.
- Justo es que temas al que teme a la pobreza.
- La pobreza nunca alza cabeza.
- Gran maestra es la pobreza.
- Más riqueza, menos salud.
- Bien me quieres, bien te quiero, no me toques el dinero.
- Quien a nadie debe, a nadie teme.
- El dinero no es santo pero hace milagros.
- No olvide su cuna quien haga fortuna.

11-7 Actividades

1. **¿Qué sabe Ud. de la cultura?** Demuéstrelo contestando las preguntas a continuación.

   a. ¿Qué percepción tienen los estadounidenses del dinero y la riqueza? ¿Está Ud. de acuerdo con esta percepción? ¿Que opina Ud. del dinero y la riqueza como símbolos sociales?

   b. Resuma el conflicto de actitudes en Hispanoamérica con respecto a la necesidad de atraer capital extranjero.

   c. ¿Qué consideraciones pueden prevalecer más que el dinero a nivel individual en la cultura hispana? ¿Ocurre esto en EUA también? Comente.

    d. ¿Qué quieren decir los siguientes proverbios? «De pico, todos somos ricos»; «Contra la fortuna no vale arte»; «Por dinero, baila el perro»; «Justo es que temas al que teme a la pobreza»; «No olvide su cuna quien haga fortuna».

    e. Seleccione otros cinco dichos y proverbios sobre el dinero, la riqueza y la pobreza presentados en la lectura. ¿Está Ud. de acuerdo con el mensaje o el «consejo» que comunican? Explique.

    f. ¿Conoce Ud. otros proverbios en español e inglés (o de otras culturas) que se relacionen con el dinero? Dé dos o tres ejemplos.

2. **Asimilador cultural.** Lea lo siguiente y haga los ejercicios a continuación.

    Patti Jameson es una joven estadounidense que lleva seis semanas trabajando en una compañía multinacional en Montevideo. Patti se graduó de un programa de negocios muy competitivo y es una persona muy dinámica, enfocada y ambiciosa, tal como lo demuestra el hecho de que durante todo su tiempo en la capital ha trabajado unas doce horas diarias, seis días por semana. El fruto de su labor ha sido la compra de unas nuevas joyas, un nuevo televisor de alta definición y panel plano (que ha colocado en la pared de la sala de estar de su apartamento) y un reproductor de MP3 con unos altavoces impresionantes. Esta tarde la han vuelto a invitar por segunda vez tres de sus compañeros de trabajo a salir con ellos para tomar un aperitivo y relajarse un poco. Ella les contesta:

    —Gracias, pero hoy no puedo. Me faltan unas horas más de trabajo. Es que quiero comprarme un carro nuevo. Es bastante caro. Ya saben, «el tiempo es dinero». Pero, de todos modos, gracias, eh.

    Sus compañeros se sonríen y se despiden, sacudiéndose la cabeza:

    —Bien, bien. Sentimos mucho que no vengas esta tarde con nosotros, pero la próxima vez no te escapas. A ver si te animas... Bueno, hasta luego.

    a. ¿Qué actitud refleja Patti Jameson hacia el dinero?

    b. ¿Qué pensarán sus compañeros de trabajo de ella?

    c. Cite Ud. algunos proverbios que reflejen las actitudes de Patti y de sus compañeros.

    d. Basado en sus conocimientos interculturales, ¿qué le habría recomendado Ud. a Patti Jameson cuando la invitaron a salir? En las mismas circunstancias, ¿qué habría hecho Ud.? ¿Cómo puede la actitud de Jameson hacia el trabajo y el dinero afectar su relación con sus compañeros de trabajo?

SÍNTESIS COMERCIAL Y CULTURAL

 11-8 Actividades comunicativas

1. **Situaciones para dramatizar.** Lea las siguientes situaciones y después haga el papel en español con otro/s estudiante/s, usando las siguientes opciones como punto de partida. Cada persona deberá tomar un papel activo en la dramatización. No olviden el protocolo ni las cortesías.

a. *You are making your first visit to a stockbroker to inquire about investing some of your savings. You and the broker begin to discuss your interest in stocks and bonds, and the broker explains that speculating on the market always entails some risk for the investor. As you ask questions, the broker proceeds to explain that the risk is divided into systematic and unsystematic risk, and that your goal as an investor is to minimize the latter through a well-managed, diversified portfolio.*

b. *On a visit to your stockbroker, you ask him/her to clarify the major differences between investing in corporate bonds, common stock, and preferred stock. When the topic of stock dividends comes up, you ask for further clarification regarding common and preferred stock.*

2. **Comprensión y comunicación.** Para este ejercicio basado en el vídeo de *Éxito comercial*, pase al encarte central del texto, VídeoTexto página 12.

3. **Actividad inversionista.** Usted ha oído que hay buenas oportunidades inversionistas en Hispanoamérica. Para informarse más, decide comunicarse (en español, de ser posible) con una empresa o un banco que presta servicios y asesoramiento financieros. Llame por teléfono (o comuníquese por Internet o haga una visita personal) para buscar la siguiente información:

a. recomendaciones de un/a perito/a sobre buenas inversiones en Hispanoamérica.

b. observaciones o recomendaciones de un/a perito/a sobre las posibilidades de invertir en Paraguay y Uruguay.

Luego, comente con otros/as compañeros/as de clase las recomendaciones que han recibido y las fuentes de dicha información.

4. **Minicaso práctico.** Lea el caso y haga los ejercicios a continuación.

Paraurucarne, S.A., con filiales y fábricas en Asunción y Montevideo, es la empresa regional más grande de elaboración y empaque de carne. Es una sociedad anónima de mucha antigüedad con un cuerpo laboral constituido por miembros de familia de muchas generaciones a la vez que un negocio que está orgulloso de su autonomía y buena reputación. En 2007 procesó y exportó más de mil millones de dólares (EUA) de productos cárnicos no sólo a los países de Mercosur sino también a otros, en especial a los Estados Unidos y a las naciones de la Unión Europea.

Debido a la crisis financiera internacional en 2008, sin embargo, disminuyeron los ingresos de la compañía a unos 800 millones de dólares, lo que hace pensar a la alta gerencia de Paraurucarne que habrá que hacer unos cortes en el presupuesto que se prepara para el próximo ejercicio fiscal. Por supuesto, otro factor que explica la dificultad financiera de la empresa es la deuda que había acumulado la empresa al hacer negocios a través de los años, la cual representa un tercio del valor de todos los activos.

Para hacer frente a la situación, Paraurucarne ha procurado servirse del patrimonio social, en especial de las ganancias retenidas que han superado varios millones de dólares. Esto ha reducido sus planes de extender sus operaciones en el exterior y ha afectado su liquidez y flujo de caja así como su estado crediticio y el valor de sus acciones tanto en Paraguay y Uruguay como en las bolsas internacionales. Para restaurar no sólo la situación financiera de la compañía sino también la confianza de sus acreedores, deciden tomar una de las siguientes decisiones.

Haga el siguiente ejercicio. Ud. es perito de una empresa de asesoramiento que va a ayudar a la alta gerencia a tomar una de las siguientes decisiones. Al estudiar y analizarlas, elija una o posiblemente dos decisiones que le parecen factibles y justifíquela(s) a base de la información proporcionada en el caso.

1. Seguir sacando e invirtiendo dinero del patrimonio social.

2. Despedir a bastantes empleados.

3. Pedir prestado dinero a bancos o inversionistas extranjeros

4. Emitir nuevas acciones o bonos.

5. Emprender un negocio en participación o fusión con una compañía extranjera (tanto una compañía estadounidense como argentina de la misma industria están interesadas).

6. Reducir el presupuesto en otras áreas fuera de las de personal, aunque perjudicaría algo el estado financiero y crediticio, ni hablar de la reputación de Paraurucarne.

11-9 Análisis y comparación

Estudie la Tabla 11-2 y haga los ejercicios a continuación. Use también sus conocimientos y, cuando haga falta, otras fuentes informativas como Internet, un *Almanaque mundial*, etc. Los ejercicios se pueden hacer individualmente, en parejas o en pequeños grupos para discutir en clase.

1. ¿Qué es el PIB de un país? ¿En qué se diferencia el PIB del PNB, o el Producto Nacional Bruto? Al hablar de PIB en millones de $EUA, ¿cuál es el valor real del PIB de Argentina, Nicaragua, Guinea Ecuatorial, España y EUA? Ejemplo: El valor real del PIB de Colombia en millones de $EUA sería $268,000,000,000; o sea, doscientos sesenta y ocho mil millones de dólares (= $268 *billion*).

2. Según la tabla, ¿cuáles son los cuatro países hispanos de mayor PIB y los cuatro de menor PIB? Haga un gráfico visual (lineal o circular) del PIB de estos ocho países. Ponga en orden decreciente el PIB (en millones de $EUA) de todos los países hispanos: (1) EUA, $14,580,000; (2) México, $1,578,000; hasta terminar con (23) Guinea Ecuatorial, $19,400. ¿Cuál es la clasificación

Tabla 11-2 ▸ Los países hispanoparlantes, Brasil y Estados Unidos: producto interno bruto (PIB), PIB per cápita, distribución de PIB y de trabajadores por sector y tasa media de inflación

País	PIB En millones de $EUA (2008)	PIB per cápita en $EUA (2008)	Distribución de PIB en 2008			Distribución de trabajadores por sector			Tasa de inflación 2008
			A	I	S	A	I	S	
Argentina	$585,000	$14,500	9%	34%	57%	1%	23% (2008)	76%	22%
Bolivia	$43,700	$4,700	11%	37%	52%	40%	17% (2006)	43%	11.5%
Chile	$252,900	$15,400	5%	51%	45%	13%	23% (2005)	64%	8.8%
Colombia	$407,200	$9,000	9%	37%	54%	22%	19% (2005)	59%	7.7%
Costa Rica	$49,700	$11,900	8%	29%	63%	14%	22% (2006)	64%	13.9%
Cuba	$144,600	$12,700	4%	23%	73%	20%	19% (2005)	61%	4.2%
Ecuador	$107,000	$7,700	7%	34%	60%	8%	21% (2008)	70%	8.6%
El Salvador	$45,300	$6,400	11%	25%	64%	19%	23% (2006)	58%	4.7%
España	$1,378,000	$36,500	4%	29%	68%	4%	26% (2008)	70%	1.4%
Guatemala	$70,200	$5,400	13%	26%	61%	50%	15% (1999)	35%	12.2%
Guinea Ecuatorial	$19,400	$31,400	3%	93%	5%	n.d.	n.d.	n.d.	7.5%
Honduras	$28,500	$3,700	13%	28%	59%	39%	21% (2005)	40%	12%
México	$1,578,000	$14,400	4%	34%	62%	15%	26% (2005)	59%	6.2%
Nicaragua	$17,400	$3,000	17%	26%	57%	29%	19% (2006)	52%	20.6%
Panamá	$39,300	$11,900	6%	11%	78%	15%	18% (2006)	67%	10.6%
Paraguay	$29,100	$4,300	23%	17%	60%	31%	17% (2007)	52%	11%
Perú	$238,900	$8,500	9%	21%	70%	9%	18% (2001)	73%	6.7%
Puerto Rico	$74,200	$18,700	1%	45% (2002)	54%	2%	19% (2005)	79%	6.5% (2003)
República Dominicana	$83,300	$8,800	11%	24%	65%	15%	22% (2005)	63%	12.2%
Uruguay	$42,700	$12,300	10%	33%	57%	9%	15% (2007)	76%	9.2%
Venezuela	$368,600	$14,000	4%	35%	61%	13%	23% (1997)	64%	31%
Brasil	$2,030,000	$10,300	6%	29%	66%	20%	14% (2003)	66%	6%
Estados Unidos	$14,580,000	$48,000	1%	20%	79%	1%	20% (2008)	79%	4.2%

NOTA: A = agricultura, I = industria, S = servicios (y gobierno); n.d. = datos no disponibles.

FUENTES: U.S. Department of State Background Notes, *CIA World Factbook 2009*, *The World Almanac and Book of Facts 2009* y *Almanaque mundial 2009* (*ranking*) de Puerto Rico? (Si tiene Ud. el tiempo y la energía, haga un gráfico lineal del PIB de todos los países en la tabla.)

3. ¿A cuánto asciende el PIB total de todos los países hispanos? ¿El PIB total de los países hispanos del Caribe? ¿El PIB total de los países hispanos de América Central? ¿El PIB total de los países andinos? ¿El PIB total de los países del Cono Sur? Compare los PIB en estas cinco categorías de análisis con el PIB de EUA. (Ejemplo: El PIB de los países andinos llega a $X EUA y representa X% del PIB de EUA.) ¿Y con el PIB de Brasil?

4. ¿Qué es el PIB per cápita y cómo se calcula? ¿Qué revela sobre la economía de un país al compararse éste con el PIB per cápita de otros países? ¿Cuál es el PIB per cápita de EUA? ¿Cuáles son los tres países hispanos de PIB per cápita más alto? ¿Los tres países hispanos de PIB per cápita más pequeño? Calcule el promedio del PIB per cápita de los países hispanos del Caribe; el promedio para los países hispanos de Centroamérica; el promedio para los países andinos; y el promedio para los países del Cono Sur. ¿Qué región tiene el PIB per cápita más alto? ¿Y en segundo, tercer y cuarto lugar?

5. ¿Cuáles son los tres países cuyo PIB depende más del sector agrícola y cuáles son los tres de menor dependencia? Haga la misma clasificación para los sectores de industria y de servicios.

6. Si se comparan la distribución de PIB por sector y la distribución de trabajadores por sector, ¿qué diferencias se observan en el caso de Bolivia? ¿de Guatemala? ¿de México? ¿y de Venezuela? ¿Cómo se pueden interpretar estas diferencias? ¿Qué información aportan sobre un país?

7. ¿Qué países dedican más del 40% de su mano de obra al sector agrícola? ¿Cuáles dedican más del 50% a los servicios?

8. ¿Qué es la inflación? ¿Qué efectos tiene la inflación sobre una economía nacional y sobre los consumidores? ¿Cuáles de los países hispanos experimentaron en 2008 una tasa de inflación de más del 10%? ¿Cuáles tuvieron una tasa de inflación de menos del 2%? ¿Cuál fue la tasa de inflación de EUA en 2008? ¿Qué países hispanos experimentaron hiperinflación en 2008, es decir, una tasa anual superior 25%?

Posibilidades profesionales

Las carreras financieras, lo mismo que los otros campos de negocios internacionales, atraen a personas de experiencia y calificaciones variadas, quienes, además, deben ser bilingües y biculturales si no multilingües y multiculturales. Por lo general, entre ellas hay abogados y analistas especializados en inversiones, corredores de bolsas tanto de valores como de artículos de consumo, y asesores financieros, etc. Para más información al respecto y una actividad que le ayude a aprender más sobre el tema, véase el Capítulo 11 de «Posibilidades profesionales» que se encuentra en www.cengage.com/spanish/exito.

Aquí se presentan los principales términos de este capítulo. Al final del libro hay un glosario más completo.

---

acción • *stock*

  común (ordinaria) • *common stock*

  cotizada en menos de un dólar • *penny stock*

  preferida (prioritaria/privilegiada) • *preferred stock*

adjudicación de beneficios • *awarding of percentage of investment earnings*

administración del riesgo • *risk management*

al portador • *to the bearer*

aportar • *to contribute, furnish*

  fondos • *to finance*

autofinanciación • *self-financing*

aval (m) • *guarantee, collateral*

bolsa • *stock market*

  alcista • *bull market, rising market*

  bajista • *bear market, falling market*

  de comercio • *stock exchange, stock market*

  de valores • *stock exchange, stock market*

bolsista (m/f) • *stockbroker*

bono • *bond*

  de ahorro • *savings bond*

  del estado • *government bond, treasury bond*

  del Tesoro • *treasury bond*

  de sociedad anónima (de corporación) • *corporate bond*

bursátil (adj) • *relating to stock exchange or securities market*

cambio de divisas • *exchange rate*

cesión registrada • *recorded transfer of securities*

corredor/a (de *acciones o de bolsa*) • *stockbroker*

crédito comercial • *commercial credit*

desfalco • *embezzlement*

dividendo • *dividend*

  diferido • *deferred dividend*

emisión de acciones • *issue of a security, stock*

empréstito • *loan*

financiación (financiamiento) • *financing*

  externa • *external financing*

  por medio de obligaciones • *debt financing*

financiar • *to finance*

fondo • *fund*

  mutuo • *mutual fund*

  de inversión común • *mutual fund*

  colectivo • *mutual fund*

  de inversión mobiliaria • *exchange traded fund (ETF)*

garantía subsidiaria (de colateral) • *collateral guarantee or security*

impago • *nonpayment*

impositivo • *tax-related*

índice bursátil • *stock market index*

intereses periódicos acumulados • *periodic accrued interest*

inversor/a • *investor*

librecambismo • *free trade*

liquidar • *to settle, liquidate*

nominativo • *bearing a person's name, registered (bond)*

obligación • *bond*

  contributaria • *tax liability*

  corporativa • *corporate bond, debt or bond; equity financing*

postergar • *to postpone*

prenda • *security, pledge, guarantee*

prendario • *guaranteed, secured*

prestador/a • *lender*

prestamista (m/f) • *lender*

préstamo • *loan*

(continúa)

La entrada en el mercado internacional: Los países hispanoparlantes

Los pasajeros aterrizan en un aeropuerto de Rio de Janeiro. ¿Por qué viajan los hombres y las mujeres de negocios? ¿Cómo planifica usted cuando hace un viaje por avión para quedarse en otra ciudad durante varios días?

He that travels much knows much.
— THOMAS FULLER

Quien a lejanas tierras va, si antes no mentía, mentirá.
— PROVERBIO

The greatest enemy of intercultural understanding is its own illusion.
— V. LYNN TAYLOR (ADAPTADO DE UN DICHO DE LOS CUERPOS DE PAZ)

12-1 Preguntas de orientación

Al hacer la «Lectura comercial», piense en las respuestas a las siguientes preguntas.

1. ¿Por qué entran muchas empresas en el mundo internacional de los negocios? ¿Por qué fracasan muchas?

2. ¿Cómo se pueden evitar tales fracasos?

3. ¿Cuáles son los tres pasos principales de una estrategia de comercialización internacional?

4. ¿En qué consisten el estudio y el análisis económicos del mercado internacional?

5. ¿De qué elementos consta una investigación cultural del mercado internacional?

6. ¿Cómo influye el aspecto económico-cultural en el mundo hispano de los negocios? Dé ejemplos.

7. ¿Cuáles son los tres métodos para entrar en el mundo comercial de un país extranjero?

8. ¿Qué elementos comprende un plan modelo de comercialización?

9. ¿Cuáles son los distintos pasos que hay que dar para realizarlo?

10. ¿Qué son el AGAAC y el OMC? ¿Cuándo y por qué se crearon?

11. ¿Qué son la ALADI, el TLCAN y el Mercosur, qué significan estos acrónimos y cuáles son sus acrónimos en inglés? ¿Cuáles son los países miembros del TLCAN y el Mercosur? ¿Qué significan CAN, CAFTA-DR, MCCA y CARICOM?

LECTURA COMERCIAL

Al encuentro de mercados internacionales

En el libro *International Business Blunders*, los autores Ricks, Fu y Arpan describen una firma estadounidense que emprendió un negocio en participación en Sudamérica con un pequeño grupo de capitalistas de esa región. Los estadounidenses no conocían la situación política del país sudamericano, ni se dieron cuenta de que sus socios hispanoamericanos iban a perder sus puestos de poder e influencia. Cinco años después de la constitución de la empresa, comenzaron a tener dificultades en conseguir los permisos para extraer y vender materias primas. Tenían frecuentes problemas administrativos con el nuevo gobierno. Cuando los socios hispanoamericanos cayeron en desgracia con el nuevo régimen, la compañía empezó a perder ganancias, capital y horas de mano de obra.

Abundan casos semejantes de gerentes de empresas estadounidenses que no tuvieron éxito en los negocios en el extranjero. ¿A qué se deben estos fracasos? Pues a varios factores, pero principalmente al desconocimiento de los pormenores del comercio y de la industria internacionales, y a la falta de sensibilidad hacia culturas diferentes.

Muchos gerentes de empresas estadounidenses, especialmente los administradores de marketing y ventas, entran al mundo internacional de los negocios, tanto para ganar dinero como para extender sus operaciones. También se internacionalizan porque sus compañías quieren o se ven obligadas a ser más competitivas, o porque necesitan reducir los gastos de comercialización o de producción. Lo que no saben ni comprenden muchas veces estos gerentes es cómo dirigir los negocios en el extranjero y cómo resolver los problemas que puedan surgir. Les hace falta un plan de acción y necesitan una estrategia para comercializar y producir en ultramar. Este plan y estrategia incluyen una investigación económica y cultural, y un estudio y análisis del mejor modo de segmentar la región mercantil o el sector industrial internacional señalado. Esta investigación y estudio constan de tres pasos principales.

PASO 1: Investigación de la región mercantil o del sector industrial internacional. La investigación de la región mercantil o del sector industrial internacional indicado consiste en dos tipos de estudios, uno económico y otro cultural, los cuales se complementan. El análisis económico abarca varios temas, pero especialmente los siguientes: la demografía, las estadísticas y la actividad económica; la tecnología disponible; los sistemas de distribución; la conducta en la compra y los medios de publicidad; la estructuración de los precios, salarios y sueldos; las leyes mercantiles y los aranceles aduaneros. La Tabla 12-1 (página 344) hace un resumen de los aspectos más importantes de cada tema y de algunas características correspondientes al mundo económico hispano aunque, por supuesto, éstas pueden variar bastante de país a país. Como se ve, mediante un análisis económico como el de la Tabla 12-1, los gerentes no sólo pueden acumular datos e información acerca del mundo económico hispano, sino que pueden llegar a conocer las oportunidades de comercialización y de producción que existen allí, así como los problemas con los que tienen que enfrentarse al emprenderlas.

La investigación cultural complementa el análisis económico de la situación actual de la región o del sector señalado. En el estudio y análisis culturales, los gerentes procuran determinar hasta qué punto influyen la geografía, la historia, las instituciones sociales, las creencias, los conceptos, los valores, la estética, las condiciones de vida y las lenguas de un país o región en los negocios, y qué medidas se deben tomar para adaptarse a esa realidad cultural en sus planes. El análisis de la Tabla 12-2 (pág. 345) resume algunos factores culturales generales del mundo hispánoparlante que deben considerar los jefes de empresa. También indica directa o indirectamente algunas de las oportunidades comerciales e industriales que existen, y los problemas que podrían surgir al intentar realizarlas.

En el caso del mundo hispano, la investigación cultural destaca la variedad geográfica, social, política y lingüística de la región, así como la importancia de conceptos como la familia, el honor, la posición socioeconómica y los papeles tradicionales del hombre y de la mujer. Al mismo tiempo, la investigación cultural muestra que la abundancia de materias primas favorece la actividad agrícola y los

Tabla 12-1	Análisis económico del mundo hispano
Demografía	Población joven; alto índice de natalidad; más mujeres que hombres; más rural en Centroamérica, el Caribe y al interior de Sudamérica; migración de zonas rurales hacia las urbanas; clase media en los países más urbanizados, pequeña clase alta; clase baja muy grande; mucha pobreza.
Estadísticas y realidad económica	PIB y renta por habitante comparativamente bajos, pero en aumento; sistemas arancelarios e impositivos a menudo rígidos; concentración de riqueza en pocas manos; economías bien desarrolladas y en vías de desarrollo; dependencia de recursos naturales, extracción de minerales y el sector agrícola; necesidad de reforma agraria; grandes deudas internacionales; inestabilidad de divisas; altas tasas de inflación, desempleo y subempleo; algunas tentativas hacia la liberalización y privatización; pobreza persistente, especialmente en los grupos indígenas y afrolatinos, y entre las mujeres y los niños.
Tecnología y sistema de pesos y medidas	Falta de técnicos y de tecnología avanzados; uso general en Hispanoamérica del sistema métrico y la escala centígrada (véase el Apéndice 3, página 463).
Sistema de distribución	Modos tradicionales de distribución (mayoristas, minoristas, agentes); mercados ambulantes en zonas rurales; cantidad y calidad desigual de modos de transporte; problemas de desarrollo de infraestructura transportista; escasez de carreteras pavimentadas.
Conducta en la compra	Varía de clase a clase, con mayores compras diarias de primera necesidad; más compradoras (mujeres); uso del regateo (negociación de precio) en muchos lugares; tendencia de lealtad hacia marcas ya conocidas.
Medios publicitarios	Periódicos, revistas, impresos, radio, televisión e Internet en zonas urbanas y países más desarrollados; varían según el nivel de enseñanza (analfabetismo) de la población.
Estructuración de precios y de salarios y sueldos	Varían de país a país de acuerdo al costo de vida o de subsistencia en cada país (la canasta familiar); mano de obra comparativamente mal pagada en muchos países; problemas persistentes de alta inflación e hiperinflación.
Leyes mercantiles, tratados, aranceles aduaneros y otros impuestos	Varían de país a país y según los diversos tratados económicos vigentes (EU, TLCAN, Mercosur, ALADI, CAFTA-DR, MCCA, CARICOM); datos disponibles en las embajadas, los consulados y las cámaras de comercio, así como en los códigos nacionales de cada país (véase la Tabla 3-1, pág. 85).

proyectos extractivos, mientras que la falta de oportunidades educacionales y el alto índice de analfabetismo impiden un mayor desarrollo industrial, tecnológico y técnico.

Thomas Becker, en su libro *Doing Business in the New Latin America: A Guide to Cultures, Practices, and Opportunities,* habla de la herencia histórica y cultural del colonialismo español en América Latina. Identifica cinco instituciones clave que han constituido una cultura comercial común: el Estado (y el *estadismo*), el derecho civil (*civil law*), la corrupción, el personalismo y el culto al poder. También, basándose en parte en las investigaciones del conocido experto transcultural Geert

Tabla 12-2 — Análisis cultural del mundo hispano

Medio ambiente	Gran variedad topográfica y climática con gran abundancia de flora y fauna; abundancia de materias primas y vías navegables; falta de infraestructura transportista y buenos sistemas de carreteras pavimentadas.
Historia	Mezcla de civilizaciones (romana, árabe, mediterráneas, europeas, indígenas, africanas); conquista, independencia; guerras de independencia y guerras civiles; caciquismo y gobiernos militares, tanto de derechas como de izquierdas; lento desarrollo industrial y socioeconómico; populismo, postcolonialismo y dependencia.
Elementos sociales	Heredados de los iberos, árabes, europeos, indígenas y africanos; mezcla de razas (mestizo, mulato, zambo) y grupos étnicos; importancia e intimidad de la familia nuclear y del concepto de familia extendida; nepotismo y «enchufe» o «palanca»; dedocracia; papeles sexuales tradicionales (machismo/marianismo); regionalismo (patria chica).
Organización social	Gente sociable y simpática; grandes diferencias de clase socioeconómica (muchos pobres, pocos ricos); importancia del estatus social, el honor y el buen nombre de familia, el respeto hacia el individuo y su dignidad como ser humano; importancia de guardar apariencias y de quedar bien.
Enseñanza	Importancia de la enseñanza; buenos sistemas escolares y universitarios; educación superior y universitaria no asequible a todos; alto índice de analfabetismo, especialmente en la clase baja y entre los indígenas.
Sistema político y legal	En su mayoría, repúblicas con dictaduras intermitentes; variedad de partidos; falta de estabilidad política; leyes y acuerdos comerciales a menudo rígidos y complejos; conflicto entre el caudillismo militar y la democracia, y entre el capitalismo y el socialismo marxista.
Creencias y filosofía	Mezcla y variedad de creencias (españolas, europeas, indígenas, africanas); conceptos tradicionales del honor y el tiempo; individualismo, trato personal y deseo de crear y mantener lazos sociales; predominio del catolicismo, aunque con influencias indígenas y africanas; aumento del evangelismo protestante; santería y vudú (en algunas partes), importancia de la superstición para muchos.
Estética	Gran propensión a lo artístico: literatura, arte, música, baile y folklore basados en tradiciones españolas, criollas, indígenas y africanas.
Condiciones de vida	Gran variedad de dietas alimenticias, vivienda y diversiones, según geografía, grupos socioeconómicos y étnicos.
Lengua	Predomina el español (el castellano) como lengua oficial, con cierta tendencia regionalista en el uso (gran variedad de acentos y dejes); gran variedad de lenguas indígenas (a veces sirven de lengua oficial también) y de otros idiomas, principalmente europeos.

Hofstede, señala siete pautas que ayudan a comprender mejor la cultura comercial latinoamericana:

1. la desigualdad de poder y la distancia del poder (la distribución jerárquica, desde arriba hacia abajo, del poder en la cultura hispana).
2. la necesidad de tener estructuras fijas y claras (el deseo de evitar la incertidumbre).
3. la orientación social (se favorece más el colectivismo que el individualismo).

La entrada en los mercados hispanos presupone que el hombre o la mujer de negocios viajará a los países con los cuales desea establecer o mantener relaciones comerciales. Al llegar a un país hispano, es muy posible que en algún momento decida alquilar un carro o coche, con lo cual se entra también en el aspecto cultural de la señalización vial, un encuentro con la semiótica de las señales de tráfico o tránsito de otra cultura. Conducir en otro país puede ser una experiencia estresante. El/La estadounidense hallará, por ejemplo, que la práctica de mantenerse estrictamente en los carriles, no cortar el paso a otros conductores sin indicarlo, el pararse al llegar a un semáforo o una señal de «*stop*», y la proxémica (distancia entre los vehículos) es muy diferente en las carreteras y las calles de España e Hispanoamérica, donde los carros casi se tocan al seguir otro ritmo de conducción y otras «reglas» del baile vial.

También, como se ve en los siguientes ejemplos, algunos de los carteles o señales pueden ser bastante diferentes de los que se encuentran en EUA. (Los ejemplos son de España, México, Argentina, Uruguay y del *U.S. Department of Transportation*.)

FUENTES: www.dot.gov; www.seguridadvial.org.ar/senales.htm; www.pallotti.edu.uy/transito/senales_de_transito.htm; www.montevideo.gub.uy/transito/reglamentaria.htm; www.sitographics.com/enciclog/trafico/entrada.html; www.autosdecalle.com.ar/senales.htm; http://www.jfaltasescobar.gov.ar/senales.htm. NOTA: En la siguiente página, en letra al revés, se indica el significado de cada señal o cartel.

1. ¿Qué significan los carteles 1 (Argentina, Uruguay, etc.), 2 (México) y 3 (universal)?

2. ¿Qué quieren decir las señales 4 y 5?

3. ¿Qué indican las señales 6–9 respecto del estacionamiento o detenimiento de un vehículo?

4. ¿Cómo debemos interpretar los carteles 10–13, referente a las velocidades máximas y mínimas? Convierta los kilómetros en millas por hora.

5. ¿Qué prohíben y permiten los carteles 14–16 en cuanto a los carriles (o las calzadas) y el rebasar o no rebasar (adelantar o no adelantar)?

6. ¿Qué prohíbe la señal 17? ¿Cómo se traduce el Nº 18 al inglés? ¿Y qué indican las señales 19 y 20 en México?

7. ¿Qué otros carteles o señales de tránsito existen en España e Hispanoamérica? Busque cinco más en Internet.

8. ¿Qué detalles incluiría Ud. en el contrato al alquilar un carro en un país extranjero? ¿Cuánto costaría el alquiler de un carro por cinco días en México? ¿En España? ¿En Argentina? Busque la información en Internet, e incluya el precio del seguro, la gasolina y el peaje para un recorrido de 400 kilómetros en autopistas.

1. Parar o detenerse (el cartel o la señal que se usa en España es «Stop», igual que en EUA), pare.	11. Velocidad máxima de 60 kilómetros por hora.
2. Stop, pare.	12. Velocidad mínima de 30 kilómetros por hora.
3. Ceder el paso si se aproxima otro vehículo.	13. Fin de restricción de 50 kilómetros por hora.
4. Contramano.	14. Conserve su derecha, circule por la derecha.
5. Prohibido seguir de frente o adelante.	15. Prohibido rebasar o adelantar a otro vehículo.
6. Se permite estacionar.	16. Fin de restricción de rebasar o adelantar a otro vehículo.
7. Prohibido estacionar.	17. Prohibido tocar la bocina o el claxon.
8. Termina zona de prohibición del estacionamiento (se puede estacionar desde este punto en adelante).	18. Desviación, prohibido proseguir por esta calle o carretera.
9. Prohibido estacionar y detenerse (para subir o bajar carga o personas).	19. Tope (México), guardia tumbado (España), policía acostado (Colombia), lomo de burro (Río de la Plata) o muerto (Costa Rica).
10. Velocidad máxima permitida.	20. Cruce de ferrocarril.

4. el universalismo versus el particularismo (no se aplican las mismas reglas y principios a todos igualmente sino que se subordinan a las lealtades personales).

5. la comunicación (más indirecta, implícita y de alto contexto).

6. el espacio y el tiempo (la reducción del espacio físico entre las personas que se hablan y un concepto temporal más policrónico y cíclico que monocrónico y lineal).

7. la formalidad (un protocolo más tradicional, formal y respetuoso).

[Para más información véase el Apéndice 5 de este texto.]

Un buen análisis cultural, junto con la investigación económica (cuyas fuentes pueden ser bancos, cámaras de comercio, misiones comerciales, embajadas y consulados, agentes, libros de consulta, revistas, Internet, etc.), también trata de la cuestión de riesgo—preocupación de todo gerente. El mundo hispano, con su larga historia de agitación política que puede resultar en la nacionalización de sectores económicos y de compañías, y que influye en todos los aspectos económicos, pero especialmente en la estabilidad de las divisas nacionales y en su tipo de cambio respecto a otras monedas nacionales, puede crear un riesgo para cualquier empresa o proyecto comercial e industrial. ¿Cómo pueden evitar los directores de una firma tal situación perjudicial? Para empezar, pueden elaborar un plan de acción, tema que se trata a continuación.

PASO 2: Elaboración de un plan de acción. Un buen plan de acción les proporciona a los gerentes las estrategias que necesitan para entrar con éxito en los mercados internacionales. Para formularlo, los directores de la empresa, especialmente los jefes de marketing, fijan objetivos. Los basan tanto en la meta principal de la empresa (la oferta de bienes y servicios para satisfacer las necesidades o los deseos de sus clientes con fines de lucro) como en los resultados de las investigaciones económicas y culturales. La entrada al mercado internacional generalmente tiene tres formas: la exportación indirecta, la exportación directa y la producción y venta en el extranjero.

1. **Exportación indirecta.** Los productos o servicios de una empresa se venden en el exterior pero por medio de intermediarios, por ejemplo, las compañías mercantiles o de exportación u otras firmas de producción o servicios. A menudo una empresa se sirve de los servicios de los agentes o expedidores de fletes, con los cuales se pueden contactar en ferias mercantiles o por medio de las cámaras de comercio, los consulados o las embajadas.

2. **Exportación directa.** La empresa misma realiza la comercialización exterior. Ésta emprende la investigación económico-cultural, la distribución y la estructuración de precios. A la vez, se pone en contacto con representantes extranjeros, los cuales pueden ser agentes, distribuidores independientes o vendedores de la empresa ubicados en el exterior.

3. **Producción y venta en el extranjero.** A diferencia de los métodos anteriores, que se basan en bienes y servicios producidos en el país de origen, este tipo de exportación se basa en la venta de productos fabricados o ensamblados en el extranjero. Por motivo de los altos costos de la producción nacional, del transporte, o debido a una política económica y a leyes arancelarias desfavorables del país importador, muchas empresas manufacturan en el exterior para poder vender allí. Logran esto por los siguientes medios:

   - plantas de ensamblaje (maquiladoras)
   - contratos de fabricación según los cuales otra compañía realiza la producción de los bienes
   - licencias que les permiten a las empresas extranjeras elaborar y vender los bienes fabricados
   - negocios en participación, es decir, entre una empresa del país de origen y otra extranjera
   - fusión con una empresa extranjera
   - establecimiento de una fábrica, la cual es propiedad exclusiva de la empresa matriz extranjera

Cada uno de estos modos de exportación tiene sus ventajas, especialmente con respecto a la comercialización y la venta. En los países hispánicos son muy comunes las licencias para producir y vender, aunque el método que adopta una empresa depende tanto de su situación interna como de la del país extranjero.

Una vez fijados los objetivos de comercialización y adoptado un método de exportación, los gerentes elaboran un plan de acción (Tabla 12-3). Como indica el plan, la comercialización internacional es un proceso complejo debido a los distintos factores que hay que analizar y coordinar. Se complica aún más al tener en cuenta el factor manufacturero, el cual incluye toda una serie de consideraciones técnicas y laborales. Una vez trazado el plan de acción, los jefes de marketing y de ventas pueden implementarlo.

PASO 3: Ejecución del plan de acción. La ejecución del plan de acción se realiza cuando los jefes de marketing y de ventas cumplen con los siguientes requisitos:

Tabla 12-3 ▸ **Plan modelo de comercialización**

I. Justificar la comercialización internacional.

II. Examinar la situación general de la compañía.

III. Identificar los mercados.

IV. Hacer la investigación económico-cultural de los mercados.

   • Estudiar los aranceles aduaneros, los acuerdos comerciales y políticos, el sistema legal, el tipo de cambio y el sistema de medidas.

V. Volver a examinar los objetivos empresariales.

VI. Elegir el modo de entrar en los mercados.

   • Costos y otras consideraciones de fabricación (recursos humanos, cuestiones legales y laborales, etc.) si se opta por producir en el país extranjero.

VII. Analizar los productos y los mercados.

   A. Evaluar los productos según la perspectiva extranjera.

      • Identificar problemas y adaptación (localización) de productos.

   B. Examinar los mercados.

      • Analizar los mercados para los productos.

         a. Investigar las características culturales y los motivos de compra de los usuarios.

         b. Planear la distribución, los precios y la publicidad.

   • Evaluar a los competidores.

   • Calcular el tamaño de los mercados y el volumen de ventas.

VIII. Especificar la estrategia de comercialización.

   A. Determinar los objetivos de comercialización.

   B. Describir los productos o servicios que se venden.

   C. Establecer los precios de los productos y servicios.

   D. Precisar el tipo y los medios de promoción (traducción localizada).

   E. Indicar los medios de transporte, distribución y pago.

IX. Preparar el presupuesto de comercialización.

X. Hacer recomendaciones y expedir la documentación y correspondencia necesarias.

1. estudiar y analizar los resultados de la investigación económico-cultural; poder comunicarse en la lengua oficial del país donde se piensa comerciar e informarse sobre sus características culturales.

2. preparar y enviar todos los papeles y documentos necesarios para realizar las metas de comercialización.

3. comunicarse con los distribuidores, agentes, funcionarios y otros intermediarios que puedan ayudar a lograr los objetivos.

4. hacer los preparativos para viajar o vivir en el país.
   - conseguir los documentos requeridos para la estancia o residencia.
   - conseguir las guías e informarse sobre las costumbres y la vida profesional y diaria en el país.

5. emprender negociaciones para realizar las metas de comercialización.
   - adoptar una actitud siempre cortés y honrada.
   - comprender y respetar las diferencias culturales.
   - estar bien preparados para las citas y las reuniones: tener los datos y los asesores necesarios y, si es preciso, usar un intérprete o traductor profesional de confianza.
   - intentar controlar la discusión y persuadir con diplomacia; hacer concesiones razonables.
   - firmar los contratos; ser flexibles si hay cambios posteriores; consultar con abogados (¡muy importante!) y otros especialistas.

6. mantener buenas relaciones con la casa matriz, así como con los habitantes, homólogos, colegas y trabajadores del país anfitrión.

Se han expuesto en este capítulo los pasos fundamentales que necesita realizar la empresa para entrar en el mercado internacional. Como es sabido, muchas compañías, tanto las MIPYME como las grandes corporaciones, ya se han internacionalizado de una de las maneras descritas anteriormente. Lo que no se ha comentado, sin embargo, es que muchos países, tanto los más desarrollados como los que están en vías de desarrollo, han firmado pactos o acuerdos comerciales entre sí. El más conocido e importante durante una época fue el AGAAC (Acuerdo General sobre Aranceles y Comercio) o GATT (General Agreement on Tariffs and Trade), creado en 1948, que fijaba las reglas para el comercio internacional. Hoy el organismo más importante es la Organización Mundial del Comercio (OMC), creada en la reunión de La Ronda Uruguaya el 1° de enero de 1995, como «la única organización internacional que se ocupa de las normas que rigen el comercio entre los países» y cuyo objetivo «es ayudar a los productores de bienes y servicios, los exportadores y los importadores a llevar adelante sus actividades» (www.wto.org, consultado 7/29/09). También, cada región geográfica del mundo tiene sus propios tratados mercantiles. En el mundo hispano figuran entre los más importantes los de la Tabla 12-4.

Tabla 12-4 ▶ **Algunos pactos y acuerdos económicos del mundo hispano**

Tratado	Acrónimo o sigla en español (inglés)	Países
Asociación Latinoamericana de Integración (*Latin American Integration Association*)	ALADI (*LAIA*)	Argentina, Bolivia, Brasil, Chile, Colombia, Cuba, Ecuador, México, Paraguay, Perú, Uruguay, Venezuela
Tratado de Libre Comercio entre República Dominicana, Centroamérica y Estados Unidos de América (*Dominican Republic-Central Americañ United States Free Trade Agreement*)	DR-CAFTA (*CAFTA-DR*)	Costa Rica, El Salvador, Guatemala, Honduras, Nicaragua, República Dominicana y EUA
Mercado Común Centroamericano (*Central American Common Market*)	MCCA (*CACM*)	Costa Rica, El Salvador, Guatemala, Honduras, Nicaragua
Mercado Común del Sur/Mercado Común del Cono Sur (*Southern Cone Common Market/ Southern Common Market*)	MERCOSUR (*CMSC*)	Argentina, Brasil, Paraguay, Uruguay (Bolivia, Chile, Colombia, Ecuador, Perú y Venezuela son miembros observadores)
Comunidad Andina (*Andean Community*)	CAN (*AC*)	Bolivia, Colombia, Ecuador y Perú
Tratado de Libre Comercio de América del Norte (*North American Free Trade Agreement*)	TLCAN (*NAFTA*)	Canadá, Estados Unidos, México

NOTA: Véase la Tabla 3-1 de la página 85 para más detalles.

Para completar este cuadro mercantil, sólo falta volver a indicar a continuación los países que constituyen el mundo económico hispanoparlante. Precisa señalar que, aunque EUA es un país cuya lengua oficial es el inglés, se incluye aquí por tener la segunda población hispanoparlante más grande del mundo y por Puerto Rico, Estado Libre Asociado de más de cuatro millones de habitantes cuya lengua materna es el español (co-oficial con el inglés).

Región geográfico-económica	Países hispanoparlantes
Europa	España
América del Norte (Norteamérica)	Estados Unidos, México
Caribe	Cuba, Puerto Rico, República Dominicana
América Central (Centroamérica)	Costa Rica, El Salvador, Guatemala, Honduras, Nicaragua, Panamá
América del Sur (Suramérica, Sudamérica)	Argentina, Bolivia, Chile, Colombia, Ecuador, Paraguay, Perú, Uruguay, Venezuela
África	Guinea Ecuatorial

12-2 Actividades

1. **¿Qué sabe Ud.** de negocios? Vuelva a las «Preguntas de orientación» que se hicieron al principio del capítulo y a la pregunta que acompaña la foto y contéstelas en oraciones completas en español.

2. **¿Qué recuerda Ud.?** Indique si las siguientes oraciones son *verdaderas* o *falsas* y explique por qué.

   a. Los errores transculturales no son muy frecuentes en el comercio internacional.

   b. Muchas compañías entran al mercado internacional para mejorar su capacidad de competir con otras empresas de la misma clase.

   c. En el mundo hispano generalmente se usa el mismo sistema de medidas que en EUA.

   d. Lo que caracteriza a los países hispanos es su homogeneidad geográfica, racial, social y artística, así como una tendencia a personalizar las relaciones sociales.

   e. Las investigaciones económico-culturales indican tanto las posibilidades como las dificultades de comercialización.

   f. La exportación directa es el mejor método disponible para entrar a un mercado internacional.

   g. El aspecto más importante de un plan modelo de acción es el estudio de la situación arancelaria y monetaria del país.

   h. Si uno ya habla español, nunca es necesario tener un intermediario extranjero para facilitar los trámites de comercialización.

3. **Exploración.** Haga los siguientes ejercicios, usando sus conocimientos y opiniones personales.

   a. ¿Qué evitaría hacer Ud. si quisiera comercializar con éxito en el extranjero?

   b. ¿Qué elementos serían importantes para Ud. al buscar un puesto en una empresa internacional?

   c. ¿Cómo estructuraría Ud. un estudio económico-cultural de un país hispánico? En su opinión, ¿cuáles serían los tres elementos más importantes en cada categoría? ¿Por qué?

   d. ¿Qué método recomendaría Ud. para entrar a un mercado extranjero? ¿Por qué?

   e. ¿Por qué cree Ud. que es necesario tener un plan de comercialización? Elija un país hispano y describa lo que tendría que hacer para llevar a cabo tal plan.

   f. ¿Cómo se relacionan los dichos al principio del capítulo con los temas tratados? Comente. Tradúzcalos del inglés al español y viceversa.

12-3 Al teléfono

Pistas
23 y 24

1. Lea las siguientes preguntas. Después escuche atentamente la conversación telefónica del Capítulo 12 y conteste las preguntas. Puesto que la comprensión auditiva es una destreza comunicativa sumamente importante, se recomienda escuchar las pistas varias veces.

   a. ¿Cómo se conocen los Sres. Patterson y Campagna?

   b. ¿Qué le envió Patterson a Campagna?

   c. ¿Qué le parece a Campagna la propuesta de Patterson de ser el representante exclusivo?

   d. ¿Viaja sólo el Sr. Patterson y qué dice el Sr. Campagna al respecto?

   e. ¿Qué preparativos de viaje le recomendaría al Sr. Patterson?

2. Basando sus comentarios en la conversación telefónica del ejercicio anterior, haga la siguiente llamada telefónica a otro/a estudiante de la clase. Cada persona deberá participar activamente en la conversación. Si necesita ayuda con esta actividad, véase el Apéndice 1, «Protocolo telefónico», página 457.

   Usted es el Sr. Gonzalo Campagna, de Argentina, y ha recibido una recomendación de Wright Patterson, el representante de Computrade, de EUA, sobre las fechas para su visita de una semana a Argentina en julio. Llame al Sr. Patterson con las ideas que Ud. ha planeado para la estancia de Patterson en Buenos Aires, Córdoba y Mendoza (hoteles, importantes ciudades/mercados, lugares interesantes para visitar en su país, etc.). Trate de convencer a Patterson que traiga también a su familia.

3. Haga la siguiente llamada telefónica a otro/a estudiante de la clase. Cada persona deberá participar activamente en la conversación. Si necesita ayuda para esta actividad, véase el Apéndice 1, «Protocolo telefónico», página 457.

   Ud. recibe una llamada telefónica del/de la agente comprador/a de una empresa brasileña que vive en Córdoba, Argentina, a consecuencia de la exposición de productos de software que la compañía de Ud. ha hecho en una feria comercial que tuvo lugar en São Paulo. El/La agente, quien habla portugués y español, le pide su catálogo y la lista de precios, y quiere concertar una cita para hablar de sus productos.

12-4 Navegando por Internet

Para hacer este ejercicio de Internet, visite la página web del libro www.cengage.com/spanish/exito.

12-5 **Ejercicios de vocabulario**

Si le es necesario, consulte la «Lectura comercial» o la lista de vocabulario al final del capítulo para completar estos ejercicios.

1. **¡A ver si me acuerdo!** Microsoft lo/la envía a usted a Argentina para establecer una relación comercial con el mayor distribuidor de computadoras de Córdoba. Usted quiere impresionar a los directores de la empresa argentina, sobre todo hablando español. Sin embargo, se le olvidan a usted los siguientes términos en español. Un/a compañero/a lo/la ayuda a recordarlos al pedirle a usted que se los traduzca.

   a. *competitiveness*   f. *license*

   b. *cross-cultural*   g. *chamber of commerce*

   c. *environment*   h. *trade fair*

   d. *consulate*   i. *tariff*

   e. *details*   j. *exchange rate*

2. **¿Qué significan?** Usted ha aprendido algunas nuevas palabras para los negocios internacionales. Sin embargo, no sabe exactamente lo que significan ciertos términos que se usan frecuentemente en el comercio internacional. Decide consultarlos con un/a colega. Pídale a un/a compañero/a de clase que le explique los siguientes términos y que le dé algunos sinónimos si puede.

   a. libre comercio   f. oferta

   b. traba   g. demanda

   c. arancel aduanero   h. capitalización

   d. embajada   i. intérprete

   e. hiperinflación   j. traductor

3. **Entrevista profesional.** Usted quiere aclarar algunos detalles sobre la entrada en los mercados internacionales porque ha podido conseguir una entrevista para un puesto de ventas internacionales. Usted desea ensayar la entrevista en español y le pide a un/a compañero/a de clase que le haga las siguientes preguntas. En el caso de que no pueda contestar alguna pregunta, su compañero/a lo/la ayudará. No olviden el protocolo ni las cortesías.

   a. ¿Cuáles son las diferencias entre la exportación directa y la indirecta?

   b. ¿Cuáles son algunos de los pasos estratégicos para la comercialización internacional?

   c. ¿Por qué se hace un presupuesto de comercialización?

   d. ¿Qué le aconsejaría a una empresa que piensa entrar por primera vez en el mercado hispanoamericano?

   e. ¿Qué tipo de ayuda pueden ofrecer las cámaras de comercio a alguien que desea vender sus productos en un país hispanoparlante?

4. **Traducciones.** A continuación leerá algunos consejos acerca de cómo prepararse para hacer los negocios en el extranjero. Tradúzcalos al español para una presentación que tiene que hacer en español.

a. *International managers who want to do business with a Spanish-speaking country must know something about its history, geography, culture, and values.*

b. *They can inform themselves by: (1) reading guides and other books; (2) surfing the Internet; (3) talking to native informants; (4) talking to other people who have visited or lived there; or (5) contacting their country's embassy, consulate, or chambers of commerce located in the foreign country.*

c. *They also need to plan and execute strategies that will enable their companies to penetrate foreign markets.*

d. *There are many ways to market abroad—through various types of media and publicity, trade fairs, etc.—and the preparations for such activities are extremely important.*

e. *If business people would follow these suggestions, they would contribute much to cross-cultural understanding as well as profit by it.*

UNA VISTA PANORÁMICA DE ARGENTINA

Nombre oficial:	República Argentina
Gentilicio:	argentino/a
Capital y población:	Buenos Aires: 3,000,000 (área metropolitana: 12,795,000)
Sistema de gobierno:	República
Jefe de Estado/Jefe de Gobierno:	Presidenta Christina Fernández de Kirchner
Fiesta nacional:	9 de julio, Proclamación de la Independencia (1816: España)

Argentina

GEOGRAFÍA Y CLIMA

Área nacional en millas² y kilómetros²	Tamaño (comparado con EUA)	División política	Otras ciudades principales	Puertos principales	Clima	Tierra cultivable
1,068,302 m² 2,766,890 km²	El tamaño de EUA al este del Río Misisipí	Un distrito federal y 23 provincias	Córdoba, Rosario, Mar del Plata, Mendoza, San Miguel de Tucumán	Buenos Aires, Bahía Blanca, La Plata, Rosario	Mayormente templado, subtropical en el norte, árido en el sureste, subantártico en el suroeste	9%

DEMOGRAFÍA

Año y población en millones			% urbana	Distribución etaria		% de analfabetismo	Grupos étnicos
2010	2015	2025		<15 años	65+		
41.3	43.4	47.2	90%	26%	11%	3%	97% blanco europeo, 3% mestizo, amerindio y otro

ECONOMÍA Y COMERCIO

Moneda nacional	Tasa de inflación 2008	N° de trabajadores (en millones) y tasa de desempleo	PIB 2008 en millones $EUA	PIB per cápita	Distribución de PIB y de trabajadores por sector*			2008 Exportaciones en millones $EUA	2008 Importaciones en millones $EUA
					A	I	S		
El peso	22%	16.3 7.8%	$585,000	$14,5000	9%	34%	57%	$73,000	$59,900
					1%	23%	76%		

*Para distribución del PIB y de los trabajadores (mano de obra): A = Agricultura, I = Industria, S = Servicios (y Gobierno).

Recursos naturales: Las pampas (llanuras fértiles), plomo, cinc, estaño, cobre, hierro, manganeso, petróleo, uranio.

Industrias: Procesamiento de alimentos, láctea, aceite vegetal, azúcar, papel, vino, automóviles, textiles, refinación de petróleo, maquinaria y equipo, cemento, productos químicos y petroquímicos, bienes de consumo duraderos, imprenta, metalurgia, acero.

COMERCIO

Productos de exportación: Cereales, trigo, maíz, soja, vehículos de motor, petróleo crudo y derivados de petróleo, maquinaria, equipo de transporte, aceites animales y vegetales, materia prima, químicos, productos manufacturados.

Mercados: 19% Brasil, 9% China, 8% EUA, 8% Chile (2007).

Productos de importación: Maquinaria, vehículos de motor, petróleo, gas natural, productos químicos orgánicos, productos manufacturados, plásticos, equipo de transporte, alimenticios y animales vivos.

Proveedores: 35% Brasil, 13% EUA, 12% China, 5% Alemania (2007).

Horario general de comercio: De lunes a viernes, desde las ocho o nueve de la mañana hasta las ocho de la noche. En las provincias, en general, se cierran las tiendas desde el mediodía hasta las tres o las cuatro de la tarde.

TRANSPORTE Y COMUNICACIONES

Kilómetros de carreteras y % pavimentadas	Kilómetros de vías férreas	Nº de aeropuertos con pista de aterrizaje pavimentada	Nº de líneas telefónicas	Radios por mil personas	Televisores por mil personas	N° de usuarios de Internet en millones
231,374/30%	31,902	154	9,500,000	681	293	9.3

IDIOMA Y CULTURA

Idiomas	Religión	Comidas y bebidas típicas/Modales
Español (oficial), inglés, italiano, alemán, francés	92% católica romana (nominalmente), 2% protestante, 2% judío, 4% otro	¡Carne de res, carne de res y más carne de res! En Argentina se come más carne por persona que en cualquier otro país del mundo: asado, bife de chorizo, bife de lomo, parrillada mixta, empanadas, etc. También hay locro, dulce de leche, vino, hierba mate. Se come usando el estilo europeo, con el tenedor en la mano izquierda y el cuchillo en la derecha. Mantener las manos, no los codos, sobre la mesa al comer. No usar mondadientes de manera obvia, no sonarse la nariz ni aclararse la garganta durante la comida.

Horario normal del almuerzo y de la cena: Mediodía o la una de la tarde para el almuerzo; sobre las nueve de la noche para la cena.

Gestos: Espacio físico reducido entre las personas que conversan; a veces se toca el hombro o el antebrazo de la otra persona al hablar. Los conocidos se dan un abrazo al saludarse y, generalmente, para las mujeres, un beso en la mejilla. Pararse con los brazos en jarras puede interpretarse como enfado o como un desafío directo. Rozarse la barbilla o el mentón con las uñas y la mano con la palma hacia el cuerpo significa que uno no sabe la respuesta o que no le importa algo. El gesto de «*hook 'em horns*» (un puño con el dedo índice y el meñique extendidos con la palma hacia afuera) es el gesto del cornudo, significa que «su esposo/a o novio/a lo/la está engañando». La mano extendida con la palma hacia abajo y movida de lado a lado indica «así así» o «más o menos». Se considera maleducado el pasar entre dos personas que conversan y, si es necesario hacerlo, uno se disculpa diciendo «Con permiso».

Cortesía: En un primer encuentro o en una reunión formal, es común dirigirse a la otra persona usando su título profesional (doctor, profesor, ingeniero, etc.). Durante el saludo, darse la mano con un apretón firme (pero no excesivamente fuerte como el de John Wayne en las películas). Cuando se llega a una reunión o a una fiesta, se saluda a cada persona presente y también se despide uno de cada individuo al marcharse. Mantener el contacto visual con la persona a la cual se habla (mirarle los ojos), pues indica interés y sinceridad. Quitarse el sombrero o la gorra dentro de un edificio. Cuando se visita la casa de alguien para comer o cenar, traer para los anfitriones un regalito como flores, chocolates o una buena marca de whisky o vino. Ojo con regalarle a alguien un cuchillo, pues puede interpretarse como el romper o cortar las buenas relaciones con esa persona.

LA ACTUALIDAD ECONÓMICA ARGENTINA

La población total de Argentina es 41 millones y es mayormente europea y urbana, con un 90% en lugares urbanos y unos doce millones de habitantes residentes en el área metropolitana de Buenos Aires. El hecho de que la Argentina tenga una de las clases medias más grandes de toda Hispanoamérica se debe a varios factores, pero en especial a las inmigraciones de profesionales, comerciantes y artesanos de Europa de comienzos y mediados del siglo XX, así como a las inversiones de capital extranjero. En su manera de vivir y pensar se nota la fuerte influencia cultural, y hasta cierto punto, aristocrática, de Francia, España e Italia: cierto formalismo y preocupación por el estatus social y una inclinación al arte, la música, la literatura, el buen vestir, los deportes y la buena vida. Este aburguesamiento ocurrió a fines del siglo XIX y sustituyó a lo que tipificaba el país hasta entonces, es decir, la tradición gauchesca: la vida, costumbres e ideología de los hombres que criaban el ganado mayor en la Pampa.

Hasta 1940, Argentina era uno de los países hispanos más prósperos del mundo. Gozaba de uno de los PIB y renta por habitante más altos de Hispanoamérica, y su sector agrícola era uno de los más productivos y rentables de todo el hemisferio occidental. Además, su alto nivel de vida era la envidia de muchos países del mundo. A partir de la Gran Depresión de los años 30 y de la Segunda Guerra Mundial, sin embargo, esta situación empezó a cambiar.

En primer lugar, durante la presidencia de Juan Perón (1946–55) la promoción de los derechos sociales de las clases obreras—contando con la ayuda de su esposa Eva como responsable de la ayuda social en el país—generó conflictos y disputas con las clases más acomodadas. En los últimos años de ese gobierno, la persecución a la prensa y los cuestionamientos de diversos sectores, incluyendo a la Iglesia Católica, derivaron en el golpe de estado de 1955. Dicho golpe, llevado adelante por la mayoría de las fuerzas armadas, forzó al General Perón a huir del país. Durante la época entre 1955 y 1973 la violencia política en Argentina creó un ambiente que representaba los antecedentes de la Guerra Sucia (1976–1983). Se vio el principio de las primeras fuerzas guerrilleras y los secuestros de activistas. Entre 1966 y 1973 Argentina fue controlada por la primera dictadura militar permanente en la historia del país y comenzaron las manifestaciones callejeras y asesinatos de líderes de varios sectores de la sociedad. Las organizaciones guerrilleras mataron a policías y militares. Cuando el partido peronista ganó las elecciones en 1973, Perón volvió al país para ser Presidente durante ese año. Después de su muerte en 1974, la situación socio-política se volvió insostenible, dando paso a otra junta militar bajo el general Jorge Videla, e iniciando una violenta época llamada Proceso de Reorganización Nacional (1976–83) que provocó la desaparición de miles de ciudadanos. En 1982, Argentina retomó por la fuerza las Islas Malvinas (Falkland Islands) a Inglaterra, y después de su catastrófica derrota, el país regresó a un gobierno civil debido a la indignación causada por la guerra.

En segundo lugar, varios factores habían dañado la economía argentina: la mala administración de las empresas nacionales o estatales, que controlaban gran parte del sector industrial; la creciente deuda internacional, la inflación continua, la devaluación de la divisa, el cambio del peso al austral (en 1992 la divisa del país volvió a ser el peso); la huida de capital y una política nacional que oscilaba entre la reforma y la represión. La economía argentina experimentó bajas severas de producción, rentas y empleo en todos los sectores. La situación se empeoró tanto que en 1989 se produjo una hiperinflación que provocó que las clases baja y media se rebelaran y saquearan tiendas en busca de artículos de primera necesidad.

En 1989 el gobierno peronista del presidente Carlos Menem (1989–1999) intentó y, hasta cierto punto logró, cambiar la realidad económica del país. Por medio de una serie de leyes y medidas de carácter neoliberal, se emprendieron reformas que mejoraron, por lo general, la situación material del país. En el sector empresarial, se privatizaron más de 200 compañías nacionales y se impulsó a los empresarios privados a ser más agresivos en cuanto a la capitalización de sus empresas. También se empezó a modernizar la infraestructura nacional al proporcionar fondos para la construcción de autopistas y se concedió incentivos económicos a compañías de flete para extender operaciones.

Con respecto a los sectores productores y financieros, en los años noventa el gobierno se ocupó particularmente en poner en vigor leyes y firmar acuerdos que fomentaron y aumentaron la productividad y rentabilidad de muchas empresas e instituciones bancarias y bursátiles, aunque debilitando la base industrial del país. Por otra parte, el gobierno firmó un pacto comercial, el Mercosur, con otros países del Cono Sur (Brasil, Paraguay y Uruguay) para eliminar las trabas al libre comercio regional, y comenzó a participar activamente en la Organización de Estados Americanos (OEA). El gobierno argentino decidió vincular (*peg*) el valor del peso al dólar estadounidense, lo cual no sólo redujo enormemente la tasa de inflación de más de 2,000% antes de 1989 a 5% en 1995, sino que creó una trayectoria inversionista y económica favorable.

A partir de 1997, Argentina, lo mismo que los demás países de Latinoamérica, empezó a experimentar de nuevo una recesión en los sectores económicos debido a la crisis financiera mundial que redujo las inversiones extranjeras. Descendieron tanto la productividad y el desarrollo del país que el gobierno argentino, desesperado frente a la recesión, procuró adoptar una política proteccionista que fue abandonada bajo la presión de los otros miembros del Mercosur. Para hacer frente a la crisis, recortaron los programas estatales de los cuales dependían muchos ciudadanos, mientras florecían las denuncias de corrupción. Como se puede imaginar, se opusieron a estas reformas muchos argentinos, quienes en las elecciones presidenciales de 1999 votaron contra el modelo percibido como corrupto de Menem y eligieron a Fernando de la Rúa (1999–2001), quien heredó una economía de más de mil millones de dólares de deuda pública. Al año siguiente hubo huelgas y manifestaciones debido a nuevos impuestos y a una baja en el precio de las exportaciones de carne. A pesar de una asistencia de 40 mil millones de dólares del FMI, tres Ministros de Finanzas consecutivos renunciaron. Los peronistas ganaron las elecciones congresistas del año 2001 y el presidente de la Rúa, en medio de una enorme crisis económica y política, renunció en diciembre. El Congreso eligió a Eduardo Duhalde (2002–2003), quien devaluó el peso para terminar con la convertibilidad del peso con el dólar, aunque la Argentina ya había declarado el *default* de la deuda externa a fin del año 2001. Duhalde fijó elecciones para marzo de 2003 y Néstor Kirchner (2003–2007) fue declarado presidente cuando Menem, convencido que iba a ser derrotado, decidió no participar en una segunda ronda de la elección presidencial.

Ese mismo año se inició una recuperación económica bajo el peronista Kirchner, quien canceló la deuda con el FMI. Kirchner mantuvo la devaluación de la moneda que se inició bajo Duhalde y el Banco Central energéticamente compró divisas. Estas políticas, más las altas rentas de la exportación de los granos, disminuyeron los niveles de pobreza y desempleo y aumentaron el apoyo por el presidente. Mientras tanto, los críticos de Kirchner se quejaban de sus prácticas de usar demasiado un poder ejecutivo agresivo, casi por decreto, y de evitar los trámites normales indicados en las leyes.

En 2007, Cristina Fernández, senadora de la provincia de Santa Cruz y la esposa de Kirchner, fue la primera mujer elegida presidenta de Argentina por voto popular. En el primer año de su presidencia, Fernández tuvo que confrontar un conflicto con los productores agropecuarios a causa de su plan de imponer tributos flotantes a las ventas externas de materias primas agrícolas como la soja y otros granos. Finalmente, el plan impositivo de los Kirchner fue rechazado por una alianza de opositores en el Senado en el 2008. Más tarde, durante ese mismo año, Fernández puso fin al plan privado de pensiones y jubilación y nacionalizó las operaciones con un nuevo Sistema Integrado Provisional Argentino (SIPA). Debido a la desconfianza existente en cuanto a las políticas económicas de la presidenta, ella sufrió una dura derrota en las elecciones congresistas adelantadas para junio de 2009 y luego anunció una reforma política en el país. Néstor Kirchner tuvo que renunciar a su puesto como jefe del Partido Justicialista y el llamado kichnerismo quedó mucho más débil que antes. Para proteger Argentina de la crisis económica global y para lograr la recuperación económica y el bienestar de la sociedad, se va a requerir mucha cooperación y un gran esfuerzo por parte de los líderes en los importantes sectores de la economía.

UNA VISTA PANORÁMICA DE BRASIL

Nombre oficial:	República Federativa do Brasil
Gentilicio:	brasileño/a
Capital y población:	Brasilia: 3,599,000 (2008)
Sistema de gobierno:	República federal
Jefe de Estado/Jefe de Gobierno:	Presidente Luis Ignacio Lula da Silva
Fiesta nacional:	7 de septiembre, Independencia (1822: de Portugal)

Brasil

GEOGRAFÍA Y CLIMA

Área nacional en millas² y kilómetros²	Tamaño (comparado con EUA)	División administrativa	Otras ciudades principales	Puertos principales	Clima	Tierra cultivable
3, 286,488 m² 8,511,965 km²	Un poco más grande que Estados Unidos continental (sin Alaska y Hawai). El país más grande de América del Sur	Un distrito federal (Brasilia) y 26 estados	São Paulo, Río de Janeiro, Belo Horizonte, Salvador, Recife, Porto Álegre	Santos (São Paulo), Porto Alegre, Recife, Salvador, Belém, Recife	Tropical, cálido, húmedo en el norte en la cuenca del Río Amazonas; más templado en la altiplanicie del sur	6.9% (2009)

DEMOGRAFÍA

Año y población en millones			% urbana	Distribución etaria		% de analfabetismo	Grupos étnicos
2010	2015	2025		<15 años	65+		
192	210	229	84%	27	6	11%	55% blanco europeo, 38% criollo, 6% africano

ECONOMÍA Y COMERCIO

Moneda nacional	Tasa de inflación 2008	N° de trabajadores (en millones) y tasa de desempleo	PIB 2008 en millones $EUA	PIB per cápita	Distribución de PIB y de trabajadores por sector*			2008 Exportaciones en millones $EUA	2008 Importaciones en millones $EUA
					A	I	S		
El real	6%	101 8%	$2,030,000	$10,300	6% 20%	29% 14%	66% 66%	$200,000	$176,000

*Para distribución del PIB y de los trabajadores (mano de obra): A = Agricultura, I = Industria, S = Servicios (y Gobierno).

Recursos naturales: Petróleo, hierro, oro, bauxita, magnesio, níquel, fosfatos, platino, uranio, árboles maderables, estaño.

Industrias: Textiles, zapatos, productos químicos, cemento, hierro, siderurgia, madera, aviones, vehículos de motor y piezas de repuesto, otra maquinaria y equipo, aluminio, papel y derivados, juguetes, vinos y licores, automóviles, galletas, computadoras, electrodomésticos, ropa, muebles, teléfonos celulares.

COMERCIO

Productos de exportación: alimentos, automóviles, acero, productos químicos, soya, café, equipo de transporte, calzado.

    Mercados: 16% EUA, 9% Argentina, 7% China, 6% Países Bajos, 5% Alemania.

Productos de importación: maquinaria pesada, productos químicos, automóviles y piezas de repuesto, motores, combustible, electricidad, circuitos integrados, medicamentos, trigo, petróleo crudo, equipo eléctrico y de transporte, electrónica.

    Proveedores: 16% EUA, 11% China, 9% Argentina, 7% Alemania, 4% Nigeria (2007).

Horario general de comercio: De lunes a viernes, las tiendas suelen estar abiertas desde las ocho de la mañana hasta las seis, y hasta el mediodía los sábados. Los supermercados abren todos los días. Algunos bancos y oficinas cierran desde el mediodía hasta las dos por el almuerzo. Las horas bancarias varían según la región. Se emplea un horario de 24 horas (13:00 = 1:00 p.m.).

TRANSPORTE Y COMUNICACIONES

Kilómetros de carreteras y % pavimentadas	Kilómetros de vías férreas	Nº de aeropuertos con pista de aterrizaje pavimentada	Nº de líneas telefónicas	Radios por mil personas	Televisores por mil personas	Numero de usuarios de Internet en millones
1,751,868/6% (2004)	21,295 (2006)	718 (2007)	38,810,000	434	333	50

IDIOMA Y CULTURA

Idiomas	Religión	Comidas y bebidas típicas/Modales
Portugués (oficial), español, inglés, francés	80% católica romana, 20% protestante y otro	La comida básica incluye carne, pan, arroz, frijoles, queso y huevos. Los platos y bebidas favoritos varían de región en región pero algunos incluyen feijoada (Río), acarajé, churrasco (Sur), moqueca, cachaça, bife a còvalo com fritas, dendê (Bahía), caipirinha, guaraná.

Horario normal del almuerzo y de la cena: El almuerzo se come normalmente al mediodía y la cena a las seis o a las siete. Una propina de un 10–15% es común.

Gestos: El uso de gestos expresivos es muy común. El gesto «*OK*» norteamericano se considera obsceno en Brasil. Espacio físico reducido entre las personas que conversan; a veces se toca el hombro o el antebrazo de la otra persona al hablar.

Cortesía: En situaciones formales se da la mano para saludar. Con la excepción de un hombre con otro, es común un abrazo y un beso en las dos mejillas, una tras otra. Entre los jóvenes es común saludarse con solamente «Oi» (*Hi*). Se le dirige a un superior con los títulos formales de «Senhor» (*Mr.*) o «Senhora» (*Mrs.*), pronunciados como en español.

LA ACTUALIDAD ECONÓMICA BRASILEÑA

Brasil, país de habla portuguesa con una población de 192 millones, es el más poblado de América del Sur y el sexto más poblado del mundo. La mayor concentración demográfica está en las ciudades industriales de São Paulo, Río de Janeiro y Belo Horizonte, que han crecido enormemente, fomentando el desarrollo económico pero a la vez complicando los problemas sociales, políticos y económicos urbanos.

Hay seis grupos diferentes que se han combinado para formar una población muy diversa: (1) los portugueses que colonizaron la región en el siglo XVI y que luego trajeron a los (2) africanos como esclavos; otros grupos de inmigrantes (3) de Europa, (4) del Medio Oriente y (5) de Asia en el siglo XIX; y (6) los grupos indígenas, tupíes y guaraníes. En 1808, el Rey de Portugal, huyendo de la invasión de Napoleón y los franceses, estableció su gobierno en Brasil. Después de su regreso a Portugal en 1822, su hijo Pedro proclamó la independencia de Brasil y fue coronado emperador. El segundo emperador, Dom Pedro II, fue derrocado en 1889 y se estableció la nueva república de los Estados Unidos do Brasil. En 1967 se cambió el nombre a La República Federativa do Brasil.

En las primeras cuatro décadas de la república, la economía del país fue dominada por los intereses de los cafetaleros que en 1902 produjeron el 65% del café del mundo. El período democrático, que duró desde 1889 hasta 1930, terminó con el golpe militar iniciado por Getulio Vargas, cuya dictadura duró 15 años hasta 1945. Restaurada la democracia desde esta época, el país desenvolvió un fuerte proceso de industrialización. En la segunda mitad del siglo XX, Brasil sobrevivió un período de dictadura militar que interrumpió su paso a la democracia. Mientras tanto, se trataba de aumentar los sectores industriales y agrícolas, desarrollar las regiones amazónicas del interior del país, y establecer y mantener la nueva capital de Brasilia, trasladada en 1964 de Río de Janeiro al interior del país. La historia económica refleja una serie de períodos de alzas y bajas y un desarrollo limitado por la hiperinflación y una alta deuda externa.

Fernando Collor de Mello fue elegido presidente en 1989. La privatización y la apertura de los mercados fueron reformas radicales que no lograron estabilizar las finanzas nacionales y la hiperinflación alcanzó un 1,500% en 1991, provocando un escándalo sobre la corrupción que forzó al presidente a renunciar. El presidente interino, Itamar Franco, estabilizó la economía e introdujo el real como divisa nacional. En 1994 Fernando Henrique Cardoso fue elegido presidente y logró controlar la inflación. Sus intentos de combatir el latifundismo y de redistribuir la tierra (la reforma agraria) entre los pobres causaron controversia. Durante su primera presidencia, Cardoso gobernó con una economía relativamente estable, atrayendo inversiones extranjeras y privatizando empresas estatales. El Congreso cambió la Constitución para permitir que el presidente pudiera tener un segundo mandato, que Cardoso logró en las elecciones de 1998.

En el segundo mandato de Cardoso se devaluó el real, lo cual produjo una recesión muy grave. Esto, además de un escándalo sobre proyectos de construcción, llevó a la elección en 2002 de Luis Inacio Lula da Silva, minero y obrero metalúrgico y candidato del Partido de los Trabajadores. Oriundo de uno de los lugares más pobres del país, Lula creó cierta preocupación entre los críticos internacionales y los empresarios nacionales por sus tendencias izquierdistas y por su falta de preparación académica. Inicialmente, Lula pudo calmar las críticas al mantener una política fiscal tradicional y con el pago de las deudas externas e internas y la reducción de la inflación. El real se recuperó y el presidente subió el salario mínimo, enfatizando la necesidad de eliminar el hambre en Brasil. Respecto a esta meta, Lula inició el programa de la Bolsa Familiar que ayudó a casi 9 millones de familias pobres, o sea algo más de 30 millones de personas en un país de unos 190 millones de habitantes en ese momento. Con el apoyo de este sector social, Lula ganó la presidencia otra vez en 2006 a pesar de las quejas de corrupción y las manifestaciones e invasiones de tierras por un grupo llamado el Movimiento de los Trabajadores Rurales Sin Tierra (MST), fundado en 1984 con el objetivo de luchar por los derechos de los campesinos, especialmente por la posesión de la tierra que siempre ha sido un factor divisivo en Brasil. Ha habido progreso bajo Lula a pesar de la necesidad de mantener su política comercial antiproteccionista y a la vez de satisfacer las políticas de agronegocio del MST. Después del comienzo de la crisis global, la divisa y la bolsa brasileñas han perdido valor debido a la caída de demanda y la baja de los precios para sus exportaciones en el mercado internacional. Sin embargo, Brasil es un país rico en recursos naturales, casi autosuficiente en su producción agrícola, con muchas industrias bien desarrolladas en comparación con otros países latinoamericanos, y un sector de servicios sofisticado y diversificado. Hoy en día, Brasil es uno de los cuatro países del BRIC (Brasil, Rusia, India y China) con una economía fuerte y la previsión de ser una de las cinco economías con el PIB más grande del mundo. Si puede reducir el impacto de la crisis financiera global, la nación tendrá un futuro económico muy prometedor y llegará a ser uno de los líderes económicos del hemisferio y últimamente del mundo.

12-6 Actividades

¿Qué sabe Ud. de Argentina y Brasil?

1. A usted lo/la han contratado/a como asesor/a transcultural de negocios internacionales. Como tal, necesita informar a sus clientes sobre Argentina y Brasil, y recomendar un plan de viaje de negocios a cada país. Averigüe los datos pertinentes para poder abarcar los siguientes temas.

   a. Describa la geografía de Argentina y Brasil, incluyendo los siguientes temas: ubicación y tamaño de ambos países, capital y otras ciudades y puertos principales, división administrativa y clima. Compare el tamaño de Argentina con el de EUA o el de su propio país y con el tamaño del estado (departamento, provincia, ETC.) donde Ud. vive. Haga lo mismo con Brasil.

b. ¿Cuáles son las principales características demográficas y políticas de Argentina y Brasil? ¿Quién es el jefe de estado de cada país?

c. ¿Cuándo se celebra la fiesta nacional de cada país? ¿Qué otras fiestas públicas podrían afectar el éxito de un viaje de negocios? (Véase Tabla 10-1, página 306.)

d. Describa la economía de cada país. Incluya datos sobre la moneda nacional, la tasa de inflación, el PIB y el PIB per cápita, el número de trabajadores (la mano de obra), la tasa de desempleo, los recursos naturales, las industrias nacionales, los productos que se exportan e importan, los países destinos (mercados) y proveedores (fuentes) de estas transacciones internacionales, y la balanza de comercio. ¿A cuánto está el cambio actual de cada moneda nacional con el dólar EUA? ¿Cuál fue la balanza comercial de cada país según la información en este libro? ¿En la actualidad?

e. Compare el PIB y el PIB per cápita de Argentina y Brasil. ¿A qué factores se deben las diferencias?

f. ¿Qué producto o servicio recomendaría vender en Argentina y en Brasil? ¿Por qué?

g. Compare la infraestructura de transportes y de comunicaciones en cada país. ¿Qué ventajas o desventajas económicas presenta la geografía de Argentina y Brasil?

h. ¿Cómo han cambiado algunos de los datos presentados en las secciones de «Vista panorámica» y «La actualidad económica» de este texto? Póngalos al día para cada país.

i. Basándose en la «La actualidad económica» de cada país, ¿qué realidades, oportunidades y problemas destacaría y qué recomendaciones le daría al/a la cliente/a?

2. Usando Internet u otras fuentes informativas, prepare un plan (con presupuesto e itinerario) para usted y su jefe/a, quienes harán un viaje de negocios a Buenos Aires y a São Paulo para renegociar un acuerdo sobre las exportaciones de carne y café que reciben de Argentina y de Brasil. Saldrán del aeropuerto de la ciudad donde usted vive en este momento y estarán tres días en cada capital. Investigue los detalles del viaje por Internet, por teléfono, en una agencia de viajes o en el aeropuerto mismo. Comuníquese en español, si es posible.

a. Fechas de ida y vuelta.

b. Vuelos: aeropuertos de despegue y aterrizaje, líneas aéreas, horario; costos.

c. Transporte interno que se piensa usar en cada país: taxi, autobús, carro de alquiler, metro, tren, otro; costos.

d. Alojamiento y viáticos; costos.

e. La comida típica que van a pedir para la cena la primera noche en cada país.

f. Las formas de cortesía y los gestos que deben recordar, usar o evitar.

Luego, discutan el precio actual de la carne argentina o del café brasileño por kilo y su impacto en el acuerdo que desean renegociar.

LECTURA CULTURAL

El viaje de negocios al extranjero

Después de decidir qué se quiere vender, comprar o producir en el extranjero, y después de firmar los contratos o acuerdos (tales como la representación exclusiva), la compañía manda a los gerentes apropiados, generalmente los de marketing, ventas o producción, a visitar el país señalado. Es necesario cumplir con varios trámites antes de realizar estos viajes. Primero, deben hacer los preparativos, como comprar y leer algunas de las numerosas guías o libros de viajes para personas de negocios y consultar con personas que han viajado, trabajado o vivido allí. Luego, deben comunicarse con la embajada, el consulado o la cámara de comercio de su propio país, o pedirle información a un agente de viajes sobre temas como el clima, la documentación, los certificados médicos, los derechos arancelarios, la moneda nacional, el cambio de divisas, la ropa y los efectos personales que se necesitarán para el viaje. También pueden solicitar información sobre hoteles, restaurantes, bancos, correos, medios de transporte, propinas, centros de compras, telecomunicaciones, servicios médicos y públicos, diversiones y sitios de recreo. La embajada, el consulado o la cámara de comercio de su propio país ubicada en el extranjero también puede proporcionar información importante para tener éxito en los negocios (descripciones de la geografía, la actualidad política, la economía y las instituciones sociales del país al que se viaja) así como indicaciones acerca de las horas laborales, los días de fiesta, las costumbres, los agentes e intermediarios que se especializan en ciertos ámbitos empresariales, las leyes mercantiles y aduaneras, y otros detalles con respecto a la vida cotidiana y el comercio en estos países. Estos datos son imprescindibles porque ayudan a emprender los trámites y los negocios con esmero y éxito, y reducen el estrés de un viaje internacional. Mientras más se sepa, mejor.

En cuanto a las reuniones, negociaciones y otros trámites que se realizan en el país extranjero, en este caso, en los países hispanohablantes, los siguientes consejos, aunque de índole general, pueden ayudar a quienes viajan al exterior. (Algunas observaciones vienen de una entrevista en 1995 con Amy Pitts, Pearson Fellow del *U.S. Department of State*, quien había vivido y trabajado como ejecutiva en varios países hispanoamericanos y quien sirvió de Directora del *Mayor's International Cabinet*, Charlotte, NC.)

1. Al hacer un viaje de negocios a España o a Latinoamérica, se debe tener en cuenta que los viajes son largos y que uno/a se cansa al viajar. Si hay una reunión de negocios para el miércoles, se recomienda llegar uno o dos días antes, digamos el lunes, para poder descansar y visitar los lugares de mayor interés turístico de la ciudad o región. Esta visita turística también le dará pie para demostrar su interés y conocimiento de la cultura de sus anfitriones u homólogos.

2. No olvidarse de concertar citas oficialmente antes de viajar y concertarlas sólo durante los días laborales. Esto quiere decir que hay que prever cuándo se celebran las fiestas nacionales y las vacaciones, y cuáles son las horas y días en que trabajan las personas a quienes se quieren ver. Se recomienda

confirmar por teléfono la fecha y hora antes de presentarse. (Siempre ir al baño antes de presentarse a una cita puesto que a menudo hay demoras, casi siempre se sirve café o té, y las citas suelen durar más de lo que un/a norteamericano/a típicamente esperaría.)

3. Con respecto al atuendo o a la indumentaria, los hombres de negocios deben vestirse con traje conservador (típicamente de color gris, negro, azul o pardo) y las mujeres con un vestido de un color y corte discretos. Si usted es norteamericano/a, no pretenda vestirse como un nativo del país que visita (como un/a colombiano/a, argentino/a, etc.), sino vístase inicialmente tal como lo haría para el trabajo profesional en EUA o en su propio país.

4. Recordar que hay una gran variedad de climas en Hispanoamérica y que las estaciones del año en el hemisferio sur son opuestas a las del hemisferio norte (diciembre = invierno en Chicago, pero diciembre = verano en Buenos Aires). También hay una gran variedad topográfica y un visitante puede sufrir de puna o soroche, el mal de montaña, al visitar por primera vez La Paz o las alturas de los Andes. Por otra parte, en un país como Panamá, el calor y la humedad tropical pueden ser sofocantes al principio.

5. Usar siempre el título de alguien al dirigirse a esa persona por primera vez en un contexto profesional: Señor/a, señorita, licenciado/a, doctor/a, ingeniero/a, profesor/a, etc. Saludar a cada individuo al llegar a una reunión y despedirse individualmente al marcharse, para no quedar mal con nadie.

6. Saludar siempre a un cliente, negociante u oficial hispano con un firme apretón de manos. (Esto es especialmente importante para la mujer de negocios, pues le ayuda a establecer desde el principio un tono y una distancia profesionales.)

7. Saber deletrear su nombre y apellido(s) en español: e.g., A de Argentina, B de Bolivia, C de Colombia, D de Dinamarca, E de Ecuador, F de Francia, G de Guatemala, etc.

8. No presuponer que estará bien preparado/a el/la negociante o la persona con la cual se tiene la cita o la reunión. Se recomienda traer copias de la información que usted ya envió de antemano.

9. La persona que invita, paga. Es decir, si usted convida a otra/s persona/s a una comida de negocios o de trabajo, se espera que usted pague la cuenta.

10. Aceptar con gusto la invitación a tomar un café (¡aunque no le guste el café!). Es una bebida que se toma mucho en Latinoamérica y vale la pena aprender su vocabulario:

- café solo, puro o tinto = *black coffee*
- café americano = *large cup of black coffee*
- café exprés, expreso o negro = *espresso coffee*
- café natural = *light roast coffee*
- café a la turca = *Turkish coffee*

- café con leche = *coffee with cream or milk*
- café cortado = *small cup of coffee with a dash of cream or milk* (típico de España, pero no tan reconocido en otros países hispanos)
- café instantáneo o soluble = *instant coffee*
- café descafeinado = *decaffeinated coffee*

NOTA: «Dar un café» o «cafetear» es coloquial para hacerle una reprimenda áspera a alguien en Argentina, Bolivia, Chile, Perú y Uruguay. La expresión «Soy muy cafetero» significa que a alguien le gusta mucho el café.

11. Contactar con (o contratar a) un/a abogado/a, notario o contable que habla español y el idioma del personal visitante por si hay que despachar algún trámite legal o contable. A menudo un bufete o una firma contable internacional del país del visitante puede recomendar a personas capacitadas y fiables. Si se contrata a alguien dentro del país hispanohablante, asegurarse que éste ya tiene experiencia en el trabajo para el cual se lo/la contrata y que es una persona responsable. Aquí también importan las recomendaciones de personas conocidas y confiables. Por otra parte, si la persona es notario/a, es casi como abogado/a, ya que su preparación y certificación profesionales se dan en el campo de las leyes. Es sumamente importante tener buena representación legal.

12. No olvidarse de que tanto en España como en Hispanoamérica se usa el sistema métrico y que muchas veces los horarios escritos se basan en el sistema militar. Así que, las dos de la tarde son las 14:00 (las catorce horas), las ocho y media de la noche las 20:30, etc. Mejor no perder un vuelo a causa de una confusión acerca de la hora de salida.

13. Procurar reunirse siempre con el alto mando de la empresa por ser éste el nivel que toma las decisiones finales.

14. Si es la primera visita y entrevista en un país hispanohablante, no olvidar las cortesías ni el protocolo. Asumir que no se va a tratar, ni mucho menos despachar, un asunto de negocios rápidamente. Lo personal y la manera en que el visitante extranjero se presente y trate a su anfitrión/a hispano/a van a influir mucho en esta persona. Así que, si su anfitrión/a empieza a hablar de temas extra mercantiles, sea atento/a, paciente y cordial. Estas charlas a menudo tratan de la vida personal y profesional tanto de los visitantes como de los anfitriones mismos, y de los gustos, la cultura, la historia y las noticias del día. Se recomienda que los visitantes eviten hablar de religión y de política, puesto que pueden ser temas delicados y nunca se sabe cuando el/la anfitrión/a es una persona susceptible.

15. Durante las discusiones de temas mercantiles o industriales, la mejor táctica es observar y escuchar antes de hablar, y proporcionar suficiente información (pero no excesiva) al contestar preguntas. Si resulta que se trata de una presentación que tiene que hacer el/la visitante, que la haga siempre de una manera detallada y con muchos ejemplos y gráficos, y en español cuando sea posible. A veces en las negociaciones, el personal extranjero tiene que ser firme, pero siempre

diplomático, paciente, flexible y cortés. No se puede sobrevalorar el demostrar ser una persona sincera, confiable y responsable. Como afirma Felipe Avila Marcué, autor de *Tácticas para la negociación internacional: las diferencias culturales*, «una persona cortés y respetuosa será siempre muy respetada en el ámbito de los negocios latinoamericanos» (pág. 61).

El libro *The Traveler's Guide to Latin America: Customs and Manners* de Elizabeth Devine y Nancy L. Brigante, que se incluye entre otros en la sección Geografía, economía, política y cultura de la bibliografía en la página web de este libro, ofrece mucha información para las personas que hacen un viaje de negocios a Latinoamérica.

12-7 Actividades

1. **¿Qué sabe Ud. de la cultura?** Demuéstrelo contestando las preguntas a continuación.

   a. ¿Por qué piensa Ud. que es importante que los gerentes y negociadores viajen al país con el cual quieren emprender negocios?

   b. ¿Cómo pueden prepararse los gerentes y representantes de empresa para viajar al extranjero?

   c. Supongamos que Ud. no toma café porque no le gusta el efecto de la cafeína. ¿Qué dirá y hará si se le ofrece un café durante una reunión de negocios, en la cual nota que todos los demás aceptan el café gustosamente?

   d. ¿Por qué tienen que considerar los gerentes el factor de riesgo antes de comerciar con un país extranjero? ¿Dónde pueden conseguir datos sobre el riesgo político de un país?

   e. ¿Qué cinco consejos fundamentales les daría Ud. a los administradores que piensan entablar relaciones comerciales con un país hispano? Haga una breve presentación oral de sus cinco recomendaciones culturales, como si fuera usted un asesor transcultural.

2. **Minidrama cultural.** Lea lo siguiente y haga el ejercicio a continuación.

   La alta gerencia de Tecno, una compañía estadounidense mediana que se especializa en la elaboración e instalación de sistemas informáticos para usos industriales y comerciales, quiere extender la base de sus operaciones y comerciar directamente en el extranjero. Se informa mediante un estudio preliminar hecho por su división de marketing de que, a pesar del desarrollo económico desigual de la Argentina, este país ofrece buenas posibilidades de comercialización, en especial en el campo de la exportación. También se entera por uno de sus clientes actuales que tiene negocios en Buenos Aires, que una firma mercantil privada de esa ciudad desea comerciar con una compañía como Tecno. Al considerar este «enchufe» como el mejor medio para entrar al mercado argentino, Tecno, ubicado en Houston, le escribe a la firma bonaerense una carta de presentación en inglés. Adjunta un catálogo de sus productos y pide que los representantes de ambas compañías se reúnan para discutir una posible colaboración.

Pasan algunos meses y varias telecomunicaciones, y los representantes de ambas empresas deciden reunirse. Tecno manda a su jefa de marketing, Michelle Jones, una mujer talentosa y entusiasta que habla español y que ha hecho varios viajes turísticos a Acapulco y a Cancún, en México, y a San Juan, en Puerto Rico. Tecno se ocupa de los trámites del viaje y la estancia. Jones lleva consigo el último modelo de computadora que vende Tecno, los informes estadísticos del mercado industrial y comercial de Buenos Aires, los contratos y las licencias: todo lo que estima necesario para realizar las negociaciones y firmar un acuerdo rápido. Al día siguiente de llegar a la capital argentina, Jones acude a la cita con el Licenciado Rafael Tanucci, el gerente de compras de la empresa bonaerense.

Lic. Tanucci: Buenos días, Srta. Jones. Bienvenida a Buenos Aires. ¿Qué tal el viaje y el Hotel Sheraton? Éste es uno de los más lujosos de toda la ciudad y...

Srta. Jones: Bien, gracias. Ha sido un vuelo muy largo pero el hotel es muy agradable.

Lic. Tanucci: Bueno, nos alegramos de que haya venido para hablar con nosotros. Nos gustaría llevarla a ver...

Srta. Jones: Sólo estaré aquí hoy para concluir nuestro negocio y después me voy. Hablando de negocios, ¿recibió Ud. nuestro catálogo con las descripciones de nuestros productos y la lista de precios?

Lic. Tanucci: Sí, pero hay algunos problemas con las medidas. Sabe Ud. que usamos el sistema métrico y que...

Srta. Jones: Sí, sí, sí, lo sé, pero le voy a enseñar nuestro último modelo de computadora. Ya verá que es una de las mejores que se vende últimamente y que satisface todas sus necesidades comerciales. Las medidas son lo de menos. Siempre podemos adaptarlas a sus especificaciones. Ah, aquí le traigo un regalo, se me había olvidado. (Al decir esto, saca de su maletín un paquete envuelto y se lo echa sobre el escritorio hacia el Lic. Tanucci.) Es un abrecartas, un bonito cuchillo de caza, de parte de nuestra empresa.

Lic. Tanucci: (Al ver el regalo, el Lic. Tanucci frunce el ceño.) Bueno, Srta. Jones, aunque me gustaría ver sus computadoras, hoy no puedo. Lo siento. Se me había olvidado que tenía otra cita urgente. Quizá pueda volver otro día para que charlemos más del tema. Mucho gusto en conocerla, Srta. Jones. Hasta muy pronto.

¿Por cuál de las siguientes razones fracasó la Srta. Jones al tratar de entablar relaciones comerciales con el Lic. Tanucci? Explique.

a. La Srta. Jones se comportó de manera arrogante.
b. La Srta. Jones no conocía muy a fondo las necesidades de la empresa del Lic. Tanucci, incluso el sistema de medidas que se usa en Argentina.

¿Por qué frunce el ceño el Licenciado Tanucci al ver el regalo que le hace la Srta. Jones?

12-8 Actividades comunicativas

1. **Situaciones para dramatizar.** Lea las siguientes situaciones y después haga el papel en español con otro/s estudiante/s, usando las siguientes opciones como punto de partida. Cada persona deberá participar activamente en la dramatización. No olviden el protocolo ni las cortesías.

   a. *You represent an import–export firm that trades on behalf of various industrial companies. You meet with a distributor from a certain Spanish-speaking country (select one) to discuss the following:*

      - *the imports currently in demand in that country.*
      - *the current exchange rate and its forecast.*
      - *the risk factors (any anticipated political developments) that might affect business.*

   b. *You represent a consumer goods firm interested in licensing some of its products in a certain Spanish-speaking country (select one and refer to the import section of Tabla 13-2, p. 413 for possible products) and are scheduled to talk with the representative of a firm in that country about the following:*

      - *the products to be made or sold.*
      - *the areas where these products will be marketed, the volume to be produced and/or sold, and the price.*
      - *the percentage or commission to be given to the licensing company as part of total sales.*

2. **Comprensión y comunicación.** Para este ejercicio basado en el vídeo de *Éxito comercial*, pase al encarte central del texto, Vídeo Texto página 13.

3. **Actividad empresarial.** Usted y un/a amigo/a quieren explorar las posibilidades de vender bienes de capital (máquinas, equipo industrial, aparatos y utensilios para realizar la actividad productora, etc.) en Argentina. Deciden comunicarse electrónicamente con la embajada argentina (o el consulado) en el país donde ustedes viven y con la cámara de comercio norteamericana en Argentina, para enterarse de las opciones más rentables en este importante mercado del Cono Sur. Divídanse la tarea.

   Después de comunicarse con las entidades arriba mencionadas, redacten un breve resumen de la información que hayan podido conseguir. Luego, comenten las posibilidades con sus compañeros/as de clase.

4. **Minicaso práctico.** Lea el caso y haga los ejercicios a continuación.

   MBR, Inc., una empresa estadounidense, se prepara para iniciar operaciones y ventas en el gran mercado representado por los países hispanoparlantes. Como parte esencial de su planificación, ya ha realizado un análisis económico y cultural del mundo hispano. El director de marketing, sin embargo, piensa que sería buena idea añadir un tercer análisis, de modo que ha contratado a unos asesores para preparar una tabla transcultural comparativa en la cual se resumen algunas de las principales tendencias y diferencias culturales que podrían afectar los negocios que MBR desea emprender en Latinoamérica.

Puesto que la cultura representa una programación de cómo pensar, percibir y portarse en determinadas circunstancias, y que estos tres elementos están integrados (*hardwired*) social y profesionalmente en el ser humano, por ende pueden ser difíciles de controlar o modificar. Una **Comparación de tendencias culturales en los negocios** servirá para mejor preparar al equipo de MBR para sus viajes de negocios a Latinoamérica. A la vez que los asesores transculturales intentan resumir algunas diferencias basadas en la preponderancia de las pruebas (*preponderance of evidence*), quieren evitar la excesiva simplificación del tema o la implicación de que una cultura es mejor o peor que otra. Es decir, quieren mantenerse vigilantes frente al gran peligro de las generalizaciones y los estereotipos hueros, pues el tema nunca se presta a un acercamiento de «cultura por números» como si fuera un ejercicio pueril de «pintar por números». Por otra parte, como afirma Thomas Becker en su interesante libro *Doing Business in the New Latin America: A Guide to Cultures, Practices, and Opportunities*, «No crea nunca al que declara que ‹La gente es igual y hace los negocios de igual manera en todas partes›» (114; traducción de Doyle).

Después de estudiar la **Comparación de tendencias culturales en los negocios** (véase el Apéndice 5 de este libro), conteste las siguientes preguntas para profundizar más en los temas tratados y para comprender mejor la complejidad del asunto.

1. ¿Qué opina Ud. de la siguiente declaración: la cultura representa una programación de cómo pensar, percibir y portarse en determinadas circunstancias, y que estos tres elementos están integrados (*hardwired*) social y profesionalmente en el ser humano, y que por ende pueden ser difíciles de controlar o modificar? ¿Está de acuerdo? Explique.

2. ¿Por qué representan un escollo (*pitfall*) las generalizaciones y los estereotipos? Dé varios ejemplos del riesgo de un acercamiento de «cultura por números» para los negocios internacionales.

3. ¿Existen grupos exclusivistas en el comercio y en la administración de la economía nacional en los Estados Unidos o es éste un fenómeno que sólo se da en Latinoamérica y otros países? Comente.

4. ¿Qué diferencia hay entre patriotismo y nacionalismo? ¿Piensa usted que todos los estadounidenses son patrióticos y que todos los latinoamericanos y los españoles son nacionalistas? Comente con ejemplos. ¿Es usted más patriótico o más nacionalista? Explique.

5. Explique la diferencia entre poder hacer lo que se quiera mientras no se viole la ley y limitarse a hacer lo que la ley dicta o permite. ¿Qué quiere decir «Obedezco, pero no cumplo»? ¿Ocurre esto también en EUA?

6. ¿Cómo es diferente la burocracia en EUA y en los países hispanos? ¿Cuáles son las semejanzas?

7. ¿Qué es la FCPA y qué prohíbe para los hombres y las mujeres de negocios de EUA? ¿Cómo se justifican históricamente el soborno y la mordida en Latinoamérica? ¿Existe también este problema en EUA? Comente con un ejemplo. ¿Qué haría Ud. en una situación en la que se espera el pago de un soborno como parte del costo de hacer los negocios?

8. Al estar en una reunión de negocios con los ingenieros Pedro Gómez Ramírez, Antonio Ramírez Gómez, Ana Lidia Martínez García y Marisol García de Martínez, preséntelos formalmente (usando sus títulos y apellidos) al director de marketing de MBR, S.A. Luego, explique cómo funciona normalmente el sistema de apellidos en la cultura hispana y cómo se diferencia del sistema estadounidense.

9. ¿Qué quieren decir «inductivo» y «deductivo»? ¿Es usted una persona más inductiva o más deductiva? Explique con un ejemplo. ¿Conoce a norteamericanos deductivos y a hispanos inductivos? Comente.

10. ¿Piensa usted que hay suficiente preponderancia de pruebas para poder señalar que el estadounidense tiene una tendencia a ser monocrónico mientras que el hispano tiende a ser policrónico? Explique. ¿Cómo es usted, más monocrónico o policrónico? Explique.

11. ¿Son más importantes para usted las personas y los eventos o los horarios (los plazos de tiempo para una reunión, una comida, etc.)? Explique con un ejemplo. ¿Comprende a las personas que dan mayor importancia a una u otra de estas posibilidades, o que tenga prioridades diferentes a las suyas? Explique.

12. Según la tabla, ¿por qué es importante la amistad en los negocios para el hispano? ¿Es importante para usted que sea amigo/a de sus clientes? Explique.

13. ¿Qué opina usted del piropo como rompehielos? ¿Cómo reacciona si le hacen un piropo en el trabajo? Comente. ¿Y si le hicieran uno en un viaje de negocios al extranjero?

14. ¿Cree usted en la meritocracia en el trabajo? ¿También en el querer ayudar a sus parientes y amigos (el nepotismo)? ¿A cuál concepto daría Ud. prioridad? Explique.

15. Comente el concepto de la lealtad en EUA y los países hispanos. ¿A quién o qué es leal usted en el trabajo? Comente.

16. ¿Piensa usted que la creación de cualquier lista comparativa, como la **Comparación de tendencias culturales en los negocios**, de por sí implica un juicio a favor de un grupo y en contra de otro? Comente. ¿Qué utilidad tienen tales comparaciones para los negocios internaciones?

17. ¿Qué otras categorías o información añadiría usted a la **Comparación de tendencias culturales en los negocios**?

12-9 **Análisis y comparación**

Estudie la Tabla 12-5 y haga los ejercicios que aparecen a continuación. Use también sus conocimientos y, de ser necesario, otras fuentes informativas como Internet, un *Almanaque mundial*, etc. Los ejercicios se pueden hacer individualmente, en parejas o en pequeños grupos para discutir en clase.

1. ¿Qué es una exportación? En la Tabla 12-5, ¿cuáles países hispanos exportaron más de $100,000,000,000 (cien mil millones en $EUA = *one hundred billion dollars*)? ¿Cuáles exportaron menos de $10,000,000,000?

2. ¿Cuáles son las principales exportaciones de México, España, Colombia, la República Dominicana, Costa Rica y Argentina?

3. ¿Qué es el pienso? ¿El petróleo crudo? ¿La joyería? ¿Una planta de ornato vs. las flores recortadas? ¿El marisco? ¿El atún enlatado? ¿El equipo científico y de precisión? ¿La confección? ¿El calzado? ¿Las verduras? ¿Qué son los bienes de capital? ¿El cuero y las pieles?

4. ¿Para cuáles países hispanos es EUA el principal mercado de exportaciones? ¿Para cuáles lo es Brasil y por qué piensa Ud. que es así? ¿Para cuál lo es la UE y por qué piensa que así es? ¿Cómo se explica el hecho de que más del 80% de las exportaciones mexicanas vayan a EUA? ¿Exporta México solamente materia prima y productos a EUA, o exporta también recursos humanos (mano de obra)? Comente.

5. Cuba está a sólo 90 millas de Cayo Hueso, Florida. ¿Por qué exporta tanto a China y Canadá, y no a EUA? Comente el tema con sus compañeros de clase. ¿Piensan ustedes que pronto cambiará esta situación?

6. Hay exportaciones legales que se reportan oficialmente y otras ilegales que no. Además de los bienes y productos reportados en la Tabla 12-5, ¿hay otras exportaciones de los países hispanos a EUA? ¿Cuáles son y por qué ocurre esto? Comente.

7. Divídase la clase en cuatro grupos para que cada grupo prepare un breve resumen de lo siguiente:
   a. las principales exportaciones y mercados del Caribe hispanoparlante
   b. las principales exportaciones y mercados de América Central
   c. las principales exportaciones y mercados de los países andinos
   d. las principales exportaciones y mercados de los países hispanoamericanos del Cono Sur

Tabla 12-5

Comparación entre los países hispanoparlantes, Brasil y Estados Unidos: Exportaciones en millones de $EUA y año, principales productos de exportación y principales mercados

País	Exportación en millones $EUA y año	Principales productos de exportación	Principales mercados
Argentina	$73,000 (2008)	Cereales, trigo, maíz, soja, vehículos de motor, petróleo crudo y derivados de petróleo, maquinaria, equipo de transporte, aceites animales y vegetales, materia prima, químicos, productos manufacturados	19% Brasil, 9% China, 8% EUA, 8% Chile (2007)
Bolivia	$6,400 (2008)	Metales, gas natural, café, plata, madera, joyería, soja en grano y productos de soja, estaño, petróleo crudo, azúcar, zinc, soja, oro, plata	46% Brasil, 10% EUA, 8% Japón, 6% Argentina, 5% Corea del Sur, 4% Perú (2007)
Chile	$69,100 (2008)	Bienes de consumo, cobre y otros minerales y metales, pescado y harina de pescado, productos de madera, papel, productos químicos y de petróleo, fruta y vegetales, pescado, vino, alimentos, químicos	15% China, 13% EUA, 11% Japón, 6% Países Bajos, 6% Corea del Sur, 5% Italia, 5% Brasil (2007)
Colombia	$41,100 (2008)	Derivados de petróleo, café, carbón, ferroníquel, esmeraldas, oro, bananos, flores recortadas, productos químicos y farmacéuticos, textiles y confecciones, azúcar, contenedores de papel de cartón, cemento, plásticos de resina y manufacturados, alimentos, tabaco	35% EUA, 17% Venezuela, 4% Ecuador (2007)
Costa Rica	$9,700 (2008)	Productos manufacturados, café, melones, bananos, tabaco, pescado, vestidos, azúcar, carne, piña, flores recortadas y plantas de ornato, componentes electrónicos, equipo médico, productos farmacéuticos, caucho, follajes, llantas, vidrio y fibras	26% EUA, 14% China, 11% Países Bajos, 6% Reino Unido, 5% México (2007)
Cuba	$3,500 (2008)	Azúcar, minerales, níquel, tabaco y productos de tabaco, maquinaria de transporte, pescado y marisco, productos agrícolas, frutas cítricas, café, ron, productos químicos y médicos	28% China, 27% Canadá, 11% Países Bajos, 5% España (2007)
Ecuador	$19,400 (2008)	Petróleo, maquinaria y equipo de transporte, bananos, camarones, flores recortadas, pescado, café, cacao, madera, cáñamo	42% EUA, 9% Perú, 5% Chile, 5% Rusia, 5% Colombia (2007)
El Salvador	$4,600 (2008)	Maquila, café, azúcar, textiles y ropa, papel y derivados, electricidad, oro, etanol, productos químicos y farmacéuticos, hierro y acero, manufactura ligera, atún	51% EUA, 14% Guatemala, 11% Honduras, 6% Nicaragua (2007)
España	$292,800 (2008)	Vehículos de motor, maquinaria, fruta, productos farmacéuticos, medicamentos, bienes de consumo, minerales, metales, textiles, ropa, calzado, alimentos	60% UE (19% Francia, 11% Alemania, 9% Portugal, 9% Italia, 8% Reino Unido), 4% EUA (2007)

(continúa)

Tabla 12-5 *(continuación)*

País	Exportación en millones $EUA y año	Principales productos de exportación	Principales mercados
Guatemala	$8,000 (2008)	Café, azúcar, carne, bananos y frutas, cardamomo, vegetales, plátano, petróleo, productos químicos, textiles y ropa	42% EUA, 10% El Salvador, 9% Honduras, 7% México, 5% Costa Rica (2007)
Guinea Ecuatorial	$15,800 (2008)	Cacao, café, petróleo, madera, metanol	21% EUA, 19% China, 14% España, 13% Taiwán, 8% Francia, 7% Japón, 6% Portugal (2007)
Honduras	$6,200 (2008)	Café, bananos, melones y frutas cítricas, tilapia, camarón y langosta, minerales, textiles y ropa, carne, madera, azúcar, tabaco, plomo, cinc, oro, aceite de palma, jabón, repuestos para autos	67% EUA, 5% El Salvador, 4% Guatemala (2007)
México	$294,000 (2008)	Petróleo crudo y productos de petróleo, café, frutas y vegetales, plata, máquinas (motor), vehículos de motor, algodón, electrónica de consumo, bienes manufacturados, productos agrícolas	82% EUA, 2% Canadá, 2% Alemania (2007)
Nicaragua	$3,200 (2008)	Café, mariscos, carne de res, azúcar, bananos, ajonjolí (sésamo), algodón, tabaco, oro, bienes industriales	32% EUA, 14% El Salvador, 9% Honduras, 7% Costa Rica, 6% Canadá, 6% Guatemala, 5% México (2007)
Panamá	$10,400 (2008)	Plátanos y bananos, camarones y productos de pescado, azúcar, ropa, café, productos de petróleo	36% EUA, 10% Países Bajos, 6% China, 6% Suecia, 5% Reino Unido, 5% Costa Rica, 5% España (2007)
Paraguay	$6,900 (2008)	Electricidad, carne, algodón, cereales, soja, madera, aceite vegetal, carne procesada, cueros y pieles, yerba mate, café, madera para construcción	28% Argentina, 15% Uruguay, 13% Brasil, 6% Chile, 5% Alemania, 5% Rusia (2007)
Perú	$33,300 (2008)	Cobre, oro, cinc, pescado y harina de pescado, petróleo crudo y productos de petróleo, plomo, plata refinada, textiles, ropa y accesorios, café, papas, espárragos, algodón, azúcar, madera, gas	20% EUA, 13% China, 8% Canadá, 8% Japón, 6% Chile, 4% Suiza, 4% España (2007)
Puerto Rico	$46,900 (2008)	Productos químicos, farmacéuticos y electrónicos, ropa, atún enlatado, ron, concentrados de bebida, equipo médico	88% EUA, 12% otros

Tabla 12-5 *(continuación)*

País	Exportación en millones $EUA y año	Principales productos de exportación	Principales mercados
República Dominicana	$7,200 (2008)	Ferroníquel, azúcar, oro, café, cacao, plata, carne, tabaco, bienes de consumo, tabaco, abastecimientos médicos	66% EUA, 4% Bélgica, 3% Finlandia (2007)
Uruguay	$6,000 (2008)	Carne, lana, pieles, productos de cuero y lana, pescado y marisco, arroz, verduras, productos lácteos, textiles, productos químicos, madera, vino, software	16% Brasil, 9% EUA, 8% Argentina, 7% México, 6% China, 5% Alemania (2007)
Venezuela	$103,500 (2008)	Petróleo, hierro, café, bauxita, aluminio, acero, productos químicos, productos agrícolas, cacao, alcoholes acíclicos y derivados halogenados, sulfonados y nitrosados, cigarrillos, plásticos	43% EUA, 8% Países Bajos Antillas, 3% China (2007)
Brasil	$200,000 (2001)	Alimentos, automóviles, acero, productos químicos, soja, café, equipo de transporte, calzado	16% EUA, 9% Argentina, 7% China, 6% Países Bajos, 5% Alemania (2007)
Estados Unidos	$1,377,000 (2008)	Bienes de capital (transistores, aviones, piezas para vehículos de motor, computadoras, equipo de telecomunicaciones, equipo y maquinaria industrial), automóviles, suministros industriales, materia prima, bienes de consumo, productos químicos y agrícolas (alimentos y animales vivos), maquinaria eléctrica y de motor, equipos científicos y de precisión	21% Canadá, 12% México, 6% China, 5% Japón, 4% Reino Unido, 4% Alemania (2007)

FUENTES: U.S. Department of State Background Notes, *CIA World Factbook 2009*, *The World Almanac and Book of Facts 2009* y *Almanaque mundial 2009*. Números redondeados.

GeoReconocimiento

Mire los mapas del Capítulo 12 en la página web del libro (**www.cengage.com/spanish/ exito**) y haga los ejercicios.

Posibilidades profesionales

Son muchos los que entran en el mundo internacional de los negocios, particularmente en las ferias comerciales e industriales internacionales celebradas anualmente. Son asesores o consultores de comercio, analistas especializados en administración y tecnología, representantes de ventas, agentes e intermediarios, etc. Para más información al respecto y para una actividad que le ayude a saber más sobre el tema, véase Capítulo 12 de «Posibilidades profesionales» que se encuentra en www.cengage .com/spanish/exito.

Aquí se presentan los principales términos de este capítulo. Al final del libro hay un glosario más completo.

agitación política • *political unrest*

arancel aduanero (m) • *custom duty*

asesor • *consultant, advisor*

atuendo • *attire, clothing*

bufete (m) • *law office*

caciquismo • *political bossism*

calzada • *road*

capacidad para competir • *competitiveness*

carril (m) • *lane (of traffic)*

cartel (m) • *traffic or road sign*

competidor/a • *competitor*

conducción • *driving*

confección • *garment, clothing industry*

   de trajes • *tailoring*

   de vestidos • *dressmaking*

Cono Sur • *Southern Cone (region which comprises roughly Chile, Argentina, Uruguay, Paraguay, and southern part of Brazil)*

consulado • *consulate*

consultor/a • *consultant*

derechista (m/f) • *rightist*

descenso • *decline*

desocupación • *unemployment*

economías de escala • *economies of scale*

embajada • *embassy*

estancia • *stay, sojourn (during a visit)*

expedidor (adj) • *issuing*

exposición • *exhibit*

feria comercial • *trade fair*

funcionario • *government official*

índice de natalidad (m) • *birthrate*

izquierdista (m/f) • *leftist*

licenciar • *license*

medio • *means, medium*

   ambiente • *environment*

   de distribución • *means of distribution*

mercado ambulante • *traveling market*

país huésped • *host country*

poner • *to put, place*

   en peligro • *to put at risk*

   en vigor • *to put into effect*

   trabas • *to set up obstacles*

preparativo • *preparation, plan*

propina • *tip, gratuity*

proxémica • *proxemics, spacing between people or things*

señal (f) • *traffic or road sign*

señalización • *signposting*

   vial • *roadsigns*

traba • *hindrance, obstacle*

trámite (m) • *step, procedure*

transcultural • *cross-cultural, transcultural*

vial (adj) • *road*

La importación y la exportación

Un buque transportando mercancías, Canal de Panamá. ¿Para qué tipo de mercaderías es preferible este medio de transporte?

The merchant has no country.

— THOMAS JEFFERSON

There exists limitless opportunity in every industry. Where there is an open mind, there will always be a frontier.

— CHARLES F. KETTERING

No serás amado si de ti sólo tienes cuidado.

— PROVERBIO

13-1 Preguntas de orientación

Al hacer la «Lectura comercial», piense en las respuestas a las siguientes preguntas.

1. ¿Qué son la exportación y la importación? Dé ejemplos.

2. ¿Por qué se considera la exportación como una actividad económica positiva y la importación como algo negativo para el bienestar nacional?

3. ¿Qué es el proteccionismo y cómo se practica?

4. ¿Qué documentos utilizan los individuos, las instituciones y los gobiernos en el comercio internacional?

5. Sin referirse al gráfico del capítulo para hacerlo, ¿cómo representaría Ud. gráficamente los pasos básicos de la importación y exportación?

6. ¿Qué es el flete y cómo intervienen el fletante y el fletador en el fletamento (contrato)? Busque en Internet un ejemplo de contrato de fletamento.

7. ¿Qué son los Incoterms? En referencia a los Incoterms, ¿a qué se refieren las letras E, F, C y D? ¿Qué quieren decir las siglas EXW, CFR, CIF, DDP, FAS y FOB? ¿Qué otros Incoterms se usan en el comercio internacional? Busque la respuesta en Internet.

8. ¿Qué es un giro bancario y cómo funciona? Busque en Internet un ejemplo de un giro bancario.

9. ¿Qué es una carta de crédito y cómo funciona? Busque en Internet un ejemplo de una carta de crédito.

10. ¿Por qué es preferible una carta de crédito irrevocable y confirmada?

LECTURA COMERCIAL

Prácticas e intermediarios del comercio internacional

El mundo actual es un gran mercado internacional en el cual las distintas naciones son innegable y económicamente interdependientes. La autosuficiencia económica de cualquier país es hoy en día una mera ilusión y el aislamiento comercial perjudicará gravemente las posibilidades de su desarrollo y riqueza. Los diferentes países se necesitan porque cada uno es deficiente o menos competitivo en ciertos recursos naturales o en alguna capacidad productora o de servicios. La desigualdad de recursos y de capacidad productora entre las distintas naciones da por resultado el deseo y la necesidad de comerciar internacionalmente. Por ejemplo, los países que producen grandes cantidades de alimentos, minerales o petróleo exportan estos bienes a otros países. Muchas veces con la materia prima importada por un país se elaboran diversos productos (comidas enlatadas, componentes de acero industrial, gasolina) los cuales, a su vez, se vuelven a exportar de nuevo al país de origen. De este modo se va estableciendo, modificando y confirmando la red de interdependencia económica que caracteriza al mundo actual. Aislarse del gran mercado mundial resulta en que una nación no puede ofrecer a sus ciudadanos la variedad de productos y servicios que existen en otros países que sí participan en la economía global. Hoy en día, por ejemplo, en EUA el ciudadano típico no podría ver películas de HD (de alta definición) en su propia casa si no fuera por los televisores HD y los reproductores de DVD (*DVD players*) hechos en Japón y otros países en Asia.

El comercio internacional se caracteriza por el doble movimiento de la **importación** y la **exportación**. Bernard y Colli definen la importación como la «compra de productos originarios del extranjero a agentes situados fuera del territorio nacional». La exportación es el fenómeno inverso, la «venta de productos originarios del territorio nacional a agentes situados fuera de dicho territorio» (*Diccionario económico y financiero*, págs. 650 y 768). Estas actividades comerciales internacionales no sólo abarcan materias primas y los productos agrícolas e industriales, sino que incluyen también servicios y mano de obra (legal e ilegal), como la que importa EUA de México y de América Central anualmente, para ayudar en diversos sectores económicos como el agrícola, el electrónico, el textil o el de construcción. El fenómeno de la importación de mano de obra más barata también se ve en los países del mundo hispano; por ejemplo, la mano de obra que importa España de Marruecos, la que importa la República Dominicana de Haití o Costa Rica de Nicaragua.

Tradicionalmente las naciones han considerado la exportación como una actividad económica positiva. Exportar indica que sobran materias primas, productos y servicios, o que se han creado ciertos productos que se pueden vender fuera del territorio nacional con el fin de conseguir capital de nuevos mercados y mejorar el **balance de comercio** (*trade balance*). Por eso, muchos países fomentan la exportación con incentivos especiales. En Hispanoamérica, por ejemplo, México, Argentina y Chile han ofrecido exenciones de ciertos impuestos a sus exportadores, mientras que en Uruguay el gobierno no ha cobrado impuestos por el valor añadido a los productos de exportación.

Hay dos principios importantes al considerar la exportación realizada por los distintos países: la **ventaja absoluta** y la **ventaja comparativa**. La ventaja absoluta significa que un país posee ciertos recursos o capacidades productivas no disponibles en suficiente cantidad o calidad en otros lugares, es decir, que faltan competidores. Tal país está en una excelente posición para abastecer a otras naciones, como ocurre con los países que exportan petróleo (e.g., México y Venezuela), esmeraldas (Colombia), cobre (Chile), gas natural (Bolivia) o alta tecnología (EUA). La ventaja comparativa, en cambio, significa que varios países tienen la capacidad de producir los mismos géneros, lo cual da por resultado que cada nación intentará crear una ventaja competitiva para sí misma al concentrarse en la producción de aquellos artículos que se puedan producir a menor costo que el de los otros países y que aporten mayor rentabilidad. Por ejemplo, un país o una empresa capaz de producir artículos de piel, café, fruta y pescado enfocaría sus actividades en el más competitivo y rentable de los cuatro productos.

BREVE VOCABULARIO ÚTIL

autosuficiencia *self-sufficiency*

balanza comercial *balance of trade*

banco *bank*

    avisador *advising or notifying bank*

    emisor *bank of issue, issuing bank*

carta de crédito *letter of credit*

CFR *cost and freight (costo y flete)*

chantaje (m) *blackmail*

CIF *cost, insurance, and freight (costo, seguro y flete)*

giro *bank draft*

manejo *handling*

valor añadido (m) *value added*

En contraste con la exportación, la importación se ha interpretado tradicionalmente como una actividad económica negativa para una nación. Una de las explicaciones que ofrecen Bernard y Colli es que la importación puede perjudicar la producción nacional y, por lo tanto, la inversión en las empresas nacionales, especialmente en las que son nuevas o jóvenes. Para protegerse y fomentar la capacidad productora nacional, los diferentes países adoptan medidas proteccionistas contra la competencia extranjera. El **proteccionismo** suele darse en forma de 1) **aranceles aduaneros** altos, 2) **restricciones cuantitativas** sobre las importaciones, llamadas **cuotas** o **contingentes**, y 3) **otras restricciones gubernamentales como las leyes o los requisitos ambientales**. Lo irónico es que el proteccionismo muchas veces resulta en una reducida competencia nacional ante la productividad extranjera, pues sin una competencia directa con las empresas extranjeras falta la presión necesaria para la innovación y el desarrollo de la industria nacional. El proteccionismo puede sofocar la creatividad y la eficiencia productora nacional y reducir la variedad de productos que se le ofrecen al consumidor. Éste, además, generalmente tiene que pagar un precio más alto por los productos nacionales, puesto que ya no compiten con otros precios de mercado mundial. A pesar de los acuerdos como los del TLCAN, la UE, el Mercosur, etc., cuyo propósito es facilitar el comercio internacional a través de medidas como la reducción de los aranceles aduaneros, el proteccionismo todavía existe y se usa como una amenaza económica entre los países del mundo, incluso a veces los que forman parte de un mismo acuerdo.

Otro aspecto negativo de la importación se relaciona con los artículos de primera necesidad. A menudo éstos no se pueden encontrar o producir en suficiente cantidad dentro del territorio nacional para la supervivencia de la población o el funcionamiento eficaz, eficiente y óptimo de la economía. Tienen que importarse del extranjero, como ocurre con la comida que necesitan ciertos países africanos, o con el petróleo o la alta tecnología que requieren los países industriales. Esta dependencia económica puede amenazar la seguridad nacional de un país importador porque perjudica su capacidad de autosuficiencia relativa. Una nación que depende demasiado de otra disminuye su propia independencia nacional y corre el riesgo de sufrir el chantaje económico y político.

Por último, un país que importa más de lo que exporta tendrá una balanza comercial negativa, es decir, que los egresos (pagos) superarán los ingresos. La balanza comercial de una nación es un resumen anual de sus transacciones con otros países, y se refleja en la siguiente ecuación:

exportaciones – importaciones = saldo positivo (favorable o superavitario) = excedente

o

saldo negativo (desfavorable o deficitario) = déficit

Si existe un saldo negativo, puede ser que la nación tenga que pagar la deuda con parte de sus reservas nacionales de dinero. El resultado podría ser una depreciación de la moneda nacional, cuya devaluación perjudicaría gravemente el sistema monetario y la estabilidad económica del país.

El proceso de importación y exportación es bastante sencillo. Un vendedor y un comprador de distintos países necesitan o desean hacer negocios. El vendedor tiene que hacer llegar su producto o servicio al cliente extranjero, asegurándose a la vez de que recibirá el pago convenido. Sin embargo, al ser un proceso que se realiza a nivel internacional, generalmente participan más intermediarios que en el comercio nacional, y se requieren más documentos. Esto sucede especialmente con la importación, que muchos países intentan controlar. El vendedor (exportador) y el comprador (importador) inician un proceso de tres trámites o movimientos (Figura 13-1):

1. el movimiento físico de la mercancía del exportador al importador.

2. los documentos requeridos (facturas, instrucciones de embarque, hojas de ruta, etc.) que acompañan la mercancía.

3. los documentos financieros (la forma de pago) que recibe el vendedor.

Cada nación tiene sus propias leyes y reglamentos de importación y exportación. Por lo tanto, se recomiendan los servicios de especialistas en el comercio internacional. Algunos de los documentos fundamentales que reflejan la participación de individuos, instituciones y gobiernos, desde el paso inicial hasta la conclusión de la transacción, son los siguientes:

1. **solicitud de cotización** de precios del comprador (importador) al vendedor (exportador).

2. **cotización de precios** (factura pro forma o simulada, o *pro forma invoice*) por el vendedor, documento que describe los artículos e indica los precios, la cantidad y otras características, como su peso o tamaño.

3. **carta de pedido** o de orden del comprador.

4. **factura comercial**, documento que les especifica al vendedor y al comprador la fecha y el modo de embarque, e incluye una descripción de las mercancías, la cantidad y su valor unitario y total.

Figura 13-1 El proceso de la importación–exportación de mercancía

© Heinle/Cengage Learning

5. **licencia de importación,** un permiso requerido por el comprador en algunos países, y su aprobación o denegación por parte de su gobierno (algunos artículos, como armas, narcóticos, alcohol, animales, oro y diamantes, muchas veces requieren un permiso especial).

6. **licencia de exportación** para el vendedor (algunos artículos, como materiales nucleares, químicos o tóxicos, alta tecnología, sensores y láseres, y grandes cantidades de dinero, requieren una autorización especial).

7. **documentos comerciales,** giros y cartas de crédito efectuados por el comprador en forma de pago.

8. **seguros** para proteger el envío de la mercadería.

9. **documentos de embarque** para los medios de transporte:

   - **conocimiento de embarque,** el contrato para el transporte (generalmente marítimo) de la mercancía con los términos de entrega de la carga en su destino final.
     a. Se usa la **carta de porte** para el transporte terrestre.
     b. Se usa la **guía aérea** para el transporte por avión.
   - **certificado de origen,** el cual comprueba que el producto exportado ha sido producido en el país X.
   - **declaración de aduana,** documento que determina el arancel que se debe pagar por la mercancía importada.
   - **factura consular,** documento que exige el consulado del país importador como prueba de que el vendedor ha presentado sus facturas comerciales; documento usado por la aduana del país importador para verificar el valor, la cantidad y el tipo de mercadería importada.
   - **declaración de exportación,** documento usado especialmente en los EUA para controlar la exportación de ciertas mercancías, como las de alta tecnología.
   - **certificado sanitario,** documento que da fe de la buena salud y la procedencia de plantas, animales vivos y comestibles.

Se recomienda guardar siempre copias de todos los documentos, en caso de que se necesite aclarar o comprobar algún detalle de la transacción.

Respecto al transporte de materias primas o de mercancías, los medios pueden ser **terrestres, marítimos, fluviales, aéreos** o por **tubería, gasoducto** u **oleoducto.** El transporte internacional se caracteriza por las distancias más grandes, y por un mayor número de estaciones o puertos y transbordos de la mercancía. Con todo esto crece el número de controles, intermediarios y documentos. También hay mayor riesgo de **daños, pérdidas** o **hurtos,** por lo cual es sumamente importante proteger el envío con pólizas de seguro. Es común que el exportador se encargue del transporte de la mercancía hasta las aduanas extranjeras y que desde ese punto el importador se haga responsable del transporte de los artículos dentro de su propio país, pues el lugareño (*local resident*) conoce mucho mejor los requisitos, opciones y normas del transporte nacional.

Algunos términos importantes en el transporte internacional, un tema jurídico bastante complejo, son los que se relacionan con el flete. El término **flete** se refiere tanto al (1) precio de alquiler de una nave u otro medio de transporte como a la (2) carga que se transporta, y en Argentina, Chile y Uruguay se puede referir al (3) vehículo de transporte o al (4) acto de transportar algo. **Fletar** es dar o tomar a flete (arrendar o contratar) un buque u otro medio de transporte. En el contrato de **fletamento** (también **fletamiento**), el **fletante** es el **naviero** o **armador** (el dueño de algún buque o medio transportista o quien lo represente, e.g., «Transportistas, S.A.») que realiza el transporte. El **fletador** es el encargado de entregar la carga que ha de transportarse, es decir, la persona física o jurídica que contrata un buque o medio transportista para transportar mercancías (e.g., la empresa Hnos. Sánchez, S.A. [fletador] que contrata a «Transportistas, S.A.» [fletante] para transportar la mercancía).

De gran importancia para el comercio y el transporte internacional de mercaderías son los **Incoterms** (de _International Commercial Terms_), un reglamento de conceptos y siglas globalmente aceptados para los contratos de compraventa. Los Incoterms son reconocidos como estándares internacionales por las cortes y las autoridades aduaneras en todos los países del mundo. Indican los siguientes elementos: 1) el precio; 2) el momento y el lugar en que las obligaciones y los riesgos relacionados con la mercancía se transfieren del vendedor al comprador; 3) el lugar (e.g., puerto, ciudad, almacén) donde se entrega la mercancía; 4) quién contrata y paga el transporte (¿el comprador o el vendedor?); 5) quién contrata y paga el seguro; 6) cuáles documentos tramita cada parte (el comprador o el vendedor); y 7) el costo (http://www.businesscol.com/comex/incoterms.htm, visitado: 13 agosto 2009).

Hay 13 Incoterms. Estos se agrupan en cuatro categorías diferenciadas por las primera letra de la abreviación (http://www.iccmex.org.mx/incoterms.htm):

1. E = el vendedor cumple con la entrega de la mercancía al ponerla a disposición del comprador en el establecimiento del vendedor o en otro lugar convenido.
2. F = el vendedor entrega la mercancía a un transportista nombrado por el comprador.
3. C = el vendedor no asume el riesgo de pérdida o daños de los bienes o costos adicionales después del embarque.
4. D = el vendedor asume todos los costos y riesgos necesarios para entregar la mercancía en el lugar de destino.

Algunos de los Incoterms más usados son EXW, CFR, CIF, DDP, FAS y FOB, resumidos en la Tabla 13-1 a continuación.

Tabla 13-1 **Los Incoterms más usados**

Incoterm (Sigla)	Explicación
EXW *Ex Works* (en fábrica)	El vendedor cumple con su obligación de transporte y entrega al hacer disponible la mercancía en su propia fábrica, almacén u otro lugar convenido. A partir de ese momento, el comprador se encarga de los riesgos (los seguros) y costos de entrega. Representa la menor obligación para el vendedor.
CFR *Cost and Freight* (costo y flete)	El vendedor cumple con su obligación de entrega cuando la mercancía sobrepasa la borda del buque en el puerto de embarque convenido. Indica que en la cotización de precios del vendedor se incluye el transporte de la mercancía hasta cualquier puerto nombrado por el comprador para descarga. El vendedor consigue la autorización aduanera para la exportación de los bienes y el comprador asume los riesgos (el pago de los seguros) y los costos cuando la mercadería se descarga en el puerto de destino. La sigla se usa para el transporte marítimo y las vías navegables interiores. La abreviatura va seguida del nombre del puerto de destino convenido, e.g., «CFR Santiago».
CIF *Cost, Insurance, and Freight* (costo, seguro y flete)	El vendedor tiene las mismas obligaciones que para CFR, más la obligación de conseguir los seguros marítimos mínimos para proteger las mercancías contra pérdidas y daños durante el transporte. La abreviatura va seguida del nombre del puerto de destino convenido, e.g., «CIF Buenos Aires».
DDP *Delivered Duty Paid* (entregadas [mercancías] derechos pagados, lugar de destino convenido)	El vendedor asume todos los costos y riesgos ocasionados al transportar las mercancías hasta el lugar de destino acordado, incluso los trámites aduaneros, y el pago de los trámites, derechos de aduanas, impuestos y otras cargas para la importación al país de destino.
FAS *Free Alongside Ship* (franco/libre al costado del buque)	El vendedor cumple con su obligación de entrega al colocar la mercancía al costado/lado de un buque o vapor en el muelle de un puerto estipulado. A partir de ese momento, el comprador asume todos los costos y riesgos de transporte. El vendedor se hace responsable de conseguir la autorización aduanera para la exportación de los bienes. La abreviatura va seguida del nombre del puerto de carga/embarque convenido, e.g., «FAS Barcelona».
FOB *Free on Board* (F.A.B., franco/libre a bordo)	El vendedor cumple con la obligación de transporte cuando la mercancía sobrepasa la borda de un buque o vapor en el puerto de embarque estipulado. A partir de ese momento y lugar, el comprador asume los riesgos y costos del transporte. El vendedor se encarga de conseguir la autorización aduanera para la exportación de bienes. La abreviatura va seguida del nombre del puerto de carga/embarque convenido, e.g., «FOB Caracas».

Una de las principales preocupaciones del exportador es cómo asegurarse de que el importador pagará el importe convenido en la transacción. A causa de este riesgo, puede haber cierta desconfianza hasta que se hagan numerosas transacciones a lo largo del tiempo. Para el vendedor siempre es preferible recibir el pago en efectivo y por adelantado, mientras que para el comprador es preferible demorar el pago lo más posible. La forma más común de resolver la cuestión de pago es acudir a intermediarios peritos o instituciones financieras.

Las formas de pago más utilizadas son el cheque o **giro bancario** (*bank draft or transfer*) y la **carta de crédito**. El giro, un tipo especial de **libranza** o cheque nominativo que no puede ser cobrado por **terceros**, puede hacerse **a la vista** o **a plazo**. Si es a la vista, el girado o librado (el banco o una empresa) se compromete a pagar al tenedor o portador nominativo (el vendedor que ha recibido el giro) la cantidad indicada por el girador o librador (el comprador que paga la mercancía). Este pago se efectúa en el momento en que el tenedor le presenta el giro al girado, por ejemplo, cuando el vendedor se presenta en el banco para cobrar o depositar la cantidad autorizada. Un giro a plazo sólo se puede cobrar en una fecha futura señalada, por ejemplo, 30 días después de recibir la mercancía. Pero la forma más segura de efectuar un pago internacional es mediante la carta de crédito emitida por el banco del comprador.

La carta de crédito es un instrumento que indica que un banco garantiza el pago prometido por el importador. Es decir, el crédito del banco sustituye el del comprador y así reduce aún más el riesgo del vendedor. El propósito de la carta de crédito es crear confianza en las transacciones internacionales. Los pasos para efectuar esta forma de pago se resumen a continuación y en la Figura 13-2.

1. El importador (comprador) acuerda adquirir la mercancía del exportador, utilizando una carta de crédito como forma de pago.

2. El importador solicita la carta de crédito de su banco (solicitud evaluada por el banco como si fuera la solicitud de un préstamo) y firma el acuerdo de la carta de crédito del banco; el banco emisor autoriza la solicitud y emite el documento.

Figura 13-2 Uso de la carta de crédito

La importación y la exportación **389**

Tiburón, de villano a víctima

El animal que tiene la peor fama de la historia, por ficciones hollywoodenses que lo mostraban como un aborrecible depredador monstruoso que cruelmente perseguía bañistas en las playas, es hoy una víctima real de la mortífera persecución de un depredador peor: el humano. Cada año se pescan de 200 a 1.000 toneladas de tiburones en Colombia, según las últimas estadísticas de la Organización de las Naciones Unidas para Agricultura y Alimentación. «El país no ha contado con los recursos para conocer exactamente cuál ha sido la disminución de la población, pero sabemos que ha sido considerablemente grande», precisa Alexandra Gómez, directora Regional de Comunicaciones de Marviva (...)

La explicación principal para esta masiva pesca de tiburones, tanto en el océano Pacífico como en el mar Caribe, es el aleteo, una práctica que consiste en que «al tiburón lo sacan, lo degüellan, le quitan todas las aletas y botan el cuerpo al mar nuevamente, desperdiciándolo», explica Gómez. Las aletas son ampliamente apetecidas en los países orientales, como China y Japón. Aunque no dan ninguna clase de sabor, dan un espesor especial, que en la cultura de esa parte del planeta es sinónimo de poder y riqueza, por lo que se acostumbra dar sopa de tiburón en eventos especiales como matrimonios y grados [acto académico en el que se otorga un título universitario]. «En esos países los recursos marinos ya se agotaron. Están viniendo a Latinoamérica especialmente a trabajar con el sector pesquero, y ofrecerles un dinero mucho más alto de lo que consiguen con la pesca normal, únicamente por vender aleta de tiburón», asegura Gómez. Este negocio ilícito, que se da en los dos mares de Colombia, se inició con la capacitación de extranjeros a los pescadores locales. En este

momento los pescadores lo hacen por su cuenta y se dedican a exportar las aletas al mercado de Oriente (...)

En Colombia si se llegan a encontrar aletas de tiburón en una embarcación, la pena del Ministerio de Medio Ambiente puede llegar a multas por sumas superiores a los 65 millones de pesos.

(por Iván Bernal Marín, en *El Heraldo*, 25 febrero 2009; http://www.elheraldo.com.co/ELHERALDO/BancoConocimiento/M/mediotiburon/mediotiburon.asp?CodSeccion=16, visitado: 12 agosto 2009)

1. ¿Qué fama tiene el tiburón y de quién es hoy día una víctima?

2. ¿Cuántas toneladas de tiburones se pescan al año en Colombia y cuánto ha disminuido la población de este animal en los mares colombianos? ¿Por qué nos debería preocupar esta situación con un pez tan peligroso y tan temido? ¿Por qué representa un problema ecológico?

3. ¿Qué es el aleteo y por qué ocurre? ¿Quiénes representan la oferta y la demanda en este comercio internacional? ¿Es lucrativo este mercado? Comente.

4. ¿Es legal en Colombia el negocio del aleteo? ¿Qué pena impone el Ministerio de Medio Ambiente para esta actividad? ¿Cuánto sería en dólares EUA?

5. ¿Se limita el problema del aleteo ilícito a Colombia o es también un problema de ética comercial para otros países latinoamericanos? Busque más información en Internet para comentarla.

6. Además del aleteo de tiburones, ¿con qué otra fauna y flora se comercia internacionalmente, de tal modo que pueda representar una amenaza ecológica? ¿Qué opina usted de tal comercio? ¿Se debería parar a pesar de su rentabilidad? Comente.

3. El banco emisor (banco del importador) transmite la carta de crédito al banco avisador (banco del exportador/vendedor/beneficiario).

4. El banco avisador le comunica al exportador que ha recibido la carta de crédito del banco emisor.

5. Al recibir la notificación de pago, el exportador embarca la mercancía.

6. El exportador prepara los documentos necesarios y los presenta en su banco, el cual los aprueba y le paga los fondos al exportador, según los términos de la carta de crédito.

7. El banco avisador envía los documentos al banco emisor; éste comprueba que todo está en orden y carga a la cuenta del importador, y le envía los documentos y la notificación de haber cargado a su cuenta.

8. El importador recibe los documentos y recoge la mercancía que le entrega el transportista.

Las cartas de crédito pueden ser revocables, irrevocables o irrevocables y confirmadas. Las revocables son de escasa utilidad y poco frecuentes, porque las puede modificar o anular el comprador o el banco emisor. La carta de crédito irrevocable no permite cambios en las condiciones estipuladas sin previo consentimiento del banco emisor, del banco avisador y del beneficiario (exportador/vendedor). Si, además de ser irrevocable, la carta de crédito es irrevocable y confirmada, tanto el banco emisor como el avisador, o incluso otro banco o institución financiera adicional, apoyan la promesa de pago inicial. El crédito irrevocable y confirmado se usa en particular para el comercio internacional en zonas de guerra o de inestabilidad social, política o financiera.

13-2 Actividades

1. **¿Qué sabe Ud. de negocios?** Vuelva a las «Preguntas de orientación» que se hicieron al principio del capítulo y a la pregunta que acompaña la foto y contéstelas en oraciones completas en español.

2. **¿Qué recuerda Ud.?** Indique si las siguientes oraciones son *verdaderas* o *falsas* y explique por qué.
   a. La ventaja absoluta de un país o de una empresa indica que hay un exceso de competidores.
   b. Una balanza comercial desfavorable da por resultado un saldo superavitario.

c. La importación de géneros se interpreta tradicionalmente como algo negativo para el consumidor, pero positivo para el bienestar económico del país exportador.

d. Las cuotas de importación son un ejemplo de arancel aduanero.

e. El conocimiento de embarque y la licencia de exportación son sinónimos.

f. Un giro a la vista se le paga al tenedor 60 días después de que el comprador reciba las mercancías enviadas por el vendedor.

g. La carta de crédito revocable es la más usada en las transacciones internacionales.

3. **Exploración.** Haga los siguientes ejercicios, usando sus conocimientos y opiniones personales.

a. ¿Qué opina Ud. del concepto del mundo actual como un gran mercado global?

b. ¿Piensa Ud. que la autosuficiencia económica de una nación es posible hoy en día? ¿Puede ofrecer algún ejemplo de un país completamente autosuficiente? ¿Relativamente autosuficiente?

c. ¿Qué opina Ud. de la práctica del proteccionismo? ¿Puede ofrecer algunos ejemplos del proteccionismo en EUA y en los países hispanos?

d. ¿Cree Ud. que una balanza comercial negativa es un problema que un país debe tratar urgentemente? Explique.

e. ¿Piensa Ud. que es necesario controlar el intercambio de ciertos géneros en el mercado internacional? ¿Cuáles serían algunos ejemplos y por qué?

f. Comente sobre las ventajas o desventajas de los diferentes medios de transporte para el comercio internacional con España y Latinoamérica.

g. ¿Qué opina Ud. de la creación de mercados comunes para facilitar el comercio internacional? ¿Es válido considerar a los EUA como un ejemplo de mercado común? Explique.

h. ¿Cómo se relacionan los dichos al principio del capítulo con los temas tratados? Tradúzcalos del inglés al español y viceversa.

13-3 Al teléfono

Pistas
25 y 26

1. Lea las siguientes preguntas. Después escuche atentamente la conversación telefónica del Capítulo 13 y conteste las preguntas. Puesto que la comprensión auditiva es una destreza comunicativa sumamente importante, se recomienda escuchar la conversación varias veces.

a. ¿Para qué llama Joaquín Rojas al director de logística de Repuestos Confederados?

b. ¿Qué ha ocurrido con el pago que mandó Agrodomínico?

c. ¿Qué le pasó al envío de los repuestos de Carolina del Sur?

d. ¿Por qué está preocupado Rojas por las demoras?

e. ¿Qué opciones ofrece Hipólito Medina para resolver el problema?

2. Basando sus comentarios en la conversación telefónica del ejercicio anterior, haga la siguiente llamada telefónica a otro/a estudiante de la clase. Cada persona deberá participar activamente en la conversación. Si necesita ayuda para esta actividad, véase el Apéndice 1, «Protocolo telefónico», página 457.

Usted es Hipólito Medina, director de logística de Repuestos Confederados en Charleston, Carolina del Sur. Llame al/a la jefe/a de su departamento de entregas para regañarlo/la por el error en el envío de los repuestos a Joaquín Rojas Nina en Agrodomínico en Santo Domingo, y para pedirle que vuelva a llenar el mismo pedido y que lo mande urgentemente. Además, pídale al jefe que complete el rastreo (*trace*) del envío inicial.

3. Haga la siguiente llamada telefónica a otro/a estudiante de la clase. Cada persona deberá participar activamente en la conversación. Si necesita ayuda para esta actividad, véase el Apéndice 1, «Protocolo telefónico», página 457.

Ud. es un/a dominicano/a que exporta café a todas partes del mundo. Está al teléfono con un/a cliente paraguayo/a para aclarar si el embarque de un pedido se debe hacer CFR o CIF o si debe ser FAS o FOB. Cada uno trata de negociar los términos más ventajosos para su propia empresa.

13-4 Navegando por Internet

🌐 Para hacer este ejercicio de Internet, visite la página web del libro en http://www .cengage.com/spanish/exito.

13-5 Ejercicios de vocabulario

Si le es necesario, consulte la «Lectura comercial» o la lista de vocabulario que aparece al final del capítulo para completar estos ejercicios.

1. **¡A ver si me acuerdo!** Pensando en la posibilidad de establecer una relación comercial, usted va a conversar con una persona de negocios de un país hispano. Sin embargo, se le olvidan a usted los siguientes términos en español. Un/a compañero/a lo/la ayuda a recordarlos al pedir que usted se los traduzca.

   a. *self-sufficiency*   f. *quota*
   b. *air waybill*   g. *letter of credit*
   c. *health certificate*   h. *transfer*
   d. *absolute advantage*   i. *freight*
   e. *cost and freight*   j. *to subsidize*

2. **¿Qué significan?** A usted le interesa la posibilidad de aceptar un puesto administrativo que le han ofrecido en un país hispanohablante. Sin embargo, no sabe cómo explicar en español lo que significan ciertos términos que se usan frecuentemente en importación y exportación. Ud. decide consultarlos

con un/a amigo/a. Pídale a un/a compañero/a de clase que le explique los siguientes términos y que le dé algunos sinónimos si puede.

a. exportador

b. importador

c. fluvial

d. EXW (Tabla 13-1)

e. cuota

f. arancel

g. giro

h. FOB (Tabla 13-1)

i. carga

j. CIF (Tabla 13-1)

3. **Entrevista profesional.** Ud. quiere aclarar algunos detalles acerca de la importación y la exportación porque ha conseguido una entrevista para un puesto de gerencia internacional. Por lo tanto, Ud. desea ensayar la entrevista en español y le pide a un/a perito/a en este campo (un/a compañero/a de clase) que le haga las siguientes preguntas. En el caso de que no pueda contestar alguna, su compañero/a lo/la ayudará. No olviden el protocolo ni las cortesías.

a. ¿Qué indica una balanza comercial deficitaria?

b. ¿Cuáles son las diferencias entre la carta de porte terrestre y el conocimiento de embarque?

c. ¿Qué es y cuándo se requiere un certificado de sanidad?

d. ¿Qué significa la estipulación transportista FAS?

e. ¿Qué es un giro a plazo?

4. **Traducciones.** Un/a amigo/a suyo/a, director/a de ventas internacionales, necesita saber expresar mejor lo siguiente para una reunión que se celebrará en español. Él/Ella sabe muy poco español y por eso usted lo/la ayuda al traducir al español las siguientes oraciones que se relacionan con el tema de su presentación.

a. *Today's world is best described as a global economy of interdependent nations.*

b. *International trade is achieved through the processes of import and export which are regulated by the internationally recognized INCOTERMS.*

c. *Although international trade involves more intermediaries and paperwork than domestic trade, the basic principle of commerce is still in effect: a seller and a buyer want to exchange goods and services for an agreeable price.*

d. *A nation's balance of trade is measured primarily in terms of its import–export activity. If imports are greater than exports, a negative trade balance is recorded for that year.*

e. *Exporters gain confidence over time in the ability of their clients to make full and timely payments for the goods and services sold and delivered.*

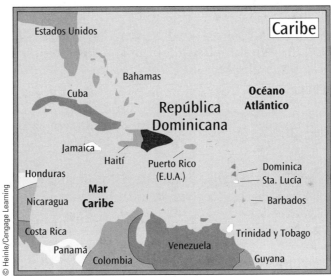

Nombre oficial:	República Dominicana
Gentilicio:	dominicano/a
Capital y población:	Santo Domingo: 2,154,000
Sistema de gobierno:	Democracia representativa
Jefe de Estado/Jefe de Gobierno:	Presidente Leonel Fernández Reyna
Fiesta nacional:	27 de febrero, Día de la Independencia (1844: de Haití)

República Dominicana

GEOGRAFÍA Y CLIMA

Área nacional en millas² y kilómetros²	Tamaño (comparado con EUA)	División política	Otras ciudades principales	Puertos principales	Clima	Tierra cultivable
18,815 m² 48,730 km²	Dos veces el tamaño de Nueva Hampshire	Un distrito nacional y otras 29 provincias	Santiago de los Caballeros, La Vega, San Pedro de Macorís	Santo Domingo San Pedro de Macorís, Puerto Plata	Tropical marítimo con estación de lluvias mayo-octubre.	21%

DEMOGRAFÍA

Año y población en millones			% urbana	Distribución etaria		% de analfa-betismo	Grupos étnicos
2010	2015	2025		<15 años	65+		
9.8	10.5	11.9	67%	31%	6%	13%	73% mulato, 16% blanco europeo, 11% africano

ECONOMÍA Y COMERCIO

Moneda nacional	Tasa de inflación 2008	N° de trabajadores (en millones) y tasa de desempleo	PIB 2008 en millones $EUA	PIB per cápita	Distribución de PIB y de trabajadores por sector*			2008 Expor-taciones en millones $EUA	2008 Impor-taciones en millones $EUA
					A	I	S		
El peso	12.2%	4.1 15.4%	$83,300	$8,800	11%	24%	65%	$7,200	$16,000
					15%	22%	63%		

*Para distribución del PIB y de los trabajadores (mano de obra): A = Agricultura, I = Industria, S = Servicios (y Gobierno).

Recursos naturales: Níquel, bauxita, oro, plata, ámbar.

Industrias: Turismo, azúcar, minería de ferroníquel y oro, textiles (maquiladoras), cemento, tabaco, productos farmacéuticos.

COMERCIO

Productos de exportación: Ferroníquel, azúcar, oro, café, cacao, plata, carne, tabaco, bienes de consumo, tabaco (puros), abastecimientos médicos.

   Mercados: 66% EUA, 4% Bélgica, 3% Finlandia (2007).

Productos de importación: Alimentos, petróleo, algodón y tejidos, productos químicos y farmacéuticos, maquinaria, equipo de transporte, combustibles, bienes de consumo, materia prima industrial, bienes de capital.

   Proveedores: 46% EUA, 8% Venezuela, 6% México, 5% Colombia (2007).

Horario general de comercio: De lunes a viernes, desde las nueve de la mañana hasta las cinco o seis de la tarde. El almuerzo se come normalmente entre el mediodía y las dos de la tarde.

TRANSPORTE Y COMUNICACIONES

Kilómetros de carreteras y % pavimentadas	Kilómetros de vías férreas	Nº de aeropuertos con pista de aterrizaje pavimentada	Nº de líneas telefónicas	Radios por mil personas	Televisores por mil personas	N° de usuarios de Internet en millones
19,705/50%	517 más 1,226 kms operados por las compañías de azúcar	18	897,000	178	96	1.7

IDIOMA Y CULTURA

Idiomas	Religión	Comidas y bebidas típicas/Modales
Español (oficial), inglés	95% católica romana	Arroz con habichuelas, bacalao, sancocho, plátano, cerveza, ron, café. Es común servir primero a los invitados. Durante la comida se practica el arte de la conversación.

Horario normal del almuerzo y de la cena: Sobre la una de la tarde para el almuerzo; entre las seis y las ocho de la noche para la cena.

Gestos: Espacio físico reducido entre las personas que conversan; a veces se toca el hombro o el antebrazo de la otra persona al hablar. Muchas veces los amigos y conocidos se dan un abrazo al saludarse o para las mujeres, un beso en la mejilla. Para señalar algo, se frunce la boca en esa dirección. Señalar algo con la boca fruncida y mirar con los ojos hacia arriba (una mirada de «¡Ay, Dios mío!») significa desaprobación. Se frunce la nariz para indicar que uno no entiende algo. Frotarse el dedo pulgar contra el dedo índice sirve para indicar dinero.

Cortesía: Durante el saludo, darse la mano con un apretón firme. A veces se ofrece el antebrazo o el codo si está sucia la mano. Saludar a cada individuo al llegar a una reunión o comida y despedirse individualmente al marcharse. Mantener el contacto visual con la persona a la cual se habla (mirarle los ojos), pues indica interés y sinceridad. Cuando se visita la casa de alguien para comer o cenar, traer para los anfitriones un regalito como flores o pan.

LA ACTUALIDAD ECONÓMICA DOMINICANA

La República Dominicana, el país democrático más grande del Caribe, ocupa las dos terceras partes orientales de la isla La Española. El otro tercio occidental de la isla, la segunda en tamaño de las Antillas, lo ocupa Haití, uno de los países más pobres del hemisferio. La República Dominicana es uno de los países caribeños de mayor densidad poblacional. Además, sigue existiendo una enorme brecha económica entre los adinerados, mayormente descendientes de los colonizadores españoles, y los pobres, principalmente de orígenes africanos. Los mulatos controlan la mayoría del comercio. En el año 2010 habrá una población de 9.8 millones de personas con una proyección de 11.9 millones para el año 2025. Ha sido un país esencialmente agrícola, pero el sector de servicios ha crecido rápidamente en los cinco últimos años, debido al turismo y al desarrollo de las zonas de libre comercio, dos sectores importantes como fuentes de divisas internacionales y que han empleado a muchos trabajadores dominicanos.

La larga historia de dominación política y económica de la isla por fuerzas extranjeras comenzó en 1492 con la llegada de Cristóbal Colón, quien la bautizó con el nombre de Hispaniola. En 1697 el Tratado de Ryswick le dio a Francia la parte occidental de la isla (Haití) y a España la parte oriental (llamada Santo Domingo). En 1795 España cedió su porción de la isla a Francia, pero luego volvió a tomarla en 1808. En 1821 hubo un breve período de independencia dominicana de España, pero al año siguiente, el ejército haitiano, bajo el presidente Juan-Paul Boyer, retomó Santo Domingo. Haití mantuvo control de toda la isla hasta 1844, cuando Santo Domingo declaró su independencia y se creó la República Dominicana. Durante los últimos 165 años, España (1861–64) y EUA (1916–24) han ocupado la República Dominicana. El general Rafael Leonidas Trujillo fue dictador entre 1930 y 1961; EUA invadió la isla en 1964; y después hubo tres democracias débiles (Joaquín Balaguer en 1966, Silvestre Antonio Guzmán en 1978 y Jorge Blanco en 1982).

En 1986 Joaquín Balaguer asumió la presidencia del país por quinta vez en su carrera política. El «nuevo» presidente tuvo que enfrentar una serie de problemas económicos, tales como la inflación, el déficit comercial, altos tipos de interés sobre los préstamos, y una crisis de energía provocada por los altos precios del petróleo importado. Todo esto contribuyó a la inestabilidad del peso dominicano. Poco después de instalarse como presidente, Balaguer suspendió el pago de la deuda externa, ya que los intereses sobre los préstamos consumían un 70% de los ingresos de la exportación nacional. A la vez, se redujo la extracción de oro, recurso importante para la economía dominicana. También continuó la emigración ilegal de haitianos a la República Dominicana, en busca de trabajo y de mejores oportunidades económicas.

El gobierno dominicano mantiene relaciones amistosas con EUA, país que provee casi toda la inversión privada extranjera en el país. Contribuye a esta relación cordial el hecho que más de un millón de dominicanos viven en EUA, principalmente en Nueva York. En 1990, después de un recuento de votos, Balaguer fue reelegido presidente por sexta vez. Los sindicatos y los partidos de la oposición declararon una huelga general contra las medidas de austeridad impuestas por el presidente. En 1991 el ex presidente Jorge Blanco fue condenado a 20 años de cárcel por corrupción durante su presidencia (1982–86). Al año siguiente, el gobierno dominicano retiró a sus diplomáticos de Puerto Príncipe, y colocó fuerzas militares en la frontera, debido a la inestabilidad política de Haití.

En junio de 1996 fue elegido presidente Leonel Fernández Reyna. Desde entonces la República Dominicana se ha concentrado en el desarrollo del sector turístico. Se calcula que hasta 2008 el turismo había aportado al país más de mil millones de dólares EUA anualmente. Además, los dominicanos que vivían y trabajaban en EUA enviaban más de mil millones de dólares de remesas al año. Se habían creado más maquiladoras (como en México y Guatemala) y el país seguía desarrollando la industria de telecomunicaciones. Las principales exportaciones agrícolas todavía son café, cacao, piñas, naranjas, flores, vegetales y tabaco. No obstante, el azúcar sigue siendo clave para la economía dominicana, con el inconveniente de que este producto siempre está a la merced de los precios fluctuantes del mercado mundial y de las catástrofes naturales como los huracanes Alpha (2005), Dean (2007) y Noel (2007). El peor de los tres, Noel, resultó en 85 muertos, 38 desaparecidos y daños de más de 580 millones de dólares en los sectores agrícolas y en la infraestructura nacional.

En 2000 Hipólito Mejía fue elegido presidente, prometiendo la creación de un programa social financiado por impuestos y precios de combustibles más altos. Bajo su mandato en 2003, la República Dominicana sufrió una crisis financiera con una baja en el valor del peso y una inflación de un 24.4%, causando manifestaciones contra el gobierno de Mejía. En la elección de mayo de 2004, por primera vez, los dominicanos residentes en el exterior pudieron votar. Leonel Fernández, quien ya había sido presidente (1996–2000), volvió a ser elegido. La República Dominicana disfrutó de un fuerte desarrollo económico desde 2005 hasta mediados de 2008 cuando la recesión norteamericana comenzó a influir negativamente. Ha habido una reducción del turismo y de las remesas del extranjero. El país ha dependido de EUA por dos tercios de sus exportaciones de productos agrícolas, por el turismo y por la recientemente desarrollada industria de zonas francas. La inflación aumentó de un 6% en 2006 a un 12% en 2008. Los efectos de la crisis económica probablemente van a extenderse a más largo plazo. Por otra parte, el Tratado de Libre Comercio entre Estados Unidos, Centroamérica y la República Dominicana (CAFTA-RD) se puso en práctica en 2007, lo cual podría mejorar las inversiones y exportaciones que se han perdido a las industrias de la confección en Asia y América Central.

Nombre oficial:	República de Cuba
Gentilicio:	cubano/a
Capital y población:	La Habana: 2,174,000
Sistema de gobierno:	Estado comunista
Jefe de Estado/Jefe de Gobierno:	Presidente Raúl Castro Ruz
Fiesta nacional:	26 de julio, Día de la Revolución (1953); se celebra también el 1° de enero, Día de la Liberación (1959)

Cuba

GEOGRAFÍA Y CLIMA

Área nacional en millas² y kilómetros²	Tamaño (comparado con EUA)	División política	Otras ciudades Principales	Puertos principales	Clima	Tierra cultivable
42,803 m² 110,860 km²	Casi tan grande como Pensilvania	14 provincias y un municipio especial	Santiago de Cuba, Camagüey, Santa Clara, Holguín, Guantánamo, Matanzas, Cienfuegos	La Habana, Matanzas, Cienfuegos, Santiago de Cuba	Tropical con estación de lluvias mayo-octubre.	24%

DEMOGRAFÍA

Año y población en millones			% urbana	Distribución etaria		% de analfabetismo	Grupos étnicos
2010	2015	2025		<15 años	65+		
11.5	11.6	11.6	76%	18%	11%	0%	65% blanco europeo, 25% mestizo, 10% africano

ECONOMÍA Y COMERCIO

Moneda nacional	Tasa de inflación 2008	N° de trabajadores (en millones) y tasa de desempleo		PIB 2008 en millones $EUA	PIB per cápita	Distribución de PIB y de trabajadores por sector*			2008 Exportaciones en millones $EUA	2008 Importaciones en millones $EUA
						A	I	S		
El peso	4.2%	5	1.8%	$144,600	$12,700	4%	23%	73%	$3,500	$11,700
						20%	19%	61%		

*Para distribución del PIB y de los trabajadores (mano de obra): A = Agricultura, I = Industria, S = Servicios (y Gobierno)

Recursos naturales: Níquel, cobalto, hierro, cobre, manganeso, sal, madera, sílice, petróleo, cromo, tierra cultivable, gas natural.

Industrias: Azúcar, procesamiento de alimentos, bebidas, refinación de petróleo, tabaco, textiles, productos químicos, productos de madera y de papel, metales (especialmente el níquel), hierro, cemento, abono, equipo de transporte y maquinaria (especialmente agrícola), bienes de consumo, construcción, productos farmacéuticos.

COMERCIO

Productos de exportación: Azúcar, minerales, níquel, tabaco y productos de tabaco, maquinaria de transporte, pescado y marisco, productos agrícolas, frutas cítricas, café, ron, productos químicos y médicos.

Mercados: 28% China, 27% Canadá, 11% Países Bajos, 5% España (2007).

Productos de importación: Petróleo, alimentos, maquinaria, equipo de transporte, productos químicos, lubricantes, minerales.

Proveedores: 30% Venezuela, 13% China, 10% España, 6% Canadá, 5% EUA (2007).

Horario general de comercio: De lunes a viernes, desde las nueve de la mañana hasta las cinco o seis de la tarde. El almuerzo se come normalmente entre el mediodía y las dos de la tarde.

TRANSPORTE Y COMUNICACIONES

Kilómetros de carreteras y % pavimentadas	Kilómetros de vías férreas	Nº de aeropuertos con pista de aterrizaje pavimentada	Nº de líneas telefónicas	Radios por mil personas	Televisores por mil personas	Nº de usuarios de Internet en millones
60,858/49%	4,226 más 7,742 km utilizados por los cañaverales (2006)	70	972,900	352	248	1.3 (uso restringido)

IDIOMA Y CULTURA

Idiomas	Religión	Comidas y bebidas típicas/Modales
Español (oficial), inglés	85% católica romana antes de Castro; también hay protestantes, judíos y practicantes de santería	Arroz y frijoles negros, arroz con pollo, picadillo, tasajo, ropa vieja, tamales, fufú de plátano, croquetas, yuca, boniato, arroz con leche, yemitas, tocino del cielo, daiquiri, cubalibre (llamada «mentirita» por los cubanos de Miami), café. Mantener las manos, no los codos, encima de la mesa al comer.

Horario normal del almuerzo y de la cena: Sobre la una de la tarde para el almuerzo; entre las seis y las ocho de la noche para la cena.

Gestos: Espacio físico reducido entre las personas que conversan; a veces se toca el hombro o el antebrazo de la otra persona al hablar. Muchas veces los amigos y conocidos se dan un abrazo al saludarse o para las mujeres, un beso en la mejilla. Para que se acerque un niño, la mano con la palma hacia abajo, cerrar y arañar con los dedos juntos. Una palmadita en la espalda o en el hombro de alguien indica amistad y aprobación.

Cortesía: Durante el saludo, darse la mano con un apretón firme. Mantener el contacto visual con la persona a la cual se habla (mirarle los ojos), pues indica interés y sinceridad. Cuando se visita la casa de alguien para comer o cenar, traer para los anfitriones un regalito como flores o pan.

LA ACTUALIDAD ECONÓMICA CUBANA

Cuba es la isla más grande de las Antillas y se sitúa a unos 145 kilómetros (90 millas) al sur de Cayo Hueso, Florida. Durante gran parte de su historia, Cuba fue uno de los países más prósperos de Hispanoamérica. Pero desde la revolución de 1959, cuando tomó el poder Fidel Castro y hubo un éxodo de muchos cubanos profesionales a EUA y a otros países, ha crecido muy poco su capacidad productora. Esto se debe principalmente a un exceso de control gubernamental, a la mala administración económica y a los altos gastos representados por las aventuras globales de las fuerzas armadas cubanas en los años setenta y ochenta (50,000 tropas en Angola, 24,000 en Etiopía y 1,500 en Nicaragua). A partir del régimen de Castro, la isla se convirtió en una economía centralizada, cerrada durante años a la participación en los grandes mercados del mundo, particularmente el de EUA, por el embargo económico que éste le impuso a la isla en 1962. En 1992 la Asamblea General de la ONU aprobó una resolución presentada por los cubanos, pidiendo, sin ningún resultado, la eliminación del embargo. Hoy día, bajo la consigna de «Socialismo o muerte», Cuba es uno de los últimos países comunistas del mundo, con una economía marxista-leninista que el resto del mundo ha abandonado a favor de sistemas económicos más abiertos o de libre comercio. Es indudable que el embargo norteamericano sigue teniendo un impacto negativo en la economía, lo cual se ve, por ejemplo, en la imposibilidad de conseguir insumos de EUA lo que provoca gastos adicionales por motivos de fletes, uso de intermediarios, tasas de cambios desfavorables y otros gravámenes. Lo que no se ha notado es que hoy Estados Unidos es el quinto socio en el comercio de bienes y el cuarto exportador a Cuba; también es el primer suministrador de alimentos y aportador de divisas por concepto de remesas.

El azúcar ha sido tradicionalmente clave para la economía cubana, pero la producción de azúcar y sus derivados ha disminuido desde 1970. La antigua Unión Soviética subvencionó esta industria durante muchos años, pero la disolución de la URSS (Unión de Repúblicas Socialistas Soviéticas) a principios de los años noventa eliminó gran parte de esta fuente de fondos y ayuda económica. En 1990 Cuba dejó de publicar su informe económico anual.

Entre los principales problemas a los que se ha enfrentado Cuba, se destacan los siguientes:

1. la necesidad de modernizar y mecanizar la industria azucarera.

2. la urgencia de aumentar la productividad de los trabajadores y de reducir el ausentismo.

3. la necesidad de aumentar la disponibilidad de mano de obra (para lo cual se han ido incorporando más mujeres a la fuerza de trabajo).

4. la necesidad de producir más arroz y frijoles, dos cosechas de primera necesidad que no se han mantenido en proporción al crecimiento demográfico.

5. la urgencia de diversificar la economía, fomentando el desarrollo de otros sectores económicos, además del azúcar.

En 1980 los emigrados y los desterrados cubanos que vivían en EUA organizaron la llamada «flotilla de la libertad», la cual trasladó desde el puerto de Mariel a las costas de Florida a unos 130,000 refugiados autorizados por el régimen cubano. (Nota: El exilio cubano incluye tanto a personas oficialmente expulsadas del país, los **desterrados**, también llamados exiliados o exilados, como a personas que han huido voluntariamente. La palabra «destierro» se refiere al exilio forzado.) En 1985 Radio Martí comenzó a transmitir hacia Cuba, lo cual provocó la suspensión del pacto de inmigración y emigración con EUA por parte del gobierno cubano. La eficiencia de la producción azucarera siguió bajando, lo cual resultó en una crisis económica catastrófica. En 1993, el monopolio nacional tuvo que comprar miles de toneladas de azúcar de Tailandia para cumplir con sus contratos con China. Ese mismo año la Asamblea Nacional «eligió» a Castro presidente por cinco años más; no hubo otros candidatos. En 1994 los gobiernos de Cuba y EUA intentaron negociar en La Habana una solución a los problemas de la emigración. Ese mismo año la Comisión de Derechos Humanos de la ONU condenó al gobierno cubano por las continuas y numerosas violaciones de los derechos y libertades fundamentales de sus ciudadanos. En 1995 EUA anunció que ya no recibiría más refugiados del mar (*boat refugees*), después de tres décadas de trato preferencial a los cubanos que habían llegado en bote o en balsa a las costas estadounidenses. Al mismo tiempo, el gobierno de EUA anunció que aceptaría a los 21,000 balseros detenidos en Guantánamo.

Castro fue «reelegido» presidente en 1997. Después, el país empezó a experimentar con una política económica nacional más liberal. Por ejemplo, se les permitió a los agricultores y granjeros vender a precio de mercado los excedentes después de cumplir con las cuotas del Estado. Otro ejemplo son los «paladares» o pequeños restaurantes operados en casas privadas para servir a los turistas y a otros visitantes extranjeros. Pero los altos impuestos luego han obligado a muchos cubanos a abandonar estos experimentos capitalistas. Actualmente, el turismo ha reemplazado el azúcar como principal fuente de divisas. El gobierno ha promovido la fórmula de «sol y playa» y también el «sexoturismo», aunque recientemente ha intentado controlar más la explotación y prostitución de menores de edad, un grave problema turístico en muchas partes del Caribe y del mundo.

Algunos lo señalan como otro dictador y otros lo defienden como legítimo y democrático. Raúl Castro trata de reestablecer contactos con países como Rusia, Irán, Argelia, Angola, Brasil y otros países latinoamericanos, porque, bajo el mandato de su hermano Fidel, con la excepción del turismo, sólo se mantuvieron relaciones comerciales casi exclusivamente con Venezuela y la República Popular China. En enero de 2009 Raúl Castro viajó a Rusia para iniciar relaciones otra vez con ese país.

Uno de los problemas más graves que Raúl Castro tendrá que confrontar es la grave recesión económica en EUA y la EU, la cual ha reducido los ingresos de la industria turística. También, habrá un efecto negativo de una reducción de un 70% en las remesas del extranjero que vienen de los trabajadores cubanos más recientemente emigrados. Además, la devaluación del euro y del dólar han complicado los asuntos económicos del país, y Cuba ha rechazado ofertas de la OEA para reintegrarse a esa organización, lo cual facilitaría la adquisición de préstamos del BID. Finalmente, la producción agrícola bajó un 7.3% al comienzo del año 2008 por falta de eficiencia. Cuba es una paradoja económica por ser un país tan pequeño con un gobierno tan centralizado y tan poderoso, lo cual en principio facilita planificar y establecer estrategias, pero parece que faltan buenas estrategias para mejorar su economía nacional.

Cabe señalar que desde 1993 Cuba ha permitido el uso del dólar EUA en su economía y que el dólar ha reemplazado el peso como la moneda más usada en el comercio nacional. Durante muchos años los cubanos estadounidenses remitieron anualmente regalos y dólares a familiares en Cuba, lo cual permitió que muchos cubanos pudieran comprar artículos inasequibles sin esta ayuda. Barack Obama, en 2009, durante sus primeros 100 días como presidente de EUA, estableció la eliminación total de restricciones a los viajes y remesas de cubanoestadounidenses aprobadas en 2004 por su antecesor. Esta moderación de las restricciones sobre viajes, el envío de remesas y la disposición de diálogo con Cuba por Obama representa un cambio en las formas, en el estilo y en la sustancia norteamericanos no sólo hacia Cuba sino hacia toda América Latina.

Se anticipa un nuevo Congreso del Partido Comunista en el próximo futuro, el primero desde 1997, para aprobar un plan económico 2010–2014 que pueda controlar la crisis económica y elegir al presidente, pero la inestabilidad y la indecisión limitan esa posibilidad.

....

13-6 Actividades

¿Qué sabe Ud. de la República Dominicana y de Cuba?

1. A Ud. lo/la han contratado/a como asesor/a transcultural de negocios internacionales. Como tal, necesita informar a sus clientes sobre la República Dominicana y Cuba, y recomendar un plan de viaje de negocios a cada país. Averigüe los datos pertinentes para poder abarcar los temas a continuación.

   a. Describa la geografía de la República Dominicana y Cuba, incluyendo los siguientes temas: ubicación y tamaño de ambos países, capital y otras ciudades y puertos principales, división administrativa y clima. Compare el tamaño de la República Dominicana con el de EUA. Compárelo con el tamaño de su estado. Compare el tamaño de Cuba con el de EUA y con el de su estado.

   b. ¿Cuáles son las principales características demográficas y políticas de la República Dominicana y de Cuba? ¿Quién es el jefe de estado de cada país?

   c. ¿Cuándo se celebra la fiesta nacional de cada país? ¿Qué otras fiestas públicas podrían afectar el éxito de un viaje de negocios? (Véase la Tabla 10-1, páginas 306–308.)

d. Describa la economía de cada país. Incluya datos sobre la moneda nacional, la tasa de inflación, el PIB y el PIB per cápita, el número de trabajadores (la mano de obra), la tasa de desempleo, los recursos naturales, las industrias nacionales, los productos que se exportan e importan, los países destino (mercados) y proveedores (fuentes) de estas transacciones internacionales, y la balanza de comercio. ¿A cuánto se cotiza cada moneda nacional con el dólar EUA? ¿Cuál fue la balanza comercial de cada país según la información del libro? ¿En la actualidad?

e. Compare el PIB y el PIB per cápita de la República Dominicana y Cuba. ¿A qué factores se deben las diferencias?

f. ¿Qué producto o servicio recomendaría Ud. vender en la República Dominicana y Cuba? ¿Por qué?

g. Compare la infraestructura de transportes y de comunicaciones de cada país. ¿Qué ventajas o desventajas económicas tienen la República Dominicana y Cuba debido a su geografía?

h. ¿Cómo han cambiado algunos de los datos presentados en las secciones de «Vista panorámica» y «La actualidad económica» de este texto? Póngalos al día para cada país.

i. Describa la relación socioeconómica entre la República Dominicana y EUA, refiriéndose a «La actualidad económica».

j. Describa la relación socioeconómica entre Cuba y EUA, refiriéndose a «La actualidad económica» y a otras fuentes, como el Internet. ¿Fue una buena idea eliminar las restricciones sobre los viajes y las remesas de las familias cubanoestadounidenses? Comente.

k. Basándose en «La actualidad económica» de cada país, ¿qué realidades, oportunidades y problemas destacaría y qué recomendaciones le daría a un/a empresario/a interesado/a en hacer negocios allí?

2. Ud. tiene que hacer un viaje de negocios a la República Dominicana con un/a colega para hablar sobre la compra de un nuevo hotel en la zona turística de Barahona. Usando Internet u otras fuentes informativas, prepare un plan (con presupuesto e itinerario) para usted y su colega, saliendo del aeropuerto de la ciudad donde usted vive en este momento y pasando dos días en Santo Domingo y dos en Barahona. Busque las posibilidades en Internet, por medio del teléfono, en una agencia de viajes o en el aeropuerto mismo. Comuníquese en español, si es posible.

a. Fechas de ida y vuelta.

b. Vuelos: aeropuertos de despegue y aterrizaje, líneas aéreas, horario; costos.

c. Transporte interno que piensa usar en el país: taxi, autobús, carro de alquiler, metro, tren, otro; costos.

d. Alojamiento y viáticos; costos.

e. La comida típica que van a pedir para la cena la primera noche en el país.

f. Las formas de cortesía y los gestos que deben recordar, usar o evitar.

Preparen también una lista de temas que piensan incluir en su discusión sobre la compra del nuevo hotel.

LECTURA CULTURAL
El ambiente legal de la importación y la exportación

El ambiente legal del comercio internacional es bastante más complicado que el de los negocios nacionales. Esto se debe a que cada nación tiene sus propias leyes, y éstas casi nunca son del todo compatibles entre distintos países. Lo importante para toda persona que participe en los negocios internacionales es conocer las leyes comerciales del país con el cual se están realizando las transacciones comerciales, o contratar los servicios de especialistas lugareños y/o de un buen abogado internacional.

Vern Terpstra (*The Cultural Environment of International Business*) indica que las leyes de un país se pueden interpretar como una dimensión de su cultura. Éstas reflejan las actitudes y normas culturales de una nación, y sirven como reglas de conducta impuestas por alguna autoridad (la legislatura nacional) o por las costumbres de los ciudadanos. En este sentido más amplio, no se trata sólo de las leyes estipuladas por algún código legal. Puede ser que las directivas gubernamentales, las prácticas y los tabúes sociales también alcancen fuerza de ley. La persona de negocios internacionales tiene que estar atenta a todo factor que pueda constituir las «leyes» de una nación. Casi todas las leyes comerciales de los distintos países son diferentes en alguna medida y afectan de algún modo todos los temas tratados en este texto, desde la estructura y ubicación de una empresa hasta los recursos humanos, los bienes y servicios, los sistemas de distribución, la inversión, los impuestos, etc. El comercio, como campo de actividad humana, es universal en teoría, pero su aplicación o práctica —la *manera* de hacer los negocios— es lo que es diferente.

Existe la ley internacional y sus instituciones, como las Naciones Unidas y el Tribunal Internacional, pero estos organismos, aunque gozan de gran prestigio, carecen de la autoridad necesaria para hacer cumplir con las leyes internacionales. Una nación no puede hacer que otra nación cumpla con una ley internacional, a no ser por la fuerza. Esto explica, en parte, por qué los vendedores de bienes y servicios en el mercado internacional requieren un largo trato comercial con sus clientes antes de concederles la misma confianza mantenida con los mejores clientes nacionales. Si el comprador extranjero no cumple con un pago prometido, es muy difícil demandarlo en su propio país, donde las leyes nacionales (domésticas) del vendedor no se reconocen. No obstante, el aumento del comercio internacional y del número de empresas multinacionales, transnacionales y supranacionales*, así como el crecimiento de fenómenos como la inversión internacional y los tiburones (o las pirañas) corporativos, apuntan hacia un papel más urgente de la ley internacional. Las diferentes naciones que participan en el comercio global tendrán que aceptar un código mutuamente aplicable; es decir, una serie de leyes

---

*La empresa multinacional es la que desarrolla sus actividades comerciales por medio de filiales en diferentes países. La transnacional se caracteriza por una administración compartida por representantes de varias nacionalidades. La supranacional es aquélla que verdaderamente ha superado toda vinculación nacional.

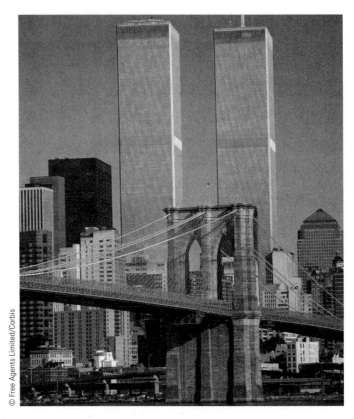

Antes del 11 de septiembre. Las Torres Gemelas del World Trade Center, Nueva York, antes del ataque.

internacionales que rijan por encima de las leyes nacionales. Hasta el momento, no existe ningún organismo internacional que corresponda en la práctica a las legislaturas de los distintos estados soberanos. El FMI, una agencia de las Naciones Unidas, el antiguo *GATT* (*General Agreement on Tariffs and Trade*) y la OMC (Organización Mundial del Comercio) han sido pasos positivos hacia un sistema de leyes internacionales para el comercio. Estos organismos han podido sancionar a los países miembros que no hayan cumplido con los acuerdos que han sido aceptados entre los miembros. Pero todavía hace falta una ley comercial auténticamente internacional.

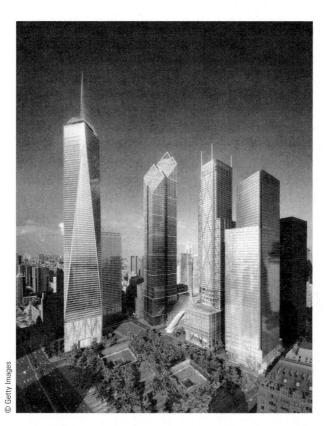

Después del 11 de septiembre. Las Torres Gemelas del World Trade Center de Nueva York ahora sobreviven en nuestra memoria colectiva, reflejadas por el plan de un nuevo monumento titulado «Reflejando la ausencia».

13-7 Actividades

1. **¿Qué sabe Ud. de la cultura?** Demuéstrelo contestando las siguientes preguntas.

   a. Para tener fuerza de ley, ¿hace falta que una norma de conducta esté inscrita en algún código nacional?

   b. ¿Existe la ley internacional? Explique.

   c. ¿Cómo se distinguen las empresas multinacionales, transnacionales y supranacionales?

   d. ¿Qué son el FMI, el *GATT* y la Organización Mundial del Comercio? ¿Qué representan en el panorama de la ley internacional?

   e. Observe las fotos en estas páginas. ¿En qué año ocurrió este ataque terrorista? ¿Por qué ocurrió el ataque? ¿Qué efectos tuvo sobre la política y la economía mundial? Ahora se planea la construcción de una nueva serie de torres en ese mismo lugar, incluyendo el rascacielos más alto del mundo, que se llamará «La Torre de la Libertad» (*The Freedom Tower*). También se construirá un monumento en memoria del 9–11, bautizado «Reflejando la Ausencia» (*Reflecting Absence*). Busque en Internet las respuestas a las preguntas y más información sobre estos nuevos proyectos.

2. **Asimilador cultural.** Lea lo siguiente y conteste las preguntas a continuación.

Richard McCaffery, presidente de una MIPYME en Connecticut que importa café y azúcar directamente de la República Dominicana, está preocupado porque no ha llegado su último pedido de varias toneladas de café y azúcar. Decide llamar por teléfono a su abastecedor dominicano, Aurelio Salazar Buendía, para pedirle una explicación. Al comunicarse, Salazar se disculpa y le dice a McCaffery que también estaba a punto de llamarlo a Connecticut. Le explica que hace varios días se perdió toda la mercancía en una inundación que destruyó la carretera y arrastró el camión que llevaba el café y el azúcar. También le explica que le será imposible enviarle el pedido hasta el mes entrante, pues primero hay que reparar la carretera, la única que conecta sus operaciones con el puerto de embarque marítimo. A la vez, Salazar le agradece a McCaffery el pago recibido por el café y azúcar, el cual ha usado para solventar cuentas pendientes.

—No se preocupe, Sr. McCaffery, que dentro de un par de meses, cuando se arregle todo esto, Ud. tendrá su café y azúcar.

Después de oír esto, McCaffery se pone frenético y le grita por el auricular.

—¿Que no me preocupe? ¡¿Qué no me preocupe?! ¡Tengo clientes que me amenazan con llevar su dinero a otro lugar si no les entrego a tiempo su café y azúcar! ¡¿Qué no me preocupe?! ¡No, el que tiene que preocuparse es usted porque lo voy a demandar aquí en una corte por el dinero y los clientes que voy a perder!

a. ¿Cree Ud. que McCaffery podrá llevar a cabo su amenaza de demandar a Salazar en una corte de Connecticut? Explique.

b. ¿Cómo solucionaría Ud. la situación?

13-8 Actividades comunicativas

1. **Situaciones para dramatizar.** Lea las siguientes situaciones y después haga el papel en español con otro/s estudiante/s, usando las siguientes opciones como punto de partida. Cada persona deberá participar activamente en la dramatización. No olviden el protocolo ni las cortesías.

   a. *You are the vice-president of a mid-sized American firm that is interested in exporting its products to Latin America. Since you have no experience with foreign customers, you have arranged a meeting with an export specialist to ask what is involved.*

   b. *You are a businessperson in Cuba and form part of an official committee created to study whether or not Cuba should seek to renew its trade with the United States. Your position is that it should. Other members of the committee, however, view this as a betrayal of what has been accomplished in Cuba since the revolution: some Cubans will again become wealthier than others, Cuba might become dependent on the U.S., etc. Together with a group of committee members who favor your position, try to persuade your other colleagues to accept your reasons for wanting to resume trade. The group of committee members that is against a renewal of trade relations offers their reasons as well.*

2. **Comprensión y comunicación.** Para este ejercicio basado en el vídeo de *Éxito comercial,* pase al encarte central del texto, VídeoTexto página 14.

3. **Actividad de comercio internacional.** A Ud. le interesa importar artesanías u otros productos de Hispanoamérica para venderlas en la ciudad donde vive, pero necesita saber más sobre cómo proceder. Haga una de las siguientes actividades para empezar a enterarse.

   a. Visite una tienda que venda artículos importados (artículos de Hispanoamérica, si es posible). Entreviste a uno/a de los/las gerentes o propietarios/as para que le explique los trámites de la importación.

   b. Visite una tienda de comestibles que venda alimentos o bebidas importados de Hispanoamérica y/o de España. Entreviste a uno/a de los/las gerentes o propietarios/as para que él/ella le explique el sistema de distribución por el cual llegan esos productos (e.g., las salsas y cervezas mexicanas, los plátanos del Caribe, el vino español o chileno) a la tienda.

   c. Visite una tienda de comidas y haga una lista de todos los productos importados de países hispanos que usted encuentre. Después, organice su lista: cuántos y qué tipos de productos, de qué países y a qué precios de venta.

   Luego, comente con sus compañeros/as de clase la información que ha conseguido.

4. **Minicaso práctico.** Lea el caso y haga el ejercicio a continuación.

En los últimos años se ha agravado la crisis económica cubana. Esto se debe en parte a los siguientes factores.

a. la dependencia de un solo producto: el azúcar.

b. los métodos de producción y la maquinaria industrial anticuados.

c. la escasez de mano de obra, la baja productividad (debido en parte a la falta de incentivos) y el ausentismo.

d. la baja en la cosecha de ciertos comestibles, arroz y frijoles, la cual ha requerido la importación de comida.

e. los gastos militares que durante los sesenta, setenta y ochenta habían perjudicado el desarrollo de diversos sectores económicos.

f. el embargo económico de EUA.

El gobierno cubano ha formado una comisión nacional de sus mejores especialistas para buscar soluciones a las dificultades económicas de la isla. Ud. forma parte de esta comisión, compuesta de tres o cuatro compañeros/as de clase. Preparen una serie de recomendaciones de acciones que ayudarían a aliviar la crisis económica de Cuba, tanto en un futuro inmediato como a largo plazo.

13-9 Análisis y comparación

Estudie la Tabla 13-2 y haga los ejercicios que aparecen a continuación. Use también sus conocimientos y, si es necesario, otras fuentes informativas como el Internet, un *Almanaque mundial*, etc. Los ejercicios se pueden hacer individualmente, en parejas o en pequeños grupos para discutir en clase.

1. ¿Qué es una importación? ¿Qué tipos de productos se importan en EUA? ¿Ha comprado usted recientemente algún producto o artículo importado? Comente.

2. ¿Cuáles de los países de la tabla importaron más de $100,000,000,000 (cien mil millones en $EUA = *one hundred billion dollars*) en 2007–2008? ¿Cuáles importaron entre $10,000,000,000 y $59,900,000,000? ¿Y menos de $10,000,000,000?

3. ¿Cuáles son las principales importaciones de México, España, Cuba, Venezuela, Guatemala, Perú, Chile, Argentina y Brasil? ¿Qué tienen en común?

4. ¿Qué es el equipo de telecomunicaciones? ¿La maquinaria? ¿El equipo de transporte? ¿Un combustible? ¿Un avión? ¿El abono? ¿Un producto siderúrgico? ¿Una materia prima? ¿Un bien de consumo y un bien semiacabado?

5. ¿Para cuáles países hispanos es EUA el principal proveedor de importaciones? ¿Para cuáles lo es Brasil y la UE, y por qué piensa usted que es así? ¿Para cuál lo es España y para cuál lo es Canadá? ¿Qué países hispanoamericanos reciben más de 40% de sus importaciones de EUA?

Tabla 13-2 Comparación entre los países hispanoparlantes, Brasil y Estados Unidos: Importaciones en millones de $EUA, año, balanza de comercio en millones de $EUA, principales productos de importación y principales proveedores

País	Importación en millones $EUA y año	Balanza de comercio en millones $EUA	Principales productos de importación	Principales proveedores
Argentina (2007, 2008)	$59,900 (2008)	$13,100	Maquinaria, vehículos de motor, petróleo, gas natural, productos químicos orgánicos, productos manufacturados, plásticos, equipo de transporte, productos alimenticios y animales vivos	35% Brasil, 13% EUA, 12% China, 5% Alemania (2007)
Bolivia (2007, 2008)	$4,800 (2008)	$1,600	Maquinaria y equipo de transporte, equipo de construcción y de minería, productos químicos, productos de petróleo, alimentos, bienes de consumo, plásticos, papel, aviones y piezas para aviones, automóviles, soja, insecticidas	30% Brasil, 16% Argentina, 11% Chile, 10% EUA, 8% Perú (2007)
Chile (2007, 2008)	$59,200 (2008)	$9,900	Químicos, petróleo y productos de petróleo, combustibles, maquinaria industrial, vehículos de motor, equipo eléctrico y de telecomunicaciones, gas natural, alimentos, bienes de consumo	17% EUA, 11% China, 10% Brasil, 10% Argentina (2007)
Colombia (2007, 2008)	$38,900 (2008)	$2,200	Equipo industrial y de transporte, maquinaria, equipo de transporte, alimentos, metales, productos químicos, vehículos de motor, combustibles, productos de papel, bienes de consumo	26% EUA, 10% China, 9% México, 7% Brasil, 4% Venezuela (2007)
Costa Rica (2007, 2008)	$15,400 (2008)	−$5,700	Bienes de consumo, petróleo y derivados, alimentos, abono, materia prima, materiales industriales, equipo de capital, materiales para construcción	41% EUA, 6% México, 6% Venezuela, 5% Japón, 5% China, 4% Brasil (2007)
Cuba (2007, 2008)	$11,700 (2008)	−$8,200	Petróleo, alimentos, maquinaria, equipo de transporte, productos químicos, lubricantes, minerales	30% Venezuela, 13% China, 10% España, 6% Canadá, 5% EUA (2007)

(continúa)

Tabla 13-2 *(continuación)*

País	Importación en millones $EUA y año	Balanza de comercio en millones $EUA	Principales productos de importación	Principales proveedores
Ecuador (2007, 2008)	$16,600 (2008)	$2,800	Equipo de transporte, bienes de consumo, vehículos de motor, maquinaria, productos químicos, productos de petróleo, materias primas, materiales industriales, combustibles y lubricantes, bienes de consumo no durables	24% EUA, 10% Colombia, 8% China, 5% Brasil, 4% Japón (2007)
El Salvador (2007, 2008)	$9,800 (2008)	−$5,200	Materia prima, bienes de consumo y de capital, combustibles, alimentos, petróleo, electricidad, maquinaria	36% EUA, 10% México, 9% Guatemala, 5% China (2007)
España (2007, 2008)	$444,900 (2008)	−$152,100	Maquinaria, productos agrícolas, equipo de transporte, petróleo, combustibles, productos químicos, aviones, granos, bienes semiacabados, alimentos, bienes de consumo, equipo de control médico y de precisión	42% UE (16% Alemania, 13% Francia, 8% Italia, 5% Reino Unido), 6% China, 5% Países Bajos (2007)
Guatemala (2007, 2008)	$15,400 (2008)	−$7,400	Combustibles, maquinaria, equipo de transporte, vehículos de motor, granos, abono, electricidad, materiales para construcción, productos minerales, químicos y plásticos	35% EUA, 10% México, 7% China, 5% El Salvador, 4% Costa Rica (2007)
Guinea Ecuatorial (2007, 2008)	$3,200 (2008)	$12,600	Petróleo y equipo para el sector petrolero, alimentos	20% EUA, 14% España, 12% Costa de Marfil, 10% Francia, 8% China, 7% Italia, 6% Reino Unido, 4% Países Bajos (2007)
Honduras (2007, 2008)	$10,200 (2008)	−$4,000	Petróleo y combustibles, maquinaria y equipo de transporte, vehículos de motor, materias primas industriales, telas e hilos, productos agrícolas, productos químicos, productos alimenticios	52% EUA, 7% Guatemala, 5% El Salvador, 5% México, 4% Costa Rica (2007)

Tabla 13-2 *(continuación)*

País	Importación en millones $EUA y año	Balanza de comercio en millones $EUA	Principales productos de importación	Principales proveedores
México (2007, 2008)	$305,900 (2008)	−$11,900	Máquinas para trabajo con metales (metalurgia), productos siderúrgicos (de hierro), maquinaria agrícola, equipo electrónico, piezas para ensamble de automóviles, repuestos para vehículos de motor, aviones y piezas para aviones	50% EUA, 11% China, 6% Japón, 5% Corea del Sur (2007)
Nicaragua (2007, 2008)	$5,300 (2008)	−$2,100	Productos de petróleo, bienes de consumo, alimentos, maquinaria y equipo, materias primas	23% EUA, 14% México 8% Costa Rica, 6% Venezuela, 6% Guatemala, 5% El Salvador (2007)
Panamá (2007, 2008)	$15,200 (2008)	−$4,800	Maquinaria, equipo de transporte, combustibles, productos alimenticios, bienes de consumo, bienes de capital, productos químicos	33% EUA, 8% Países Bajos Antillas, 6% China, 5% Japón, 5% Costa Rica, 4% Corea del Sur (2007)
Paraguay (2007, 2008)	$7,400 (2008)	−$500	Maquinaria, combustibles, lubricantes, productos de petróleo, maquinaria eléctrica, tractores, piezas para vehículos, productos electrónicos, bienes de consumo y de capital (equipo industrial), productos alimenticios, materia prima, tabaco, equipo de transporte, químicos, pienso	30% Brasil, 23% EUA, 14% Argentina, 9% China (2007)
Perú (2007, 2008)	$29,100 (2008)	$4,200	Maquinaria, equipo de transporte, productos alimenticios, petróleo y productos del petróleo, hierro, acero, productos químicos y farmacéuticos, cereales, trigo, automóviles, papel, plásticos	21% EUA, 11% China, 9% Brasil, 6% Ecuador, 6% Argentina, 5% Chile, 5% Colombia (2007)
Puerto Rico (2007, 2008)	$29,100 (2008)	$17,800	Productos químicos y farmacéuticos, maquinaria y equipo, ropa, algodón y telas, alimentos, pescado, productos de petróleo	60% EUA, 40% otros
República Dominicana (2007, 2008)	$16,000 (2008)	−$8,800	Alimentos, petróleo, algodón y tejidos, productos químicos y farmacéuticos, maquinaria, equipo de transporte, combustibles, materia prima industrial, bienes de consumo, bienes de capital	46% EUA, 8% Venezuela, 6% México, 5% Colombia (2007)

(continúa)

Tabla 13-2 *(continuación)*

País	Importación en millones $EUA y año	Balanza de comercio en millones $EUA	Principales productos de importación	Principales proveedores
Uruguay (2007, 2008)	$7,000 (2008)	–$1,000	Maquinaria y equipo, vehículos de motor, aviones, insecticidas, equipo de telecomunicaciones, productos químicos, minerales, papel, plásticos, petróleo crudo y productos del petróleo, combustibles, alimentos procesados, productos metálicos	19% Brasil, 18% Argentina, 10% EUA, 9% China, 8% Paraguay, 5% Nigeria (2007)
Venezuela (2007, 2008)	$53,400 (2008)	$50,100	Materia prima, maquinaria, equipo de transporte, bienes manufacturados, materiales para construcción, productos químicos, medicamentos, material eléctrico y aparatos emisores de telecomunicaciones, papel	27% EUA, 14% Colombia, 10% Brasil, 7% China, 5% México, 5% Panamá (2007)
Brasil (2007, 2008)	$176,000 (2008)	$24,000	Maquinaria pesada, productos químicos, automóviles y piezas de repuesto, motores, combustible, electricidad, circuitos integrados, medicamentos, trigo, petróleo crudo, equipo eléctrico y de transporte, electrónica	16% EUA, 11% China, 9% Argentina, 7% Alemania, 4% Nigeria (2007)
Estados Unidos (2007, 2008)	$2,190,000 (2008)	–$813,000	Petróleo crudo y productos de petróleo refinado, maquinaria, automóviles, bienes de consumo y de capital, materia prima industrial, alimentos y bebidas, productos electrónicos	17% China, 16% Canadá, 11% México, 7% Japón, 5% Alemania (2007)

FUENTES: U.S. Department of State Background Notes, *CIA World Factbook 2009*, *The World Almanac and Book of Facts 2009* y *Almanaque mundial 2009*. (Números redondeados)

6. ¿Qué países tienen un saldo superavitario en su balanza comercial? Si la balanza de comercio en millones de $EUA ha sido $13,100 para Argentina, ¿cuánto exportó el país en millones de $EUA? Si ha sido –$5,700 para Costa Rica, ¿cuánto exportó? Si ha sido –$813,000 para EUA, ¿cuánto exportó?

7. Usted y tres compañeros/as de clase sirven de consultores para una empresa norteamericana que desea vender sus productos en Latinoamérica. La compañía les ha pedido que preparen un resumen informativo sobre las importaciones de las distintas regiones hispanoamericanas. Divídanse el

trabajo para que cada persona le haga al grupo un breve resumen inicial de una de las principales importaciones de (del):

a. Caribe hispanohablante
b. Centroamérica
c. los países andinos
d. los países del Cono Sur
e. Brasil

8. Si Ud. tuviera la oportunidad de importar dos productos de los países hispanos para venderlos en el lugar donde vive ahora, ¿cuáles serían? ¿Por qué piensa usted que tendrían buen mercado de consumidores o usuarios? ¿Cuánto dinero calcula que podría ganar Ud. en seis meses con la venta de estos dos artículos?

Posibilidades profesionales

La importación y la exportación son los campos por excelencia de los negocios internacionales. Proporcionan la mayoría de los trabajos a nivel global y figuran en su número los de comerciante internacional, representante de ventas, agente expedidor de mercancías, corredor/a, agente e inspector de aduanas, transportista, etc. Para más información al respecto y para una actividad que le ayude a saber más sobre el tema, véase el Capítulo 13 de «Posibilidades profesionales» que se encuentra en http://www.cengage.com/spanish/exito.

VOCABULARIO

Aquí se presentan los principales términos de este capítulo. Al final del libro hay un glosario más completo.

a bordo • *on board*

Acuerdo General sobre Aranceles y Comercio (AGAAC) • *General Agreement on Tariffs and Trade (GATT)*

apoyar • *to guarantee, back up*

armador/a • *shipowner*

aval • *guarantee*

carga • *cargo*

cargador/a • *loader*

carta • *letter, card*

  de crédito irrevocable • *irrevocable letter of credit*

  de crédito irrevocable y confirmada • *confirmed irrevocable letter of credit*

  de crédito revocable • *revocable letter of credit*

de pedido • *order*

de porte terrestre • *bill of lading, railway bill, freight bill*

certificado • *certificate*

  de origen • *proof of origin*

  de sanidad • *sanitary certificate, health certificate*

CFR (costo y flete) • *cost and freight*

CIF (costo, seguro y flete) • *cost, insurance, and freight*

código • *code (i.e., of laws)*

conocimiento de embarque • *bill of lading*

contingente (m) • *import quota*

(continúa)

DDP (entregadas [mercancías] derechos pagados, lugar de destino convenido) • *delivered duty paid*

declaración • *declaration*

  de aduana • *customs declaration*

  de exportación • *export declaration*

demandar • *to sue*

directiva • *guideline*

documento de embarque • *shipping document*

egreso • *expenditure, outlay, disbursement*

embarque (m) • *shipment*

emitir • *to issue*

exención • *exemption*

factura consular • *consular invoice*

FAS (libre o franco al costado del buque) • *free alongside ship*

fletador/a • *freighter, charterer (hirer, renter), carrier*

fletamento (fletamiento) • *charter, freight contract; chartering (of some form of transportation); transport*

fletante (m/f) • *charterer (owner of means of transport), affreighter, shipowner*

fletar • *to charter, hire, rent (a means of transportation)*

flete • *charter, fee, carriage*

  pagado hasta el punto de destino • *FOB delivered*

fluvial (adj) • *fluvial, river-related*

FOB (libre o franco a bordo) • *free on board*

giro • *draft*

  a la vista • *sight draft*

  a plazo • *time draft*

guía aérea • *air waybill*

hoja de ruta • *route sheet, waybill*

hurto • *pilferage, theft*

licencia • *license*

  de exportación • *export permit*

  de importación • *import permit*

marítimo • *maritime, sea*

nave (f) • *ship*

naviero • *shipowner*

OPEP (Organización de Países Exportadores de Petróleo) • *Organization of Petroleum Exporting Countries (OPEC)*

Organización Mundial del Comercio • *World Trade Organization*

originario • *originating in, coming from*

permutar • *to exchange, barter, swap*

piraña (corporativa) • *corporate raider*

Producto Social Bruto (PSB) • *gross national product as measured in socialist countries (e.g., Cuba)*

punto • *point*

  de embarque • *loading point*

  de entrega • *delivery point*

recaudación • *collection (taxes)*

reexportación • *re-export*

subvencionar • *to subsidize*

superavitario • *surplus*

tiburón (corporativo) • *corporate raider*

transbordo • *transfer*

trueque (m) • *barter, exchange*

ventaja • *advantage*

  absoluta • *absolute advantage*

  comparativa • *comparative advantage*

Las perspectivas para el futuro

Se requerirá toda clase de personal para el comercio global del futuro. ¿Qué tipo de preparación necesitará el/la gerente del futuro para mejorar su capacidad de trabajar con personas de todas partes del mundo? Para los niños en la fotografía, ¿cómo será el mundo en el año 2020?

© Mira / Alamy

You can never plan the future by the past.

— EDMUND BURKE

Those who cannot remember the past are condemned to repeat it.

— GEORGE SANTAYANA

The future's power is born of experiment, and the endless grudge match between fear and hope.

— NANCY GIBBS
(*TIME*, 9/21/09, P. 92)

14-1 Preguntas de orientación

Al hacer la «Lectura comercial», piense en las respuestas a las siguientes preguntas.

1. ¿Cuáles son los cuatro aspectos del nuevo mundo comercial que deberá tener en cuenta el gerente del futuro?

2. ¿Cuáles son las tres etapas económicas de los doscientos últimos años? ¿En qué época hemos entrado ahora? ¿Cuáles son algunos rasgos de la nueva época?

3. ¿Cuál es la importancia de Internet y de las telecomunicaciones en el comercio?

4. ¿Qué impacto puede tener la infotecnología en una sociedad? ¿En la educación? ¿En los gobiernos? ¿En los negocios?

5. ¿Qué es la globalización? ¿Cuál es la reacción opuesta a la globalización?

6. ¿Cuáles fueron las dificultades económicas internacionales causadas por la crisis asiática a finales del siglo XX?

7. Describa el impacto de las decisiones de Bretton Woods en las economías desde la Segunda Guerra Mundial hasta 1995.

8. ¿Qué influencias han tenido el AGAAC, el FMI y el Banco Mundial?

9. ¿Qué es la OMC y cuáles son algunos problemas internacionales que ha tratado ya? ¿Cuáles han sido los logros y los fracasos de sus reuniones más recientes?

10. ¿Qué tipo de problema representa el subsidio agrícola gubernamental para el libre comercio mundial?

11. ¿Qué es la migración? ¿Qué importancia podrá tener en la demografía mundial del futuro?

12. ¿Será más o menos importante la ética moral en los negocios del futuro? ¿Por qué?

13. ¿Cuáles son los tres objetivos académicos que facilitarán la entrada del estudiante al mundo de los negocios?

LECTURA COMERCIAL

Preparación del gerente para el comercio internacional

Para tener éxito en el mundo de los negocios del futuro, el gerente tendrá que adaptarse a un ambiente caracterizado por cambios continuos. Este ambiente incluirá no solamente aspectos económicos sino demográficos, sociales y políticos mundiales. Algunos investigadores utilizan el PIB para indicar el desarrollo de un país, y otros, prefiriendo enfocarse más en la distribución de la riqueza y cómo usarla para mejorar las condiciones de los pobres, emplean el término Índice General de la Calidad de Vida (*Physical Quality of Life Index*, or PQLI). Este índice, desarrollado por Morris Davis Morris en 1979, incluye medidas de éxito de los hospitales y otros servicios educativos y sociales que demuestran el uso y la distribución del patrimonio nacional.

El comercio internacional será aún más competitivo bajo un nuevo concepto global, y la formación de empresarios internacionales tendrá nuevas direcciones profesionales y nuevas dimensiones internacionales. Las distintas épocas históricas de los últimos siglos reflejan los cambios importantes de los diferentes sectores económicos. Primero, en el siglo XIX, el sector agrícola fue el más importante y contaba con el mayor número de empleados. Luego, a partir del siglo XX, el sector manufacturero dominó la economía, proporcionando una gran variedad de trabajos a los ciudadanos, a la vez que fomentaba la creación de sindicatos laborales. Ahora, los países desarrollados han entrado en un período postindustrial, la era de la información. Hay más cambios y los cambios mismos son más rápidos que nunca.

En las décadas de los ochenta y los noventa del siglo pasado, se inició el uso de la computadora en las oficinas, las casas y las escuelas. Las computadoras se encargaron de muchas de las tareas mentales humanas, tal como habían hecho las máquinas desarrolladas durante la revolución industrial con la labor manual. Finalmente, había comenzado la tercera época, la revolución informática impulsada por una red mundial interactiva. El Internet, inicialmente llamado la «*information highway*» en los EE.UU., es la red global de computadoras interconectadas. Por medio de esta red, todo el mundo puede comunicarse directa e inmediatamente y, alternativamente, se comunica con otras máquinas y aparatos electrodomésticos. Ésta ya es la máquina más grande que se haya construido en la historia del mundo. La infotecnología ha proliferado en los países industrializados y seguirá difundiéndose por todos los países del mundo porque los precios de la alta tecnología han bajado mucho. Se ha combinado el televisor, el teléfono (celular y tradicional) y la computadora en una sola máquina informativa. Es posible que el avance de la «infomedia» pueda causar una falta de socialización entre las personas. La **enseñanza multimedia**, la **educación a distancia** y la **realidad virtual** extenderán las experiencias educativas y prometen cambiar radicalmente la enseñanza y el adiestramiento en las escuelas y en las empresas. El gobierno estatal o nacional que no apoye la educación de sus ciudadanos de cualquier edad correrá el riesgo de crear un pueblo de «náufragos» cuando lo que se necesita son personas que sepan «navegar» efectivamente por la red informática.

Antes del final del siglo XX, se presenció la conclusión de la Guerra Fría y la división de la URSS en varios países de distintas dimensiones con diferencias étnicas, lingüísticas, religiosas y culturales. A la vez, el mundo entero entró en una época de globalización, un fuerte movimiento hacia la apertura y la integración de los mercados financieros, de las naciones y de las tecnologías. En otras palabras, las corrientes económicas actuales enfatizan la integración, la eliminación de barreras nacionales y la reducción de distancias geográficas, un proceso denominado «el Lexus» por Thomas Friedman, corresponsal internacional de *The New York Times* y autor de *The Lexus and the Olive Tree: Understanding Globalization*.

En este período, casi todos los países latinoamericanos se habían convertido de gobiernos autocráticos con barreras de proteccionismo económico en gobiernos orientados al libre comercio con bases más democráticas. Comenzaron a privatizar muchas industrias nacionales ineficientes y alcanzaron metas razonables de desarrollo por medio de políticas de mayor austeridad. Como se ha visto anteriormente, establecieron zonas internacionales de libre comercio con sus vecinos. En muchos casos estas zonas, combinadas con la estabilidad política, atrajeron a más inversionistas y mercaderes internacionales con los fondos necesarios para apoyar el desarrollo necesario y competir en la economía global. Estos individuos u organizaciones, «la manada electrónica» según Friedman, navegan por todo el mundo bien armados de información y capital, buscando nuevos mercados emergentes. Frente a la globalización, los líderes de las antiguas repúblicas soviéticas tanto como los de los países hispanoamericanos siguen luchando por mantener los valores tradicionales de comunidad e identidad con los cuales han sobrevivido desde antaño, lo que Friedman llama «el olivo». En el año 2000, se destacaron los esfuerzos del coronel Hugo Chávez Frías en Venezuela y su nueva Constitución, que le otorgaba más poder como presidente del país, como muchos caudillos tradicionales. También las manifestaciones de los indígenas en Ecuador antes de la dolarización de la moneda nacional reflejaron una tendencia de volver a lo tradicional. Estas tradiciones rechazan las nuevas reglas económicas y políticas, «la camisa de fuerza dorada» de Friedman, necesarias para integrarse al sistema global.

La amenaza más profunda que refleja la lucha continua entre el Lexus y el Olivo fue ilustrada por el ataque del 11 de septiembre de 2001 contra las Torres Gemelas del Centro Comercial Mundial en Nueva York y el Pentágono en Washington, D.C., iconos del poderío comercial y militar estadounidense. Este inicio de un terrorismo global ejemplifica el fanatismo del millonario Osama Bin Laden y de otros empeñados en la destrucción del capitalismo occidental y de la globalización económica. Luego, EUA inició ataques contra el régimen talibán en Afganistán, donde se entrenaban grupos terroristas, y contra Irak, donde eliminó el gobierno de Saddam Hussein y capturó al líder iraquí. La necesidad en EUA de invertir enormes fondos en la reconstrucción de estas sociedades, los gastos militares para las operaciones en Afganistán e Irak y para su ocupación después, los desembolsos adicionales para aumentar la seguridad interna, los impactos económicos negativos en la bolsa y en los mercados norteamericanos debido a la inseguridad psicológica, y el alza en los precios del petróleo, dañaron tanto su economía como las otras economías de las Américas y despertaron en muchas partes del mundo reacciones contra la política internacional estadounidense.

Durante los últimos 15 años, el mundo ha tenido que sobrevivir el impacto de diferentes crisis económicas como la asiática, que comenzó en 1997 en Tailandia y se extendió a los mercados de Corea, Indonesia, Malasia, Singapur, Filipinas y Hong Kong al final de ese año. Al año siguiente, estas condiciones empeoraron la recesión en el Japón. A fines de 1998, los efectos de la devaluación del rublo ruso, complicados por la contracción del comercio en Asia, afectaron los mercados latinoamericanos, especialmente en Argentina y Brasil. La baja del precio de la gasolina, combinada con los acontecimientos en Asia, redujeron el valor del peso mexicano. Colombia y Brasil devaluaron el peso y el real, respectivamente. Y después, otras crisis económicas en Argentina y Brasil precedieron a los atentados del 11 de septiembre en EUA. Al mismo tiempo, los escándalos de corrupción contable en algunas empresas norteamericanas han tenido un impacto negativo en los mercados financieros y en la confianza de los inversionistas, tan importante en el mundo de los negocios. La realidad es que el estado económico de todos los países del mundo, y sin duda de América Latina, siempre ha dependido en gran parte del éxito comercial estadounidense. En 2009 el nuevo presidente Obama se esforzó por superar la crisis económica en su país y por el mundo, la recesión y la reforma de un sistema de salud caro e ineficiente. Muchos individuos y familias norteamericanos declararon la bancarrota, y en el 62% de los casos se mencionaban las facturas médicas como uno de los factores importantes en la decisión (http://www.soitu .es/soitu/2009/06/28/actualidad/1246226121_840265.html).

Además de los cambios económicos y políticos internacionales, el planeta tendrá que enfrentar el problema moral y social del rapidísimo crecimiento de la población mundial, de la escasez de alimentos, energía y otros recursos naturales como el agua y los bosques, y el fenómeno del calentamiento global. Hará falta mucha cooperación y buena voluntad internacional para solucionar las dificultades económicas, éticas y ecológicas.

El sistema económico mundial actual fue creado en 1944 por cuarenta y cuatro países en Bretton Woods, New Hampshire, que se reunieron para tratar el tema de las economías mundiales de la posguerra. Decidieron emplear tasas de cambio fijas y crearon el Fondo Monetario Internacional (FMI) y el Banco Mundial como medios para estabilizar los precios. El sistema funcionó bien hasta fines de la década de los sesenta, cuando los países en vías de desarrollo encontraron dificultades en conseguir suficiente financiamiento. El primero de enero de 1995, la OMC fue establecida como el próximo paso del Acuerdo General sobre Aranceles y Comercio (AGAAC) o *General Agreement on Tariffs and Trade (GATT)*. Este acuerdo duró hasta las negociaciones de la Ronda Uruguaya del AGAAC (1986–1994). El Acta de Acuerdos de la Ronda Uruguaya (AARU) o *Uruguay Round Agreements Act (URAA)* fue aprobada por el Congreso estadounidense en diciembre de 1994. Este grupo exigió que el Presidente entregara una serie de informes anuales sobre los efectos de la OMC. El informe del presidente Clinton en 1999 resumió los resultados del acuerdo durante el lustro que representa la expansión económica continua más larga en la historia de EUA. La OMC abarcaba varios sectores como mayor acceso a los mercados internacionales para las grandes empresas multinacionales y para las MIPYME (véase las págs. 31–32); propiedad intelectual: derecho de autor y derechos de los artistas, intérpretes y ejecutantes, etc.; establecimiento de reglas y procedimientos para la solución de diferencias entre países (EUA había presentado más quejas que cualquier otro miembro); foro para la liberalización del comercio y difusión de información sobre la alta tecnología y las telecomunicaciones; y expansión de la membresía global. Las reuniones de la OMC en Seattle en 1999 fracasaron. Más tarde, en 2001 en un foro de negociaciones en el marco de «Programa de

Doha para el Desarrollo», celebrado en Doha, Qatar, la OMC ofreció expectativas positivas para los países más pobres con respecto a la reducción de barreras mercantiles internacionales a sus exportaciones. A pesar de la falta de progreso en las reuniones en Cancún, México, en 2003, se lograron resultados positivos en Ginebra en julio de 2004 al eliminarse las subvenciones a la exportación de productos agrícolas. Hubo manifestaciones y escaramuzas en 2003 en la reunión de la Organización Mundial del Comercio (OMC) y en la del Área de Libre Comercio de las Américas (ALCA) en Miami. En 2008, el fracaso de las negociaciones para expandir la OMC a través de la Ronda de Doha (2001–2008) se debió a las cuestiones sobre las crisis globales de alimentación, clima y finanzas, así como la falta de progreso en el desarrollo debido a la incapacidad de las políticas neoliberales para promover efectivamente el crecimiento o la reducción de la pobreza. Con todos los problemas económicos basados en la crisis financiera en EUA, el colapso definitivo en las negociaciones causará repercusiones de gran alcance más allá de la OMC en Hispanoamérica. Estos fracasos y la falta de acuerdos exitosos entre los países de las Américas han dado la oportunidad para expandir al ALBA, una organización formada por Hugo Chávez en Venezuela y otros países del hemisferio, cuyas metas incluyen resistir las políticas económicas de EUA por mantener abiertos los mercados y rechazar la imposición de condiciones comerciales a las naciones pequeñas por las más poderosas. Es obvio que en el próximo futuro habrá fuertes desafíos a la globalización.

Además de la creación de la OMC, se han establecido bloques comerciales regionales como la Unión Europea (EU), el Tratado de Libre Comercio de América del Norte (TLCAN o *NAFTA, North American Free Trade Agreement*), el Mercado del Cono Sur (MERCOSUR), el Mercado Común Centroamericano (MCC), el Grupo Andino (GA), la Asociación de Naciones del Sudeste Asiático (ANSEA), la Comunidad Económica de Los Estados de África Occidental (CEEAO), la Comunidad y Mercado Común Caribeños (CARICOM) y el Área de Libre Comercio de las Américas (ALCA). Estas organizaciones han tratado de fomentar la comunicación entre los países regionales, aunque a veces representan polos opuestos e impedimentos al libre comercio global, al dedicarse al bienestar económico de sus miembros. Últimamente, un elemento desconocido e inseguro, pero clave para la economía global, es el futuro de China, el país más poblado del mundo. En 2004, el aumento en el volumen de las exportaciones y en los precios de los productos de China fue fenomenal. En el futuro, es posible que China influya fuertemente en el equilibrio de la economía global.

Los cambios políticos y económicos causan la migración, o sea, el traslado de gente de un lugar a otro, lo cual puede representar un cambio temporal o permanente de residencia. En algunos casos los movimientos migratorios son nacionales (dentro de un país) y en otros son emigraciones internacionales (de un país a otro); pueden ser voluntarios o forzados. Muchos trabajadores se trasladan del campo a la ciudad, o de un centro manufacturero en decadencia a otro de servicios con más posibilidades laborales, aunque muchas veces con salarios reducidos o con cambios de oficio. Estas migraciones, por ejemplo, han influido demográficamente en EUA, el cual ha experimentado en los últimos años un gran aumento en el número de hispanos y asiáticos legales e ilegales que se han establecido en el país. Según una encuesta realizada por el *Los Angeles Times/Bloomberg* en 2007 basada en llamadas telefónicas a nivel nacional a 1,245 votantes registrados, un 60% apoya la legalización de los inmigrantes indocumentados sin antecedentes penales, aunque un 30% rechaza la idea y desea negarles servicios públicos. Está claro que hay brechas enormes en la sociedad norteamericana y es posible que éstas se agraven debido a las malas condiciones de la economía estadounidense.

Una circunstancia nueva en el futuro serán los cambios de valores sociales, la tecnología, las aplicaciones económicas y la infraestructura sociopolítica y material de cada país o región. Como consecuencia de los nuevos valores que se están desarrollando en el mundo actual, ahora existe la necesidad de fijar límites a los abusos industriales y tecnológicos del medio ambiente. Muchos países empiezan a insistir en la importancia de controlar la contaminación del medio ambiente: el aire, el agua, la flora y la fauna. Algunas organizaciones como las Naciones Unidas (ONU), con sede en Nueva York, han procurado hacerle frente a este grave problema mundial. No cabe duda de que esta preocupación por salvar el planeta será aún más urgente en el futuro, tal como se refleja en los costosos controles impuestos a las empresas petroleras a causa de los derrames de petróleo en las aguas costeras de EUA.

En todo caso, la ética en los negocios y en las estrategias empresariales tendrán más importancia que antes.

Los gerentes o algún grupo oficial tendrán que establecer el método para asegurar estas decisiones morales. ¿Cuál será la ética para tomar decisiones? ¿Se basará esta nueva ética gerencial en valores personales y culturales? ¿En los de qué cultura? Cuando se toman decisiones, ¿se consideran también la lealtad, la justicia, las promesas y el no querer explotar o perjudicar a otros? ¿Qué obligaciones se considerarán más importantes? ¿Qué ideales morales de los empleados influirán en las decisiones gerenciales: la tolerancia, la compasión, la paz, el respeto hacia el prójimo? ¿Cuál es el ideal más elevado, del que resultará el mayor bien para el mayor número de personas? ¿Cuáles serán las consecuencias de las decisiones, y qué beneficios o daños pueden resultar de ellas? ¿Cuáles son las diferencias culturales que influyen en los valores? (Logan y Bell, 1988)

El último aspecto que el futuro gerente tendrá que tomar en cuenta es la situación política de los países con los cuales comercia su empresa. A veces será necesario intervenir económicamente para proteger el medio ambiente de desechos tóxicos, de la deforestación o de otras formas de destrucción o contaminación. ¿Se tomarán decisiones pensando en el impacto a corto o a largo plazo? Las decisiones estratégicas a largo plazo serán más difíciles para el gerente internacional, debido a la influencia de los cambios políticos en los negocios. Los bienes y la tecnología estadounidenses tendrán un precio, tanto económico como político. Los políticos estadounidenses tendrán que darse cuenta de la importancia del comercio internacional para el futuro. En realidad, sería mejor que hubiera menos cambios para

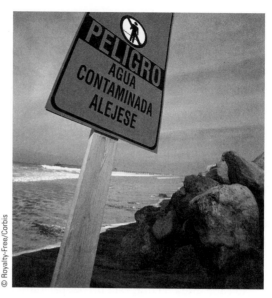

¿Cuál es el precio del progreso? La contaminación del medio ambiente constituye un peligro bien documentado. ¿Cómo será el medio ambiente en el año 2025? ¿Más contaminado o más limpio que hoy? Explique. ¿A Ud. le preocupa personalmente este tema? Comente.

que el empresario pudiera hacer más planes a largo plazo. Pero el futuro se perfila aún más cambiante e innovador.

Estos cambios en la sociedad internacional requieren que los programas de enseñanza preparen al gerente del futuro y que implementen cambios necesarios en su formación profesional, para facilitar su funcionamiento eficaz en el nuevo mundo internacional de los negocios. Entre ellos deben incluirse:

1. **Perspicacia.** Los programas de estudio tendrán que adaptar sus métodos y contenidos a las circunstancias para que sus graduados puedan tomar decisiones estratégicas con una conciencia global, es decir, con una perspectiva más amplia, profunda y apropiada.

2. **Integración de las asignaturas académicas.** Los estudiantes de administración de negocios deberán saber combinar la contabilidad, el marketing, las finanzas, etc., con el estudio de diversas lenguas y culturas, pues, tal como afirmó el senador Paul Simon en su libro *The Tongue-Tied American*, la lengua más útil para el comercio internacional es siempre la del cliente.

3. **Habilidades interpersonales y comunicativas.** Los programas de estudios universitarios tendrán que enseñar a sus estudiantes a comprender las necesidades del consumidor, a ser suficientemente flexibles para satisfacer al cliente, a trabajar en equipo, a saber motivar o guiar a otros y a negociar con conciencia y aprecio de las diferencias culturales, con flexibilidad y de manera sincera y abierta.

En cuanto a las habilidades comunicativas propiamente dichas, será recomendable que el gerente del futuro sepa expresarse oralmente y por escrito, no sólo en su propio idioma, sino también en el de sus clientes o colegas. Pero la habilidad lingüística no es suficiente para comunicarse eficazmente con una persona de otra cultura. Hay que estudiar y comprender (1) su historia, literatura y ciencias; (2) su psicología colectiva e individual; (3) la sociología, antropología y geografía de la región considerada; y (4) la manifestación de estos aspectos culturales en las prácticas sociales y comerciales. Es decir, se necesita una plena conciencia transcultural.

Por otra parte, el programa o la enseñanza académica que instruya a los estudiantes futuros en los distintos aspectos del mundo internacional de los negocios deberá prepararlos para participar en diversas actividades profesionales. Jeffrey Arpan, en su texto *International Business Careers* (1995), y Edward J. Halloran, en *Careers in International Business* (2003), mencionan muchas posibilidades, entre ellas las siguientes: la contabilidad financiera, de gestión o fiscal; las finanzas bancarias, las acciones y los valores, los seguros, las iniciativas en la adquisición de capital, la reducción de riesgo o la planificación fiscal; el marketing con el diseño del producto, la publicidad, la promoción, el embalaje, los canales de distribución, la logística de la coordinación del medio, del costo y de la documentación del flete; la estructuración de precios o la investigación y la planificación; la compra de equipo y materiales; la producción, en cargos de ingeniero, supervisor o gerente de producción, o planificador de producción; los recursos humanos: su contratación, adiestramiento y evaluación, y las relaciones laborales como el pago, la motivación, el ascenso y la asignación departamental de los empleados; la planificación estratégica: evaluación del riesgo y los beneficios de las decisiones internacionales que requieran una perspectiva verdaderamente global; la administración gerencial que combina las habilidades técnicas y la perspectiva internacional de todas las áreas de operación de una empresa; y otros cargos de negocios internacionales tales como los de abogado internacional, consultor o consejero técnico.

En todos los oficios y profesiones mencionados se requerirá buena preparación, basada en experiencias transculturales; formación general, universitaria (de pregrado y posgrado); y formación práctica en un trabajo gerencial o pregerencial. Al mismo tiempo, en el plano personal será esencial ser autodidacto por medio de la lectura activa y constante, y el saber escuchar atentamente a otros. También será importante visitar otros países y mantenerse bien informado sobre eventos nacionales e internacionales. Los frutos del éxito del futuro internacional prometen ser tanto humanitarios como financieros.

14-2 Actividades

1. **¿Qué sabe Ud. de negocios?** Vuelva a las «Preguntas de orientación» que se hicieron al principio del capítulo y a las preguntas que acompañan las fotos en la lectura y contéstelas en oraciones completas en español.

2. **¿Qué recuerda Ud.?** Indique si las siguientes declaraciones son *verdaderas* o *falsas* y explique por qué.

a. Los valores personales o culturales influyen mucho en las organizaciones económicas.

b. El concepto global requiere que el gerente de empresas mantenga las mismas perspectivas de siempre.

c. Navegar por Internet ofrece cada día menos oportunidades a las empresas.

d. Los países ricos deben consumir más y exportar menos.

e. La OMC ha contribuido a los pagos internacionales y el FMI a las políticas comerciales restrictivas internacionales.

f. Asia y Latinoamérica serán regiones socioeconómicas menos importantes en el siglo XXI.

g. El tráfico de esclavos de África a América fue un ejemplo de migración involuntaria.

h. Entre las obligaciones morales están la tolerancia, la compasión y el respeto hacia el prójimo.

i. En el marketing de servicios, más que en el sector manufacturero, el gerente empresarial tendrá que preocuparse más por el consumidor y por su satisfacción.

3. **Exploración.** Haga los siguientes ejercicios, usando sus conocimientos y opiniones personales.

a. ¿Qué cambios ha habido en el enfoque de los sectores económicos desde el siglo XVIII hasta la actualidad?

b. ¿Qué influencia podrá tener la infotecnología en la sociedad?

c. ¿Cómo se podrá resolver la crisis financiera internacional? ¿Cuáles son algunas de las dificultades para su resolución?

d. ¿Cuáles son y serán las principales carreras en los negocios internacionales? ¿Cuál/es le interesa/n más a Ud.? ¿Por qué?

e. El PNB mide el crecimiento económico de la producción de un país. Busque el significado del Índice General de la Calidad de Vida y sus características. ¿Qué factores determinan el PNB y el Índice General de la Calidad de Vida? ¿Son sinónimos los términos «crecimiento» y «desarrollo»?

f. ¿Cómo se relacionan los dichos que aparecen al principio del capítulo con los temas tratados?

14-3 Al teléfono

Pistas
27 y 28

1. Lea las siguientes preguntas. Después escuche atentamente la conversación telefónica del capítulo 14 y conteste las preguntas. Puesto que la comprensión auditiva es una destreza comunicativa sumamente importante, se recomienda escuchar las pistas varias veces.

a. ¿Cuál es el propósito del viaje de negocios de Beatriz López?

b. ¿Cuáles son los países que pertenecen a la Cuenca del Caribe según Beatriz?

c. ¿Qué efecto tuvo el TLCAN (pronunciado **telecán**) en los negocios de Dicho y Hecho (*Said and Done*)?

d. ¿Qué cambios recomienda Beatriz en las operaciones de la agencia de colocaciones?

2. Basando sus comentarios en la conversación telefónica del ejercicio anterior, haga la siguiente llamada telefónica a otro/a estudiante de la clase. Cada persona deberá participar activamente en la conversación. Si necesita ayuda con esta actividad, véase el Apéndice 1, «Protocolo telefónico», página 457.

   Usted es Beatriz López, directora de recursos humanos de Dicho y Hecho, S.A., en Houston, Tejas, y recibe una llamada de Mbare Macías Ondo, director de una organización española que busca nuevas «posibilidades profesionales» para ayudar a afrohispanos de habla española de Guinea Ecuatorial a conseguir trabajo en otras regiones del mundo. Explique los beneficios que su empresa de colocación puede ofrecer, debido a la emergente diversidad en los EUA y el Caribe y al interés en asuntos afrohispanos. Macías le habla de las ventajas multiculturales y multilingües que aportan los guineoecuatorianos con formación universitaria europea.

3. Haga la siguiente llamada telefónica a otro/a estudiante de la clase. Cada persona deberá participar activamente en la conversación. Si necesita ayuda para esta actividad, véase el Apéndice 1, «Protocolo telefónico», página 457.

   Ud. es el/la jefe/a de producción de una compañía que fabrica máquinas de transporte en Bayamón, Puerto Rico. Hable con el/la capataz acerca de la posible automatización del proceso manufacturero. Mencione la eficiencia y la reducción de costos que ofrecen los robots. El/La capataz, en cambio, defiende la importancia de proteger los trabajos de los obreros.

14-4 Navegando por Internet

Para hacer este ejercicio de Internet, visite la página web del libro en http://www .cengage.com/spanish/exito.

14-5 Ejercicios de vocabulario

Si le es necesario, consulte la «Lectura comercial» o la lista de vocabulario al final del capítulo para completar estos ejercicios.

1. **¡A ver si me acuerdo!** Pensando en la posibilidad de establecer una relación comercial, Ud. va a conversar con una persona de negocios de un país hispano. Sin embargo, se le olvidan los siguientes términos en español. Un/a compañero/a lo/la ayuda a recordarlos al pedir que usted se los traduzca.

   a. *Internet*
   b. *migration*
   c. *purchasing power*
   d. *working class*
   e. *global warming*
   f. *market forces*
   g. *intellectual property*
   h. *strategic planning*
   i. *vision*
   j. *international accountant*

2. **¿Qué significan?** A Ud. le interesa la posibilidad de trabajar en una oficina de mercadeo en un país hispanohablante. Sin embargo, no sabe lo que significan ciertos términos usados frecuentemente en el comercio. Ud. decide consultarlos con un/a amigo/a. Pídale a un/a compañero/a de clase que le explique los siguientes términos y que le dé algunos sinónimos si puede.

   a. habilidades interpersonales   f. ética laboral
   b. automatización   g. lectura
   c. austeridad   h. conducta
   d. divisa   i. consejero
   e. desecho tóxico   j. aprendizaje de toda la vida

3. **Entrevista profesional.** Ud. visita al/a la gerente general de una empresa multinacional que lo/la ha contratado como consejero/a. A él/ella le preocupa el impacto negativo de ciertos conceptos futuros en el estado económico de su compañía y se reúne con Ud. Entre las preguntas que le hace el/la gerente general, figuran las siguientes. Con un compañero/a, realicen la entrevista. No olviden el protocolo ni las cortesías.

   a. ¿Cómo pueden influir la emigración y la inmigración en la economía internacional?
   b. En el futuro, ¿será una buena práctica el proteccionismo? Explique.
   c. ¿Cuál ha sido el efecto de la UE como área comercial? ¿Del MERCOSUR? ¿Del TLCAN? ¿Habrá otros acuerdos semejantes? Comente.
   d. ¿Qué efectos tendrán los aumentos de población previstos en las economías de los diferentes países y regiones?
   e. ¿Es más importante saber comunicarse eficazmente en su propio idioma o en el de sus clientes? ¿Cómo se relacionan los aspectos culturales con los dos idiomas?

4. **Traducciones.** Un/a amigo/a suyo/a que está inscrito/a en un programa de maestría en relaciones internacionales acaba de empezar a estudiar el español. Él/Ella sabe poco vocabulario necesario para funcionar eficazmente en ese contexto. Usted lo/la ayuda al pedir que él/ella traduzca las siguientes oraciones sobre el tema.

   a. *The preparation of tomorrow's international manager will need to adapt for successful operation in the global village.*
   b. *A manufacturing-based economy requires more employees than a service-based economy as well as more direct controls over their performance.*
   c. *The international movement of people for purposes of work, tourism, education, or business is on the increase, and migration from region to region is an important part of it.*
   d. *It is predicted that constant personal growth and fullfillment of potential will eventually replace money and social status as the keys to motivation.*
   e. *The failure of strategic planning to control the pollution of vital resources is a managerial as well as an ethical problem for business.*

UNA VISTA PANORÁMICA DE PUERTO RICO

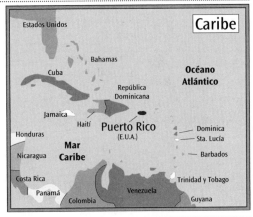

Nombre oficial:	Estado Libre Asociado de Puerto Rico
Gentilicio:	puertorriqueño/a
Capital y población:	San Juan: 424,951
Sistema de gobierno:	Estado libre asociado de EUA (república federal)
Jefe de Estado:	Barack Obama
Jefe de Gobierno:	Gobernador Luis Fortuño
Fiesta nacional:	4 de julio, Día de la Independencia de EUA (1776); 25 de julio, Día de la Constitución de Puerto Rico

Puerto Rico

GEOGRAFÍA Y CLIMA

Área nacional en millas² y kilómetros²	Tamaño (comparado con EUA)	División Política	Otras ciudades principales	Puertos principales	Clima	Tierra cultivable
3,515 m² 9,114 km²	Casi tres veces el tamaño de Rhode Island	78 municipios	Bayamón, Ponce, Carolina, Caguas, Arecibo, Mayagüez	San Juan, Ponce, Mayagüez, Guánica, Guayanilla, Guayama	Tropical marítimo, templado	4%

DEMOGRAFÍA

Año y población en millones			% urbana	Distribución etaria		% de analfabetismo	Grupos étnicos
2010	2015	2025		<15 años	65+		
4	4	4.1	61%	20%	14%	6%	76.2% blanco europeo, 6.9% africano, 4.4% mestizo, 12% otro

ECONOMÍA Y COMERCIO

Moneda nacional	Tasa de inflación 2003	N° de trabajadores (en millones) y tasa de desempleo	PIB 2008 en millones $EUA	PIB 2008 per cápita	Distribución de PIB y de trabajadores por sector*			2008 Exportaciones en millones $EUA	2008 Importaciones en millones $EUA
					A	I	S		
El dólar EUA	6.5%	1.3 (2000) 12%	$74,200	$18,700	1% 2%	45% 19%	54% 79%	$46,900	$29,100

*Para distribución del PIB y de los trabajadores (mano de obra): A = Agricultura, I = Industria, S = Servicios (y Gobierno).

Recursos naturales: Cobre, níquel, potencial de petróleo.

Industrias: Productos farmacéuticos y electrónicos, ropa, alimentos, maquinaria (eléctrica y no eléctrica), metales, derivados de petróleo, textiles, turismo.

COMERCIO

Productos de exportación: Productos químicos, farmacéuticos y electrónicos, ropa, atún enlatado, ron, concentrados de bebida, equipo médico.

Mercados: 88% EUA, 12% otros.

Productos de importación: Productos químicos y farmacéuticos, maquinaria y equipo, ropa, algodón y telas, alimentos, pescado, productos de petróleo.

Proveedores: 60% EUA, 40% otros.

Horario general de comercio: De lunes a viernes, desde las nueve de la mañana hasta las cinco de la tarde.

TRANSPORTE Y COMUNICACIONES

Kilómetros de carreteras y % pavimentadas	Kilómetros de vías férreas	Nº de aeropuertos con pista de aterrizaje pavimentada	Nº de líneas telefónicas	Radios por mil personas	Televisores por mil personas	N° de usuarios de Internet en millones
26,186/95%	96	17	1,322,000	714	321	1

IDIOMA Y CULTURA

Idiomas	Religión	Comidas y bebidas típicas/Modales
Español e inglés (ambos oficiales)	85% católica romana, 15% protestante y otro	Arroz con pollo, arroz con habichuelas, arroz con pernil, paella, tostones, flan, cerveza, ron, café. Mantener las manos, no los codos, sobre la mesa al comer. A menudo se usa el pan para empujar la comida sobre el tenedor y se remoja el pan con salsa.

Horario normal del almuerzo y de la cena: Sobre la una de la tarde para el almuerzo; entre las seis y las ocho de la noche para la cena.

Gestos: Se frunce la nariz para preguntar «¿Qué pasa aquí?» Se frunce la boca en la dirección de algo para indicarlo. Para que se acerque alguien, mover los dedos (arañar) con la palma hacia el suelo. Se entregan tarjetas de visita, dinero, etc., directamente a otra persona, no se tiran o dejan sobre el mostrador o la mesa. Para llamar la atención de un camarero en un restaurante, es común hacer un sonido de «pssst». Durante una conversación, los puertorriqueños se interrumpen frecuentemente, lo cual no se considera descortés sino como señal de interés y participación. Los hombres frecuentemente sonríen a las mujeres y les clavan los ojos, pero no es aceptable que las mujeres hagan lo mismo con los hombres. La mano extendida delante del cuerpo con la palma hacia el suelo y un movimiento de los dedos hacia afuera significa «Vete». Poner una mano con la palma abierta hacia arriba y bajo el codo del otro brazo, significa que alguien es tacaño.

Cortesías: Saludar individualmente a cada persona al llegar a una reunión o comida y despedirse de cada una al marcharse para no menospreciar a nadie y quedar mal. Reconocer que una invitación a la casa de alguien, si esa persona no insiste con sinceridad, puede representar un formulismo social en lugar de una auténtica invitación (no aceptar a la primera). Si los anfitriones le hacen un regalo, abrirlo y admirarlo allí mismo delante de ellos. Se aprecia cuando el invitado trae un regalito (flores, chocolates, un buen vino o una buena marca de whisky) para los anfitriones al ir a la casa de alguien para cenar o para una fiesta.

LA ACTUALIDAD ECONÓMICA PUERTORRIQUEÑA

Puerto Rico, y también Cuba y las Filipinas, fueron cedidos por España a EUA en 1898 como parte del Tratado de París que puso fin a la guerra entre ambas naciones. Económicamente, Puerto Rico se ha transformado de una sociedad agrícola en una más comercialmente diversificada. A partir de los años cuarenta empezó a industrializarse, gracias a la famosa «Operación Manos a la Obra» (*Operation Bootstrap*), emprendida por EUA entre 1947 y los años setenta. Durante esa época, Puerto Rico llegó a ser «La vitrina del Caribe». A pesar del enorme desarrollo económico hasta 1982, el progreso material no mejoró mucho el nivel de vida de gran parte de la población. Tampoco redujo los niveles de desigualdad social o de ingresos personales entre Puerto Rico y Estados Unidos. La *Operation Bootstrap* creó un sector manufacturero orientado hacia la exportación, pero con dueños externos. En vez de producir para el mercado local, la industria puertorriqueña, tanto su mano de obra como su escaso capital, está al servicio de empresas extranjeras, sobre todo estadounidenses, y por eso se incluye el PNB en el de EUA. Se nota que la brecha entre el PNB y el PIB en 2006 en Puerto Rico fue muy ancha: un PNB de $67.9 mil millones y un PIB de $43.3 mil millones. (U. of Ottawa, http://www.juriglobe.ca/esp/pib-rnb/index-alpha.php).

Además de estas contradicciones socioeconómicas, existe la cuestión de la relación política de Puerto Rico con EUA. Aunque los puertorriqueños tienen cierta autonomía local, mucha ayuda económica federal de EUA y exención de los impuestos estadounidenses sobre la renta personal, tienen que respetar las leyes promulgadas por el Congreso estadounidense, en el cual su representante no tiene voto. Las opciones, apoyadas por distintos partidos políticos, que se han considerado respecto al tema de su relación con EUA son tres: (1) incorporarse como un nuevo estado de EUA, en cuyo caso correría el riesgo de perder su identidad nacional que combina lo africano, lo indio (taíno) y lo hispánico. Esta opción es apoyada por el Partido Nuevo Progresista (PNP), formado de una rama del Partido Republicano local cuyo candidato gubernatorial, Luis Guillermo Fortuño, ganó un 52.8% del voto en las elecciones de 2008. Sería, además, el estado más pobre de EUA, con un promedio de ingreso familiar inferior a la tercera parte del estadounidense; (2) proponer su independencia, lo cual anteriormente tenía un atractivo sentimental para muchos puertorriqueños a pesar de que sería económicamente difícil por su dependencia de la economía de EUA. Por esa razón, el Partido Independista (PI) que lo apoya sólo contó con el 2% del voto en 2008; (3) continuar con su condición de Estado Libre Asociado con la misma dependencia o posiblemente más autonomía, la alternativa que recomienda el Partido Popular Democrático (PPD) que recibió un 41.3% del voto. El futuro político puertorriqueño dependerá de muchos factores pero, en todo caso, continuará existiendo siempre una relación muy estrecha con EUA. Puerto Rico ha ocupado un lugar estratégico para la defensa estadounidense en el Caribe y, por eso, las fuerzas navales norteamericanas por mucho tiempo mantenían operaciones y prácticas de tiro y de bombardeo en la isla puertorriqueña de Vieques, pero esa presencia militar se ha reducido al dejar de practicar ataques aéreos en 1998 y con el cierre de la base naval en 2003.

Puerto Rico mantiene una de las economías más dinámicas del Caribe. El sector industrial ha superado el sector agrícola como el área más rentable para las actividades económicas. Ayudada por la sección 936, bajo la cual había aranceles bajos y otros incentivos impositivos estadounidenses, la isla ha aprovechado muchas inversiones por parte de empresas norteamericanas desde su creación en 1976. El Congreso Federal de EUA eliminó la antigua Sección 936 en 1996 y creó un nuevo incentivo relacionado con los salarios que las empresas manufactureras en Puerto Rico les pagan a sus empleados. La fecha de vencimiento del nuevo incentivo fue el 31 de diciembre de 2006. Hasta el presente no se ha creado un programa de desarrollo económico coherente para resolver el cierre de la 936. Muchos creen que la crisis existente en Puerto Rico sólo se puede remediar por medio de un cambio integral de la economía, posiblemente una autosuficiencia agrícola. La producción de azúcar ha dejado de ser tan importante como las industrias agropecuarias, y el aumento del turismo, tradicionalmente importante para Puerto Rico, ofreció más ganancias para la isla hasta la reciente crisis inmobiliaria y económica de EUA. El sol y la playa, hoteles y casinos, la selva tropical en El Yunque, la Playa de Luquillo y la Bahía Bioluminiscente han permitido que se desarrolle el turismo, pero ahora no es suficiente. Después de su elección como gobernadora en 2000, Sila Calderón (PPD) apoyó la continuación del Estado Libre Asociado, pero decidió no perseguir un segundo término. Por eso, Aníbal Acevedo Vilá (PPD), fue elegido gobernador en 2004 y al principio también apoyó el Estado Libre Asociado. Luego el nuevo gobernador cambió su opinión debido a la falta de nuevos acuerdos con EUA y difíciles problemas fiscales, se quejó de las actitudes norteamericanas hacia el futuro económico de la isla y comenzó a proponer más autonomía. Trató de iniciar prácticas para igualar la distribución impositiva entre puertorriqueños como la adopción del Impuesto sobre las Ventas y Uso (IVU) que alzó a un 7%. También trató de reducir la economía clandestina que casi ha igualado la economía legal. Su política no fue popular, y en las elecciones de 2008, Luis Guillerno Fortuño (PNP) ganó fácilmente al ex gobernador. Ahora Fortuño tendrá que hacer frente a todos los problemas de un gobierno en bancarrota cuyo futuro está íntimamente vinculado con EUA, donde se inició la crisis económica mundial.

UNA VISTA PANORÁMICA DE LOS ESTADOS UNIDOS

Nombre oficial:	Estados Unidos de América
Gentilicio:	norteamericano/a, estadounidense
Capital y población:	Washington, D.C. (Distrito de Columbia): 523,124 (área metropolitana: 4,338,000)
Sistema de gobierno:	República federal (con una larga tradición democrática)
Jefe de Estado/Jefe de Gobierno:	Presidente Barack Obama
Fiesta nacional:	4 de julio, Día de la Independencia (1776: de Inglaterra)

Los Estados Unidos

GEOGRAFÍA Y CLIMA

Área nacional en millas² y kilómetros²	Tamaño (comparado con otros países)	División Política	Otras ciudades principales	Puertos principales	Clima	Tierra cultivable
3,794,083 m² 9,826,630 km²	Tercer país más grande del mundo, después de Rusia y Canadá: la mitad del tamaño de Rusia; un poco más grande que Brasil.	El Distrito de Columbia y 50 estados	Nueva York, Los Ángeles, Chicago, Houston, Filadelfia, San Diego, Phoenix	Nueva York, Los Ángeles, Chicago, Filadelfia, San Francisco, Houston, Seattle, Boston, Nueva Orleáns, Baltimore, Honolulu	Mayormente templado; tropical en Florida y Hawai, ártico en Alaska, árido en el suroeste	19%

DEMOGRAFÍA

Año y población en millones			% urbana	Distribución etaria		% de analfabetismo	Grupos étnicos**
2010	2015	2025		<15 años	65+		
310.2	325.5	357.5	81%	20%	13%	1%	79% blanco europeo, 13% africano, 4% asiático, 1% amerindio; (15% hispano**)

ECONOMÍA Y COMERCIO

Moneda nacional	Tasa de inflación 2008	N° de trabajadores (en millones) y tasa de desempleo		PIB 2008 en millones $EUA	PIB 2008 per cápita	Distribución de PIB y de trabajadores por sector*			2008 Exportaciones en millones $EUA	2008 Importaciones en millones $EUA
						A	I	S		
El dólar	4.2%	155.2	7.2% (2008)	$14,580,000	$48,000	1% 2%	20% 24%	79% 74%	$1,377,000	$2,190,000

*Para distribución del PIB y de los trabajadores (mano de obra): A = Agricultura, I = Industria, S = Servicios (y Gobierno).

** El total de los porcentajes no se suma al 100% puesto que el *U.S. Census Bureau* no ofrece una subcategoría racial de la población hispana según raza. La categoría Hispano puede ser de cualquier raza.

Recursos naturales: Carbón, cobre, plomo, molibdeno, fosfatos, uranio, bauxita, oro, hierro, níquel, potasa, plata, mercurio, tungsteno, cinc, petróleo, gas natural, bosques y madera, pesca.

Industrias: Es el país más industrializado del mundo, con una economía muy diversificada y tecnológicamente avanzada. Petróleo, acero, plásticos, producción y ensamble de vehículos de motor, industria aeroespacial, telecomunicaciones, productos químicos, electrónica, procesamiento de alimentos y de bebidas, bienes de consumo, madera, minería, cemento, construcción de barcos, enseres menores, pesca, papel, instrumentos de medicina, cigarros, muebles, equipo fotográfico.

COMERCIO

Productos de exportación: Bienes de capital (transistores, aviones, piezas para vehículos de motor, computadoras, equipo de telecomunicaciones, equipo y maquinaria industrial), automóviles, suministros industriales, materia prima, bienes de consumo, productos químicos y agrícolas (alimentos y animales vivos), maquinaria eléctrica y de motor, equipos científicos y de precisión.

Mercados: 21% Canadá, 12% México, 6% China, 5% Japón, 4% Reino Unido, 4% Alemania (2007).

Productos de importación: Petróleo crudo y productos de petróleo refinado, maquinaria, automóviles, bienes de consumo y de capital, materia prima industrial, alimentos y bebidas, productos electrónicos.

Proveedores: 17% China, 16% Canadá, 11% México, 7% Japón, 5% Alemania (2007).

Horario general de comercio: De lunes a sábado, desde las ocho o nueve de la mañana hasta las cinco o seis de la tarde. Muchas tiendas, especialmente los grandes almacenes, se quedan abiertos hasta las nueve o diez de la noche o se quedan abiertos 24 $\times$ 7 (las 24 horas del día, los siete días de la semana).

TRANSPORTE Y COMUNICACIONES

Kilómetros de carreteras y % pavimentadas	Kilómetros de vías férreas	N° de aeropuertos con pista de aterrizaje pavimentada	N° de líneas telefónicas	Radios por mil personas	Televisores por mil personas	N° de usuarios de Internet en millones
6,465,799/65%	226,612	5,143	194,000,000	2,116	884	223

IDIOMA Y CULTURA

Idiomas	Religión	Comidas y bebidas típicas/Modales
Inglés (oficial), 13% español, chino, lenguas indígenas norteamericanas	51% protestante, 24% católica romana, 2% judío, 2% mormón, 12% no afiliado, 5% otro, 4% ninguno	Hamburguesa, «perritos calientes» (salchicha), pizza, pollo frito, carne asada, ensaladas de lechuga, pavo, tacos. Hay una gran variedad de platos regionales y se sirve mucha comida rápida. También son muy populares las diferentes comidas étnicas del mundo. A diferencia de los países hispanos, generalmente se guardan las manos debajo de la mesa cuando no se están usando para comer.

Horario normal del almuerzo y de la cena: Entre mediodía y la una de la tarde para el almuerzo; entre las seis y las siete de la noche para la cena.

Gestos: A diferencia de los países hispanos, los norteamericanos no se paran muy juntos los unos a los otros cuando se hablan; les gusta mantener una distancia de casi un metro de la cara de la otra persona. Para señalar algo, apuntar con el dedo índice. Para que se acerque alguien, moverse la mano hacia sí mismo con la palma hacia la cara. La pregunta «¿Cómo estás?» es un formulismo social que no pide más respuesta que «Bien, gracias» (no se quiere una respuesta ni sincera ni detallada). Los gestos de «thumbs up» y de «*A-Okay*» significan aprobación por algo bien hecho o que uno está bien. Es obsceno el gesto «to give the finger» (un puño con la palma hacia el cuerpo y el dedo corazón extendido).

Cortesía: Darse la mano al saludarse, con un firme apretón (más fuerte que en la mayoría de los países hispanos). Mantener un buen contacto visual al hablar con alguien. La puntualidad es esencial: las citas, reuniones y comidas empiezan a la hora precisa indicada. En este sentido, el norteamericano es una criatura de poca paciencia. No se espera que el invitado traiga un regalito para los anfitriones al ir a la casa de alguien para comer, aunque se aprecian las flores, los chocolates o un buen vino.

LA ACTUALIDAD ECONÓMICA ESTADOUNIDENSE

Los Estados Unidos ha sido el líder económico del mundo desde los comienzos del siglo XX y mantuvo este nivel con poca competencia exterior hasta comienzos del siglo XXI. A pesar de eso, desde la década de los setenta, con su inflación y escasez de gasolina, ha habido indicaciones de que EUA está experimentando dificultades para mantener su liderazgo económico mundial. Además, en la década de los ochenta el país tuvo que confrontar varias entidades nacionales e internacionales, como la UE, el Japón, Corea, Taiwán y otros países industrializados, con su nueva capacidad productora, que pusieron a prueba la dominación económica estadounidense. El debilitamiento del dominio económico del país se debe a varios factores tales como (1) la erosión de una base industrial productora nacional y su traslado a países extranjeros para reducir los costos de producción por el uso de mano de obra menos cara; (2) los altibajos radicales e inestables de los mercados financieros, específicamente los de la bolsa de Nueva York que sufrió en 1987, 2001 y últimamente 2008, ésta con una baja parecida al colapso de la Gran Depresión de 1929; (3) en 2009 la inseguridad debido a despidos laborales a todos los niveles y edades y una alta tasa de desempleo para el país; (4) una desmoralización general de la población causada tanto por la discriminación racial y sexual, la corrupción y la avaricia en las prácticas empresariales y los procedimientos contables de diversas compañías grandes, los abusos políticos y económicos, como por la creciente alza del costo de vida. Todo esto, sumado a (5) la crisis causada por la falta de ética en la política nacional, los negocios y más recientemente, en el ejército, en el aparente abuso de prisioneros; (6) la escasez de capital; (7) las amenazas ecológicas causadas por el sector industrial; (8) el crecimiento económico nacional lento; (9) las deudas nacionales gemelas, es decir, la deuda presupuestaria nacional que se equilibró durante la presidencia de Clinton (1993–2001) pero que otra vez parece ser imposible reducir, y el déficit comercial/la balanza de pagos; (10) la comprensión de que al país le falta el altruismo a pesar de afirmar una moral cristiana y

(11) el hecho de que los dos partidos políticos tradicionales, los republicanos y los demócratas, como legisladores en Washington, llegaban más regularmente a un punto muerto o estancamiento, tuvo un efecto notable sobre la realidad y la actitud de los estadounidenses.

Políticamente, durante la presidencia de Ronald Reagan (1981–1989), la Guerra Fría entre la URSS y EUA fue causa de una inquietud constante en todas partes del mundo. Esta preocupación fue eliminada con la caída del Muro de Berlín en 1989, símbolo del comunismo para los países capitalistas occidentales, pero los enormes gastos asociados con dicha guerra y otros programas de defensa como «la Guerra de las Galaxias» iniciaron treinta años de inversiones en asuntos militares que ahora amenazan la capacidad de EUA para mantener su hegemonía mundial. Además, por primera vez surgieron dudas y una controversia acerca de la supremacía del sistema educativo de EUA bajo Reagan. Los avances establecidos después de la desintegración de la URSS, los cuales posibilitaron experimentos de mercado libre en antiguas economías centralizadas y cerradas, como por ejemplo, el TLCAN entre México, Canadá y EUA, iniciado por el presidente George Bush (1989–1993) y completado durante la administración del presidente Bill Clinton (1993–2001) en 1994, y las reuniones entre EUA y sus vecinos de Latinoamérica (la Cumbre de las Américas en 1994), abrieron buenas oportunidades para el futuro del hemisferio. Pero estos desarrollos y la burbuja económica creada por muchas inversiones sospechosas ocultaban los problemas internos económicos en las sociedades financieras norteamericanas predichos por inversores impresionantes como Richard Rainwater (http://www.energybulletin.net/node/11695).

El símbolo de amenaza más penetrante al lugar predominante de EUA en el mundo fueron los ataques del 11 de septiembre de 2001, planeados por Osama bin Laden y el grupo terrorista Al-Qaeda en EUA contra las Torres Gemelas del Centro Comercial Mundial en Nueva York, y contra el centro de planificación militar, el Pentágono, en Washington, D.C. Miles de personas murieron en estos ataques, que reenfocaron la atención del mundo en los peligros del terrorismo. Aunque hubo menos intervenciones militares de EUA durante la presidencia de Bill Clinton (Haití y Kosovo en Yugoslavia), el 11 de septiembre inició una serie de contraataques y ataques preventivos de las fuerzas militares de EUA contra el gobierno talibán de Afganistán y el de Saddam Hussein en Irak. Estos ataques los dirigió el presidente George W. Bush (2001–2009), elegido presidente de EUA a fines de 2000, con algunos países aliados —el Reino Unido, Italia, el Japón y España— pero con poco apoyo original de otros aliados tradicionales como Francia y Alemania. Los campamentos de entrenamiento de los terroristas de Al-Qaeda en Afganistán fueron destruidos en octubre de 2001. En enero de 2002, Bush acusó a Saddam Hussein de esconder armamentos de destrucción masiva. EUA invadió Irak en marzo de 2003 pero, desgraciadamente, a pesar de la captura, la encarcelación y últimamente la ejecución en la horca de Saddam Hussein por crímenes contra la humanidad por los iraquíes, la pacificación de Irak y su transformación en una democracia con un gobierno popular ha sido mucho más difícil que la derrota del ejército iraquí. La invasión de Irak se justificó con la supuesta existencia de armamentos nucleares y biológicos amenazantes, los cuales no se han encontrado nunca, a pesar de las investigaciones intensas completadas por los científicos de la ONU. En mayo de 2004, la publicación de fotos que mostraban el presunto maltrato de prisioneros iraquíes por oficiales militares norteamericanos fomentó un escándalo mundial y una ola de rechazo a la hipocresía de las fuerzas norteamericanas.

Durante la última década del siglo XX y el comienzo del siglo XXI, el rápido desarrollo de las tecnologías de telecomunicación creó una disparidad enorme entre las habilidades y los conocimientos de los trabajadores capacitados y los no capacitados, lo cual resultó en grandes diferencias de sueldos, seguros médicos y otros beneficios, y la posibilidad de obtener aumentos de salario por parte de los primeros. En gran parte, muchas de las ganancias en la renta familiar ayudaron desproporcionalmente a los sectores más adinerados de la economía norteamericana. Los aspectos positivos de la economía entre 1994 y 2008 fueron la baja tasa de desempleo, una mayor producción y el reducido tipo de interés reflejado en la baja inflación del período. A largo plazo, entre las interrogantes más importantes están la inversión en la infraestructura económica del país, los costos de la canasta familiar (gastos fijos de familia como alimentos, vivienda, vestuario, salud, educación, transporte y comunicaciones), la falta de seguros médicos disponibles para las familias de las clases baja y media, y también para un sector creciente de personas mayores de edad. Además, hay preocupaciones por la solvencia futura del sistema de seguro social y la falta de suficientes trabajadores que generen fondos para apoyarlo. Los logros, que el presidente Clinton (1993–2001) había negociado con el Congreso y el Senado para reducir la deuda presupuestaria nacional y abrir los mercados internacionales, se detuvieron durante la presidencia de George W. Bush y el Congreso Republicano, y el malestar durante su segundo mandato produjo la necesidad de un cambio gubernamental. El candidato del Partido Demócrata, Barack Obama, ganó las elecciones de 2008, y así se hizo el primer presidente afroamericano de EUA. Al tomar posesión del cargo de presidente, Obama heredó los problemas económicos enormes de la crisis financiera originada en la Bolsa de Nueva York y causada por las hiperinversiones tóxicas en las hipotecas de alto riesgo. Durante la campaña electoral, Obama había sugerido muchas prácticas contrapuestas a las políticas del ex presidente Bush y emitió muchas órdenes ejecutivas restrictivas durante sus primeros días en la Casa Blanca. Por ejemplo, él inició la terminación de la guerra en Irak y la expansión de las fuerzas militares en Afganistán. También firmó la ley de estímulo económico (Programa de Alivio para Activos = *Troubled Asset Relief Program, TARP*) iniciado bajo Bush en 2008 por 700 mil millones de dólares para combatir la recesión por el rescate del sistema financiero de EUA. En febrero de 2009 Obama firmó la Ley Americana de Recuperación y Reinversión (*American Recovery and Reinvestment Act of 2009*). Esta ley es una respuesta extraordinaria a una crisis como ninguna otra desde la Gran Depresión e incluye medidas destinadas a mejorar la infraestructura, facilitar la independencia energética, proveer más oportunidades educacionales y ayuda tributaria para los más necesitados en EUA. Propuso un plan para proveer acceso al sistema de salud a los 45 millones de norteamericanos sin seguros médicos, y más beneficios para unos 25 millones con cobertura insuficiente. Es claro que tendrá que haber modificaciones a este plan debido al miedo público del posible costo y a cambios indeterminados. Aunque los indicadores económicos del segundo trimestre de 2009 indican la posibilidad de que la recesión estadounidense empiece a retroceder, el desempleo sigue aumentando y los consumidores norteamericanos se resisten a gastar dinero, lo cual es indispensable para que una sociedad de consumo se recupere a largo plazo. Es demasiado temprano para predecir el futuro de la economía estadounidense tanto a corto como a largo plazo.

14-6 Actividades

¿Qué sabe Ud. de Puerto Rico y de los Estados Unidos?

1. A Ud. lo/la han contratado/a como asesor/a transcultural de negocios internacionales. Como tal, necesita informar a sus clientes sobre Puerto Rico y los Estados Unidos, y recomendar un plan de viaje de negocios a cada país. Averigüe los datos pertinentes para poder desarrollar los temas a continuación.

   a. Describa la geografía de Puerto Rico y los Estados Unidos, refiriéndose a los siguientes temas: ubicación y tamaño de ambos países, capital y otras ciudades y puertos principales, división administrativa y clima. ¿Cuáles son los países vecinos de Puerto Rico? ¿De EUA? Compare el tamaño de Puerto Rico con el de EUA. Compárelo con el tamaño del estado donde Ud. vive.

   b. ¿Cuáles son las principales características demográficas y políticas de Puerto Rico y EUA? Compare la población de Puerto Rico con el número de puertorriqueños que viven en los Estados Unidos. (Busque los datos en «Lectura cultural», la página 445.) ¿Quiénes son el gobernador de Puerto Rico y el presidente de EUA actuales?

   c. ¿Cuándo es la fiesta nacional de Puerto Rico? ¿La de EUA? ¿Qué otras fiestas públicas también podrían afectar el éxito de un viaje de negocios a EUA y a Puerto Rico? (Véase la Tabla 10-1, páginas 306–308.)

   d. Describa la economía de Puerto Rico y de EUA. Incluya datos sobre la moneda nacional, el PIB y el PIB per cápita, el número de trabajadores (la mano de obra), la tasa de desempleo, los recursos naturales, las industrias, los productos que se exportan e importan, los países destino (mercados) y proveedores (fuentes) de estas transacciones internacionales, y la balanza de comercio. ¿Cuál fue la balanza comercial de Puerto Rico y de EUA según la información en este libro? ¿En la actualidad? Compare el PIB, el PIB per cápita y la distribución del PIB de Puerto Rico con los de los países miembros de CARICOM. Compárelos con los de Cuba. ¿A qué factores se deben las diferencias?

   e. Describa la infraestructura de transportes y de comunicaciones de Puerto Rico y EUA. ¿Qué ventajas o desventajas económicas tienen Puerto Rico y los Estados Unidos debido a su geografía?

f. ¿Cómo han cambiado algunos de los datos presentados en las secciones de «Vista panorámica» y «La actualidad económica» de este texto? Póngalos al día para cada país.

g. Describa la relación socioeconómica entre Puerto Rico y los Estados Unidos, refiriéndose a las lecturas de «La actualidad económica».

h. Basándose en «La actualidad económica» de Puerto Rico y los Estados Unidos, ¿qué realidades, oportunidades y problemas destacaría y qué recomendaciones le daría a un/a empresario/a interesado/a en hacer negocios allí?

2. Ud. tiene que hacer un viaje de negocios a Puerto Rico durante cinco días para hacer observaciones directas de una empresa de turismo. Usando Internet u otras fuentes informativas, prepare un plan de viaje (con presupuesto e itinerario), partiendo del aeropuerto de su ciudad en este momento. Busque las posibilidades en Internet, por teléfono, en una agencia de viajes o en el aeropuerto mismo. Comuníquese en español, si es posible.

a. Fechas de ida y vuelta.

b. Vuelos: aeropuertos de despegue y aterrizaje, líneas aéreas, horario; costos.

c. Transporte interno que se piensa usar en Puerto Rico: taxi, autobús, carro de alquiler, metro, tren, otro; costos.

d. Alojamiento y viáticos; costos.

e. La comida típica que va a pedir para la cena la primera noche.

f. Las formas de cortesía y los gestos que debe recordar, usar o evitar.

g. Los lugares que tendrá que visitar para observar las diferentes excursiones que ofrece la empresa seleccionada.

h. Los servicios disponibles para las familias con niños pequeños y los minusválidos (sillas de rueda, etc.).

i. Una comparación de precios en Puerto Rico con la República Dominicana, Jamaica, Haití y Cuba.

LECTURA CULTURAL

La presencia hispana en los Estados Unidos de América

El *U.S. Census Bureau* nos informa que el primero de julio de 2007 la población de latinos en EUA (que incluye a las personas de cualquier raza) había alcanzado oficialmente los 49.7 millones de habitantes, superando ya sus propios cálculos anteriores de 37 millones para el año 2005. Esta cifra rebasaba la población de todos los países hispanos excepto las de México (112.5 millones) y Colombia (46.3 millones) y en 2009 ya había sobrepasado la de Argentina (41.3 millones) y España (40.5 millones), haciendo de EUA el tercer país hispanoparlante del mundo. A partir de 2003, los hispanos norteamericanos también empezaron a representar el grupo minoritario estadounidense más numeroso, con una tasa de crecimiento de 3.3% entre los años 2006 y 2007 (véase la Figura 14-1).

En el pasado, los españoles que vivían en Nuevo México adoptaron el término «hispano» para diferenciarse, como hispanohablantes, de los mexicanos. Éste

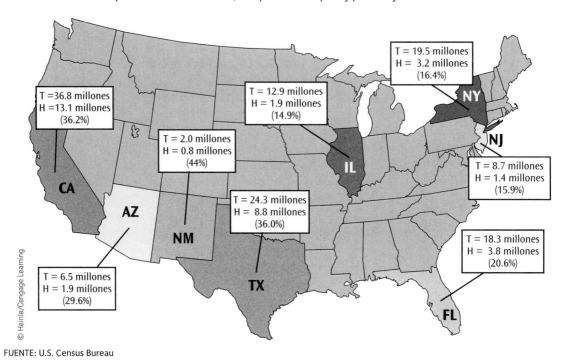

Figura 14-1 **Los ocho estados con mayor población hispana de EUA en 2007** *(Mapa de M.S. Doyle)*

NOTA: Población nacional EUA: 300 millones; hispanos norteamericanos: 44.3 millones (14.8%);
T = población total del estado; H = población hispana y porcentaje del estado

T = 19.5 millones
H = 3.2 millones
(16.4%)
NY

T =36.8 millones
H =13.1 millones
(36.2%)

T = 12.9 millones
H = 1.9 millones
(14.9%)

NJ

T = 2.0 millones
H = 0.8 millones
(44%)

IL

T = 8.7 millones
H = 1.4 millones
(15.9%)

CA

AZ

T = 24.3 millones
H = 8.8 millones
(36.0%)

NM

T = 18.3 millones
H = 3.8 millones
(20.6%)

© Heinle/Cengage Learning

T = 6.5 millones
H = 1.9 millones
(29.6%)

TX

FL

FUENTE: U.S. Census Bureau

es un término que rechaza gran parte de la población hispanoparlante de EUA. Los puertorriqueños que han vivido en Nueva York adoptaron el término «latino» para evitar el estereotipo negativo que se les aplicó porque hablaban español. (Recuérdese también que en el primer capítulo de este texto, en la sección titulada «La geografía y la población mundial», se aclara que el término «Hispanoamérica» se refiere a los países hispanohablantes de las Américas, mientras que Latinoamérica es un término más amplio que abarca también países como Brasil, cuya lengua nacional es el portugués.) Pero la palabra «latino» luego se convirtió en un concepto peyorativo estadounidense que se extendió para incluir a los mexicanos que vivían en el suroeste del país. Los cubanos han sufrido el mismo prejuicio, pero no se los ha estereotipado tanto como a los otros grupos porque muchos inmigrantes cubanos eran profesionales y técnicos. El uso de la palabra «*Hispanic*» es impreciso y es un término que algunos hispanos también consideran discriminatorio. Aunque el término «latino» se usa frecuentemente, muchos prefieren una terminología más precisa para reflejar sus distintos orígenes étnicos como, por ejemplo, «mexicano», «chicano» o «mexicano-americano». Además, la palabra «*Hispanic*» es un término étnico, no racial. En cualquier caso, sería mejor que los gerentes estadounidenses se refirieran a los hispanos norteamericanos usando la terminología preferida por éstos en diferentes regiones del país.

Figura 14-2
Distribución de hispanos por origen en EUA, 2006
(Gráfico de M.S. Doyle)

FUENTE: U.S. Census Bureau

En la Figura 14-2, se ve que los mexicanos representan el grupo más grande de hispanos en EUA. Hasta recientemente, han vivido tradicional y principalmente en el suroeste del país y en Chicago. Hoy en día muchos obreros mexicanos cruzan legal e ilegalmente la frontera entre EUA y México en busca de trabajo y una vida mejor, no solamente en los lugares tradicionales sino también en otras regiones como el sureste y la parte central del país. La inmigración ilegal ha sido un tema de gran preocupación para el gobierno estadounidense, hasta tal punto que en 2005 éste inició la construcción de «La Gran Muralla Norteamericana» de 1,951 millas a lo largo de la frontera entre los dos países para reducir la entrada de indocumentados.

El segundo grupo más grande de hispanos en EUA es el puertorriqueño, con 4.0 millones en 2006 (*U.S. Census Bureau*). Debido a su ciudadanía estadounidense desde 1917, los puertorriqueños pueden entrar y salir fácil y legalmente de los EUA sin visa. En el siglo XX se han hecho varios censos para conocer el número de puertorriqueños residentes: 12,000 en 1920; 53,000 en 1930; 90,000 en 1944; y 250,000 en 1950, casi todos en la ciudad de Nueva York. Al llegar los años noventa, también había números importantes de puertorriqueños en Chicago, Los Ángeles, Hartford, Miami, Filadelfia, en las ciudades de Nueva Jersey y en otras ciudades industrializadas. Muchos se han casado con personas de otros grupos hispanos por todas partes del país, o se han integrado completamente en las sociedades étnicas estadounidenses más tradicionales. Recientemente el número de puertorriqueños en la ciudad de Nueva York se ha reducido debido al egreso a otras áreas y al regreso a Puerto Rico de muchos de ellos. (http://www.centropr .org/documents/working_papers/Outmigration091108.pdf)

El tercer grupo más grande de hispanos en EUA son los cubanos. Aunque fue cedida a EUA en 1898 con Puerto Rico, las Filipinas y Guam, Cuba consiguió su independencia en 1902. Las primeras inmigraciones cubanas a EUA fueron lentas y por motivos económicos. La población cubana en EUA se traza de la siguiente manera: 19,000 en 1930; 79,000 en 1960; luego, debido a la Revolución cubana, 273,000 en 1973; y con más crecimiento de población, después de la primera, segunda y tercera oleadas de refugiados cubanos, entre ellos los «marielitos», unos 800,000 en 1980. Hoy hay 1.5 millones de cubanos en EUA. Miami ha sido adoptada como su «ciudad materna» e incluso tiene un barrio importante que se llama «la Pequeña Habana».

A continuación se ofrece un breve resumen de la presencia hispana en EUA. A pesar de la distribución regional de los hispanos en EUA, señalada en la Figura 14-3, no han sido tratados de modo igual por la sociedad estadounidense ya establecida. A los cubanos que emigraron antes de 1980, se les mostró más respeto por su condición socioeconómica y racial. Hacia los marielitos y otros grupos de hispanos, la sociedad estadounidense ha demostrado más recelo y a veces cierta actitud despectiva, como había ocurrido antes con otros recién llegados al país (los irlandeses, los italianos, los polacos, etc.)

Este tratamiento desigual y discriminatorio contra los hispanos por parte de algunos sectores del país se basa tanto en la inseguridad política y económica como en cierto etnocentrismo, insensibilidad y desconocimiento del español (la falta de comunicación) y de las culturas hispánicas. Esta actitud antihispana periódicamente se ha intensificado hacia los recién llegados. Por ejemplo, en los ochenta los

Figura 14-3 **Distribución regional de hispanos en EUA, 2006**
(Gráfico de M.S. Doyle)

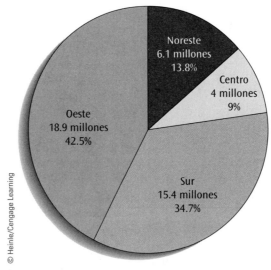

FUENTE: U.S. Census Bureau

centroamericanos que emigraron a causa de las guerras civiles, la política del bloqueo económico hacia Centroamérica y la depresión inevitable (causada en gran parte por EUA) de las economías de esa región tuvieron que aguantarlo. Luego, después de la oleada de obreros mexicanos buscando trabajo durante el mercado alcista norteamericano de los primeros años del siglo XXI, comenzó la crisis financiera y el desempleo de 2008. La enorme reacción negativa de la clase obrera resultó en leyes discriminatorias contra todos los mexicanos, tanto los legales como los ilegales. No obstante las nuevas oportunidades y los nuevos problemas que estas olas inmigratorias traen para los hispanos y los estadounidenses, es obvio que la población hispana de EUA está creciendo más rápidamente que la de cualquier otro grupo étnico. Se prevé que para el año 2015 la población latina de EUA llegará a 59.7 millones de personas (17.8% de la población nacional); para 2030 alcanzará 73 millones (20.1%); y que para 2050, ascenderá a 102.6 millones (24.4%). Hay más oportunidad para que los inmigrantes de habla española mantengan su lengua y cultura y su contacto personal entre familiares y amigos, debido al transporte rápido y las telecomunicaciones modernas. Esas circunstancias producen las siguientes situaciones:

1. Muchos hispanos quieren conservar con orgullo sus orígenes étnicos: lo puertorriqueño, lo cubano, lo mexicano, lo hondureño, lo panameño, etc. En este sentido, se han resistido a la idea del «crisol» estadounidense tradicional y son más partidarios del concepto de un «mosaico» o una «ensalada» nacional.

2. Muchos hispanos siguen comunicándose en español frecuentemente, lo cual implica que este idioma puede alcanzar una fuerza sociocultural, política y económica bastante fuerte en el futuro (véase la distribución de compañías hispanas por origen y sector en las Figuras 14-4 y 14-5). Ya se ha visto la fuerte influencia hispana en la industria de música popular de EUA con

Figura 14-4 **Distribución de compañías con propietario hispano por origen en EUA, 2002** *(Gráfico de M.S. Doyle)*

FUENTE: U.S. Census Bureau

© Heinle/Cengage Learning

Figura 14-5 **Distribución de compañías con propietario hispano por sector en EUA, 2002** *(Gráfico de M.S. Doyle)*

Servicios profesionales, científicos y técnicos

Comercio minorista

9%

10%

Otros servicios 29%

Servicios de salud y asistencia social

12%

Comercio no minorista 27%

Construcción 13%

© Heinle/Cengage Learning

FUENTE: U.S. Census Bureau

Ricky Martin, Christina Aguilera, J Lo (Jennifer López), Carlos Santana, Shakira, Marc Anthony, Eva Longoria, Selena Gomez, Freddy Rodriguez y otros, y la creciente contribución a la producción fílmica.

3. En muchos estados la enseñanza bilingüe y programas en Inglés como Segunda Lengua (ESL) en las escuelas primarias combinan el uso del español y del inglés, lo cual puede ser práctico y necesario, especialmente para los niños recién llegados al país que comienzan sus estudios por primera vez. Todo esto existe, a pesar del desarrollo de organizaciones como Pro-English USA que ha empezado una iniciativa para establecer el inglés como la única lengua oficial del país y otra para eliminar la educación bilingüe en los estados que más la necesitan.

4. La creación de coaliciones de hispanoparlantes está produciendo una dinámica fuerza política y económica dentro de las fronteras de EUA en muchos estados y comunidades norteamericanos. Se notó la importancia del voto hispano en la elección del presidente Obama en el 2008 y el nombramiento y la aprobación de su candidata Sonia Sotomayor como la primera juez hispana a la Corte Suprema de EUA en el 2009.

La meta para EUA podría ser el establecimiento de una nueva confluencia de culturas, especialmente con la hispana. Según Octavio Paz, el famoso filósofo y poeta mexicano (Premio Nobel de Literatura en 1990), el país tiene la oportunidad de ser la primera democracia auténticamente multirracial en la historia del mundo.

14-7 Actividades

1. **¿Qué sabe Ud. de la cultura?** Demuéstrelo contestando las preguntas a continuación.

   a. Según las Figuras 14-2 y 14-3, ¿cómo se distribuyen los hispanos norteamericanos por origen y por región? Ahora, use el Internet para encontrar la siguiente información. ¿Cuántos hispanos viven y trabajan en el estado donde vive usted? ¿Cómo es la distribución hispana por origen de su país?

   b. ¿Por qué es difícil precisar el número exacto de hispanos en EUA? ¿Todos los hispanos hablan español? ¿Tienen las mismas raíces culturales? Explique.

   c. Se dice que EUA es un país donde el español es el segundo idioma más importante. ¿Qué opina Ud.? Comente.

   d. Comente sobre las diferencias en las inmigraciones a EUA de los mexicanos, los puertorriqueños, los cubanos, los salvadoreños y otros grupos hispanos.

   e. ¿A qué se debe la tendencia de los inmigrantes hispanos a seguir hablando español en EUA? ¿Qué ocurrió con las diferentes lenguas que hablaban los inmigrantes de Europa del siglo XIX y de la primera mitad del siglo XX?

   f. ¿Qué es la enseñanza bilingüe? ¿Cómo mediría Ud. los beneficios de esta enseñanza en la economía estadounidense?

   g. Según la Figura 14-4, ¿qué grupo hispano tiene más propietarios de compañías en EUA? ¿Cuál tiene menos? ¿Cómo es esta distribución en el estado y la ciudad donde usted vive?

   h. Según los datos resumidos en la Figura 14-5, ¿cuál sector económico representa la mayoría de las compañías con propietarios hispanos o latinos? ¿En qué sectores hay un porcentaje del 13%? ¿Qué quiere decir esto?

   i. Según Octavio Paz, ¿qué posibilidad única tiene EUA? ¿Qué opina Ud. de esta posibilidad?

2. **Asimilador cultural.** Lea lo siguiente y conteste las preguntas a continuación.

   Frank Joiner, el director de personal de Monroe & Monroe, Inc., una compañía farmacéutica estadounidense, entrevista a una aspirante para un puesto de ventas para su mercado hispano en Nueva York. Joiner aprendió a hablar español con profesores puertorriqueños en la universidad e hizo una práctica profesional con Monroe & Monroe en San Juan, al final de su carrera universitaria. Luego, Monroe & Monroe le ofreció un puesto permanente en Nueva York, donde lleva quince años trabajando con la comunidad puertorriqueña.

   La entrevistada se llama Anita Estévez, natural de Santa Fe, Nuevo México, y es de una vieja familia española de la clase alta. Acaba de recibir su título universitario en la Universidad de Nuevo México. Joiner, que no había estudiado con cuidado el currículum vitae de la candidata, la saluda y le pregunta:

   —Pues, bien, Srta. Estévez, ¿de qué parte de Puerto Rico es Ud.?

   Estévez vacila un momento antes de contestarle...

   a. ¿Cuál es el problema del gerente, Frank Joiner? ¿Cómo han influido las experiencias del gerente en su conducta?

b. ¿Qué le va a contestar la Srta. Estévez a su pregunta? ¿Qué estará pensando ella en este primer momento de la entrevista?

c. ¿Qué conocimientos y experiencias transculturales le recomendaría Ud. a Frank Joiner?

d. ¿Qué conocimientos culturales va a necesitar Anita Estévez para tener éxito en Nueva York, si le ofrecen el puesto de vendedora y ella lo acepta?

SÍNTESIS COMERCIAL Y CULTURAL

14-8 Actividades comunicativas

1. **Situaciones para dramatizar.** Lea las siguientes situaciones y después haga el papel en español con otro/s estudiante/s, usando las siguientes opciones como punto de partida. Cada persona deberá participar activamente en la dramatización. No olviden el protocolo ni las cortesías.

   a. *You are an American at a convention for managers in Miami. You and a Cuban-American colleague discuss the transition from an industrial society to one of services, each giving his/her point of view from a different cultural perspective. Include the following topics.*

      - *the need for fewer employees.*
      - *a desire for more flexibility with working hours.*
      - *the intimate nature of service companies devoted to working closely with customers.*
      - *a reduction in bureaucracy.*
      - *less hassle with unions.*

   b. *At an international conference for upper-level management personnel, you and several associates are discussing the difficulty involved with the future of Caribbean operations. Explain how, from your point of view, the competition between ALCA* (Área de Libre de Comercio de las Américas) *and ALBA* (Alternativa Boliviariana de las Américas) *poses a very real threat to the complete economic integration of the hemisphere. Some of your associates agree with you, while others see ALCA as only another tool to protect American interests.*

2. **Comprensión y comunicación.** Para este ejercicio basado en el vídeo de *Éxito comercial,* pase al encarte central del texto, VídeoTexto página 15.

3. **Actividad empresarial.** Uds. trabajan para una empresa multinacional que tiene muchas ventas en Puerto Rico. El/La presidente/a de la empresa quiere instalar una fábrica de construcción en Bayamón, Puerto Rico. Es muy posible que haya factores que puedan causar dificultades. Les pide sugerencias sobre la decisión que él/ella tendrá que tomar. Es importante investigar los siguientes temas, comparando Puerto Rico con México y Canadá, los socios del NAFTA:

   a. los acuerdos comerciales durante los últimos quince años y los posibles efectos en la importación de materiales necesarios para la construcción de la fábrica.

   b. el valor de las monedas nacionales durante el mismo período.

c. el número de posibles clientes en estos países.

d. los efectos de un voto a favor de la independencia de Puerto Rico o un cambio de su condición de Estado Libre Asociado con EUA a estado oficial (como Hawai y Alaska).

Después de completar su investigación, Uds. recopilan todos los datos en un informe escrito con listas o tablas que indican la información indispensable para hacer un breve análisis del caso. Luego, Uds. presentan el informe oralmente sin leerlo.

4. **Minicaso práctico.** Lea el caso y haga el ejercicio que aparece a continuación.

Ud. acaba de completar un curso de español comercial en el cual ha estudiado diversos temas fundamentales del mundo de los negocios, tanto nacionales como internacionales. También ha estudiado mucha terminología comercial y diversos aspectos de los contextos culturales hispanos. Ud. está solicitando un puesto en una compañía que mantiene relaciones comerciales con muchos países hispanohablantes. El/La director/a de personal de esta empresa (el/la profesor/a de la clase), lo/la entrevistará a Ud. (y a cada estudiante de la clase) individualmente en español para determinar:

a. sus conocimientos comerciales

b. sus habilidades lingüísticas

c. su sensibilidad transcultural

Ud. y su director/a de personal deben ponerse de acuerdo de antemano acerca de las descripciones de los puestos de trabajo que se podrían incluir en la entrevista. (NOTA: Antes de hacer la entrevista, prepárese según la información presentada en el Apéndice 4, página 472.)

......

14-9 Análisis y comparación

Estudie la Tabla 14-1 y haga los ejercicios que aparecen a continuación. Use también sus conocimientos y, si es necesario, otras fuentes informativas como un diccionario, un *Almanaque mundial*, Internet, etc. Los ejercicios se pueden hacer individualmente, en parejas o en pequeños grupos para discutir en clase.

1. En los países hispanos la comida tiene un papel social muy importante, tanto en el contexto familiar como en el profesional. Típicamente, los hispanos pasan varias horas al día almorzando y cenando, en casa, restaurantes o cafeterías, con parientes, amigos o colegas de trabajo. En su opinión, ¿qué papel pueden jugar el almuerzo y la cena en el mundo de los negocios, al reunirse uno/a con colegas, gerentes y clientes? ¿Qué opina del desayuno de negocios? ¿Es mejor que la comida o la cena para tales propósitos?

2. ¿Cómo es la comida mexicana? ¿Cuáles son algunos de los platos típicos del país? ¿Algunas bebidas típicas? ¿Ha probado usted alguna vez la auténtica comida mexicana? ¿Le gustó? Comente. ¿En qué se diferencia de la comida Tex-Mex?

3. ¿Cómo es la comida española? ¿Se parece mucho a la comida mexicana? Comente. ¿En qué se diferencian la tortilla mexicana y la tortilla española?

4. ¿Cuáles son algunas de las comidas y bebidas típicas que encontraría un hombre o una mujer de negocios al hacer un viaje a Puerto Rico y a la República Dominicana? ¿Cómo es la comida cubana? ¿Cuáles son algunas de las frutas que se comen en el Caribe hispanohablante?

5. En Argentina se come mucha carne de res. ¿Cuáles son algunos de los platos de carne típicos del país? Si fuera usted vegetariano/a, ¿qué haría durante un viaje de negocios a este país?

6. ¿Cuáles son algunos de los postres típicos de los países hispanos? ¿Qué bebida se suele tomar con el postre? Si usted no toma cafeína, ¿qué haría (o pediría) para no quedar mal con sus anfitriones hispanos?

7. ¿Qué es el pisco peruano? ¿La caña paraguaya? ¿La chicha boliviana? ¿El aguardiente colombiano? ¿La cava española? ¿El cubalibre? ¿La caipirinha de Brasil? ¿Y el tequila mexicano? ¿Qué tienen en común todas estas bebidas?

8. ¿Cómo le describiría usted a un/a visitante boliviano/a (un/a compañero/a de clase) la cocina típica norteamericana? Supongamos que esta persona lo/la está visitando para explorar la posibilidad de comprar varios de sus productos y que es su primera visita a EUA. Usted quiere invitarlo/a a cenar. ¿Adónde lo/la llevaría y qué le recomendaría cenar?

9. Ud. está visitando un país hispanoamericano para tratar asuntos comerciales con un/a nuevo/a cliente. Esta persona (un/a compañero/a de clase) lo/la ha invitado a cenar. En el restaurante le traen un plato que de veras no le apetece (supongamos que sea ceviche o un riquísimo mondongo o menudo, un caldillo de congrio, cuy, lengua de erizo, un anticucho peruano, calamares en su tinta, guatitas chilenas o un picantísimo plato mexicano). La persona que lo/la ha invitado a cenar está sentada delante de usted, con una sonrisa de satisfacción porque le han servido un exquisito plato típico. ¿Qué hace Ud. ahora? ¿Cómo se niega a comer este plato típico sin quedar mal con su cliente?

10. ¿Cuáles son algunas de las comidas más exóticas o extrañas que ha comido usted?

Tabla 14-1 | **Comidas y bebidas típicas de los países hispanoparlantes y Estados Unidos**

País	Comidas y bebidas típicas
Argentina	Asado (*barbecue*); empanada (*meat or vegetable pie*); locro (*winter stew of meat, corn, and potatoes*); parrillada mixta (*mixed grill; steaks, spicy pork sausage* [chorizo], *blood sausage* [morcilla], *and sweetbreads* [mollejas]); bife de chorizo (*large strip sirloin*); bife de lomo (*filet*); picante (*a spicy sauce that can be added to beef*); chimichurri (*picante sauce w/garlic, olive oil, vinegar and coriander*); flan (*creme caramel*); dulce de leche (*milk boiled w/sugar and drops of vanilla or chocolate*); vino, mate (*hot green tea*)

Tabla 14-1 (*continuación*)

País	Comidas y bebidas típicas
Bolivia	Salteñas (*meat or chicken pies with potatoes, olives, and raisins*); trucha (*pink salmon trout*); picante de pollo (*chicken in ají, a spicy pepper*); plato paceño (*corn, potatoes, beans, and cheese*); timpu (*lamb stew*); conejo cuis (*roast guinea pig*); asado de llama (*llama steak*); singani (*refined grape alcohol—the national drink*); chicha (*corn-grain alcohol*)
Chile	Empanadas de horno (*meat turnovers w/beef, hard-boiled eggs, onions, olives, and raisins*); pastel de choclo (*cornmeal pastry w/baked beef, chicken, onions, corn, eggs, and spices*); cazuela de ave (*chicken soup*); churrasco (*braised beef*); chupe de mariscos (*seafood stew*); porotos granados (*thick bean, corn and squash soup*); arrollados (*stuffed pork roll encased in pork rind*); guatitas (*intestines*); caldillo de congrio (*conger eel soup*); lengua de erizo (*a delicacy paste made from sea urchin tongue*); sopaipillas (*deep-fried pumpkin dough w/sprinkled sugar*); manjar (*cans of sweetened condensed milk boiled for hours*); vino (¡Chile produce excelentes vinos!), café
Colombia	Arroz con pollo (*chicken w/rice*); frijoles con chicharrón (*pork w/kidney beans*); piquete (*meat, potatoes and vegetables in ají, a spicy pepper*); cuchuco (*thick barley and meat soup w/ peppercorns*); peto (*soup of white corn w/milk*); arepa (*cornmeal pancake*); sancocho (*meat and vegetable stew*); sancocho de sábalo (*shad or other fresh fish prepared in coconut milk w/strips of potato, plantain and yucca*); tamales (*corn dough, meats, vegetables cooked and wrapped in plantain or banana leaves*); cazuela de mariscos (*seafood soup w/chunks of cassava*); changua (*soup of potatoes and eggs*); empanadas (*meat turnovers*); buñuelos (*golden balls of corn flour and cheese*); arequipe (*caramel sauce*); arroz de coco (*rice pudding w/coconut and rum*); oblea (*large wafers spread w/sugar and milk paste*); café, aguardiente (*strong liquor made from sugarcane*)
Costa Rica	Olla de carne (*beef stew w/potatoes, onions, and vegetables*); tamales (*meat, vegetables, and flour wrapped in plantain leaves and boiled*); lengua en salsa (*beef tongue in sauce*); mondongo (*tripe soup*); empanadas (*turnovers*); arroz con pollo; gallos (*tortillas w/meat and vegetable fillings*); gallo pinto (*rice and black beans*); casado (*rice, beans, eggs, meat, and plantain*); café
Cuba	Arroz y frijoles negros (*rice and black beans*); arroz con pollo; picadillo (*well-seasoned ground beef w/chopped peppers and onion or w/chopped bacon, vegetables and egg*); tasajo (*cured or dried jerked beef*); ropa vieja (*stewed meat in tomato sauce*); tamales (*ground seasoned maize and sometimes meat or sweet filling wrapped in a plantain or maize leaf*); fufú de plátano (*boiled green plantain, flattened or crushed, seasoned w/garlic, onion and pork cracklings*); croquetas (*fish or meat croquettes*); yuca; boniatillo (*sweet potato*); arroz con leche (*rice pudding*); yemitas (*sweets made w/egg yolk and sugar*); tocino del cielo (*sweet made w/egg yolks and syrup*); gran variedad de frutas tropicales; bebidas de ron como el daiquiri y el cubalibre (*rum and coke, referred to as «mentirita» by the Cubans living in Miami and Florida*), café
Ecuador	Arroz con pollo (*fried chicken w/rice*); locro (*soup of potatoes, cheese, meat and avocados*); llapingachos (cheese and potato cakes); ceviche (*raw seafood marinated in lime and served w/ onions, chili peppers, cilantro, tomatoes and spices*); empanadas (*beef turnovers*); arroz con menestra (*rice w/spicy beans, barbecued beef, and refried plantains*); caldo de bola (*plantain-based soup*); fritada (*fried pork*); cuy (*roast guinea pig*); patacones (*fried green bananas, smashed, and refried*); humita (*sweet corn tamales*); seco de chivo (*goat stew*)
El Salvador	Frijoles; tortillas; pupusas (*thick tortillas filled w/meat, beans and/or cheese*); arroz; huevos; carne; frutas; café. La comida es menos picante que la de muchos otros países hispanos.

(continúa)

Tabla 14-1 (*continuación*)

País	Comidas y bebidas típicas
España	Tortilla española (*omelet w/potatoes and onions*); gazpacho (*cold vegetable soup, often served w/fresh, chopped vegetables to sprinkle on top*); paella (*rice w/saffron and chicken, fish, shrimp, mussels, clams, sausage and pork*); bocadillo (*sandwich on French-type loaf bread*); cocido (*Castillian soup*); jamón serrano (*salty cured ham*); chorizo; lenguado (*flounder*); merluza (*hake*); pulpo (*octopus*); calamares (*squid*); churros (*deep-fried batter of flour and butter, sprinkled w/sugar and/or dipped in warm chocolate*); carne, pollo, y huevos; vino, sangría (*sweetened wine punch w/fruit*), cerveza, champán (llamado «cava»), café. La comida española no es picante.
Guatemala	Tortillas de maíz; frijoles; arroz; tamales (*cornmeal or rice dough stuffed w/meat or tomato sauce*); plátanos fritos (*fried plantains*); carne, pollo y cerdo; café
Guinea Ecuatorial	Carne; pollo; pescado; yuca; cacahuetes y salsa de cacahuetes; papaya, piña, bananos y plátanos; tope (*palm wine*), malamba (*sugarcane liquor*)
Honduras	Frijoles, tortillas, maíz y arroz; tapado (*stew w/beef, vegetables, and coconut milk*); mondongo (*tripe and beef knuckles*); nacatamales (*pork tamales*); torrejas (*similar to french toast and served at Christmas*); bananos, piña, mango, coco, melón y otras frutas; topogios o charramuscas (*frozen fruit juice in a plastic bag*)
México	Tortillas; chilaquiles (*breakfast of tortilla strips scrambled w/chili, tomatoes, onions, cream and cheese*); frijoles refritos (*refried beans*); torta (*hollow roll stuffed w/meat or cheese*); quesadilla (*tortilla baked w/cheese*); tacos; tostada (*toasted tortillas covered w/meat, lettuce and a variety of ingredients*); mole; tamales (*cornmeal wrapped in banana leaves or corn husks*); chalupa (*tortilla w/upturned edges, fried and topped w/variety of meat or chicken, beans, etc.*); flautas (*extra long, flute-shaped tacos*); enchilada (*tortilla w/chicken inside, covered with a hot sauce*); sopa azteca (*avocado and tortilla broth*); sopa de flor de calabaza (*squash-flower soup*); chile relleno (*stuffed chilies*); birria (*goat soup*); enfrijolada (*chicken-filled tortilla covered w/bean sauce and cheese*); pozole (*hominy soup w/pork*); chile poblano (*chili sauce w/green tomatoes, chocolate and peanuts*); chiles en nogada (*large poblano chili stuffed w/beef or cheese, raisins, onion, olives and almonds, topped w/creamy walnut sauce and pomegranate seeds*); huachinango (*red snapper*); menudo (*spicy tripe soup*); ceviche (*raw fish and shellfish marinated in lime juice and topped w/chile, onions and cilantro*); atole (*sweet corn-based drink w/consistency of hot chocolate*), licuado (*fresh fruit shake*), cerveza, vino, tequila, café
Nicaragua	Tortillas; enchiladas; nacatamales (*meat and vegetable tamales w/spices*); mondongo (*tripe and beef knuckles*); baho (*meat, vegetables and plantains*); plátano frito (*fried plantain*); vigorón (*vegetable dish*)
Panamá	Arroz con pollo; frijoles; maíz; plátanos; pollo; carne; pescado; sancocho (*chicken soup*); bollo (*corn mush boiled in the husk*); guacho (*rice soup*); verduras y frutas; chicha (*drink of fresh fruit, water and sugar*)
Paraguay	Asado (*barbecue*); parrillada (*assortment of grilled steaks, sausages, and innards*); yuca; sopa paraguaya (*cornbread baked w/cheese, onions, and sometimes meat*); chipá (*hard cheese bread*); tortillas; empanadas (*deep-fried meat or vegetable turnovers*); surubí (*a large catfish*); croquetas (*minced meat or poultry rolled into sausage shape, rolled in bread crumbs and deep fried*); mixto (*ham and cheese sandwich*); dorado (*salmon-like fish*); puchero (*meat, sausage, vegetable and chick-pea soup*); palmitos (*palm hearts*); mate cocido (*a bitter tea*), caña (*Paraguayan moonshine*)

Tabla 14-1 (*continuación*)

País	Comidas y bebidas típicas
Perú	Ceviche (*raw fish marinated in lemon and vinegar*); anticucho (*marinated, grilled beef hearts and livers*); corvina (*sea bass*); langostinos (*shrimp*); lenguado (*flounder*); pulpo (*octopus*); conchitas (*scallops*); calamares (*squid*); cuy (*guinea pig*); ocopa (*boiled potatoes or eggs in a spicy, condensed milk sauce*); ají de gallina (*shredded chicken in a chili and cheese sauce*); papas a la huancaina (*baked potatoes topped w/sliced eggs and an often spicy chili sauce*); mazamorra morada (*pudding made of purple maize*); chirimoya (*apple custard*); pisco (*grape brandy*)
Puerto Rico	Arroz con pollo; arroz con habichuelas (*rice and beans*); arroz con gandules y pernil (*rice w/pigeon peas and roasted pig*); paella (*a spicy stew of rice, chicken, seafood, and vegetables*); encebollado (*steak smothered in onions*); tostones (*deep-fried plantains*); frituras (*foods fried in oil*); alcapurria (*plantain croquettes stuffed w/meat*); bacalao con viandas (*baked cod w/cassava and potatoes*); morro (*black rice*); sofrito (*garlic, onion, sweet pepper, cilantro, oregano and tomato paste*); pan sobao o pan de agua (*local bread made w/water, shortening and flour*); flan; cerveza, ron y café
Uruguay	La comida se parece mucho a la de Argentina: carne; empanadas; carbonada (*dish of rice, raisins, pears, and peaches*); estofado/guiso (*stew*); chivito (*steak sandwich smothered in sauces and spices*); lenguado; merluza; cerveza, vino y café
Venezuela	Mondongo (*tripe w/vegetables*); sancocho (*meat stew w/squash, sweet potatoes, and plantain*); pabellón criollo (*shredded beef in spiced tomato sauce served w/fried plantain, white rice, and black beans*); cazuela de mariscos (*seafood stew*); caraotas negras (*black beans*); hervido (*soup w/chunks of chicken, beef, and vegetables*); arepa (*deep-fried thick pancake sometimes filled w/butter, meat, and cheese*); hallaca (*similar to arepa but filled w/stewed meat, potatoes, olives, raisins and spices*); punta trasera (*tender steak*); parrillada; tostones (*fried plantains*); jugo natural (*fresh fruit juice*); batido (*a fruit-shake*); lechoza (*papaya*); raspaito (*pronunciación venezolana de «raspadito», flavored shaved ice or snow-cone*); cerveza, ron, cafecito
Brasil	Carne; pan; arroz; frijoles; queso; huevos. Los platos favoritos varían de región a región pero algunos incluyen feijoada (Río: *black bean stew w/beef, pork, sausage, may include pig's ears and feet*); acarajé (*deep-fried fritters of pureed black-eyed peas and shrimp*); churrasco (*Sur: barbecue with wide variety of meats and cuts*); pão de queijo (*cheese rolls*); moqueca (*grouper or shark w/salt, white pepper, coriander, parsley and coconut milk*); bife a cavalo com fritas (*meat w/egg and french fries*); dendê (*Bahía: palm oil used as spice*); bolinho de chuva (*Brazilian doughnuts*); creme de sagú com vinho (*sago pudding w/red wine*); bolo de maracujá (*passionfruit cake*); pão de mel (*honey bread*); cachaça (*strong liquor made from sugar cane*), caipirinha (*lime with cachaça*), guaraná (*tropical plant with small red fruit with a high caffeine content, dissolved in water*), cafezinho (*expresso coffee*)
EE.UU.	Hamburguesas; perritos calientes (*hot dogs*); pizza; pollo frito; carne asada; ensaladas de lechuga (*lettuce*); pescado; cerdo; pavo; tacos; gran variedad de platos étnicos y regionales; cerveza, vino, whisky, café

FUENTES: *Culturgram 2004, Fodor's South America, Fodor's Mexico 2000* y *Fodor's Carribbean 2000*

GeoReconocimiento

Mire los mapas del Capítulo 14 en la página web del libro (**http://www.cengage.com/spanish/exito.com**) y haga los ejercicios.

Posibilidades profesionales

Ud. ha emprendido los pasos para planear y determinar la/s carrera/s que mejor corresponda/n a sus habilidades y conocimientos profesionales, lingüísticos y transculturales. También ha explorado los distintos trabajos que pertenecen al mundo internacional de los negocios. Ahora le toca emprender la búsqueda seria de trabajo. Para más información al respecto y para una actividad que le ayude a profundizar sobre el tema, véase el Capítulo 14 de «Posibilidades profesionales» que se encuentra en http://www.cengage.com/spanish/exito.

VOCABULARIO

Aquí se presentan los principales términos de este capítulo. Al final del libro hay un glosario más completo.

censo • *census*

conciencia transcultural • *cross-cultural awareness*

contabilidad • *accounting*

   de gestión • *managerial accounting*

   financiera • *financial accounting*

   fiscal • *tax accounting*

crisol (m) • *melting pot*

Cuenca del Caribe • *Caribbean Basin*

cumplimiento del potencial • *fulfillment of potential*

desregulación • *deregulation*

deudas gemelas • *twin deficits*

deudor (m/adj) • *debtor*

enseñanza multimedia • *multimedia instruction*

estado libre asociado • *commonwealth*

estética laboral • *work aesthetic, attractiveness of work environment*

ética laboral • *work ethic*

Fed (f) • *Federal Reserve Bank (central bank of U.S.)*

hacer el censo • *to take the census*

impuesto sobre la renta personal • *personal income tax*

Índice General de la Calidad de Vida (m) • *Physical Quality of Life Index (PQLI)*

indocumentado • *illegal alien*

infotecnología • *infotechnology*

maduración constante (perpetua) • *constant growth*

oficinista (m/f) • *office worker*

pago de transferencia • *transfer payment*

país deudor (m) • *debtor nation*

radiodifusión • *broadcasting*

realidad virtual • *virtual reality*

sanidad pública • *public health*

tipo • *type, rate*

   fijo de cambio • *fixed rate, pegged rate of exchange*

   flotante de cambio • *floating rate of exchange*

Torres Gemelas • *Twin Towers (former World Trade Center in NYC)*

Protocolo telefónico

Se dice que en el mundo internacional de los negocios, la mayoría de las conversaciones mercantiles se realizan por teléfono por ser éste el medio comunicativo más eficaz y rápido, especialmente cuando se trata de llamadas de larga distancia. Como otros tipos de comunicación, la comunicación telefónica requiere un conocimiento tanto del sistema, al menos de su funcionamiento y usos prácticos, como de las cortesías y expresiones que se emplean comúnmente. Este conocimiento llega a ser importante cuando se trata de llamadas internacionales y aún más cuando éstas se realizan en un idioma extranjero, como sucede con las llamadas entre los Estados Unidos e Hispanoamérica o España. Durante estas llamadas, las conversaciones se realizan a menudo en español, lo cual implica la necesidad de hablarlo y *comprenderlo* bien. Para ayudar a los que tienen que hacer tales llamadas, pero que todavía no saben los términos ni las expresiones usados en español, se ofrece lo siguiente: (1) un vocabulario telefónico general y (2) algunas expresiones telefónicas útiles. Sin embargo, sobra decir que el vocabulario, las expresiones y los usos indicados pueden variar de país a país. Por lo tanto, vale la pena que las personas no hispanohablantes, especialmente las que viajan al exterior, escuchen y observen atentamente lo que dicen y hacen los hispanohablantes durante una llamada telefónica. Al hacerlo, aprenderán a conocer y a usar los sistemas telecomunicativos vigentes en los países hispanos de la manera más eficaz posible.

En España e Hispanoamérica los sistemas telefónicos han cambiado mucho en los últimos veinte años. Se han invertido mucho dinero y recursos y se ha privatizado la mayoría de las compañías telefónicas estatales. Esto ha producido una red de telecomunicaciones que funciona mucho mejor que antes. No sólo hay más teléfonos públicos y privados, sino que hay más y mejores servicios disponibles. Además, en muchos países hispanos el teléfono celular es el medio de comunicación preferido, especialmente entre los profesionales y los jóvenes. En muchos países hispanohablantes se pueden hacer las mismas llamadas que en los países con una base tecnológica mucho más avanzada, aunque a menudo resultan más caras, en especial las que se hacen desde los hoteles o las que requieren alguna ayuda de operadores. Por otra parte, en algunos países de habla española se usan fichas especiales o monedas para hacer una llamada (aunque este uso se está acabando), mientras que en otros se pueden usar tarjetas de crédito o tarjetas telefónicas. También, en algunos países, hay que seguir ciertas instrucciones para hacer una llamada mientras que en algunos pueblos más pequeños hay que concertar una cita o ir al centro de teléfonos (aunque estas prácticas también se están acabando). Dada la situación cambiante, siempre vale la pena preguntar o pedirle ayuda a un lugareño para saber cómo funciona el sistema telefónico del país que se visite.

Vocabulario telefónico	Telephone vocabulary
abonado	subscriber
arrendamiento con opción a compra	lease with an option to buy
auricular (m)	earphone
bíper (m)	beeper, pager
buscapersonas (m/sing)	beeper, pager
cablegrama (m)	cablegram
cargos (o cobros) revertidos	reverse charges
central telefónica (f)	telephone exchange station
código de área	area code
colgar (ue) (teléfono)	to hang up (the receiver)
conferencia en tres direcciones	three-way conference call
correo	mail
auditivo	voice mail
de mensajes hablados	voice mail
de voz	voice mail
vocal	voice mail
descolgar (ue) (teléfono)	to pick up (the receiver)
discado	dialing
acelerado	speed dialing
activado por voz	voice-activated dialing
directo	direct dialing
guía telefónica	telephone directory
identificación	I.D.
de abonado llamante	caller I.D.
de llamadas	caller I.D.
de origen	caller I.D.
llamada	(telephone) call
llamada en espera	call waiting
localizador	beeper, pager
marcar	to dial
mensaje (m)	message
pila	battery
recado	message
reenvío de llamadas	call forwarding
rellamada automática	redial, redialing
remarcación	redial, redialing
señalización de llamadas en espera	call waiting
servicio con tarjetas prepagadas	prepaid credit card telephone service
servicio de despertador	wake-up call
servicio de dos en línea	party line
tarifa	rate
telefonazo	telephone call
telefonear	to telephone
telefonema (m)	telephone message
telefonía	operation of telephones
teléfono móvil/celular	cellular telephone
timbrazo	ring
transferencia de llamadas	call forwarding
transmisión de datos	data transmission
transmisor (m) de facsímiles	fax transmitter
ubicador	beeper, pager

Frases telefónicas útiles	Useful telephone phrases

1. Saludos

—¿Aló?
—¿Bueno?
—¿Diga? / ¿Dígame?
—¿Hola?
—Buenos días.
—Buenas tardes.
—Buenas noches.

1. Greetings

"Hello?"
"Hello?"
"Hello?"
"Hello?"
"Good morning."
"Good afternoon."
"Good evening/night."

2. Llamadas a personas específicas

—Le habla (título y/o nombre completo del/de la interlocutor/a).

—¿Puedo hablar con (título y/o nombre completo de la persona a la que se llama), por favor?

—¿Se encuentra (título y/o nombre completo de la persona que se está llamando)?

—¿Cuándo espera su regreso?
—Quisiera dejar un recado.
—¿Cuándo puedo telefonearlo/la?

2. Calls to specific people

"(Title and/or full name of caller), speaking"

"May I speak with (title and/or full name of the person called), please?"

"Is (title and/or full name of the person called) in?"

"When do you expect him/her back?"
"I would like to leave a message."
"When can I reach him/her?"

3. Solicitando información general

—¿Es ésta la compañía (nombre)?

—Estoy tratando de comunicarme con el departamento (la sección) de ventas (de compras, de contabilidad, etc.).

—¿Puedo hacer una cita con... ?
—¿Cuáles son las horas laborales?

3. Requesting General Information

"Is this (company name)?"

"I'm trying to contact the sales (purchasing, accounting, etc.) department."

"May I make an appointment with . . .?"
"What are your business hours?"

4. Contestando llamadas telefónicas

—Sí, (título y/o nombre completo de la persona a quien se llama) está.

—No, (título y/o nombre completo de la persona a quien se llama) no está.

—¿Podría Ud. volver a llamarlo/la (hora, día, fecha)?

—Empresa (nombre) a la orden.

—¿De parte de quién?

—Un momento, por favor.
—No se me retire (enganche, cuelgue), por favor.

—Está comunicando/La línea está ocupada.

—Le paso a su línea ahora.

—¿Quisiera dejar un recado?

4. Answering telephone calls

"Yes, (title and/or full name of the person called) is in."

"No, (title and/or full name of person called) is not in."

"Can you call him/her back (time, day, date)?"

"(Name of company) at your service."

"Who is calling?"

"One moment, please."
"Don't hang up, please."

"The line is busy."

"I'll transfer the call."

"Would you like to leave a message?"

5. Despedidas

—Ha sido un placer.
—Gracias por su ayuda.

5. Farewells

"It's been a pleasure."
"Thanks for your help."

Frases telefónicas útiles	Useful telephone phrases
—Le agradezco su tiempo.	*"Thanks for your time."*
—Estaremos en contacto.	*"We'll be in touch."*
—Ud. ha sido muy amable.	*"You've been very kind."*
—Gracias.	*"Thanks."*
—No hay de qué.	*"You're welcome."*
—Aquí siempre estamos a la orden.	"We're always at your service."
—Adiós. Hasta luego (mañana, pronto).	*"Good-bye. See you later (tomorrow, soon)."*
—Muchos saludos a (la familia, su señora, su esposo, etc.).	*"Best regards to your (family, wife, husband, etc.)."*

A continuación se encuentran las siglas o acrónimos que aparecen en español en este libro. Se da su significado en español y, cuando es posible, las traducciones correspondientes en inglés.

Sigla	Significado	Acronym	Meaning
AARU	Acta de Acuerdos de la Ronda Uruguaya	URAA	Uruguay Round Agreements Act
AGAAC	Acuerdo General Sobre Aranceles y Comercio	GATT	General Agreement on Tariffs and Trade
ALBA	Alianza Bolivariana para los Pueblos de Nuestra América	ALBA	Bolivarian Alliance for the People of Our America
ALADI	Asociación Latinoamericana de Integración	LAIA	Latin American Integration Association
ALCA	Área de Libre Comercio de las Américas	FTAA	Free Trade Area of the Americas
ANSEA	Asociación de Naciones del Sureste Asiático	ASEAN	Association of South East Asian Nations
APO	Administración por Objetivos	MBO	Management by Objectives
BID	Banco Interamericano de Desarrollo	IDB	Interamerican Development Bank
CAEM	Consejo de Asistencia Económica Mutua	COMECON	Council for Mutual Economic Assistance
CAFTA/TLC	Tratado de Libre Comercio de América Central	CAFTA	Central American Free Trade Agreement
CAN	Comunidad Andina	AC	Andean Community
CEEAO	Comunidad Económica de los Estados de África del Oeste	ECOWAS	Economic Community of West African States
CF	Costo y flete	CFR	Cost and Freight
CMC	Comunidad y Mercado del Caribe	CARICOM	Caribbean Common Market
CSF	Costo, seguro y flete	CIF	Cost, Insurance, and Freight
EE.UU., EEUU, EU, EUA	Estados Unidos, Estados Unidos de América	U.S., USA	United States, United States of America
ENTel	Empresa Nacional de Telecomunicaciones (Argentina)		National Telecommunications Company (Argentina)
FAB	Franco a bordo	FOB	Free on Board
FAS	Franco (libre) a costado del buque	FAS	Free Alongside Ship
FMI	Fondo Monetario Internacional	IMF	International Monetary Fund

Sigla	Significado	Acronym	Meaning
GA	Grupo Andino	AG	Andean Group
IVA	Impuesto sobre el Valor Añadido (o Agregado)	VAT	Value-Added Tax
	Índice General de la Calidad de Vida	PQLI	Physical Quality of Life Index
LAB	Libre a bordo	FOB	Free on Board
MCCA	Mercado Común Centroamericano	CACM	Central American Common Market
MCE	Mercado Común Europeo	EEC	European Common Market
MERCOSUR	Mercado Común del Cono Sur	SCCM	Southern Cone Common Market
OCED	Organización de Cooperación Económica para el Desarrollo	OECD	Organization for Economic Co-operation and Development
OEA	Organización de los Estados Americanos	OAS	Organization of American States
OMC	Organización Mundial del Comercio	WTO	World Trade Organization
ONU	Organización de las Naciones Unidas	UN	United Nations
OPEP	Organización de los Países Exportadores de Petróleo	OPEC	Organization of the Petroleum Exporting Countries
PIB	Producto Interno Bruto	GDP	Gross Domestic Product
PNB	Producto Nacional Bruto	GNP	Gross National Product
PSB	Producto Social Bruto	GDP	Gross Domestic Product
RENFE	Red Nacional de Ferrocarriles Españoles	RENFE	Spain's national railway system
S.A.	Sociedad Anónima Inc., Corp.		Incorporated
S.C.	Sociedad Comanditaria o en Comandita		Silent Partnership
SEAT	Sociedad Española de Automóviles de Turismo	SEAT	Formerly Spain's national car company, now wholly owned by Volkswagen
SELA	Sistema Económico Latinoamericano	LAES	Latin American Economic System
S. en N.C.	Sociedad en Nombre Colectivo		Partnership
S.R.L.	Sociedad de Responsabilidad Limitada	Ltd.	Limited Liability Company
TLCAN, TLC	Tratado de Libre Comercio de América del Norte	NAFTA	North American Free Trade Agreement
U.E., UE	Unión Europea	E.U.	European Union
URSS	Unión de Repúblicas Socialistas Soviéticas	USSR	*Union of Soviet Socialist Republics*

Los números y sistemas de pesos, medidas y temperatura

En el mundo hispano, a veces se usan sistemas de números, pesos, medidas y temperatura diferentes a los de los Estados Unidos. En EUA se usa el sistema inglés (pulgadas, yardas, etc.), mientras que en los países hispanos se usa el sistema métrico decimal, en el que la unidad básica es el número diez y sus múltiplos o partitivos: 10, 100, 1,000 y 10,000, $1/_{10}$ y $1/_{100}$. Los países hispanos generalmente se sirven de la escala centígrada para medir las temperaturas. A continuación se ofrece un resumen informativo de los números y los sistemas de pesos, medidas y temperaturas, y de sus equivalentes y fórmulas de conversión estadounidenses.

Los números (numerales) en español

Número	Cardinal (números enteros)	Ordinal (orden o sucesión)	Multiplicativo (múltiplos)	Partitivo (división de un todo en partes)
1	uno (un), una	primero/a	simple	
2	dos	segundo/a	doble (duplo, dos veces mayor que...)	medio/a, una mitad
3	tres	tercero/a	triple (triplo, tres veces mayor que...)	un tercio (una tercera parte de...) (2/3 = dos tercios)
4	cuatro	cuarto/a	cuádruple (cuádruplo, cuatro veces mayor que...)	un cuarto (una cuarta parte de...) (3/4 = tres cuartos)
5	cinco	quinto/a	quíntuplo	un quinto (una quinta parte de...)
6	seis	sexto/a	séxtuplo	un sexto
7	siete	séptimo/a	séptuplo	un séptimo
8	ocho	octavo/a	óctuple (óctuplo)	un octavo (5/8 = cinco octavos)
9	nueve	noveno/a	nónuplo	un noveno
10	diez	décimo	décuplo	un décimo
11	once	undécimo/a (décimoprimero/a)	undécuplo	un onceavo, onzavo
12	doce	duodécimo (décimosegundo/a)	duodécuplo	un doceavo, dozavo (5/12 = cinco doceavos)
13	trece	decimotercero/a (decimotercio/a, tredécimo/a)	trece veces mayor que...	un treceavo, trezavo

Número	Cardinal (números enteros)	Ordinal (orden o sucesión)	Multiplicativo (múltiplos)	Partitivo (división de un todo en partes)
14	catorce	decimocuarto/a	catorce veces mayor que...	un catorceavo, catorzavo
15	quince	decimoquinto/a		un quinceavo, quinzavo
16	dieciséis (diez y seis)	decimosexto/a		un dieciseisavo (7/16 = siete dieciseisavos)
17	diecisiete (diez y siete)	decimoséptimo/a (decimosétimo/a)		un diecisieteavo
18	dieciocho (diez y ocho)	decimoctavo/a		un dieciochoavo
19	diecinueve (diez y nueve)	decimonoveno/a (decimonono/a)		un diecinueveavo
20	veinte	vigésimo/a		un veintavo, veinteavo
21	veintiuno	vigésimoprimero/a		un veintiunavo (uno sobre veintiuno)
22	veintidós	vigésimosegundo/a		un veintidosavo (uno sobre veintidós)
23	veintitrés	vigésimotercero/a		un veintitresavo
24	veinticuatro	vigésimocuarto/a		un veinticuatroavo
25	veinticinco	vigésimoquinto/a		un veinticincoavo
26	veintiséis	vigésimosexto/a		un veintiseisavo
27	veintisiete	vigésimoséptimo/a		un veitisieteavo
28	veintiocho	vigésimooctavo/a		un veintiochoavo
29	veintinueve	vigésimonoveno/a		un veintinueveavo
30	treinta	trigésimo/a		un treintavo
31	treinta y uno	trigésimoprimero/a		uno sobre treinta y uno
32	treinta y dos	trigésimosegundo/a		
33	treinta y tres	trigésimotercero/a		
40	cuarenta	cuadragésimo/a		un cuarentavo
50	cincuenta	quincuagésimo/a		un cincuentavo
58	cincuenta y ocho	quincuagésimo(o)ctavo/a		uno sobre cincuenta y ocho
60	sesenta	sexagésimo/a		un sesentavo
70	setenta	septuagésimo/a		un setentavo
80	ochenta	octogésimo/a		un ochentavo
90	noventa	nonagésimo/a		un noventavo

Número	Cardinal (números enteros)	Ordinal (orden o sucesión)	Multiplicativo (múltiplos)	Partitivo (división de un todo en partes)
100	cien	centésimo/a	céntuplo	un centésimo
101	ciento uno	centésimo/a primero/a, centésimo/a primero/a		
145	ciento cuarenta y cinco			
199	ciento noventa y nueve			
200	doscientos/as	ducentésimo/a		un doscientosavo
300	trescientos/as	tricentésimo/a		un trescientosavo
400	cuatrocientos/as	cuadringentésimo/a		un cuatrocientosavo
500	quinientos/as	quingentésimo/a		un quinientosavo
527	quinientos/as veintisiete			
572	quinientos/as setenta y dos			
600	seiscientos/as	sexcentésimo/a		un seiscientosavo
700	setecientos/as	septingentésimo/a		un setecientosavo
800	ochocientos/as	octingentésimo/a		un ochocientosavo
900	novecientos/as	nonagentésimo/a, noningentésimo/a		un novecientosavo
1,000	mil	milésimo/a		un milésimo
1,001	mil uno	milésimo/a primero/a		
1,010	mil diez			
1,359	mil trescientos/as cincuenta y nueve			
2,000	dos mil	dos milésimo/a		
2,034	dos mil treinta y cuatro	dos milésimo/a trigésimo/a cuarto/a		
2,782	dos mil setecientos/as ochenta y dos			
4,316	cuatro mil trescientos/as dieciséis			
10,000	diez mil	diez milésimos		un diezmilavo
20,000	veinte mil			
30,459	treinta mil cuatrocientos/as cincuenta y nueve			
100,000	cien mil	cien milésimos		un cienmilavo

Número	Cardinal (números enteros)	Ordinal (orden o sucesión)	Multiplicativo (múltiplos)	Partitivo (división de un todo en partes)
585,000	quinientos/as ochenta y cinco mil			
999,999	novecientos/as noventa y nueve mil novecientos/as noventa y nueve			
1,000,000	un millón	millonésimo/a		un millonésimo
1,564,972	un millón quinientos/as sesenta y cuatro mil novecientos/as setenta y dos			
2,000,000	dos millones			
500,000,000	quinientos millones			
1,000,000,000	mil millones			
1,600,534,782	mil seiscientos millones quinientos/as treinta y cuatro mil setecientos/as ochenta y dos			
5,231,574,436	cinco mil doscientos treinta y un millones quinientos/as setenta y cuatro mil cuatrocientos/as treinta y seis			
1,000,000,000,000	un billón	billonésimo/a		un billonésimo
1,300,000,000,000	un billón trescientos mil millones			

FUENTES: *Diccionario de la Real Academia Española; Gramática española* (Alcina Franch, Juan y José Manuel Blecua, Barcelona: Editorial Ariel, 1979); *The Oxford Spanish Dictionary: Spanish–English/English–Spanish; Larousse Gran Diccionario Español–Inglés* (México, D.F., 1983); «Nombres de los números en español» (www.es.wikipedia.org); y «*Numerals* (Numerales)» (www.orbilat.com/Languages/Spanish/Grammar/Spanish-Numerals).

Los números colectivos (agrupación por números)

Se usa el derivativo «-ena» para los números 20, 30, 40, 50, 60, 70, 80, 90; el uso colectivo de los números 3–6 es tomado de la música.

2 = par, dúo, ambos
3 = trío, terceto
4 = cuarteto
5 = quinteto
6 = sexteto
10 = decena
12 = docena

15 = quincena
20 = veintena
30 = treintena
40 = cuarentena
100 = centenar
1,000 = millar

Observaciones generales

- Los números de 16 a 19 y de 21 a 29 se suelen escribir con una sola palabra: dieciséis, dieciocho, veintidós, veintinueve.
- Los números de 31 a 99 se escriben y pronuncian con una «y» entre la decena y la unidad: treinta y cinco, ochenta y siete, noventa y nueve.
- No hay una «y» entre las centenas y las decenas: ciento cincuenta, ciento noventa y tres.
- La palabra «millón» (o «millardo», *million*) requiere la preposición «de»: cinco millones de habitantes; pero treinta habitantes o doscientos venticinco habitantes, cuatro mil unidades de producción
  - El uso de la preposición «de» ocurre también en los siguientes ejemplos: un par de reuniones, una decena de facturas, una docena de participantes, una centena de personas (*about a hundred people*), un centenar de turistas (*about a hundred tourists*), un millar de huelguistas (*about a thousand strikers*).
- «Uno» se convierte en «un» o «una» según el sustantivo que modifica: veintiún pesos, treinta y un libros, veintiuna casas, cincuenta y una profesoras.
- Nótese el apócope con primero y tercero: el primer día, el tercer informe.
- Hay concordancia gramatical cuando se usa la forma abreviada de los números ordinales: el tercer piso = el piso 3°, la quinta persona = la 5ª persona.
- Cien/ciento/a/os/as: tiene cien dólares, hay cien mil personas, invirtió cien millones de quetzales; hay ciento cinco miembros, he recibido ciento cuarenta y cuatro emails; hay más de doscientas islas, vinieron quinientos invitados.
- Los ordinales mayores que 19 se emplean poco y normalmente se sustituye el número ordinal por el cardinal correspondiente: el cincuenta aniversario, la treinta y cuatro reunión; Alfonso XIII (Alfonso trece), Juan XXIII (Juan veintitrés).
- A veces se usa el número partitivo («dieciseisava presentación») para expresar un número ordinal («decimosexta presentación»), lo cual es un uso técnicamente incorrecto.
- Para formar el número partitivo de los números más pequeños que un décimo, se añade el sufijo «-avo» al número cardinal: doce → un doceavo, veinte → un veintavo, sesenta → un sesentavo.
  - Excepciones: un centésimo, un milésimo, un millonésimo, un billonésimo.
- Los partitivos menos comunes se expresan de la siguiente manera: 7/45 = siete sobre cuarenta y cinco, 3/16 = tres sobre dieciséis.
- Puesto que el sustantivo «millón» es masculino, los múltiplos de un millón también lo son: trescientos millones de personas vs. trescientos millones ochocientas mil personas.

Expresiones con la palabra «número»

Es el número uno del equipo.	*He's/She's number one (the leader) on the team.*
Es el número uno de su clase.	*He's/She's at the top of his/her class.*
Vimos un excelente número cómico.	*We saw an excellent comedy act.*
Montó un número cuando le dijeron que no podía ir a la fiesta.	*He/She threw a fit when he/she was told he/she couldn't go to the party.*
Me compré el número del mes de octubre.	*I bought the October issue (edition of a magazine, journal, etc.).*
Sacarán un número especial (extraordinario) de la revista.	*They will publish a special issue (edition) of the magazine.*
Nos gustaría conseguir algunos números atrasados del boletín.	*We would like to obtain some back issues of the newsletter.*
El proyecto está en números rojos.	*The project is in the red.*
Necesitamos hacer números.	*We need to do the math (do the arithmetic).*
¿Qué número calzas?	*What size shoe do you wear?*

Medidas métricas y sus equivalentes estadounidenses

Tipo de medida	Abreviatura	Nomenclatura estadounidense	Equivalente estadounidense
DE LONGITUD		*LINEAR*	
milímetro	mm	*millimeter*	1 mm = 0.03937 *inch*
centímetro	cm	*centimeter*	1 cm = 0.39370 *inch*
metro	m	*meter*	1 m = 39.37 *inches*
kilómetro	km	*kilometer*	1 km = 1,094 *yards or* 0.6214 *mile*
DE SUPERFICIE		*AREA*	
metro cuadrado	m^2	*square meter*	1 m^2 = 1.196 *square yards*
área	a	*area*	1 a = 119.6 *square yards*
hectárea	ha	*hectare*	1 ha = 2.471 *acres*
DE VOLUMEN		VOLUME	
metro cúbico	m^3	*cubic meter*	1 m^3 = 35.315 *cubic feet*
DE CAPACIDAD		*CAPACITY*	
mililitro	ml	*milliliter*	1 ml = 0.034 *fluid ounce*
litro	l	*liter*	1 1 = 1.057 *quarts*
DE PESO		*WEIGHT*	
gramo	g	*gram*	1 g = 0.035 *ounce*
kilogramo	kg	*kilogram*	1 kg = 2.205 *pounds*
quintal	q	*hundredweight*	1 q = 101.4 *pounds*
tonelada métrica	t	*metric ton*	1 t = 2,204.560 *pounds*

Pesos y medidas estadounidenses y sus equivalentes métricos

U.S. Measurement	Abbreviation	Nomenclatura en español	Equivalente métrico
LINEAR		DE LONGITUD	
inch	*in.*	pulgada	*1 in.* = 2.540 cm
foot	*ft.*	pie	*1 ft.* = 30.480 cm
yard	*yd.*	yarda	*1 yd.* = 91.440 cm
mile	*mi.*	milla	*1 mi.* = 1,609 m
AREA		DE SUPERFICIE	
square inch	*sq. in.*	pulgada cuadrada	*1 sq. in.* = 6.451 cm^2
square foot	*sq. ft.*	pie cuadrado	*1 sq. ft.* = 929.000 cm^2
square yard	*sq. yd.*	yarda cuadrada	*1 sq. yd.* = 0.836 cm^2
square mile	*sq. mi.*	milla cuadrada	*1 sq. mi.* = 2.590 km^2
acre	*a*	acre	0.405 hectáreas
VOLUME		DE VOLUMEN	
cubic inch	*cu. in.*	pulgada cúbica	*1 cu. in.* = 16.387 cm^3
cubic foot	*cu. ft.*	pie cúbico	*1 cu. ft.* = 0.028 m^3
cubic yard	*cu. yd.*	yarda cúbica	*1 cu. yd.* = 0.765 m^3
CAPACITY		DE CAPACIDAD	
1. *Liquid*	*liq.*	Líquido	liq.
liquid gill	*gi.*	cuarto de pinta	*1 gi.* = 0.118 litro (1)
liquid pint	*pt.*	pinta líquida	0.473 l
liquid quart	*qt.*	cuarto	0.946 l
gallon	*gal.*	galón	3.785 l
2. *Dry*		Árido	
dry pint		pinta árida	0.550 l
dry quart		cuarto árido	1.101 l
peck			8.811 l
bushel		bushel, fanega	35.239 l
WEIGHT		DE PESO	
grain	gr.	grano	*1 gr.* = 0.0648 g
dram	dr.	dracma	*1 dr.* = 1.7718 g
ounce	oz.	onza	*1 oz.* = 28.3495 g
pound	lb.	libra	*1 lb.* = 453.6000 g
hundredweight	cwt.	quintal	*1 cwt.* = 50.8200 kg
long ton	l.t.	tonelada larga	*1 l.t.* = 1,016,0440 kg
short ton	s.t.	tonelada corta	*1 s.t.* = 907,1800 kg

U.S. Measurement	Abbreviation	Nomenclatura en español	Equivalente métrico
LARGE NUMBERS (NOMENCLATURES AND NUMERIC EQUIVALENCES)			
U.S.	Number of zeros	Generally expressed in Spanish as	
million	6	(un) millón	
billion	9	mil millones	
trillion	12	(un) billón (o millón de millones)	
quadrillion	15	mil billones	
quintillion	18	(un) trillón	

LAS COMAS Y LOS PUNTOS CON LOS NUMEROS: «1,000 = ¿UNO O MIL?»

En los Estados Unidos el número «mil» se escribe 1,000 con una coma y el número «uno» se escribe 1.000 con un punto. En el mundo hispano un número escrito como 1,000 (con coma) se puede interpretar o como el número mil o el número uno, y un número escrito como 1.000 (con punto) también se puede interpretar o como el número mil o el número uno (Ángel Rivera, *CATI Quarterly*, Spring 1995). La diferencia se debe a que el sistema decimal utiliza diferentes marcadores, o coma o punto, en diferentes países hispanohablantes. La siguiente tabla resume los países hispánicos que usan el punto para indicar mil (1.000) y los que usan la coma para indicar el mismo número.

Grupo I (punto): 1.000 = mil

Argentina

Bolivia

Brasil

Chile

Colombia

Costa Rica

Cuba

Ecuador

España

Guinea Ecuatorial

Paraguay

Uruguay

Venezuela

Grupo II (coma): 1,000 = mil

El Salvador

Estados Unidos

Guatemala

Honduras

México

Nicaragua

Panamá

Perú

Puerto Rico

República Dominicana

En general, en América del Norte, Centroamérica y el Caribe se usa la coma para indicar miles (Excepciones: Costa Rica en Centroamérica y Cuba en el Caribe) y se usa el punto para indicar decimales; en Europa y en América del Sur se usa el punto para indicar miles y se usa la coma para indicar decimales (Excepción: Perú).

Temperaturas y sus equivalentes

Temperatura	Centígrados	Fahrenheit
Punto de congelación	0°C	32°F
Punto de ebullición	100°C	212°F

Para convertir de *Fahrenheit* a centígrados se usa la siguiente fórmula:
(F° − 32°) × 5/9 = C° o (F − 32°) × 1.8 = C°

Para convertir de centígrados a *Fahrenheit* se usa la siguiente fórmula:
(C° × 9/5) + 32° = F° o (C° × 1.8) + 32° = F°

Temperaturas medias de algunas ciudades del mundo hispano

Ciudad	Enero	Abril	Julio	Octubre
Bogotá	15°C (60°F)	12°C (62°F)	15°C (60°F)	16°C (60°F)
Buenos Aires	24°C (75°F)	18°C (65°F)	10°C (50°F)	16°C (60°F)
Caracas	20°C (68°F)	22°C (72°F)	21°C (70°F)	23°C (73°F)
Madrid	6°C (42°F)	13°C (55°F)	27°C (80°F)	16°C (60°F)
México, D.F.	13°C (55°F)	21°C (70°F)	21°C (70°F)	18°C (65°F)
San Juan	24°C (75°F)	27°C (80°F)	29°C (84°F)	29°C (84°F)

La entrevista de trabajo

La solicitud de un puesto de trabajo generalmente consiste en tres elementos coordinados: 1) la carta de presentación y solicitud, 2) el currículum vitae o la hoja de vida que acompaña la carta y 3) la entrevista personal. La carta y el currículum vítae sirven para conseguir una entrevista. Es decir, su función es despertar el interés del posible empleador. Pero el elemento decisivo para el/la aspirante suele ser la entrevista personal.

Para tener éxito en la entrevista, hace falta que el/la candidato/a se prepare muy bien de antemano. Primero, necesita informarse acerca del puesto particular que solicita (las habilidades y responsabilidades que requiere) y de la empresa y la industria dentro de la cual opera. Si es posible, se recomienda que el/la postulante también busque datos acerca del departamento donde trabajará y de la persona que dirige tal departamento. No conviene presentarse para un puesto si no se considera cualificado para el mismo. Segundo, es importante ensayar la entrevista con alguien, para practicar y pulir la presentación personal. Al informarse y prepararse de este modo, el candidato se sentirá más seguro al contestar las posibles preguntas que se le hagan.

Es importante recordar que la entrevista es una calle de doble sentido. El entrevistado también es entrevistador que solicita información. No sólo contesta preguntas, sino que también las hace. Por una parte, la empresa busca la persona más apta para contribuir a los intereses y el éxito de la empresa; por otra, el/la entrevistado/a quiere determinar si de veras le conviene trabajar para esa empresa. Si en algún momento o al final de la entrevista se le pregunta al/a la aspirante si tiene alguna pregunta, se espera que la respuesta no sea «No, no tengo ninguna», pues se puede interpretar como una falta de preparación, interés o seriedad. Es esencial presentarse y portarse de modo profesional pero natural y participar activamente en la entrevista, manteniendo así el control de la situación. También, cuando se trata de una entrevista bilingüe (e.g., en español e inglés, por si el/la entrevistador/a desea confirmar los niveles comunicativos en ambas lenguas), se contesta una pregunta en la lengua en que se ha hecho (inglés + inglés o español + español), como si fuera un baile.

Aunque parezca un detalle, la manera de vestirse también puede tener un impacto irrevocable en un primer encuentro, puesto que también le comunica información al entrevistador—sobre si el aspirante es profesional, formal, limpio y atento a los detalles, o no. El atuendo proyecta no sólo la imagen del individuo sino también de la compañía para la cual trabaja. Hay que ir bien vestido, sin llevar ropa llamativa y, para los hombres, estar bien afeitado. Es buena idea investigar de antemano cómo se visten los empleados de la empresa donde se está haciendo la entrevista; por ejemplo, se puede hacer una llamada telefónica y preguntarle al/a la recepcionista o al/a la operador/a cómo se visten los gerentes cuando van a una reunión. Aunque en muchos casos el lugar de trabajo es más informal que lo que era hace cinco o diez años, el entrevistado no quiere presentarse a la entrevista sin chaqueta y corbata (un saco o una americana = *sports coat* o *blazer*) cuando el entrevistador lleva puesto un traje o terno (*suit*). En el artículo «Top 10 Unbelievable Interview Blunders», más de la mitad de los gerentes de contratación (*hiring managers*) indican que el atuendo inapropiado constituye el error más grave que puede cometer el/la aspirante en una entrevista (http://www.careerbuilder.com/, consultado 8-9-09).

Es muy importante intentar establecer cuanto antes una simpatía (una buena química) con el entrevistador, iniciando el encuentro (si éste lo permite) con unos primeros momentos de conversación cortés, que sirve como rompehielos. En algunas culturas, como la occidental, se recomienda mirarle directamente a los ojos del entrevistador para así demostrar atención e interés, pero hacerlo de manera natural y sin exagerar o intimidar. El candidato desea proyectar su confianza y ambición sin llegar a la arrogancia. También quiere expresar sus ideas clara y concisamente en un lenguaje animado y correcto, haciendo resaltar así sus habilidades comunicativas y atributos personales y profesionales. Hace falta concentrarse y escuchar muy atentamente.

Es *importantísimo* llegar puntualmente a la hora concertada para la entrevista. Llegar tarde causa una malísima impresión porque indica descuido y falta de organización y de respeto. Se recomienda saludar con una fórmula convencional (e.g., Buenos días, Sr./Sra. García), esperar hasta que extienda la mano el/la entrevistador/a para darse la mano y no sentarse hasta que lo/la inviten a hacerlo. Durante la entrevista siempre es aconsejable evitar las preguntas obvias, los chistes que puedan ofender, el argot y las palabrotas. Evite demostrar nerviosismo (morderse las uñas, juguetear con el anillo o la pluma, dar golpecitos nerviosos con los dedos o el pie) y no cruce los brazos, pues es un gesto clásico que indica que uno está a la defensiva. También es perjudicial usar un trato demasiado familiar («Pues, Marta... Pues, Tito») hasta que se aclare sin lugar a dudas que éste es el trato que prefiere el/la entrevistador/a. Aunque se ha preparado muy bien para la entrevista, el/la aspirante no quiere dar la impresión de haber memorizado sus respuestas a las preguntas, respondiendo de manera automática y mecánica. Tampoco hay que disculparse por la preparación profesional que se tiene si uno/a no tiene mucha experiencia (digamos porque acaba de graduarse). No es nada beneficioso criticar a empleadores o a jefes/as anteriores, pues cómo se sabe que el/la entrevistador/a no conoce o no llamará por teléfono a esa persona. Casi la mitad de los gerentes de contratación consideran que hablar negativamente de esta manera es un error grave («Top 10 Unbelievable Interview Blunders»). Es recomendable que el candidato evite narrativas extensas (una «novela») sobre su vida pues, como en las fiestas, todo el mundo se aburre con la persona que acapara la palabra. Hable de manera clara y concisa; no use palabras rebuscadas y diga la verdad. Por último, en un primer encuentro no hay que concentrarse demasiado en el sueldo y los beneficios, porque todo esto es prematuro hasta que se le ofrezca el puesto de trabajo. Lo que le interesa al entrevistador es lo que el o la aspirante pueda contribuir a la empresa, no lo que la empresa pueda hacer por él o ella.

Siempre se quieren evitar situaciones como las de los siguientes ejemplos reportados de malísima conducta durante la entrevista de trabajo («Top 10 Unbelievable Interview Blunders»):

- El/la candidato/a no apaga su móvil, contesta el teléfono y le pide al/a la entrevistador/a que salga de la oficina por unos momentos, pues se trata de una llamada de tipo personal.
- El/la candidato/a saca un peine durante la entrevista y empieza a peinarse.
- El/la candidato/a le pregunta al/a la entrevistador/a si lo/la puede llevar a casa después de la entrevista.
- El/la candidato/a se huele las axilas rumbo a la sala de entrevista.

Aunque parezca de más indicarlo, siempre hay que evitar este tipo de conducta.

Lo más importante es dejar al/a la entrevistador/a con la clara impresión de que Ud. es la persona idónea para el puesto. Ud. lo/la quiere convencer de modo natural, lógico y articulado que será ventajoso para la empresa contratarlo/la a Ud. y no a otro/a. Aunque idealmente la entrevista debe desarrollarse como una especie de conversación—no una inquisición—tenga presente que en cualquier momento puede haber preguntas que le hagan sentirse incómodo/a. Usted tendrá que contestarlas de algún modo, incluso si su respuesta es evitar contestarlas (con inteligencia y diplomacia). Al terminar la entrevista, se le agradece al/a la entrevistador/a por su tiempo y por la oportunidad de entrevistarse con él/ella. Antes de marcharse, se recomienda que se le pregunte acerca del calendario para recibir una respuesta sobre el resultado de la entrevista y su búsqueda del puesto solicitado en esa compañía: e.g., «¿Cuándo piensa usted comunicarse conmigo...?» Una respuesta clara por parte del/de la entrevistador/a ayudará a reducir el estrés de la búsqueda y evitará las ansias de llamar para saber algo más del asunto. Desafortunadamente, y de mal protocolo, bastantes empresas o entrevistadores/as no vuelven a comunicarse con los postulantes que no piensan contratar. Es importante recordar que cada entrevista representa una excelente oportunidad de aprender más tanto de sí mismo como de la técnica de entrevistarse. En una economía muy competitiva, no hay que desanimarse cuando al principio no salen bien las cosas, sino que hay que intensificar los esfuerzos con inteligencia y tenacidad.

A continuación se dan ejemplos de los tipos de preguntas que suelen hacerse en una entrevista de trabajo. Después de repasarlas, y de pensar en buenas respuestas, investigue más el tema y añada otras preguntas que le han hecho durante alguna entrevista en el pasado o que se imagina que serían posibles.

Preguntas que frecuentemente hacen los entrevistadores

1. Hábleme un poco más de sí mismo.
2. ¿Por qué quiere trabajar para esta compañía?
   a. ¿Qué sabe Ud. de nuestra compañía?
   b. ¿Qué sabe del puesto que solicita con nosotros?
3. ¿Qué preparación tiene Ud. para este trabajo?
   a. ¿Por qué/Cómo escogió la carrera universitaria que cursó?
   b. Las notas que recibió en la universidad, ¿son un buen indicio de sus logros y su capacidad?
   c. ¿Cuáles fueron sus éxitos universitarios más importantes?
4. ¿Qué elementos lo distinguen de los otros aspirantes para este puesto?
   a. ¿Cuáles son sus atributos y sus puntos débiles?
   b. ¿Cómo lo describiría a Ud. un amigo o un jefe?
   c. ¿Le gusta trabajar con otros?
   d. Cuénteme de alguna situación en la que tuvo que trabajar con un/a colega (empleado/a) de difícil trato. ¿Cómo logró llevarse lo suficientemente bien con esa persona para poder hacer su propio trabajo (completar el proyecto, etc.)?
   e. ¿Se considera un líder o un seguidor?
   f. ¿Acaba lo que empieza? Comente.
5. a. Describa al mejor/peor jefe que ha tenido.
   b. ¿Cómo describiría Ud. a su jefe ideal?
6. ¿Qué experiencia tiene?
   a. ¿Dónde ha trabajado anteriormente?
   b. Cuénteme de su último trabajo.
   c. ¿Cómo llegó a ser director/a (supervisor/a, gerente, etc.) en su último trabajo?
   d. ¿Cuáles fueron sus principales responsabilidades?
   e. ¿Qué ha aprendido de sus trabajos anteriores?
   f. ¿Cuál ha sido el mejor/peor trabajo que ha tenido? ¿Por qué?
7. a. Cuénteme de algún éxito que tuvo en el trabajo.
   b. Cuénteme de alguna situación cuando tomó las riendas (take charge) para realizar o completar algo.
   c. Hábleme de una situación cuando tuvo muy poco tiempo para completar algo y de cómo pudo hacerlo.
8. a. ¿Cuál ha sido el mayor reto o problema al que Ud. se ha enfrentado en el trabajo? ¿Por qué? ¿Qué solución halló Ud. para el problema?
   b. ¿Qué ha aprendido de sus errores?
   c. ¿Cómo resolvería usted el siguiente problema en el trabajo... ?
9. a. ¿Qué sueldo o salario pide Ud.?
   b. ¿Qué sueldo o salario le gustaría ganar en dos/cinco años?

10. ¿Qué puede aportar Ud. a nuestra empresa?

11. a. ¿Cuáles son sus metas profesionales? ¿Dónde se ve a sí mismo/a en tres (cinco, diez) años?

    b. ¿Cómo piensa realizarlas?

12. a. ¿Por qué deberíamos contratarlo/la a Ud.? ¿En qué otros lugares se está entrevistando?

    b. ¿Cuál es la última impresión que quiere dejar con nosotros?

    c. ¿Por qué piensa que va a tener éxito en este trabajo?

    d. ¿Cuándo podría incorporarse al trabajo?

Preguntas que frecuentemente hacen los entrevistados

1. ¿Qué tipo de persona buscan para este puesto?

2. ¿Me puede explicar algo sobre las responsabilidades de este puesto?

    a. ¿Cuáles serían las responsabilidades más importantes?

    b. ¿Cuál es la responsabilidad principal de este departamento?

3. ¿Hay un período o programa de adiestramiento para este puesto?

4. ¿Cuáles son las metas del departamento/división/empresa para el año entrante? ¿Para los tres próximos años?

    a. ¿Cuál es el objetivo principal del departamento en este momento?

    b. ¿Hay algún problema que intentan solucionar? ¿Qué papel tendría yo en la solución de este problema?

5. ¿Quién sería mi jefe?

6. ¿Con quiénes trabajaría yo en este puesto?

7. ¿Dónde trabajaría yo y con qué equipo y accesorios?

8. ¿Cómo es el horario de trabajo?

9. ¿Cómo se evaluará mi trabajo?

10. ¿Qué posibilidades de crecimiento y ascenso hay en este puesto?

11. ¿Se espera que uno sea miembro de alguna organización profesional?

12. ¿Cuándo se comunicarán Uds. conmigo sobre los resultados de mi solicitud?

Después de la entrevista, es recomendable siempre escribir una breve carta de agradecimiento por la entrevista. Ésta le da al aspirante una oportunidad más de fijar su personalidad y talentos en la mente del/de la entrevistador/a, es decir, de volver a promocionar su candidatura. Si le parece al aspirante que de veras no le conviene el puesto, es mejor ser honesto y admitirlo cortésmente, agradeciéndole al entrevistador su tiempo y atención.

Tendencias culturales en los negocios

El propósito de la siguiente tabla es resumir *algunas* diferencias culturales basadas en la preponderancia de las pruebas (*preponderance of evidence*). A la vez, hay que evitar la excesiva simplificación del tema de las diferencias culturales. Hay que mantenerse vigilante ante el gran peligro que representan las generalizaciones y los estereotipos hueros. Se recomienda siempre buscar más información acerca de las tendencias culturales para entender mejor sus explicaciones históricas y las modificaciones culturales que ocurren constantemente. Siempre hay que cuestionar el tema: ¿así es de veras?, ¿por qué es así?, ¿hasta qué punto es así?, ¿continúa una conducta o influencia cultural o se está cambiando?, etc.

Comparación de tendencias culturales en los negocios:
EUA (tradición anglo-norteamericana), los países hispanos Y Brasil

Tema	EUA	Países hispanos

Orientación social	• Individualismo
	  ▪ Ninguna otra cultura nacional se clasifica tan alto como EUA en este tema.
	• Poca lealtad hacia empleadores, grupos, comunidades, compañeros de trabajo, parientes, etc.
	• El individualismo involucra a menos personas para la toma de decisiones.
		• Colectivismo
		  ▪ Grupos exclusivistas (la camarilla = *in-group*).
		    — Miembros del grupo y los que no lo son.
		    — Una de las maneras más seguras y directas de acceso es ser presentado por otro miembro del grupo.
		• Relaciones comerciales basadas en grupos exclusivistas.
		  ▪ Miembros de la misma clase socioeconómica.
		  ▪ Amigos.
		    — Un buen negocio para mis amigos, la ley para mis enemigos.
		• Mayor importancia del enchufe, a quién se conoce, que del talento o la capacidad de hacer algo.
		  ▪ Creación de círculos concéntricos de afinidades: la familia (la nuclear y la más ampliamente considerada), los buenos amigos, colegas y compañeros de escuela de confianza.
		• Personalismo.
		• El nepotismo tiene mucho sentido.
		  ▪ Un asunto de confianza.

Tema	EUA	Países hispanos
Universalismo/ particularsimo	• La mismas reglas y principios aplican a todos igualmente.	• Las reglas y los principios impersonales se subordinan a las lealtades personales.
Religión	• Pluralismo histórico de religiones. • Separación de estado e iglesia. • Separación de trabajo e iglesia. • Control del destino propio. ▪ Dios ayuda al que se ayuda.	• Tradición católica romana. ▪ La espada y la cruz (combinación colonial del ejército y la iglesia). ▪ Dios, oro y gloria. • Celebración de muchas fiestas religiosas. • Parte del tejido de la vida cultural y oficial. • Actitud fatalista y de resignación. ▪ El hombre propone y Dios dispone. ▪ Si Dios quiere. ▪ Ojalá.
Herencia histórica en la forma de hacer negocios	• Liberalismo (*laissez-faire*) en la política económica. ▪ Intervención gubernamental mínima. • Impulsado económicamente por el mercado (capitalismo).	• Prácticas comerciales encerradas en sí mismas (*inward looking*). ▪ Mercados altamente regulados por el gobierno. • Tradición anti empresa libre de España trasplantada a Latinoamérica. ▪ Control económico por medio de mandatos desde arriba hacia abajo (*top-down*). ▪ Monopolios controlados por la Corona española.
Nacionalismo	• Muy patriótico. • Orgulloso del estilo de vida estadounidense. • Supone que todos comparten los valores materialistas estadounidenses. • Supone que todos quieren ser como EUA.	• Muy nacionalista. • Orgulloso de su larga historia y tradiciones. • Reacio a marcharse de su país natal o patria.
Sistema legal	• Derecho consuetudinario (*common law*). ▪ Hacer lo que se quiera mientras no se viole la ley. • Inocente hasta que se pruebe lo contrario.	• Derecho civil en Latinoamérica. ▪ Se puede hacer lo que la ley permite. ▪ Lo permisible está predefinido en un código de conducta legal. • Con el pasar del tiempo, el derecho civil se aleja cada vez más de prácticas y conducta aceptables. ▪ Tal irrelevancia lleva a una actitud de «Obedezco, pero no cumplo». • Proliferación de requisitos regulatorios. ▪ El permiso para constituir una empresa en EUA se consigue en un par de horas, mientras que en Perú se puede durar hasta 289 días para conseguirlo. • Los trámites formales pueden convertir a un pequeño burócrata gubernamental en un rey del papeleo administrativo.

Tema	EUA	Países hispanos
		▪ Desde el siglo XVI, esto ha resultado en una industria casera de corredores (*paperwork runners*) y tramitadores (*bureaucracy busters*); el *jeitinho* (para circunnavegar los obstáculos y las leyes que molestan) en Brasil. • Contratar a un buen abogado para ayudar a navegar el laberinto legal. • Código napoleónico. ▪ Culpable hasta que se pruebe lo contrario. ▪ No hay juicio por jurado (*trial by jury*). ▪ No hay negociación entre la defensa y la acusación con respecto a los cargos (*plea bargaining*).
Corrupción	• La Ley de prácticas corruptas en el extranjero (1977 *Foreign Corrupt Practices Act*, *FCPA*), prohíbe tajantemente el soborno (*payoffs*) a políticos o a altos funcionarios (*government officials*) extranjeros.	▪ La imagen que existe de la corrupción ahuyenta la inversión legítima. ▪ El problema de los sobornos por parte de los funcionarios. ▪ Históricamente, los altos aranceles para las empresas estatales potenciaron el contrabando y el estraperlo (*black market*). — A cambio de participar en las ganancias ilegales, los funcionarios hicieron la vista gorda (*turned a blind eye*). ▪ El soborno y la mordida equivalen a una redistribución de ingresos. — Se perciben como un complemento salarial que posibilita costear la vida de la clase media baja. — Una forma de justicia social. ▪ Es fácil ofender a un funcionario al negarle una «propina». ▪ Representa un costo de hacer los negocios y de lograr que los pequeños burócratas faciliten o terminen su trabajo.
Sensibilidad emotiva	• Separa el trabajo de las emociones. • La sensibilidad o susceptibilidad se percibe como debilidad o flaqueza. • Se presenta con una fachada dura.	▪ Susceptibilidad a la crítica, a las diferencias de opinión y al desaire (el sentirse ofendido, *perceived slight*). ▪ Temor a desprestigiarse o quedar mal (*to lose face*).

Tema	EUA	Países hispanos
Formalidad	• Larga tradición de informalidad egalitaria. • Poco respeto hacia los mayores de edad. • Se usa el pronombre *you* tanto para tutear como para dirigirse a alguien formalmente. ▪ El pronombre *you* en inglés no distingue. • Uso general del tuteo. ▪ Llámame Tom or Mary.	• Larga tradición de formalidad jerárquica. • La imagen que se proyecta es muy importante. • Mayor respeto hacia los mayores de edad. • Distinción en el uso de **usted** (formal) o **tú** o **vos** (informal). • Mayor uso de títulos. ▪ Ser cauteloso al tutear inicialmente a un nuevo cliente. • Uso de «don» y «doña», los cuales carecen de equivalencia cultural y léxico en inglés.
Etiqueta o protocolo	• La eficiencia y los resultados valen más que los buenos modales (*manners*) y la formalidad. ▪ No aguanto la ceremonia (*I don't stand on ceremony*). • Una cultura orientada más hacia el resultado o el producto final que hacia el proceso.	• La formalidad tradicional todavía es importante. ▪ Dignidad, respeto y cortesía. ▪ Los buenos modales son muy importantes. — Son una medida de la buena educación. • Saber cómo comportarse vale tanto, o más, que los conocimientos técnicos. • Una cultura orientada tanto hacia el proceso como hacia el resultado o el producto final. ▪ Es importante cómo se hace o logra algo. — Galdós: Se puede hacer de todo en la vida, lo que importa es la forma.
Nombres y apellidos	• El apellido es el último de los nombres. ▪ Mr. Robert Hayward <u>Thompson</u> se llama el Sr. Thompson. ▪ Ms. o Miss Caroline Sayers <u>Ardemagni</u> se llama la señorita (Srta.) Ardemagni. ▪ Mrs. Sarah O'Neill <u>McBratney</u> se llama la Sra. McBratney.	• Como norma, el sistema de apellidos funciona de la siguiente manera en la cultura hispana: ▪ El primer apellido (que en inglés constituiría el *middle name*) suele ser el apellido paternal (el apellido del padre) y éste es el apellido oficial y formal de la persona, mientras que el segundo apellido (equivalente al *last name* según su orden en inglés) suele ser al apellido maternal y NO es el apellido que se usa normalmente como apellido oficial y formal. — El Sr. Diego <u>Velázquez</u> García se llama el Sr. Velázquez, no el Sr. García. — El Sr. Pedro <u>García</u> Velázquez se llama el Sr. García, no el Sr. Velázquez. — La Srta. Carolina <u>González</u> Ardemagni se llama la Srta. González, no la Srta. Ardemagni. — La Sra. María <u>Vega</u> de García se llama la Sra. Vega (muchas veces mantiene el apellido paternal de su familia, su *maiden name*) o la Sra. de García (= casada con el Sr. García).

Tema	EUA	Países hispanos

Estilo comunicativo	• Más explícito y de bajo contexto.
	  ▪ Las palabras mismas comunican el mensaje.
	  ▪ *Say what you mean and mean what you say*; es decir, diga claramente y sin rodeos lo que quiere comunicar.
	• Directo y franco.
	  ▪ Decírselo en la cara (*to be in somebody's face*).
	  ▪ ¡Que le quede bien claro! (*Have I made myself clear!*)
	• Primordialmente funcional.
	  ▪ «Vamos al grano».
	• Construye y presenta las ideas de manera inductiva.
	  ▪ De los detalles específicos a los marcos generales.
	• Interesado en concluir los negocios hoy.
	  ▪ Mi meta es realizar la venta (separarlo de su dinero), etc.
	  — No necesito conocerlo/la para hacer los negocios con usted.
		• Más implícito y de alto contexto.
		  ▪ Gran parte o la parte principal del mensaje es comunicado por medio del paralenguaje (las palabras no habladas) como los ademanes, las expresiones de la cara, el atuendo, el tamaño y la ubicación de la oficina de uno, etc.
		  ▪ La comunicación depende más de la situación (dónde, cuándo, con quién—e.g., el status de la persona con la cual se habla).
		  ▪ «Uno es esclavo de lo que dice y rey de lo que calla».
		• Indirecto.
		  ▪ Más tacto y discreción.
		  — Se podría afirmar que se parece más al estilo comunicativo del sur de EUA.
		• No se considera que ser directo sea una virtud.
		• Construye y presenta las ideas de manera deductiva.
		  ▪ De los marcos generales a los detalles específicos.
		• Interesado en hacer los negocios más allá de hoy.
		  ▪ Primero necesito llegar a conocerlo/la, luego podemos hablar de negocios.
		  — ¿Hay una sintonía de intereses y de actitudes? ¿Hay buena química entre nosotros?
		  — ¿Me puedo fiar de usted?

Estatus socio-profesional	• El dinero y las posesiones materiales muchas veces son los principales indicadores del estatus y el premio de los éxitos.	• El título, el puesto y los contactos (el enchufe) pueden importar más que el dinero.
Estética y arte	• Poco tiempo para tales adornos.	• El arte, la música, la literatura y el estilo refinado son importantes en la vida, incluso en el trabajo.
Ética	• La verdad y decir la verdad se consideran como un valor absoluto. • Se dan y se esperan respuestas directas de «Sí» o «No».	• La verdad es un concepto más relativo. • Decir la verdad se atenúa por la necesidad de usar tacto y diplomacia, y por el deseo de guardar las apariencias. • Un «Sí» no quiere decir necesariamente que «Sí». ▪ ¿Qué es lo que yo pienso que usted desea o necesita oír en este momento?

Tema	EUA	Países hispanos

Trabajo y ocio	• Vive para trabajar.
	  ▪ Ética laboral protestante.
	    — El trabajo duro es bueno para la salud.
	  ▪ *Business = busy-ness*.
	    — Calidad de estar ocupado.
	    — Antítesis del ocio o tiempo libre.
	• El ocio se considera como recompensa del trabajo duro.
	• El dinero es a menudo un fin en sí mismo.
		• Trabaja para vivir y divertirse.
		  ▪ El trabajo es un castigo.
		    — «Negocio» = negación del ocio.
		• El ocio es esencial para vivir la vida al máximo.
		• Dinero = medios para un fin (gozar de la vida).
		• No significa que uno no trabaja duro o que no pasa muchas horas en el trabajo.

Tiempo	• Monosincrónico.
	  ▪ Sistemático, secuencial, lineal, enfocado, predecible, controlable.
	• Imperativo categórico.
	• El tiempo es una materia prima (*commodity*), un producto, una mercancía.
	• Hay una gran desgana de perder o derrochar el tiempo.
	• El tiempo es dinero.
	• Las obligaciones y la fecha tope o de entrega son firmes.
	  ▪ La necesidad de terminar los asuntos ahora y a tiempo.
	• «Ahora» quiere decir «enseguida».
	• La puntualidad significa «en punto».
	• Una cultura de ajustada programación de reuniones (una empieza las 9:30 y termina a las 10:15, la siguiente empieza a las 10:30 y termina a las 11:30, la próxima empieza a las 11:45, etc.).
	• Resentimiento si los eventos y las actividades no empiezan y terminan a la hora indicada.
	  ▪ Se programan el horario de trabajo, el tiempo con la familia, el tiempo libre y hasta la hora en que deben llegar y marcharse los invitados de una fiesta o comida...
		• Policrónico.
		  ▪ Cíclico.
		    — Lo que no se ha completado hoy se puede dejar para mañana.
		  ▪ Actividades múltiples, montadas unas sobre otras, simultáneas y contrarias.
		• Un concepto fluido y más relativo.
		  ▪ Las personas y los eventos son más importantes que los horarios.
		• Las obligaciones y la fecha tope o de entrega son flexibles.
		• «Mañana» puede significar nada más que «No ahora».
		• «Ahora» o «ahorita» pueden significar «En un momento» o «Cuando pueda».
		• Las reuniones sociales (una fiesta, comida, etc.) suelen empezar más tarde que la hora indicada (media hora, 45 minutos o incluso más tarde).
		• Programación de menos reuniones ajustadas durante el día.
		• Mientras negocia, un/a ejecutivo/a atareado/a podrá a la vez estar trabajando con otros asuntos que requieren su atención.
		  ▪ Consultando con un supervisor o capataz, contestando el teléfono, firmando órdenes de compra, confirmando planes para esa noche con la familia y los amigos...
		• Una agenda de multitarea (*multitasking*) y justo a tiempo (*just-in time*) no es una descortesía.

Tema	EUA	Países hispanos
Relaciones y contactos	• La amistad en los negocios es secundaria. ▪ Un plus o algo extra, si es posible. • Los contactos y el enchufe son un plus pero no sustituyen al conocimiento técnico. • Hombres y mujeres. ▪ Corrección política (progresismo).	• Importancia de la atención al individuo y el toque personal. ▪ Deseo conocerlo más y saber cómo y quién es usted. ▪ Necesito sentirme cómodo con usted. • Se requiere tiempo para cultivar la confianza. • Importancia del enchufe (la palanca). • Machismo. ▪ Un tema culturalmente complejo. ▪ El piropo (*flirtatious compliment or remark*) puede ser nada más que un rompehielos (*icebreaker*).
Desigualdad de poder y distancia del poder	• Tolera (aguanta) la autoridad. • Las estructuras jerárquicas existen en las organizaciones para ayudar a organizar las decisiones y facilitar el flujo de información. • Cree en la meritocracia. • El gerente se arremanga (*rolls up one's sleeves*) y se ensucia las manos ayudando a los empleados subordinados (e.g., a los obreros en la planta de producción [*factory floor*], etc.).	• Respeta la autoridad. • Las estructuras jerárquicas existen para que cada miembro de la organización sepa quién es quién y quién tiene la autoridad sobre quién. • El/La gerente teme que se le considere incompetente y que se le pierda respeto si un empleado lo/la ayuda a resolver un problema. • Los empleados subordinados podrían perderle el respeto a un gerente que por falta de autoestima participa en tareas serviles.
Riesgo y cambio	• No es reacio al cambio (*averse to change*). ▪ Quien no se arriesga no cruza la mar (*Nothing ventured, nothing gained*).	• Más reacio al cambio. ▪ Las situaciones desconocidas, la imprevisibilidad y las reglas poco claras crean desasosiego (*discomfort*). ▪ Sin ganancia, no se arriesga.
Dirección y delegación	• Los gerentes delegan en alguien la responsabilidad o autoridad. • Los ejecutivos y gerentes buscan la responsabilidad y aceptan rendir cuentas directamente (*direct accountability*) por sus acciones. ▪ Se valora la toma de iniciativa.	• Tendencia a gerentes tradicionales autocráticos. ▪ El jefe o la jefa. • Los gerentes más jóvenes empiezan a delegar responsabilidades. • Los empleados subordinados esperan ser asignados tareas pero no asumir responsabilidad. ▪ No hay una cultura de toma de iniciativa.

Tema	EUA	Países hispanos
Teoría y práctica	• Orientación más pragmática. • Enfoque orientado a la acción y a la resolución de problemas específicos. • Formación y adiestramiento en la teoría aplicada. ▪ Los detalles prácticos (*nuts and bolts*).	• Orientación más teórica. ▪ Panorama amplio. ▪ La implementación práctica es a veces más difícil.
Competencia (*competition*)	• Disfruta de demostrar lo que vale (*to prove oneself*) en situaciones competitivas. ▪ Empuje cultural de ser «el/la mejor» o el «Número Uno». ▪ El ganar lo es todo (*winning is everything*).	• Evita la competencia personal. • Favorece la armonía en el trabajo.
Plantilla (*staffing*)	• Rechazo cultural del nepotismo. • No se acepta el favoritismo. • Normalmente se excluyen a los parientes. ▪ No es juego limpio contratar a un/a hijo/a, hermano/a, primo/a, etc. • Un proceso de contratación de empleados transparente, democrático y regido por reglamentos y leyes. • El rendimiento justifica el ascenso.	• Aprobación cultural del nepotismo. • Se favorecen a parientes y a los buenos amigos porque son dignos de confianza. ▪ ¿Con quién sería mejor trabajar que con miembros leales de mi familia? • La lealtad al superior justifica el ascenso.
Lealtad	• Principalmente lealtad a sí mismo. ▪ El desempeño es motivado por la ambición.	• Principalmente lealtad a su superior o supervisor. ▪ Lealtad a una persona en lugar de a una organización. • Se empieza a ver más la lealtad a sí mismo.
Planificación	• Principalmente a largo plazo.	• Principalmente a corto plazo.

Se basa parcialmente en las siguientes fuentes: *CulturGrams*; *Doing Business in the New Latin America: A Guide to Cultures, Practices, and Opportunities*; *Good Neighbors: Communicating with the Mexicans*; *The Hispanic Way: Aspects of Behavior, Attitudes and Customs in the Spanish-Speaking World*; *Inside Mexico: Living, Traveling, and Doing Business in a Changing Society*; *Management in Two Cultures: Bridging the Gap between U.S. and Mexican Managers*; *Executive Planet Inc.* (www.executiveplanet.com); *U.S. State Department Background Notes*; *Country Commercial Guides*; y *Library of Congress Country Studies*.

Vocabulario

Este **Vocabulario: Español–Inglés** representa una lista bastante completa de palabras y frases cuya comprensión facilitará la lectura de *Éxito comercial* por parte del estudiante que puede tener el inglés como lengua materna. La segunda parte, **Vocabulario: Inglés–Español,** es más breve al limitarse estrictamente a las palabras y frases de índole comercial.

LEGEND: (*adj*) = adjetivo; (*f*) = femenino; (*i*) = "stem-change verb"; (*ie*) = "stem-change verb"; (*m*) = masculino; (*n*) = nombre, sustantivo; (*pl*) = plural; (*s*) = singular; (*ue*) = "stem-change verb"

A

abarcar *to encompass, include*
a base de *on the basis of*
abastecedor/a *supplier*
abastecer *to supply*
abogar (por) *to defend*
abonar *to pay*
abono *fertilizer*
a bordo *on board*
abrochador *stapler*
aburguesamiento *adoption of a bourgeois way of life*
aburguesar(se) *to become bourgeois*
acción *share, stock*
  común *common stock*
  cotizada en menos de un dólar *penny stock*
  ordinaria *common stock*
  preferente *preferred stock*
  preferida *preferred stock*
  prioritaria *preferred stock*
  privilegiada *preferred stock*
accionista (m/f) *shareholder, stockholder*
aceite (m) *oil*
  crudo *crude oil*
  de oliva *olive oil*
  liviano *light oil*
  pesado *heavy oil*
aceituna *olive*
acero *steel*
acertado (adj) *right, correct*
a ciencia cierta *for sure*
aclararse la garganta *to clear one's throat*

acomodar *to accommodate*
aconsejar *to advise*
acoplar *to fit, couple, connect*
acordar (ue) *to agree*
a corto (largo, medio) plazo *in the short (long, medium) term or run*
acoso sexual *sexual harassment*
acreedor *creditor*
activo *asset, assets*
  circulante *current asset(s)*
actualidad *present day*
acudir *to go, arrive*
Acuerdo General sobre Aranceles y Comercio *General Agreement on Tariffs and Trade*
adelantar *to pass (another car)*
adelanto *advance*
adepto/a *follower, supporter*
adiestramiento *training*
adiestrar *to train*
adjudicación de beneficios *awarding of percentage of investment earnings*
administración *administration, management*
  de bienes *asset management*
  del riesgo *risk management*
  por objetivos *Management by Objectives*
administrador/a *manager*
aduana *customs*
aduanero (adj) *customs*
aducir *to adduce, provide, furnish, put forward*
ad valorem *value-added*

aéreo *by air*
aeródromo *airfield*
aeroespacio *aerospace*
afán (m) *toil*
afanar(se) *to toil*
afín (adj) *related*
agencia *agency*
  de bolsa *brokerage*
  de publicidad (publicitaria) *advertising agency*
agente (m/f) *agent*
  de subasta *auction agent*
  de ventas *sales agent*
  expedidor *freight forwarder*
agitación política *political unrest*
agobiante (adj) *overwhelming*
agotamiento *depletion*
agotar *to deplete*
a granel *in large quantity or volume, bulk*
agravarse *to become serious*
agrícola (m/f) *agricultural*
agropecuario (adj) *related to farming and livestock raising*
aguantar *to bear, put up with*
aguinaldo *Christmas bonus*
ahijado/a *godchild*
ahorrar *to save*
ahorro-depósito *savings-deposit*
ahorros *savings*
ahuyentar *to chase away*
aislacionismo *isolationism*
aislamiento *isolation*
alabar *to praise*
al azar *random*
alcance (m) *reach*

alcancía *piggy bank*
al contado *in cash*
aldea *village*
al detalle *retail*
algodón (m) *cotton*
alimento *food, foodstuff*
  enlatado *canned food*
almacén (m) *store, warehouse*
  de artículos de
    calidad *specialty shop*
    general *general store,*
      department store
almacenaje (m) *storage*
almacenamiento *storage*
almacenar *to store*
almacenes generales *department*
  store
al menudeo *retail*
alojamiento *lodging*
alojar *to house, store*
al par de *equal to*
al por mayor *wholesale*
al por menor *retail*
al portador *to the bearer*
alquilar *to rent*
alquiler (m) *rent*
altavoz (f) *loudspeaker*
altibajos *ups and downs (of*
  fortune)
altiplanicie (f) *high plateau, plain*
altiplano *high plateau, plain*
alto mando *upper management*
altoparlante (m) *loudspeaker*
alza (f, but «el alza») *increase, rise*
ambiente (m) *environment*
  (surroundings)
ámbito *field, area*
a menudo *often*
amiguismo *old boys club*
amortización *amortization,*
  paying off
amparar *to protect, cover, shelter*
analfabetismo *illiteracy*
análisis de costo-beneficio (m)
  cost-benefit analysis
anfitrión *host/hostess*
anticipado: por ___ *in advance*
anticipo *advance*
anticuado *obsolete*
antimonio *antimony (a metalloid*
  element)

anulación *cancellation*
anuncio *advertisement*
apalancamiento *leverage*
aparato electrodoméstico *house-*
  hold electrical appliance
apiñarse *to crowd together*
aplazar *to postpone*
a plazo fijo *fixed term*
aportación *contribution*
aportar *to contribute, furnish*
  fondos *to finance*
apoyar *to help, support*
aprendizaje de toda la vida
  (m) *life-long learning*
apresurarse *to hurry, hasten*
apretón (m) *grasp, squeeze*
apunte (m) *note*
apurado *hard-pressed, difficult*
apuro *difficulty*
arancel (m) *tariff, duty*
  aduanero *customs duty*
arancelario *tariff-related*
árbitro *arbiter, referee*
archivar *to file*
archivo *filing cabinet*
arcilla *clay*
arena *sand*
arras *earnest money; pledge,*
  deposit, security
arreglo *arrangement, agreement*
arrendador/a *renter, lessor,*
  landlord/lady
arrendamiento *lease, rent*
arrendante (m/f) *renter, lessor,*
  landlord/lady
arrendar *to lease, rent*
arrendatario/a *lessee, tenant*
arriendo *lease*
arriesgar *to risk*
artículos de primera
    necesidad *basic*
    commodities or necessities
ascender *to promote*
ascenso *promotion*
asegurar *to insure*
asentar (ie) *to note, enter*
asequible *accesible*
aserradero *sawmill*
asesor *consultant, advisor*
  financiero *financial planner*
asesoramiento *advising*

asesorar *to assess, advise*
asesoría *advising (e.g., financial,*
  etc.)
asiento *entry*
asignar *to assign*
asignatura *assignment, subject*
asistente de práctica
    (m/f) *student intern*
asunto *theme, subject*
atender (ie) *to wait on, help*
atento *kind*
aterrizaje *landing (plane)*
atuendo *attire, outfit, dress (style)*
auditoría *auditing*
auge: estar en ___ *to be on the rise*
aumentar *to increase*
aumento *salary raise*
auricular (m) *telephone receiver*
ausentismo *absenteeism*
autóctono *native*
autofinanciación *self-financing*
autómata (m) *robot*
automatización *automation*
automatizar *to automate*
automotriz (adj) *automobile*
autonomía *autonomy*
autopista de peaje *toll road,*
  tollway
autoservicio *self-service*
autosuficiencia (adj) *self-*
  sufficiency
autosuficiente *self-sufficient*
auxilio de cesantía *severance,*
  indemnity
aval (m) *guarantee, collateral*
avería *damage, breakdown*
averiado (adj) *damaged, broken*
  down
averiguación *ascertainment,*
  discovery
averiguar *to ascertain*
aviso *ad, advertisement; warning;*
  announcement
ayudante (m/f) *assistant*
ayuntamiento *town council,*
  town hall
azotado (adj) *lashed, whipped,*
  flogged
azúcar (m/f) *sugar*
  crudo/a *raw sugar*
azufre (m) *sulfur*

B

bache (m) *hole, pothole*
bajo mando *first-line management*
balance (m) *balance*
   de comprobación *trial balance*
   general *balance sheet*
balanza *balance*
   comercial *balance of trade*
   de pagos *balance of payments*
balsa *raft*
balsero *boat person (refugee)*
banca *banking (the banking industry)*
   de negocios *investment banking*
   en línea *online banking*
   en línea de punta *cutting-edge online banking*
bancario *bank employee;* **(adj)** *banking*
banco *bank*
   avisador *advising or notifying bank*
   emisor *issuing bank, bank of issue*
   hipotecario *mortgage bank*
banquero/a *banker*
barbarie (f) *barbarism*
barcaza *barge*
barniz (m) *varnish*
barrera *barrier*
barril (m) *barrel*
batería *battery*
   recargable *rechargeable battery*
   removible *removable battery*
bebida *beverage*
beca de matrícula *tuition scholarship*
beneficiario/a *beneficiary*
beneficio (adj) *profit, benefit*
benéfico *charitable*
bienes (m/pl) *goods, assets*
   acabados *finished goods*
   de abastecimiento *supplies*
   de capital *capital goods*
   de clientela *customer assets*
   de consumo *consumer goods*
   de equipo *capital goods*

duraderos *durable goods*
especiales o de lujo *specialty or luxury goods*
industriales *industrial goods*
inmuebles *real estate*
muebles *goods*
raíces *real estate*
semiacabados *unfinished goods*
tóxicos *toxic (risky) assets*
bienestar (m) *well-being*
billete de banco (m) *bank note*
billón *normally trillion in U.S. system*
bíper (m) *beeper, pager*
bocina *speaker (on a computer); horn*
boicot (m) *boycott*
boleta *slip*
   de depósito *deposit slip*
   de retiro *withdrawal slip*
boletín informativo *newsletter*
bolsa *exchange (stock, commodities, futures)*
   alcista *bull market, rising market*
   bajista *bear market, falling market*
   de comercio *stock exchange, stock market*
   de empleo *employment agency*
   de valores *stock exchange, securities exchange*
bolsista (m/f) *stockbroker*
bomba *pump (e.g., for pumping oil through a pipeline)*
bombero/a *firefighter*
bonaerense (n, adj) *resident or native of Buenos Aires (m/f); (adj) pertaining to Buenos Aires*
bonificación *bonus (reward, retention, etc.)*
bono *bond*
   Brady *Brady bonds, pertains to restructuring Latin American debt*
   de ahorro *savings bond*
   del estado *government bond, treasury bond*

   del Tesoro *treasury bond*
   de sociedad anónima (de corporación) *corporate bond*
borda *rail (of ship)*
bosque (m) *forest*
bostezar *to yawn*
brazos en jarras *with arms akimbo*
brecha *gap*
bregar *to struggle*
brindar *to offer (a toast, etc.)*
bromear *to joke*
bruto *gross*
buenos modales *good manners, courtesy, politeness*
buey (m) *ox*
bufé de ensaladas (m) *salad bar*
bufete (m) *lawyer's office, law firm*
buque de transporte (m) *transport ship*
burbuja inmobiliaria *housing (real estate) bubble*
bursátil (adj) *relating to stock exchange or securities market*
buscador *search engine*
buscapersonas (m/s/pl) *beeper, pager*
búsqueda *search*
buzón de voz *voice mailbox*

C

cabildero (m) *lobbyist*
cabildo *town council*
cabotaje (m) *coastal traffic, cabotage*
   de petroleros *oil cabotage*
cabra *goat*
cacahuete (m) *peanut*
cacao *cocoa, chocolate*
caciquismo *political bossism*
cadena *chain*
   de suministros *supply-chaining*
cafetera *coffee machine*
caja *cash register, box*
   de ahorros *savings bank, savings and loan*
   de seguridad *safety deposit box*
   fuerte *safe*

cajero/a *cashier*
cajón (m) *drawer*
calculadora *calculator*
caléndula *pot marigold*
calidad *quality*
caliza *limestone*
calzada *road*
calzado *footwear*
cámara de comercio *chamber of commerce*
camarón (m) *shrimp*
cambio *exchange*
   de divisas *exchange rate*
   negro *black market exchange*
camión (m) *truck, bus*
camioneta *van, pickup truck*
camisa de fuerza *straightjacket*
camorra *fight*
campaña *campaign*
cancelarse *to pay, settle*
cantidad *quantity*
caña de azúcar *sugar cane*
caoba *mahogany*
caolín (m) *kaolin (a type of fine clay)*
canon (m) *precio*
capacidad para
      competir *competitiveness*
capacitación *training*
capacitar *to train*
capataz (m/f) *foreman*
capital (m) *capital (finance); (f) capital (city)*
   pagado *owner's equity*
   social *capital stock*
   y reservas (o
      patrimonio) *owner's equity*
capitalización *capitalization*
   de deuda *debt-equity swap*
carbón (m) *coal*
cardamomo *cardamom plant*
carecer *to lack*
carga *cargo, load, tax*
   social *social burden*
cargador/a *loader*
cargo *job, post, position*
carne (f) *meat*
   de res *beef*
cárnico (adj) *related to meat*
carpeta *folder*
carrera *career*

carretera *highway*
carretilla *handcart (used by street vendors)*
carril (m) *lane (traffic)*
carta *letter*
carta de crédito *letter of credit*
   irrevocable *irrevocable letter of credit*
   irrevocable y
      confirmada *confirmed, irrevocable letter of credit*
   revocable *revocable letter of credit*
carta de pedido *order*
carta de porte (terrestre) *freight bill, railway bill, bill of lading*
cartel (m) *sign, traffic or road sign*
cartelera *billboard*
cartera *portfolio; wallet*
   de acciones *stock portfolio*
   morosa *default*
cartucho *cartridge*
casa matriz *home or main office*
casero (adj) *home*
caso omiso: hacer ___ *to ignore*
catálogo *catalog*
caucho *rubber*
caudal (m) *wealth*
caudillismo *bossism*
caudillo *absolute leader*
cava *sparkling wine produced in Spain*
Cayo Hueso *Key West (Florida)*
cazacerebros (m/f/s/pl) *headhunter*
cazador *hunter*
   de cabezas *headhunter*
   de cerebros *headhunter*
   de talentos *headhunter*
cazatalentos (m/f/s/pl) *headhunter*
cazuela de ave *soup made with chicken and vegetables*
cebolla *onion*
cemento *cement*
censo *census*
centavo *cent*
centro comercial *shopping center*
cera *wax*
cerdo *pig, pork*
certificado *certificate*

de origen *proof of origin*
de sanidad *health certificate*
cesión registrada *recorded transfer of securities*
CFR (costo y flete) *CFR (cost and freight)*
chalana *barge*
chanchito *piggy bank*
chantaje (m) *blackmail*
chaqueta vaquero *cowboy jacket, denim jacket*
chascar la lengua *to click one's tongue*
cheque (m) *check*
   al portador *check to the bearer*
   bancario *bank check, cashier's check*
   de administración *cashier's check*
   en descubierto (sin fondos) *overdrawn check (NSF: insufficient funds)*
   nominativo *check made out to a designated payee*
chisme (m) *gossip*
chismear *to gossip*
chocar *to crash, clash*
cianuro *cyanide*
cibernauta (m/f) *Internet user* *(cyberspace, "cybernaut")*
cierre (m) *shutdown*
   de la casa *closing on a house*
CIF (costo, seguro y flete) *CIF (cost, insurance and freight)*
cifra *number, figure, code*
cigarrillo *cigarette*
cinc (m) *zinc*
cinética *kinesics, kinetics (body language)*
cinta *ribbon (typewriter, printer)*
circulante (adj) *current*
circular (f) *form letter*
cita *appointment*
ciudadano/a *citizen*
clave (f) *key, important element*
claxon (m) *horn*
clic (m) *click (computer mouse)*
cliquear *to click (computer mouse)*
cobertura *coverage*
cobranza *collection*

cobrar *to charge, collect, cash*
cobre (m) *copper*
cobro *collection of money*
   revertido *reverse charges*
código *code (i.e., of laws)*
   postal *zip code*
colgar (ue) *to hang up*
colocación *placement*
comarca *region, area*
comercialización *marketing, selling*
comercializar *to commercialize, market, sell*
comerciante (m/f) *merchant*
   al por mayor *wholesaler*
   al por menor *retailer*
comerciar *to trade*
comercio *business, commerce, trade*
comestible (m) *food*
comisaría *territory governed by a commissioner*
comisión *commission*
comisionista (m/f) *commission merchant or agent*
compadrazgo *relationship of being a godparent*
compañerismo *companionship*
comparecer *to appear, make an appearance (e.g., in court)*
competencia *competition*
   encarnizada *cut-throat competition*
competidor/a *competitor*
competir (i) *to compete*
compra *buying, purchasing*
   de inventario *purchase of inventory*
   especulativa *speculative buying*
   futura *forward buying*
   inmediata *hand-to-hand buying*
   por contrato *contract buying*
   por cotización sellada *auction buying (sealed bid)*
   recíproca *reciprocal buying*
comprador/a *buyer*
compraventa *buying and selling*
comprometerse *to get involved, to be committed*

computador/a *computer*
   de sobremesa *desktop computer*
   portátil *laptop computer*
comunicación sumergida *gossip*
comunitario *community, communal*
conceder *to grant*
concertar (ie) una cita *to make an appointment*
concesión *franchise*
concesionario *dealer*
conciencia transcultural *cross-cultural awareness*
conciliador *conciliator*
conciliar *to reconcile*
conducción *driving*
conducta en la compra *buying behavior*
con esmero *carefully*
confección *garment industry, clothing industry*
   de trajes *tailoring*
   de vestidos *dressmaking*
conferencia *lecture, conference*
confiable *trustworthy*
confiar (en) *to trust*
confluencia *confluence, merging*
conjunto (adj) *joint*
conllevar *to entail, involve*
conocidos *acquaintances*
conocimiento de embarque *bill of lading*
Cono Sur *Southern Cone (region that comprises Chile, Argentina, Uruguay, Paraguay, and the southern part of Brazil)*
con qué vivir *wherewithal*
consejero *adviser*
consentimiento *consent*
conserje (m) *janitor*
consigna *order, instruction, watchword; slogan; luggage checkroom*
consorcio *consortium*
constar de *to be composed of, consist of*
consuelo *consolation*
consulado *consulate*
consultor/a *consultant*

consumidor/a *consumer*
   presunto/a *potential customer*
consumo *consumption*
contabilidad *accounting*
   de costos *cost accounting*
   de gestión *managerial accounting*
   de impuestos *tax accounting*
   de presupuestos *budget accounting*
   de sistemas *systems accounting*
   financiera *financial accounting*
   fiscal *tax accounting*
   general *general accounting*
contable (m/f) *accountant;* **(adj)** *accounting*
   fiscal *tax accountant, government accountant*
   público titulado *certified public accountant*
contador/a (adj/n) *accountant*
contaduría (s) *accounting*
contenedor (m) *container (usually metallic)*
contestador automático *answering machine*
contingente (m) *import quota*
contraer *to incur, enter into an obligation*
contralor/a *comptroller*
contramano a/de *wrong way (against oncoming traffic)*
contrapeso *counterweight, counterbalance*
contraponerse *to oppose, go against*
contraseña *password*
contratación *hiring*
contratante (m/f) *party entering into a contract*
contratar *to hire*
contratiempo *setback, difficulty*
contrato *contract*
_____ de arras *earnest money contract*
_____ de paga y señal *earnest money contract*
_____ de señal *earnest money contract*
contribuyente (m/f) *tax-payer*

control *control*
  de calidad *quality control (QC)*
  de equipo *equipment control*
  de fabricación *production control*
  de flujo *flow control*
  de inventario *inventory control*
  de materiales *materials control*
  de orden *order control*
  de riesgo *risk management*
  remoto *remote control*
controlar *to monitor, control*
convenio *agreement*
convenir (ie) *to enter into an agreement; to suit*
conversión de deuda *debt-equity swap*
coque (m) *coke (a form of coal)*
corredor/a *broker*
  de acciones (de bolsa) *stockbroker*
  de bienes raíces *real-estate broker*
correduría *brokerage*
correo *mail*
  auditivo *voice mail*
  de mensajes hablados *voice mail*
  de voz *voice mail*
  electrónico *e-mail, email*
  vocal *voice mail*
corretaje (m) *broker's commission*
corsario corporativo *corporate raider*
cortafuegos (m/s/pl) *firewall*
corto plazo *short term*
cosechar *to harvest*
costo *cost*
  -beneficio *cost-benefit*
  de ventas *cost of goods sold*
  fijo *fixed cost*
  seguro y flete *cost, insurance, and freight (CIF)*
  variable *variable cost*
  y flete *cost and freight (CFR)*
cotidiano (adj) *daily*
cotización de precios *price quote*
cotizar *to quote (a price)*
coyuntura *path, trajectory, situation*
creciente (adj) *increasing, growing*

crecimiento *growth*
crediticio (adj) *credit*
crédito comercial *commercial credit*
criar *to raise (e.g., livestock)*
crisol (m) *melting pot*
cristiano convertido *born-again Christian*
cruce de ferrocarril (m) *railroad crossing*
Cuenca del Caribe *Caribbean Basin*
cuenta *account, bill*
  conjunta *joint account*
  corriente *checking account*
  de ahorros *savings account*
  de anticipos *advance account*
  de luz *electric bill*
  de teléfono *telephone bill*
  mancomunada *joint account*
  por cobrar *account receivable*
  por pagar *account payable*
cuentacorrentista (m/f) *current account holder*
cuentahabiente (m/f) *current account holder*
cuero *leather*
cultivable *cultivatable, arable*
cultivo *crop*
cumplidor (adj) *dependable, reliable*
cumplimiento *fulfillment*
  del potencial *fulfillment of potential*
cuna *cradle*
cuñado *brother-in-law*
cuota *quota, premium*
cupo *quota, capacity*
currículo *résumé*
currículum vitae (m) *résumé, CV*
custodia *safekeeping, preservation*
custodiar *to keep, take care of (e.g., a deposit)*

D

dañino *harmful*
daños *damages*
dato *fact, piece of information, datum*
DDP (entregadas [mercancías] derechos pagados, lugar

de destino convenido delivered *duty paid*
de antemano *beforehand*
debe (m) *debt, debit, liability*
debidamente *duly, properly*
débito *debit*
de categoría (adj) *quality, luxury*
decenio *decade, ten-year period*
decisión obligatoria *binding decision*
declaración *declaration*
  de aduana *customs declaration*
  de exportación *export declaration*
  de importación *import declaration*
  de impuestos *income tax return*
declararse en huelga *to (go on) strike*
de costado *on one's side, sideways*
de entrada *from the outset, from the beginning*
defectuoso (adj) *defective*
déficit (m) *deficit*
de gran volumen *bulky, bulk*
dejarse vencer *to give up*
dejo *accent (speaking)*
deletrear *to spell*
delito *crime*
demandar *to sue*
demodado (adj) *outdated*
demografía *demography, demographics*
demógrafo *demographer*
demora *delay*
denominación *guarantee of origin or quality of wine; denomination (money)*
depositante (m/f) *depositor*
depositar *to deposit*
depósito *deposit*
  a la demanda *demand deposit*
  a la vista *demand deposit, sight deposit*
  a plazo fijo *time deposit*
depreciación *depreciation*
  lineal *straight-line depreciation*
derechista (m/f) *rightist*
derecho *right, law*

ad valorem sobre importaciones— *tax on value of imports*

arancelario *customs duty*

del autor *author royalties*

de patente *patent royalty*

mercantil *business law*

deregulación *deregulation*

derrame de aceite (de petróleo) (m) *oil spill*

derribar *overthrow*

derrocar *to overthrow*

derrumbar *to tear down, demolish*

desafío *challenge*

desamortización *disentailment*

desarrollado (adj) *developed*

desarrollar *to develop*

desarrollo *development*

descarga *unloading (e.g., of merchandise)*

descenso *decline*

descuento *discount*

> **por el compro en efectivo** *discount for cash payment*
>
> **por promoción** *promotion allowance*
>
> **por pronto pago (presto pago)** *discount for prompt payment*
>
> **sobre cantidad** *volume discount*

desecho tóxico *toxic waste*

desembolsar *to disburse, expend*

desempeñar *to perform, carry out*

desempeño *performance, fulfillment, a carrying out of (duties)*

desempleo *unemployment*

desequilibrio *imbalance*

desfalcar *to embezzle*

desfalco *embezzlement*

desgastar(se) *to wear out, deplete*

desgaste (m) *deterioration, damage, depletion*

desigualdad *inequity*

desocupación *unemployment*

despachar *to finish, send*

despedir (i) *to fire, dismiss*

despegue (m) *takeoff (plane)*

desperdicio *waste*

despistado (adj) *confused, disoriented, clueless*

desplazar *displace, supersede, supplant; scroll up and down (on computer screen)*

despoblación forestal *deforestation*

desregulación *deregulation*

destacar *to stand out, highlight, emphasize*

desterrar (ie) *to exile, banish*

destreza *skill*

desventaja *disadvantage*

desviación *detour*

desviar *to divert*

detallista (m/f) *retailer*

> **sin almacén** *non-store retailer*

detenimiento *stopping (e.g., of a car in motion)*

deuda *debt*

deudas gemelas *twin deficits*

deudor (adj/n) *debit-related, debtor*

devaluación *devaluation*

devengar *to yield, earn (interest)*

devenir *to become*

> **«el devenir»** *the future*

devolución *repayment, refund, allowance*

diamante (m) *diamond*

diario *book of original entry, general journal*

dicho *saying, proverb, adage*

diferido *deferred*

dinero *money*

dirección *management, board of directors, direction*

directiva *guideline*

directivo (n) *director, board member; (adj) managerial*

director de personal *personnel director*

directriz (f) *director, guideline, instruction, direction*

discado activado por voz *voice-activated dialing*

disco *disc*

> **compacto** *compact disc*
>
> **duro** *hard drive*
>
> **zip** *zip drive*

diseño *design*

disponible *available*

disponibilidad *availability*

dispositivo *device, mechanism*

distribuidor *distributor*

> **automático** *vending machime*

dividendo *dividend*

> **diferido** *deferred dividend*

divisa *foreign currency*

divulgar *to spread, disseminate*

documentación *documentation, papers*

documento *document, note*

> **de embarque** *shipping document*
>
> **por pagar** *note payable*

dolarización *adoption of the dollar as national currency*

domiciliar la nómina *direct deposit of paycheck*

donativo *donation*

don (m) de gentes *people skills*

dos tercios *two-thirds*

dotes (f/pl) *talents, qualities (e.g., leadership)*

drenaje (m) *drainage*

dueño *owner*

duplicado/a *counterpart*

durazno *peach*

E

economía *economy, economics*

> **informal** *underground economy*
>
> **política** *political economy*

economías de escala *economies of scale*

ecuación *equation*

edificio *building*

educación *manners, upbringing, schooling, education (in Latin America)*

efectivo *cash*

efecto *document, note, paper*

efectos comerciales *commercial papers, documents*

> **a cobrar** *notes receivable*
>
> **a pagar** *notes payable*
>
> **de escritorio** *desk set, stationery*

efectuar *to bring about*

eficacia *effectiveness*

egreso *expenditure, outlay, disbursement*
eje (m) *axis*
ejecución *execution, conduct of (duties, etc.)*
   del trabajo *performance*
   hipotecaria *foreclosure*
ejercer (una profesión) *to practice (a profession)*
ejercicio *accounting period*
elaboración *manufacturing, processing*
elaborar *to manufacture, process*
emanación *source, point of origin*
   natural *natural source or point of origin (e.g., of oil, of natural gas)*
embajada *embassy*
embalaje (m) *packing, packaging*
embarazo *pregnancy*
embarcación *boarding, embarkation; boat, craft*
embarcar *to ship*
embargo *embargo; home foreclosure*
embarque (m) *shipment*
emigración *emigration*
emisión de acciones (de valores) *issue of a security, stock, or bond; equity financing*
emisor (adj) *sender*
emitir *to issue*
empacador de carne *meat packer*
empanadas al horno *meat pies*
empeñarse en *to persist in*
empleado/a *worker, employee*
emplear *to hire, employ*
emprender *to undertake, begin, do*
empresa *business, company, firm, going concern*
   colectiva *partnership*
   conjunta *joint venture*
   de colocación (de empleo) *job placement agency*
   estatal *state-controlled company*
   individual *sole proprietorship*
   mediana *mid-size company*
   mercantil *commercial company*

mixta *company controlled by government and private enterprise*
naviera *shipping company*
pequeña *small business*
privada *private company*
productora *manufacturer*
pública *public company*
empresarial *managerial, business*
empresario/a *employer, manager*
empréstito *loan*
enajenador (adj) *alienating*
encaminar *to lead to*
encargarse de *to take charge of*
encargo *order (commercial)*
encarte (m) *insert, inset*
   central *centerfold*
enchufe (m) *"pull," influence; plug, electrical outlet*
encoger *to shrink*
encogerse de hombros *to shrug one's shoulders*
encuesta *survey*
en descubierto *insufficient funds (checking account)*
endeudado (adj) *indebted*
endeudamiento *indebtedness*
endosante (m/f) *endorser*
endosar *to endorse*
endosatario/a *endorsee*
en efectivo *cash*
en existencia *in stock*
engrapador/a *stapler*
engrapamiento *stapling*
enjuiciar *to indict*
enlace (m) *connection, link*
   activo *hyperlink*
enlatado (adj) *canned*
en línea *online (computer, Internet)*
en líquido *in cash*
ensamblaje (m) *assembly*
ensamblar *to assemble*
ensamble (m) *assembly*
ensayar *to rehearse, try out*
ensayo *test, trial*
enseñanza multimedia *multimedia instruction*
enseres (m/pl) *tools, equipment*
entablar *to establish, begin, strike up (a conversation)*

enterarse de *to find out about*
entidad *entity, company*
en torno a *around which, about which*
entrega *delivery*
   de bachillerato *high school graduation*
entrenar *to train*
entrevista *interview*
entrevistador/a *interviewer*
entrevistar *to interview*
en ultramar *abroad, overseas*
enumerar *to list*
envase (m) *container, bottle, can, box, carton*
envejecer *to age, grow old*
en vías de desarrollo *developing (nation)*
envío *shipment*
equilibrio *balance*
equipo *equipment, team*
   de almacén *equipment for the store*
equitativo (adj) *equitable*
escala *scale*
escalera automática *escalator*
escáner *scanner (documents)*
escaparate (m) *showcase*
escasez (f) *scarcity, shortage*
Escritura pública *Public Record*
esmeralda *emerald*
espacial *spatial, space-related*
espato flúor (fluorita) *fluorite*
esquematización *diagram*
esquirol (m) *strikebreaker, scab*
estabilidad *stability*
estacionamiento *parking*
estacionar *to park*
estación de trabajo *work station*
estadística *statistic(s)*
estado *statement, status*
   civil *marital status*
   contable *accounting statement*
   de cuenta *statement of account*
   de flujo de caja *cash flow statement*
   de ganancias retenidas *statement of retained earnings*

de pérdidas y ganancias *profit and loss statement*

de posición (de condición) financiera *balance sheet*

de sitio *state of siege*

financiero *financial statement*

libre asociado *commonwealth*

soberano *sovereign state*

estadounidense *(adj) American, United States; (n) United States citizen, American*

estancarse *to become stagnant*

estancia *stay, sojourn*

estándar (m) *standard*

estante (m) *bookshelf, rack*

estaño *tin*

estar *to be*

   al tanto *to be up-to-date*

   de moda *to be in fashion*

estatal (adj) *government-run, state-owned*

estética laboral *work aesthetic, attractiveness of work environment*

estibador/a *stevedore*

estraperlo *black market*

estrategia *strategy*

estrecho *close, narrow*

estructuración de precios *pricing*

etapa *step, stage*

etario (adj) *age-related*

ética laboral *work ethic*

etiqueta *tag, label*

excedente (m) *surplus*

exención *exemption*

existencia *stock, inventory*

éxito *success*

expatriado/a *expatriate*

expectativa *expectation*

expedidor (adj) *issuing, expeditor*

expediente personal (m) *résumé*

expedir (i) *to send*

experimentar *to experience*

explorador *scanner*

exportación *export, exporting*

exportador *exporter*

exportar *to export*

exposición *exhibit*

extender (ie) *to expand*

extranjero/a (adj) *foreign; (n) foreigner*

F

fábrica *factory*

fabricación *manufacturing*

fabricante (m/f) *manufacturer*

fabricar *to make, manufacture, produce*

factible *feasible*

factura *invoice*

   consular *consular invoice*

   proforma *pro forma invoice*

facturación *billing*

faena *task, chore*

fallecer *to die*

falta *failure, error*

   garrafal *blunder, howler, horrendous mistake*

   de cumplimiento *failure to comply, noncompliance*

FAS (libre o franco a costado del buque) *free alongside ship*

fastidiarse *to become annoyed, get fed up*

fax (m) *fax, facsimile machine*

fecha *date*

   de entrega *delivery date*

   de vencimiento *due or maturity date*

   límite *deadline*

Fed (f) *Federal Reserve Bank (U.S.)*

feligrés/a *parishioner, member of congregation*

feria comercial *trade fair*

ferretero *hardware dealer*

ferrocarril (m) *railroad*

ferroso *iron-related*

ferroviario (adj) *related to the railroad,*

fiabilidad *reliability*

fiable *reliable*

fianza *downpayment, deposit*

fiarse *to trust*

fibra óptica *fiber optics*

ficha *index card*

fidelidad *faithfulness, loyalty*

fijar *to fix, set*

fijo (adj) *fixed*

filial (f) *subsidiary, branch*

financiación *financing*

   externa *external financing*

por medio de obligaciones *debt financing*

financiamiento *financing*

financiar *to finance*

financiero *financial*

finanzas *finance, finances*

firma *firm, company, enterprise*

   bolsista *brokerage*

firmar *to sign*

fletador *freighter, charterer, shipper, transporter (one who hands over goods to be delivered)*

   aéreo *air shipper*

   fluvial *inland water shipper*

   marítimo *maritime or sea shipper*

fletamento (fletamiento) *freight (cargo or price of shipment)*

fletante (m/f) *charterer, affreighter, owner of a transport*

fletar *to charter, hire*

flete (m) *freight, freightage, transportation charge, cargo*

   (pagado hasta el) punto de destino *FOB delivered*

flojo *weak*

flor (f) *flower*

florecer *to flourish, flower*

flujo *flow*

   de caja *cash flow*

   de efectivo *cash flow*

fluvial *fluvial, river-related*

FOB (libre o franco a borde) *free on board*

folleto *pamphlet*

fomentar *to foster, encourage, promote*

fomento *development, promotion*

   de ventas *sales promotion*

fondo *fund*

Fondo Monetario Internacional (FMI) *International Monetary Fund (IMF)*

formación *formation, education*

formulario *printed form, slip (of paper)*

formulismo *formulism, tokenism*

fotocopiadora *photocopier, copy machine*

fracaso *failure*

franco a bordo *free on board (FOB)*

franco al costado del buque *free alongside ship (FAS)*

franquicia *franchise*

frénetico (adj) *frantic, wild*

frigorífico *meat-packing plant*

frijol (m) *bean, kidney bean*

fruncir *to contort*

    el ceño *to frown*

fruta *fruit*

fuente (f) *source*

fuerza laboral *workforce*

funcionario *government official, staff member, employee, office worker, official*

fundar *to found*

fundición *smelting*

fundir *to melt, smelt*

fusión de empresas *merger*

fusionar *to merge*

G
....

gabarra *barge*

gama *spectrum, range*

ganadería *cattle raising*

ganado *cattle*

    mayor *cattle, horses, mules (large-hoof animals)*

    menor *sheep, goats, pigs (small-hoof animals)*

ganancias *earnings, income, profit*

    retenidas *retained earnings*

ganar *to earn*

ganarse la vida *to earn a living*

garantía *guarantee*

    garantía de calidad *quality assurance*

    subsidiaria (prendaria/ de colateral) *collateral guaranty or security*

gastar *to spend*

gasto *expense*

gastos *expenses*

    de administración *administrative expenses*

    de operación *operating expenses*

de tramitación *handling charges*

pagados por

    anticipado *prepaid expenses*

    prepagados *prepaid expenses*

gauchesco (adj) *related to gauchos (Argentine and Uruguayan cowboys)*

género *good, merchandise*

gentilicio *population, name of inhabitants of a country*

gerencia *management*

gerencial *managerial*

gerente (m/f) *manager*

    de compras *purchasing manager or director*

    gestión *step, measure, management*

    productora *production management*

gesto *gesture*

gestor *manager, business representative*

girado/a *drawee*

girador/a *drawer of check or draft*

girar *to draw or issue; turn (in car)*

giro *draft (payment instrument); phrasing (language), turn of word*

    a la vista *sight draft*

    a plazo *time draft*

goma elástica *rubber band*

gráfico (n) *graphic*

gran almacén *department store*

granel: a ___ *in large volume, quantity, bulk*

granjero *farmer*

grano *grain*

grapa *staple*

grapador/a *stapler*

gratuito (adj) *free*

grava *gravel*

grupo colectivo *bargaining group*

guardia tumbado *speed bump (Spain)*

guía (m/f) *guide, guidebook*

    aérea *air waybill*

guiar *to guide*

guiñar *to wink*

guiño *wink (eye)*

guisante (m) *pea*

H
....

haber (m) *credit, assets*

habilidad *skill, ability*

    interpersonal *interpersonal skill, people skills*

hablante (m/f) *speaker*

hacendado/a *landowner*

hacer *to make, do*

    clic (en) *to click (on)*

    constar *to point out, indicate*

    cumplir *to enforce*

    frente a *to face*

    gestiones *to take steps or measures*

    piratería *to hack into (computer)*

hacienda *property, fortune, possessions*

hackear *to hack into (computer)*

hacker *hacker*

halagar *to praise*

harina *flour*

    de pescado *fishmeal*

herida *wound*

herramienta *tool*

hierro *iron*

hilo *gist, thread*

hiperinflación *hyperinflation*

hipervínculo *hyperlink*

hipotecario (adj) *mortgage-related*

hispanohablante *Spanish-speaking*

historial personal (m) *résumé*

hogareño (adj) *home*

hoja *sheet (paper)*

    de cálculo *spread sheet*

    de ruta *route sheet, way bill*

    de vida *résumé (Colombia)*

homólogo *counterpart*

honorario *fee*

honrado/a *honest*

horario *schedule*

horas extra(s)

    (adicionales) *overtime*

hortaliza *vegetable*

hostelería *hotel business management*
hucha *money box, piggy bank*
huelga *strike*
   patronal *lockout*
huelguista (m/f) *striker*
huella digital *fingerprint*
huída *flight*
hundir *to sink*
hurto *theft, stolen goods, pilferage*

I

identificación *identification*
   de abonado llamante *caller I.D.*
   de llamadas *caller I.D.*
   de origen *caller I.D.*
idóneo (adj) *suitable, competent*
igualar *to equal*
ilimitado (adj) *unlimited*
impacientarse *to become impatient*
impago *nonpayment*
impedir (i) *to prevent, impede*
imponer *to impose*
importación *import, importing*
importador/a *importer*
importar *to import*
importe (m) *amount, price, cost*
impositivo (adj) *tax-related*
imprescindible *indispensable*
impreso *printed matter*
impresora *printer*
   de inyector (chorro de tinta) *ink-jet printer*
   de láser *laser printer*
imprevisto (adj) *unforeseen*
impuesto *tax*
   sobre el valor añadido (IVA) *value-added tax (VAT)*
   sobre la renta personal *personal income tax*
impulsar *to encourage*
inalámbrico *wireless*
incambiable *unchangeable*
incapacitado/a *handicapped*
incendio *fire*
incentivo *incentive*
incrementar *to increase*
inculcar *to instill*

incumplimiento *noncompliance, failure to comply*
indebido *improper, illegal*
indemnización *compensation, pay*
   por antigüedad *indemnity for years of service*
   por despido *severance pay*
indemnizar *to compensate*
indicación *note, instruction*
índice (m) *rate, index*
   bursátil *stock market index*
   de crecimiento *growth rate*
   de natalidad *birthrate*
   de paro *unemployment rate*
Índice de la Calidad de Vida *Physical Quality of Life Index (PQLI)*
indistinto *immaterial (does not matter)*
indocumentado/a *illegal alien*
índole (f) *nature, character*
indumentaria *clothing, dress*
industria *industry*
   transformadora *conversion industry*
inflación *inflation*
informática *computer science*
informático (adj) *computer-related*
informe (m) *report*
infotecnología *infotechnology*
ingeniería *engineering*
ingeniero *engineer*
ingreso *income, revenue*
   neto *net income*
Iniciativa de la Cuenca del Caribe *Caribbean Basin Initiative*
Iniciativa empreserial *entrepreneurship*
inmobiliaria *real estate agency or agent; property developer*
inmueble (m) *real estate; a building*
inquilino/a *tenant*
inscribirse en *to register, to enroll in*
inscrito *inscribed, written*
Instituto de Fomento Industrial *Institute for Industrial Development*

insumos *supplies*
integrar *to integrate*
intento *attempt*
Internet (m/f) *Internet, information superhighway*
intereses periódicos acumulados *periodic accrued interest*
intermediario *intermediary, middleman*
internauta (m/f) *Internet user (internaut, as in astronaut)*
intérprete (m/f) *interpreter*
interventor/a *comptroller, auditor*
inventario *inventory*
inversión *investment*
inversionista (m/f) *investor; (adj) investment, investing*
inversor/a *investor*
invertir (ie) *to invest*
investigación y desarrollo *research and development*
ir al grano *to get down to business*
irlandés/a (adj/n) *Irish, Irish man or woman*
Islas Antillas *West Indies, Antilles*
IVA (Impuesto sobre el Valor Añadido [o Agregado]) *Value Added Tax (VAT)*
izquierdista (m/f) *leftist (politics)*

J

jactarse *to boast*
jefe/a de mercado *market manager*
jerga *jargon*
jornada *a day's work*
jornal (m) *day's wages*
jornalero/a *day worker*
joyería *jewelry store*
jubilación *retirement*
jubilar *to retire*
juego de colores *color combination*
juicio por faltas *grievance procedure*

junta directiva (de directores/de consejo directivo) *board of directors*

jurídico *juridical, legal*

L

laboral (adj) *work-related*
labrador *farm worker, farmer*
lana *wool*
lanchón (m) *barge, lighter*
lanzamiento *launching*
lanzar *to launch*
largo plazo *long term*
lastimar *to injure, hurt*
latifundio *large landed estate*
laudo *decision, finding*
lavado de dinero *money laundering*
lavadora *washing machine*
lazo *tie*
lealtad *loyalty*
legislatura *legislature*
lejano (adj) *far, faraway*
lema (m) *slogan, motto*
lencerías *linens*
lenguaje (m) *language style or jargon*
lentitud (f) *slowness*
leña *wood*
letra *bill, note*
    de cambio *bill of exchange*
    por pagar *note payable*
letrero *sign*
    luminoso (de neón) *neon sign*
levantar el censo *to take the census*
Lexus *Japanese automobile firm, symbol for international free trade movement*
ley (f) *law*
    arancelaria *custom law*
    mercantil *business law*
librado *drawee*
librador *drawer*
librar *to draw or issue*
libre *free*
    a bordo *free on board (FOB)*
    al costado del buque *free alongside ship (FAS)*
    comercio *free trade*
librecambismo *free trade*
libro mayor *ledger*
licencia *license, licensing*
    de exportación *export permit*
    de importación *import permit*
licenciado (adj) *licensed*
licenciar *to license*
licitante (m/f) *bidder*
líder (m/f) *leader*
liderar *to lead, head up*
liderato *leadership*
liderazgo *leadership*
lidiar *to fight*
liga *rubber band*
lignito *lignite*
limitado (adj) *limited*
línea *line*
    de crédito *line of credit*
    de ensamble *assembly line*
    de montaje *assembly line*
    fija telefónica *ground-line phone*
liquidación *liquidation, dissolution*
liquidar *to settle, liquidate*
lista negra *black list*
llamada *telephone call*
    en espera *call waiting*
llanta *tire*
llanura *plain*
llegada tardía *lateness*
llevar a cabo *to carry out, conclude*
local (m) *locale, establishment, location*
localizador *beeper, pager*
logística *logistics*
logro *achievement, accomplishment*
lucir *to look, shine*
lucrativo *profitable*
lucro *gain, profit*
lujo *luxury*
lustro *five years, lustrum*

M

machacar *to crush, pound*
machaqueo *pounding*
madera *wood, lumber*

madrina *godmother*
maduración constante (perpetua) *constant growth*
magnesio *magnesium*
malentendido *misunderstanding*
maletín (m) *briefcase*
malogrado (adj) *ill-fated, failed*
manada *herd*
mancomunado (adj) *joint*
mandato judicial *injunction*
mando *management*
    a distancia *remote control*
manejar *to manage; drive*
manejo *handling*
manganeso *manganese*
manglar (m) *mangrove swamp*
maní (m) *peanut*
manifestación *demonstration; appearance*
manjar (m) *delicacy*
mano (f) de obra *labor, workforce*
mantenimiento del equipo *equipment maintenance*
maquila *assembly*
maquiladora *assembly plant, in-bond plant*
máquina *machine*
    de coser *sewing machine*
    de escribir *typewriter*
    expendedora *vending machine*
maquinaria *machinery*
    liviana *light machinery*
    pesada *heavy machinery*
marca *brand*
    comercial *trademark*
    de fábrica *trademark*
    registrada *registered trademark*
margen de beneficio (m) *profit margin*
marisco *seafood, shellfish*
marítimo (adj) *maritime, sea*
mármol (m) *marble*
martillo *hammer*
más porciones de comida *second helpings*
matagalán (m) *lady-killer*
materia prima *raw material*
matricularse *to register, enroll*
mayorista (m/f) *wholesaler*

de estanterías *rack jobber*

sin almacén *truck wholesaler*

mediador/a *mediator*

medida *measurement*

medio *means, medium; half*

  ambiente *environment*

  de difusión (difusivo) *advertising medium*

  de distribución *means of distribution*

  de transporte *means of transportation*

  mando *middle management*

  productivo *means of production*

  publicitario *advertising means*

medioambiental *environmental*

medir (i) *to measure*

mejora *improvement*

mejorar *to improve*

melocotón (m) *peach*

membresía *membership*

memoria portátil *flash or thumb drive*

menospreciar *to slight, scorn*

mensaje (m) *message*

  instantáneo *instant message (messaging)*

mensual *monthly*

mensualidad (f) *monthly payment, rent*

menudeo *retail*

mercadeo *marketing*

mercadería *merchandise, good, product*

mercado *market*

  al contado *cash market*

  ambulante *traveling market*

  común *common market*

  de descuentos *discount store*

  negro (de contrabando) *black market*

  señalado *target market*

mercadológico *related to marketing*

mercancía *article, good, merchandise*

mercancías de gran volumen *bulk material*

mercantil (adj) *commercial*

mercurio *mercury*

meta *goal, objective*

metalistería *metal work*

método lineal *straight-line method (depreciation)*

mezcla de productos *product mix*

migración *migration*

mineral de hierro (m) *iron ore*

minería (n) *mining*

minero (adj) *mining*

ministro de relaciones exteriores *Secretary of State*

minorista (m/f) *retailer*

minuta *summary, rough draft; menu*

miseria *misery, dire poverty*

mobiliario *furniture, furnishings*

  y equipo *furniture and fixtures*

moler (ue) *to grind, crush, mash*

molibdeno *molybdenum (a type of metal)*

molienda *milling*

mondadiente (m) *toothpick*

moneda *coin, national currency*

montar *to set up*

mora (en) *late, behind in payment (mortgage, rent, etc.); default*

mordida *bribe*

moroso (adj) *late, delinquent*

móvilnauta (m/f) *user of cell phone equipped with computer («mobilnaut» a step beyond simple Internet users)*

mueble(s) (m) *furniture*

muelle (m) *dock, pier, wharf*

muerto *dead man; speed bump (Costa Rica)*

muestra *sample*

muestreo *sampling*

multinacional (adj) *multinational*

N

nacional de terceros países *third-country national*

Naciones Unidas *United Nations*

narcotráfico *drug traffic, trade*

náufrago *castaway, shipwrecked individual*

nave (f) *ship*

  espacial (la Tierra) *spaceship (Earth)*

navegar *to "surf" or search (the Internet)*

naviero *ship owner*

negociante (m/f) *businessperson*

negociar *to bargain, negotiate*

negocio *business*

  en participación *joint venture*

  por Internet *e-business*

nevera *refrigerator*

níquel (m) *nickel (a type of metal)*

nivel (m) *level*

  de vida *standard of living*

nombramiento *appointment (to a position)*

nómina *payroll*

nominativo *bearing a person's name, registered (bond)*

O

obligación *liability, debt, bond*

  contributaria *tax liability*

  corporativa *corporate bond, debt financing*

obligatorio (adj) *obligatory, binding*

obrero/a *worker, blue collar worker, laborer*

obsoleto *obsolete*

ocioso (adj) *leisurely, idle*

oferta *offer, supply*

  inmobiliaria *housing supply*

  sellada *sealed bid*

  y demanda *supply and demand*

oficina *office*

oficinista (m/f) *office worker*

ofimática *office automation*

oleada *wave*

oleoducto *pipeline*

olivo *olive tree, symbol for cultural tradition*

olor (m) *smell, odor*

OPEC (Organization of Petroleum Exporting Countries)

OPEP (Organización de Países Exportadores de Petróleo)

oprimir   to click, press (a button or key)

orden (m)   order, arrangement of things; **(f)** command, order for merchandise; **(f) de pago**   order to pay

ordenación   ordering, arranging, collating

ordenador (m)   computer (Spain)

organigrama (m)   organizational chart

Organización Mundial del Comercio (OMC)   World Trade Organization

originario   originating in, coming from

oro   gold

otorgar   to give, grant

oyente (m/f)   listener

P

padrino(s)   godfather (godparents)

pagadero (adj)   payable

pagar   to pay

pagaré (m)   promissory note (IOU)

página web   web page

pago   pay, payment
  contra entrega   cash on delivery (COD)
  de transferencia   transfer payment
  inicial   down payment, deposit
  por anticipado   payment in advance, down payment, pre-payment

país (m)   country
  deudor   debtor nation, country with a balance of debt problem
  en vías de desarrollo   developing country
  hospedador   host country

palanca   "pull," influence

palillo   toothpick

panel plano   flat (panel) screen

pantalla   TV or movie screen
  de panel plano   flat screen
  táctil   touch screen

pantalón vaquero   blue jeans

papel de cartón (m)   cardboard

papeleo   paperwork, red tape

paralenguaje (m)   para-language (gestures, tone of voice, posture)

parecer (m)   opinion

pared (f)   wall
  contra fuegos   firewall
  cortafuegos   firewall

parlante (m/f)   speaker

paro   unemployment, work stoppage

parte (f)   party in a negotiation or contract
_____ **compradora**   buyer (real estate)
_____ **vendedora**   seller (real estate)

participación   share, investment (e.g., by stockholder)

particular (adj)   private, individual

partida doble   double-sided entry (accounting)

partidario/a   supporter

pasarse de moda   to go out of style or fashion

pase (m)   entry (ledger)

pasivo   liability, liabilities
  circulante   current liabilities
  fijo   fixed liabilities

paso   step

pastel de choclo   baked meal of beef, chicken, corn, eggs, and spices

patata   potato

patria chica   one's hometown, county, or state

patrimonio   wealth, estate, capital resources, net worth

patrocinar   to sponsor

patrón (m), patrona (f)   owner, boss, sponsor; pattern, guideline

patrono   employer

pauta   model, guideline

pavimentado (adj)   paved

pavo   turkey

pedido   order, purchase order

pedir (i) prestado   to borrow

pena de muerte   death penalty

penetración del mercado   market penetration

percatarse   to notice, heed

pérdida   loss

pericia   expertise

periferia   periphery

período de entrega   delivery time

perito/a (n)   expert; **(adj)** experienced

perjudicado (adj)   injured, damaged, jeopardized

perjudicar   to damage, injure, jeopardize

perjudicial (adj)   prejudicial, harmful, detrimental

permutar   to exchange, barter, swap

persona interesada   stakeholder

personal (m)   personnel

personalismo   personalism

perspicacia   vision, insight, forward thinking

pesca   fishing, fishery

pesquero (adj)   related to fishing

petróleo   petroleum

petrolero   oil-related

pico   mouth (beak)

piedra caliza   limestone

piel (f)   skin

pienso   fodder, feed

pieza de repuesto   spare part

pila   battery

piña   pineapple

piquete laboral (m)   picket line

piraña corporativa   corporate raider

pirata (m/f) informático/a   hacker

pirateo   hacking (computer)

piratería   hacking, piracy, pirating

pirita   pyrite (a mineral)

piropo   flirtatious remark

pista   trail, track, way; court (e.g., tennis)

planeación   planning

planificación   planning
  estratégica   strategic or contingency planning

plano   city map

planta   floor; plant; factory
  baja   ground floor (at street level)
  manufacturera   manufacturing plant

plantear *to create, pose*
plata *silver*
plátano *plantain, large green banana*
plaza *locale, location, place, town, city, market*
plazo *time period, deadline*
  de devolución *repayment or refund period*
  de entrega *deadline (delivery)*
plomo *lead*
plusvalía *gain in value, appreciation*
población *population*
polaco (n) *Pole, person from Poland; (adj), Polish*
polémico *controversial, polemical*
policía acostado *speed bump (Colombia)*
política de compras *purchasing policy*
poner *to put, place*
  a prueba *to test*
  a riesgo *to put at risk*
  en limpio *to type, to make a fair copy of a writing*
  en marcha *to begin*
  en peligro *to put at risk*
  en vigor *to put into effect*
  las manos en jarras *to put one's hands on one's hips (aggressive gesture)*
  trabas *to set up obstacles*
porcentaje (m) *percentage*
pormenor (m) *detail*
porrón *wine bottle with long spout (Spain)*
portador/a *bearer*
portátil (adj) *portable*
portavoz (m/f) *spokesperson*
porte (m) *price (freight, carriage price)*
postergar *to postpone*
postulante (m/f) *applicant, job candidate*
postura del cuerpo *body posture*
potasa *potash*
potente (adj) *powerful, potent*
pozo (n) *well*
práctica *internship, business practice*

de tiro *target practice*
precio *price*
  de catálogo *list price*
  de mercado *market price*
  de saldo *rock-bottom price*
  máximo *ceiling price*
  mínimo *floor price*
precisar *to specify*
premiar *to award, reward*
prenda *security, pledge*
prendario *guaranteed*
prensa *the press*
preparativo *preparation, plan*
presa *dam*
prescindible (adj) *dispensable*
presilla *paper clip*
prestación de servicios *provision of services, services rendered*
prestador/a *lender*
prestamista (m/f) *lender*
préstamo *loan*
  a sola firma *signature loan, unsecured loan*
  garantizado *secured loan*
  hipotecario *mortgage loan*
  no garantizado *unsecured loan*
  prendario *secured loan*
  sin caución *unsecured loan*
prestar *to lend*
  juramento *to be sworn in (e.g., as president)*
  servicios *to service, serve*
prestatario/a *borrower*
presunto *presumed, anticipated, expected*
presupuestario (adj) *budget, budgetary*
presupuesto *budget*
prever *to foresee*
preverse *to anticipate*
previsto *anticipated, planned*
prima *bonus, premium*
  por trabajo fuera de turno *shift premium*
principal (m) *principal, capital*
privatizar *to privatize*
procedimiento para tomar decisiones morales *moral decision-making*
procesador de textos (de palabras) (m) *word processor*

procesamiento de datos *data processing*
proceso analítico *analytic process*
  de ensamble (de ensamblaje) *assembly process*
  de fabricación *manufacturing process*
  extractivo *extractive process*
  sintético *synthetic process*
procurar *to try to*
producción *production*
  continua *continuous production*
  en masa (en serie) *mass production*
  estándar *standard production*
  intermitente *intermittent production*
  masiva *mass production*
  ordenada (en pequeños lotes) *small-batch production*
  por carácter *character of production*
  por duración *time of production*
  por naturaleza *nature of production*
productividad *productivity*
Producto Interno Bruto (PIB) *Gross Domestic Product (GDP)*
Producto Nacional Bruto (PNB) *Gross National Product (GNP)*
Producto Social Bruto (PSB) *Gross National Product as measured in socialist countries (i.e., Cuba)*
programación *scheduling*
progresismo *political correctness*
prójimo *fellow human being, neighbor*
promedio *average*
promesa *promise*
promoción de ventas *sales promotion*
promover (ue) *to promote (a product or service)*

pronosticar *to forecast*
propiedad intelectual *intellectual property*
propietario *owner*
propina *tip*
proporcionar *to provide*
propósito *purpose, objective, goal*
propuesta *proposal*
prorrogar *to delay, reschedule*
proseguir (i) *to continue*
próspero (adj) *prosperous*
proteccionismo *protectionism*
proveedor/a *financial backer, supplier*
   directo *drop shipper (desk jobber)*
proveer *to provide, supply*
proxémica *proxemics, spacing between people or things*
prueba *proof, test, trial*
psicográfico *psychographic (referring to individual characteristics)*
publicidad *publicity, advertising*
pueblo global *global village*
puerto *port*
puesto *job, position*
   de trabajo *workstation*
puna *altitude sickness*
punto *point*
   de partida *starting point*
   de embarque *loading point*
   de entrega *delivery point*
puntual (adj) *punctual*
puro *cigar*

Q

quehacer (m) *task, duty*
quejarse *to complain*
quemador de CD *CD burner*
quiebra *failure*

R

radiodifusión *broadcasting*
raíz (f) *root*
rama *branch*

rascacielos (s/pl) *skyscraper*
rastrear *to trace or track (a shipment)*
ratón (m) *mouse (computer mouse)*
raya *slash*
razón (f) *ratio, reason*
   social *company name*
realidad virtual *virtual reality*
realizar *to accomplish, carry out, perform*
reanudar *to renew, resume*
rebaja *discount*
   al comprador *rebate to consumer*
   al revendedor *trade discount*
rebajar *to lower, mark down*
rebasar *to pass (another car)*
recaudación *collection*
recepcionista (m/f) *receptionist*
receptor *receiver, telephone receiver*
recesión *recession*
rechazo *rejection*
recibo *receipt*
reclutamiento *recruitment*
reclutar *to recruit*
recolección *gathering, collection*
recompensa *compensation*
recompensar *to reward, compensate*
recopilación de datos *compilation of data, data summary*
recopilar *to compile*
recordatorio *reminder*
recortar *to cut*
recreo *recreation*
recuento *count*
recuperación *salvage (reference to salvage value)*
recurrir (a) *to resort to; to rely on, have recourse to*
recurso *resource*
   humano *human resource*
   natural *natural resource*
red (f) *network*
   de comunicación *communications network*
   virtual *virtual network*
redactar *to edit, write*
rédito *return, yield*

reembolso *reimbursement, repayment*
reenvío de llamadas *call forwarding (phone)*
reexportación *re-export*
refinamiento de azúcar *sugar refining*
   de petróleo *oil refining*
reforma agraria *land reform*
refresco *soft drink, soda*
regatear *to haggle, bargain, barter*
regateo *barter, bargaining*
regir (i) *to control, be in effect*
registrar *to record, search*
Registro Público de Comercio *Public Business Register*
reglamentar *to regulate*
reglamento *rule, regulation*
rehén (m) *hostage*
rehusar *to refuse*
reintegro *reimbursement, repayment*
relaciones públicas *public relations*
rellamada automática *redial, redialing*
rellenar *to fill out*
remarcación *redial, redialing*
remesa *remittance (of money); return (of goods or merchandise)*
remitir *to send, ship, consign*
remolacha *beet*
   azucarera *sugar beet*
remolcador *tug, towboat, tow truck*
remolcar *to tug, tow*
remontar *to date back to*
remuneración *remuneration, reimbursement, payment*
renacuajo *tadpole*
rendir *to render, yield*
renovar(se) (ue) *to renew*
renta *income, revenue, rent*
rentabilidad *profitability*
rentable (adj) *profitable*
renuevo *renewal*
repagar *to repay*
repantigado (adj) *sprawled out, lounging posture*

reparación *repair*
reparar *to repair*
reparativo (adj) *reparable, repair-related*
repartir *to divide, share, distribute*
reparto *delivery*
representante (m/f) *representative*
  de fábrica *manufacturer's agent*
  sindical *union representative*
reprografía *photocopying, reproduction of documents*
repuesto *spare part*
requisito *requirement*
resbalar *to slip*
rescate bancario *bank bailout*
Reserva Federal *Federal Reserve Bank (U.S.)*
respaldado *backed, supported, guaranteed*
respaldar *to support, guarantee, back up*
responsabilidad *responsibility; liability*
  del productor *product liability*
  social *company liability*
restringir *to restrict*
retirar *to withdraw*
reubicación *relocation*
reunión *meeting*
  en línea *online meeting*
revendedor *retailer; scalper*
reventa *resale*
revisar *to review, check*
revision *inspection, check*
riesgo *risk*
  de impago *risk of default, non-payment*
  y beneficios *risk and reward*
riquísimo *absolutely delicious*
robapáginas (m/s/pl) *page or screen filler (a type and dimension of ad used in Spain and Latin America)*
rompehielos (m/s) *icebreaker (to initiate communication)*
rompehuelgas (m/f/s/pl) *strike breaker*

rozarse *to touch, brush up against; wear out*
ruta *routing*

S

sabor (m) *taste*
sabotaje (m) *sabotage*
sala de conversación *chat room*
salario *wage, salary*
saldar *to settle, pay off the balance, liquidate*
saldo *balance*
  acreedor *credit balance*
  desfavorable *trade deficit, unfavorable balance of trade*
  deudor *debt balance*
  de utilidad neta *net profit*
  negativo *negative balance, deficit*
salvaguardar *to safeguard, protect*
sancionar *to sanction, punish*
sangriento *bloody*
sanidad pública *public health*
santería *mix of Catholic, African and indigenous religious practices*
secadora *dryer*
secuestro *kidnapping*
sede (f) *home office, headquarters*
segmentar *to segment*
seguidamente *uninterruptedly*
seguimiento de llamadas *(call) tracking*
seguridad *safety*
seguro *insurance*
  contra accidente *accident insurance*
  contra incendio *fire insurance*
  contra terceros *liability insurance*
  contra todo riesgo *comprehensive insurance*
  de automóvil *car insurance*
  de falta de cumplimiento *noncompliance insurance (surety)*
  de responsabilidad civil *liability insurance*
  de salud *health insurance*

  de vida *life insurance*
sellado (adj) *sealed; stamped*
semáforo *stoplight*
sembrar (ie) *to sow, plant*
semejanza *similarity*
semilla *seed*
  oleaginosa *oilseed*
semiótica *semiotics (ref. to signs as communication systems)*
sensibilidad *sensitivity*
señal (f) *traffic or road sign*
señalar *to indicate, point out, target*
señalización *sign posting*
  vial *roadsigns*
señas (f/pl) *address*
separación *separating, sorting, collating*
sequía *drought*
servicio *service*
  de despertador *wake-up call*
  de electricidad, gas, agua *utilities*
servidor (adj) *server*
siderurgia *siderurgy, iron and steel industry*
sien (f), *temple (head)*
sigla *abbreviation by initials, acronym*
silla giratoria *swivel chair*
sillería *chairs (types of chairs)*
sillón (m) *armchair*
sindical *union-related*
sindicalismo *labor movement*
sindicato *union*
sin fisuras *seamless*
siniestro *accident, catastrophe*
sistema (m) *system*
sitio *site, location; web site*
soborno *bribe*
sobre (m) *envelope*
sobrepasar *to surpass, exceed*
sobresueldo *bonus*
socavar *to undermine*
sociedad *business, company, firm*
  anónima *corporation*
  colectiva (en nombre colectivo) *(joint) partnership*
  comanditaria (en comandita) *silent partnership*
  de capital *capital company*
  de responsabilidad limitada *limited liability company*

mercantil *commercial or trading company*

socio *partner*

   activo (colectivo) *active partner*

   comanditario *silent partner*

soja *soybean*

soler (ue) *to be used to doing, do frequently*

solicitante (m/f) *applicant*

solicitar *to apply for*

solicitud (f) *application*

solidario (adj) *joint*

solvencia *solvency*

solventar *to settle (e.g., a debt)*

solvente *solvent*

sonar la nariz *to blow one's nose*

sondeo *opinion poll*

sopaipillas *pumpkin fritters*

so pena de *under penalty of*

sorgo *sorghum (a type of grain)*

sorna *sarcasm*

soroche (m) *altitude sickness*

soya *soybean*

suavizar *to tone down*

subarrendar *to sublet*

subasta *auction*

subcontratación *outsourcing*

subcontratar *outsource*

subdesarrollado (adj) *underdeveloped*

subempleo *underemployment*

subsidio *subsidy*

subvencionar *to subsidize*

sucursal (f) *branch, subsidiary*

   en ultramar *overseas branch*

   fuera del país *foreign branch*

   ultramarina *overseas branch*

sueldo *salary (weekly or monthly)*

suelo *floor, rock bottom (price)*

sufrir del estrés *to be under stress, be stressed out*

suma *sum, total*

suministro *supply*

superar *to surpass, exceed; to overcome*

superávit (m) *surplus*

superavitario/a *surplus*

supervisor/a de compensaciones *payroll supervisor*

suprimir *to suppress*

supuesto *hypothesis, hypothetical situation*

surtido *assortment, selection*

   de productos *product line*

sustraer *to subtract*

T

tablero de anuncios *bulletin board*

tablón de anuncios (m) *bulletin board*

tabú (m) *taboo*

tacaño (adj) *stingy*

taller (m) *shop, workshop*

tardar en *to be late in*

tarea *task*

tarifa *tariff, rate, fare*

   por menos de un vagón completo *less than carload on train (l.c.l.)*

tarjeta *slip, card*

   de negocios *business card*

   de red *network card*

   de sonido *sound card*

   de TV *TV card*

   de vídeo *video card*

   madre *mother board*

tasa *rate*

   de cambio *rate of exchange*

   de crecimiento *rate of increase*

   de inflación *rate of inflation*

   de interés *rate of interest*

   de rendimiento *rate of return (on investment)*

   media de inflación *average rate of inflation*

tasación *valuation*

techo *ceiling (price)*

teclado *keyboard*

   deslizable *slide keyboard*

teclear *to type or key in*

técnica de caso *case study technique*

   de discusión en grupos *group discussion technique or method*

   de incidente *situation technique*

de simulación *simulation technique*

tecnología *technology*

   de flujo de pedidos *package flow technology*

   de información (TI) *information technology (IT)*

   de punta *cutting edge technology*

tejido *textile*

telecomunicativo (adj) *telecommunication*

teleconmutador/a *telecommuter*

telefax (m) *fax, facsimile machine*

telemarketing (m) *telemarketing, telesales*

telepeaje *electronic toll booth payment (with credit card)*

televentas *telesales*

televisión por cable *cable television*

tempestad *storm*

tenaz (adj) *stubborn, tenacious*

tenedor/a *holder, bearer*

tentativa *attempt*

terremoto *earthquake*

terreno *land, property*

tesorería *treasury*

testamento *will*

tiburón (corporativo) *corporate raider*

tipo *rate*

   de cambio *exchange rate, rate of exchange*

   fijo de cambio *fixed rate, pegged rate of exchange*

   flotante de cambio *floating rate of exchange*

titularse *to graduate with a degree, be called by a title*

título *bond, security*

   de crédito *negotiable security*

   de valores *security*

toalla *towel*

tomar *to take*

   medidas *to take steps*

   prestado *to borrow*

tornillo *screw*

torpe (adj) *sluggish, clumsy*

Torres Gemelas *Twin Towers (World Trade Center) in New York*

traba *hindrance, obstacle, impediment*

trabajador/a (n) *worker;* **(adj)** *hardworking*

   a distancia *telecommuter*

trabajo *work*

   a destajo *piecework, units produced*

   manual *manual labor*

traductor/a *translator*

tramitar *to negotiate, transact*

trámite (m) *step, procedure*

transacción *transaction*

transbordador (m) *ferry*

transbordo *transfer*

transcultural (adj) *cross-cultural*

transferencia: pago de___ *transfer payment*

transferir (ie) *to transfer*

transmisión de tecnología *technology transfer*

transporte (m) *transportation*

transportista (m/f) *carrier*

   por contrato *contract carrier*

   privado *private carrier*

   público *common carrier*

trasladarse *to move, transfer*

traslado *move (as in a job transfer)*

traspaso *transfer (of title to property)*

tratado *treaty*

Tratado de Libre Comercio de América del Norte (TLCAN) *North American Free Trade Agreement (NAFTA)*

trato *treatment, manner of dealing with*

trayecto corto *short haul or run*

   largo *long haul or run*

trayectoria *development*

trazar *outline*

tributario (adj) *tax*

trigo *wheat*

trucha *trout*

trueque (m) *exchange, barter*

trunco *incomplete, unfinished*

tubería *pipe, piping (e.g., for oil pipeline)*

tungsteno *tungsten*

turismo *tourism*

turno *turn, shift (work)*

   de día *day shift*

   de noche *graveyard shift, night shift*

   diurno *day shift*

   nocturno *night shift*

tutearse *to use the familiar form of address*

tuteo *the familiar form of address, first name basis*

U

ubicación *location*

ubicador *beeper, pager*

ubicarse *to be located*

últimamente *recently, lately*

ultradelgado/a (adj) *ultrathin*

ultraligero/s (adj) *ultralight (weight)*

ultramar (m) *overseas*

ultramarino (adj) *overseas, offshore*

uranio *uranium*

usuario *user*

utilidad *profit, utility*

   bruta *gross profit*

   de operación *operating profit*

   neta *net profit*

uva *grape*

V

vacaciones retribuidas *paid vacation*

vacilar *to waiver, hesitate*

vagón (m) *wagon, passenger or freight car (on a train), coach, carriage*

valer la pena *to be worthwhile*

valerse (de) *to avail oneself of, take advantage of*

valor (m) *value, worth*

   de rescate *salvage value*

   nominal *face or nominal value*

valoración *assessment (valuation)*

valorem *value added*

valores (m) *securities, bonds, assets, valuables*

   de primera clase (de más alta categoría) *blue-chip stocks*

   no vendidos en la bolsa *over-the-counter market securities (OTC)*

valla anunciadora *billboard*

valle (m) *valley*

vanguardia (a la vanguardia) *on the cutting edge*

vecino/a *neighbor, resident, inhabitant*

vehículo todoterrestre *all terrain vehicle (ATV)*

vencer *to fall due, mature, be payable (on a certain date)*

vencimiento *maturity (of a bond, note), expiration*

vendedor/a *salesperson*

vendible *salable*

venta *sale*

   al por mayor *wholesaling*

   al por menor *retailing*

   domiciliaria (a domicilio) *door-to-door sales*

   en masa *mass selling*

   masiva *mass selling*

   personal *person-to-person sales, personal selling*

   por correo *mail order sales*

   por máquina *machine vending*

ventaja *advantage*

   absoluta *absolute advantage*

   comparativa *comparative advantage*

ventas de inventario *inventory sales*

verdura *vegetable*

vergüenza *shame*

vía *way, road*

vial *road-related*

viáticos *travel allowance, expenses*

   vídeo/video *VCR or videocassette, video*

vigente (adj) *effective, in effect, in force*

vigilar *to watch*
vinculación *association, link*
vincular (a) *to tie (to)*
vinícola (m/f) *wine-related*
vinicultor *wine-grower*
vinicultura *winegrowing, wine production*
vislumbrar, *to catch a glimpse of, to see a possibility*
víveres (m/pl) *foodstuff, provisions*
vivienda *housing*

voltaje (m) *voltage*
voseo *use of "vos" form of address (replaces "tú" form in some parts of Latin America, such as Costa Rica, Argentina, etc.)*

Y

yacimiento *deposit (minerals)*
yema *fingertip; egg yolk*

yerno *son-in-law*
yeso *gypsum*
yuca *cassava root*

Z

zanja *ditch*
zona de comercio libre *free trade zone*

LEGEND: (*adj*) = adjective; (*f*) = feminine; (*m*) = masculine; (*n*) = noun; (*pl*) = plural; (*s*) = singular; (*v*) = verb

A

abbreviation *abreviatura, sigla*
abroad *en el extranjero, exterior*
absenteeism *ausentismo, absentismo*
accent *dejo (hablado)*
accident insurance *seguro contra accidente*
accomplish *realizar, lograr*
accomplishment *logro*
account *cuenta*
    payable *cuenta por pagar*
    receivable *cuenta por cobrar*
accountant *contable (m/f), contador/a*
accounting (n) *contabilidad, contaduría; (adj) contable*
    period *ejercicio*
    statement *estado contable*
achievement *logro*
active partner *socio activo (colectivo)*
ad (advertisement) *anuncio, aviso*
adding machine *sumadora*
address *dirigir*
administrative expenses *gastos de administración*
advance *avance (m), adelanto*
    account *cuenta de anticipos*
    in ___ *por adelantado*
advantage *ventaja*
advertisement *anuncio*
advertising *publicidad*
    agency *agencia de publicidad (publicitaria)*
    medium *medio de difusión (difusivo, publicitario)*
adviser *asesor, consejero*
advising *asesoramiento*
    or notifying bank *banco avisador*
agree *estar o ponerse de acuerdo con*
agreement *convenio, acuerdo*

agricultural *agrícola (m/f)*
airfield *aeródromo*
airport *aeropuerto*
air shipper *fletador aéreo*
    waybill *guía aérea*
altitude sickness *puna, soroche (m)*
amortize *amortizar*
amount *cantidad, importe (m)*
answering machine *contestador automático*
antimony *antimonio*
appeal *llamada*
applicant *solicitante (m/f), postulante (m/f), candidato*
application *solicitud (f)*
apply for *solicitar*
appointment *cita, nombramiento*
appropriate *adecuado*
arable *cultivable*
arbiter *árbitro*
assemble *ensamblar, montar, armar*
assembly *ensamblaje (m) ensamble (m), montaje (m), maquila*
    line *linea de ensamblaje (de montaje)*
    plant (in-bond plant) *maquiladora*
assess *asesorar*
assessment *asesoramiento*
asset, assets *valor (m), valores, activo, haber (m), bienes*
    management *administración de bienes*
assign *asignar*
assignment *tarea, asignatura*
associate *socio*
assortment *surtido*
attractiveness of work
    environment *estética laboral*
auction *subasta, remate (m)*
    buying (sealed bid purchase) *compra por cotización sellada*

audit, auditing *auditoría*
auditor *interventor/a, contralor/a, revisor/a*
automatic redial *rellamada automática*
availability *disponibilidad*
average *promedio (n); medio/a (adj)*
    rate of inflation *tasa media de inflación*
awarding of percentage of investment
    earnings *adjudicación de beneficios*

B

back (v) *respaldar, garantizar, avalar, apoyar*
backed *respaldado, garantizado, avalado, apoyado, asegurado*
bail out *sacar de apuros*
balance (bank, accounting) *balance (m), balanza, saldo*
    of payments *balanza de pagos*
    of trade *balanza comercial*
    sheet *hoja de balance*
ban *prohibición, prohibir*
bank (the building) *banco*
    bailout *rescate bancario*
    check *cheque bancario*
    employee *bancario*
    note *billete de banco (m), pagaré (m)*
banker *banquero/a*
banking (industry) *(n) banca, (adj) bancario*
    investment (i.e. investment banking) *banca de negocios*
    online *banca en línea*
bargain *(n) ganga; (v) negociar, regatear*
bargaining group *grupo colectivo*

barge *barcaza, chalana, gabarra*

barrel *barril (m)*

barter *(n) trueque (m), permuta, regateo; (v) trocar, cambiar, permutar, regatear*

basic commodities (necessities) *artículos de primera necesidad*

battery *pila, batería*

bear market *bolsa bajista*

bearer *portador/a, tenedor/a*

bearing a person's name, registered (bond) *nominativo*

beeper *bíper (m), ubicador, buscapersonas, localizador*

behind (in payment) *en mora*

be in fashion *estar de moda*

beneficiary *beneficiario/a*

benefit *beneficio*

beverage *bebida*

bid *(n) licitación; (v) licitar, pujar*

bill *cuenta; billete, papel moneda*
  of exchange *letra de cambio*
  of lading *conocimiento de embarque*

billboard *cartelera, valla (anunciadora)*

billing *facturación*

binding decision *decisión obligatoria*

birthrate *índice (m) de natalidad*

blacklist *lista negra*

black market *estraperlo, mercado negro (de contrabando)*
  exchange *cambio negro (de estraperlo)*

blue-chip stocks *valores de primera clase (de más alta categoría)*

blue-collar worker *obrero/a*

blunder *falta garrafal*

board of directors *dirección, junta directiva (de directores), consejo, directivo*

body language *paralenguaje (m)*

bond *bono, título, obligación*

bonus *prima, bonificación, gratificatión, beneficio, aguinaldo*

book of original entry *diario*

bookshelf *estante (m)*

borrow *pedir (tomar) prestado*

borrower *prestatario, mutuario, mutuatario*

boss *jefe/a, empresario, patrón/a*

bottle *botella, envase (m), frasco*

boycott *boicot (m)*

Brady bonds *bonos Brady (para la reestructuración de la deuda latinoamericana)*

branch *rama, sucursal (f), filial (f)*

brand *marca*

bribe *soborno, mordida*

briefcase *maletín (m), portafolio, cartapacio*

bring to a standstill *paralizar*

broadcasting *radiodifusión*

broker *corredor/a*

brokerage *agencia de bolsa, firma bolsista, correduría*

budget *presupuesto*

budgetary *presupuestario*

building *edificio*

bulk, bulky *de gran volumen, a granel*

bulletin board *tablón (m) (tablero) de anuncios*

bull market *bolsa alcista*

bureaucracy *burocracia*

burner (CD or DVD) *quemador de CD o DVD*

business *empresa, negocio, compañía, sociedad, comercio, firma*
  law *ley (f) (derecho) mercantil*

businessman *hombre de negocios;*
  person *negociante (m/f), comerciante (m), empresario*

businesswoman *mujer de negocios*

buyer *comprador/a*

buying *compra*
  and selling *compraventa*
  behavior *conducta en la compra*

by air *aéreo, por avión*

C

cable television *televisión por cable, cablevisión*

calculator *calculadora*

caller I.D. *identificación de llamadas, identificación de abonado llamante, identificación de origen*

call forwarding *reenvío de llamadas (teléfono)*

campaign *campaña*

canned *enlatado*

capacity *capacidad, cupo*

capital (city) *capital (f)*

capital (financial) *capital (m)*
  company *sociedad de capital*
  goods *bienes de capital (m/pl)*
  stock *capital social (m)*

car (train) *vagón (m)*

cardboard *papel de cartón (m)*

cargo, load *carga*

Caribbean Basin *Cuenca del Caribe*
  Initiative *Iniciativa de la Cuenca del Caribe*

car insurance *seguro de automóvil*

carrier *transportista (m)*

carry out *realizar*

case study *técnica de caso*

cash *(n) dinero metálico, dinero en efectivo, cambio, contado; (v) cobrar, cambiar, hacer efectivo*
  flow *flujo de caja (de efectivo)*
  market *mercado al contado*
  on delivery (COD) *pago contra entrega*
  register, box *caja*

cashier's check *cheque bancario (de administration)*

cassava root *yuca*

catalog *catálogo*

cattle (horses, mules) *ganado, (reses, caballos, mulas)*
  raising *ganadería*

ceiling price *precio (límite) máximo*

cell phone *teléfono celular*
  user *móvilnauta (m/f)*

census *censo*

cent *centavo, céntimo*

centerfold *encarte (m) central*

certified public
  accountant *contable público titulado*

chain *cadena*

chamber of commerce *cámara de comercio*

champagne *champán (m), cava (m)*

changing *cambiante*

charge *cobrar, cargar en cuenta*
  of, in *a cargo de*

charitable *benéfico*

charter, hire, ship (v) *fletar*

charterer, affreighter, owner of transport *fletante (m/f)*

chat room *sala de conversación*

check *cheque (m)*
  made out to a designated payee *cheque nominativo*
  made out to the bearer *cheque al portador*

checking account *cuenta corriente*

chemical *(producto) químico*

chief (adj) *principal*

cigar *puro, cigarro*

clarify *aclarar*

clay *arcilla*

click *(n) clic (m); (v) cliquear, hacer clic (computadora)*

client *cliente (m/f)*

close-knit *íntimo*

closing (on a house sale) *cierre (m) de la casa*

coal *carbón (m)*

coastal shipping, traffic, cabotage *cabotaje (m)*

cocoa *cacao*

code (i.e., of laws) *código*

coffee machine *cafetera*

coin *moneda, dinero metálico, numerario*

coke (form of coal) *coque (m)*

collateral guaranty or security *aval (m), garantía prendaria (subsidiaria, de colateral)*

collating *ordenación*

collect *cobrar*

collection (tax) *recaudación*

color combination *juego de colores*

commerce *comercio*

commercial *(n) anuncio, comercial; (adj) comercial*

loan *préstamo comercial*

paper (document) *efecto comercial*

commission *comisión, corretaje (m)*
  merchant (agent) *comisionista (m/f)*

common (adj) *común*
  carrier *transportista público*
  market *mercado común*
  stock *acción común (ordinaria)*

commonwealth *estado libre asociado*

communications network *red de comunicaciones (f)*

compact disc *disco compacto*

company *compañía, empresa, negocio, sociedad, corporación, firma*
  controlled by government and private enterprise *empresa mixta*
  liability *responsabilidad social*
  name *razón social (f)*

compensate *indemnizar, remunerar, compensar, recompensar*

compensation *indemnización, remuneración, recompensa*

competition *competencia*

competitiveness *capacidad para competir, competitividad*

competitor *competidor/a, opositor/a*

compilation of data, data summary *recopilación de datos*

comptroller *interventor/a, contrator (m)*

computer *(n) computador/a, ordenador (m); (adj) informática*

concern *preocupación*

confidence *confianza*

confirmed irrevocable letter of credit *carta de crédito irrevocable y confirmada*

connect *acoplar*

consortium *consorcio*

constant growth *maduración constante (perpetua)*

consular invoice *factura consular*

consulate *consulado*

consultant *consultor/a, asesor/a, consejero/a*

consumer *consumidor/a*
  goods *bienes de consumo (m)*

consumption *consumo*

contract *contrato*
  buying *compra por contrato*
  carrier *transportista por contrato (m)*

contribute *contribuir, aportar*

contribution *contribución, aportación*

co-owner *consocio (m/f), copropietario*

copper *cobre (m)*

copy machine *fotocopiadora*

corporate *corporativo*
  bond *bono de sociedad anónima (de corporación), obligation*
  raider *corsario (tiburón) corporativo, piraña corporativa*

corporation *sociedad anónima, corporación*

cost *costo, coste (m)*
  and freight (CFR) *costo y flete*
  effective *rentable*
  efficient *costo eficiente, económico*
  insurance and freight (CIF) *costo, seguro y flete*

cost-benefit analysis *análisis de costo-beneficio (m)*

cotton *algodón (m)*

count *recuento*

couple *acoplar*

cover (protect) *proteger, amparar, cubrir*

coverage *seguro, cobertura*

credit *(n) crédito, haber (m); (adj) crediticio*

creditor *acreedor/a*

crop *cosecha, cultivo*

cross-cultural *transcultural*
  awareness *conciencia transcultural*

crude oil *aceite (m) (petróleo) crudo*

currency *divisa, moneda*

current *circulante, corriente;*
actual

  account

    holder *cuentacorrentista,*
cuentahabiente (m/f)

    assets *activo circulante*
(corriente)

    liabilities *pasivo circulante*
(corriente)

customer *cliente/a*

  assets *bienes de clientela*

customs *aduana, (habits)*
costumbres (f/pl)

  duty *arancel aduanero,*
derecho arancelario

  law *ley arancelaria*

cutting edge technology
tecnología de punta, de
vanguardia

cyanide *cianuro*

D

dam *presa, represa*

damaged *averiado*

damages *daños*

data processing *procesamiento*
de datos

day shift *turno diurno, de día*

dayworker *jornalero/a*

day's work, labor *jornada*

  wages *jornal (m)*

deadline *plazo final, fecha límite*

  delivery deadline *plazo de*
entrega

debit *débito, haber (m)*

debt *deuda*

  equity swap *conversion*
(capitalización) de
deuda

  financing *financiación por*
medio de obligaciones

debtor (debit-related) *deudor/a*

debtor nation, country with
a balance of debt

  problem *país deudor (m)*

decision (finding) *laudo*

decreased *reducido (adj)*

deepen *profundizar*

default *en mora*

defective *defectuoso*

deferred dividend *dividendo*
diferido

deficit *déficit (m)*

delay *(n) demora, retraso,*
tardanza; (v) demorar,
retrasar, tardar

deliver *entregar*

delivered duty paid

  (DDP) *entregadas*
[mercancías] derechos
pagados, lugar de destino
convenido

delivery *entrega, reparto*

  date *fecha de entrega*

  point *punto de entrega*

  time *tiempo (período) de*
entrega

demand deposit *depósito a la*
demanda (a la vista)

demography,

  demographics *demografía*

demolish *derrumbar*

department store *gran almacén,*
(m) almacén general,
hipermercado

deplete *agotar, desgastar*

depletion *agotamiento,*
desgaste (m)

deposit *(n) arras, depósito;*
yacimiento (minerals); (v)
depositar

deregulation *desregulación*

design *diseño*

desk jobber *mayorista de estantes*
(m/f)

desk set, stationery *efectos de*
escritorio

desktop *computadora de*
sobremesa

detail *detalle, pormenor (m)*

develop *desarrollar*

developed *desarrollado (adj)*

developing *en vías de*
desarrollo

development *desarrollo;*
acontecimiento (event)

device *dispositivo*

diagram *diagrama (m), gráfico,*
esquema (m)

diamond *diamante (m)*

direct deposit of

  paycheck *domiciliación de*
(domiciliar) la nómina

director, board member
directivo/a, vocal (m/f)

disability *incapacidad,*
discapacidad, invalidez (f),
minusvalía

disabled (person) *incapacitado,*
discapacitado, inválido,
minusválido

disbursement *desembolso*

discount *descuento, rebaja*

  for cash payment *por el*
compro en efectivo

  store *mercado (tienda) de*
descuentos

disc *disco*

dispense *repartir*

disregard *descuido*

distributor *distribuidor/a*

dock *muelle (m)*

domestic (e.g., trade) *nacional*

donation *donativo*

door-to-door sales *venta*
domiciliaria (a domicilio)

dot matrix printer *impresora de*
matriz de puntos (matricial)

double-sided entry

  (accounting) *partida*
doble

down payment *pago inicial,*
depósito, fianza

draft *giro*

drainage *drenaje (m)*

draw *girar, librar*

drawee *girado, librado*

drawer *cajón (m), gaveta*

  of check or draft *girador/a,*
librador/a

dress industry *confección de*
vestidos

driving *conducción*

drop shipper (desk

  jobber) *proveedor directo*

drought *sequía*

due date *fecha de vencimiento*

duly *debidamente*

durable goods *bienes duraderos*

duty *derecho, arancel (m),*
obligación

E

earn (interest) *devengar, ganar*
  (money) *ganar (dinero)*
earnest money *arras*
  contract *contrato de arras, de paga y señal, de señal*
earning *ganancia, ingreso, rendimiento, utilidad, beneficio*
earthquake *terremoto*
e-commerce *comercio electrónico*
economics *economía*
economies of scale *economías de escala*
edit *redactar*
education *formación o preparación académica, educación*
effective, in effect, in force *vigente*
efficient *eficiente*
electric bill *cuenta de luz*
electronic *electrónico (adj)*
  mail (e-mail) *correo electrónico*
  toll booth payment (with credit card) *telepeaje (m)*
embassy *embajada*
embezzle *desfalcar*
embezzlement *desfalco*
emerald *esmeralda*
employee *empleado/a (company), funcionario/a (government)*
employer *empleador/a, empresario, patrón/a, patrono*
employment *empleo*
  agency *agencia de empleo, bolsa de empleo*
enable *capacitar, permitir*
endeavor (n) *esfuerzos, plan*
endorse *endosar*
endorsee *endosatario*
endorser *endosante (m/f)*
enforce *hacer cumplir*
engineer *ingeniero*
engineering *ingeniería*
enhance *realzar, elevar*
enter (into a ledger, etc.) *asentar (ie)*

enter into an agreement, suit *convenir (ie)*
entrepreneurship *iniciativa empresarial*
entrust *confiar*
entry (accounting) *asiento, anotación*
envelope *sobre (m)*
environment *ambiente (m), medio ambiente*
equal *igual*
  say *tener voz y voto*
equipment *equipo*
  maintenance *mantenimiento del equipo*
equity (owner's) *capital y reservas, patrimonio*
exceed *superar*
exchange *(n) cambio, permuta, trueque (m); (v) cambiar, intercambiar, permutar, trocar*
  rate *cambio de divisas, tasa (tipo) de cambio*
execute *realizar, ejecutar*
exemption *exención*
exhibit *exposición*
expand *extender, expandir*
expenditure *egreso, gasto*
expense *gasto*
expert *perito (m/f), experto*
expertise *pericia*
expiration *vencimiento*
export *exportación, exportar*
  permit *licencia de exportación*
exporter *exportador/a*
external financing *financiación externa*
extractive process *proceso extractivo*

F

face or nominal value *valor nominal (m)*
fact, piece of information, datum *dato*
factor *factor (m)*
factory *fábrica, factoría*
failure *fracaso, falta*

to comply *falta de cumplimiento, incumplimiento*
faithfulness *fidelidad*
fall due, mature, be payable (on a certain date) *vencerse*
familiar form of address, first-name basis *tuteo, tutear(se), voseo*
fare *tarifa*
farm *(n) granja, finca; (v) labrar, cultivar*
farmer *granjero/a*
farming *agrícola (adj/invariable form), agropecuario (adj)*
farmworker *labrador/a, campesino/a*
fax, facsimile machine *fax, telefax (m)*
feasibility *viabilidad*
fee *derecho, canon (m)*
feed (n) *pienso*
ferry *transbordador (m)*
fiber optics *fibra óptica*
fight (n) *camorra, pelea*
file *(n) archivo; (v) archivar*
filing cabinet *archivo*
fill out *rellenar, completar, llenar*
finance *(n) finanzas; (v) financiar, aportar fondos*
financial *financiero (adj)*
  accounting *contabilidad financiera*
  statement *estado financiero*
financing *financiación, financiamiento*
fingerprint *huella digital*
finished goods *bienes acabados (m/pl)*
fire *(n) incendio; (i) (to dismiss somebody) (v) despedir*
  insurance *seguro contra incendio*
firewall *pared cortafuegos, pared contra fuegos*
firm *firma, empresa, casa, razón social (f)*
first-line management *bajo mando*
fiscal year *año fiscal*
fishing, fishery *pesca, (adj) pesquero*
fishmeal *harina de pescado*

five-year period *lustro*

fixed (adj) *fijo*

   cost *costo fijo*

   liabilities *pasivo fijo*

   rate, pegged rate of
      exchange *tipo fijo de cambio*

flat screen *pantalla de panel plano*

floating rate of exchange *tipo flotante de cambio*

floor price *precio mínimo*

flour *harina*

flow *flujo*

   control *control de flujo (m)*

flower *flor (f)*

fluorite *espato flúor, fluorita*

fluvial (river-related) *fluvial*

fodder *pienso*

folder *carpeta, cartapacio*

follower *seguidor, adepto*

food *comida, comestible (m), alimento*

foodstuffs *provisiones, víveres (m/pl)*

footwear *calzado*

forecast *(n) pronóstico; (v) pronosticar*

foreclosure *ejecución hipotecaria, embargo (de la/una casa)*

foreign *extranjero (adj)*

   currency *divisa*

foreigner *extranjero*

foreman *capataz (m/f)*

forest *bosque (m)*

form, slip (of paper) *formulario, ficha*

   letter *circular (f)*

forward buying *compra futura*

foster (v) *fomentar*

found *fundar*

franchise *concesión, franquicia, licencia*

free (adj) *gratuito, gratis, libre*

   alongside ship (FAS) *libre (franco) al costado del buque*

   delivered *flete pagado hasta el punto de destino*

   on board (FOB) *franco (libre) a bordo (FAB o LAB)*

   trade *libre comercio, librecambismo*

trade zone *zona de libre comercio*

freight (cargo or price of shipment) *flete (m), fletamento, fletamiento*

   bill, railway bill, bill of lading *carta de porte (terrestre)*

   car *vagón (m)*

   forwarder *agente expedidor (m)*

freighter, charterer, shipper *fletador/a, embarcador/a, transportista (m)*

fruit *fruta*

fulfillment *cumplimiento*

full *completo, lleno*

fund (n) *fondo*

furnish *amueblar, aportar*

furniture *mueble (m), mobiliario*

   and fixtures *mobiliario y equipo*

G

gain (n) *ganancia, beneficio, plusvalía, lucro; aumentar, incrementar*

gap *brecha*

garment industry *confección de trajes*

General Agreement on Tariffs and Trade (GATT) *Acuerdo General sobre Aranceles y Comercio (AGAAC)*

general journal *diario*

general store *almacén general (m)*

get *buscar, conseguir*

   down to business *ir al grano*

   into trouble *meterse en líos*

global village *pueblo global*

go out of fashion or style *pasar(se) de moda*

goal *meta, objetivo, fin (m)*

goat *cabra*

going concern *empresa (firma, negocio) en funcionamiento*

gold *oro*

goods *géneros, mercancías, bienes (m)*

goodwill *buena voluntad*

govern *gobernar, regir (i)*

government bond *bono del estado*

   official *funcionario*

   run *estatal*

grain *grano*

grant *(n) beca de estudios; (v) otorgar*

grape *uva*

graphic *(n/adj) gráfico*

gravel *grava*

graveyard shift *turno nocturno o de noche*

greeting *saludo*

grievance procedure *juicio por faltas*

gross *bruto*

Gross Domestic Product (GDP) *Producto Interno Bruto (PIB)*

Gross National Product (GNP) *Producto Nacional Bruto (PNB), Producto Social Bruto (PSB) (en países socialistas)*

gross profit *utilidad bruta*

ground floor (at street level) *planta baja*

group discussion technique or method *técnica de discusión en grupos*

growing *creciente (adj)*

guarantee *aval (m)*

guaranteed *garantizado, prendario*

guide *(n) guía (m/f); (v) guiar*

guideline *directiva, pauta, minuta*

gypsum *yeso*

H

hack (to hack into a computer) *hacer o cometer piratería, hackear*

hacker *hacker, pirata (m/f) informático/a*

hacking *pirateo, piratería*

haggle *regatear*

handling *manejo*

charges   *gastos de tramitación*
hand out (v)   *distribuir*
hand-to-hand buying   *compra inmediata*
hard   *duro*
  drive   *disco duro*
  sell   *venta dura, agresiva*
hardware dealer   *ferretero/a*
harvest   *(n) cosecha; (v) cosechar, recoger*
hassle   *lío*
headhunter
  (employment)   *cazador de cerebros (de cabezas, de talentos), cazacerebros (m/f/s/pl), cazatalentos (m/f/s/pl)*
health   *salud (f)*
  certificate   *certificado de sanidad*
  insurance   *seguro de salud*
heavy   *pesado*
  machinery   *maquinaria pesada*
  oil   *aceite pesado (denso, espeso)*
help: How may we ___ you?   *¿En qué podemos servirle?*
high   *alto*
  technology (high tech)   *alta tecnología*
highway   *carretera*
hindrance   *traba*
hire (v)   *contratar, emplear*
holder, bearer   *portador (m), tenedor/a*
holdings   *activos*
hole   *bache (en la carretera)*
home or main office   *casa matriz, sede (f)*
horn   *bocina, claxon (m)*
host country   *país hospedador (m)*
hotel business
  management   *hostelería*
household electrical appliance   *aparato electrodoméstico*
housing   *vivienda*
  bubble   *burbuja inmobiliaria*
  supply   *oferta inmobiliaria*
hyperinflation   *hiperinflación*
hyperlink   *hipervínculo, enlace activo*

I

icebreaker   *rompehielos (m/s/pl)*
illegal alien   *indocumentado*
image   *imagen (f)*
import   *(n) importación, (v) importar*
  permit   *licencia (permiso) de importación*
  quota   *contingente (m) (cuota) de importación*
importer   *importador/a*
improper   *indebido (adj)*
improve   *mejorar*
income   *ingreso, renta, lucro, ganancia*
  tax return   *declaración de impuestos*
increase (v)   *aumentar, crecer*
incur, enter into (an obligation)   *contraer*
indebted   *endeudado (adj)*
indemnity for years of service   *indemnización por antigüedad*
index   *índice*
  stock market index   *índice bursátil*
industrial goods   *bienes industriales (m/pl)*
industry   *industria*
inflation rate   *tasa de inflación*
influence   *(n) enchufe (m), palanca*
inform   *informar*
information   *información*
  processing   *elaboración o procesamiento de información*
  technology (IT)   *tecnología de información (TI)*
infotechnology   *infotecnología*
injunction   *mandato judicial*
injure   *lastimar, prejudicar, hacer(se) daño*
injury   *lesión, daño*
ink-jet printer   *impresora de inyectador o chorro de tinta*
inland water shipper   *fletador/a fluvial*
in large quantity   *a granel*

input (ideas)   *información, aportación*
inquiry   *pregunta*
inscribed   *inscrito*
instant message (messaging)   *mensaje instantáneo*
insurance   *seguro*
interest   *interés (m)*
intermittent
  production   *producción intermitente*
International Monetary Fund (IMF)   *Fondo Monetario Internacional (FMI)*
Internet   *Internet (m/f)*
  business   *negocio por Internet*
  user   *internauta (m/f), cibernauta (m/f)*
internship   *práctica, pasantía*
interview   *(n) entrevista; (v) entrevistar*
inventory   *inventario, existencia*
  control   *control de inventario (m)*
invest   *invertir (ie)*
investment   *inversión*
  banking   *banca de negocios*
investor   *inversionista (m/f), inversor/a*
invoice   *factura*
involvement   *participación*
iron   *(n) hierro; (adj) ferroso*
  ore   *mineral de hierro (m)*
irrevocable letter of credit   *carta de crédito irrevocable*
isolationism   *aislacionismo*
issue   *(n) emisión, asunto; (v) emitir of a security, stock, or bond;*
  equity financing   *emisión de acciones*
issuing bank, bank of issue   *banco emisor*

J

jargon   *jerga*
jewelry store   *joyería*
job   *cargo, trabajo, empleo*
joint   *(adj) conjunto, mancomunado, solidario*

account *cuenta conjunta (mancomunada)*
partnership *sociedad en nombre colectivo*
venture *negocio en participación, empresa conjunta*
journal *diario*

K

keep *guardar, mantener*
  the books *llevar las cuentas*
  keyboard *teclado*
  sliding keyboard *teclado deslizable*
key element *clave (f)*

L

labor force *mano (f) de obra, fuerza laboral, fuerza de trabajo*
lack *falta*
land *terreno*
  reform *reforma agraria*
landlord/lady *arrendante (m/f)*
landowner *hacendado, propietario*
lane (traffic) *carril (m)*
laptop *computadora portátil, laptop*
laser printer *impresora de láser*
late *moroso, tardío*
  in payment *en mora*
lateness *tardanza, llegada tardía*
launching *lanzamiento*
law *ley (f), derecho*
lead (n) *plomo*
leader *(n) líder (m), liderar (v)*
leadership *liderazgo, liderato*
lease *(n) arrendamiento; (v) arrendar (ie)*
leather *cuero*
ledger *libro mayor*
lend *prestar*
lender *prestador/a, prestamista (m/f)*
lessee (tenant) *arrendatario*
lessor *arrendante (m/f)*

less than carload on train (l.c.l.) *tarifa por menos de un vagón completo*
letter of credit *carta de crédito*
leverage *apalancamiento*
liabilities *pasivo, obligaciones*
liability *obligación, responsabilidad*
  insurance *seguro de responsabilidad civil*
license (licensing) *(n) licencia, permiso; (v) licenciar, permitir*
life insurance *seguro de vida*
life-long learning *aprendizaje de toda la vida (m)*
lighter (type of boat) *chalana (barco)*
lighting *alumbramiento*
light machinery *maquinaria liviana*
  oil *aceite liviano (ligero)*
limestone *caliza*
limited liability company *sociedad de responsabilidad limitada*
linens *lencerías*
line of products *surtido, línea*
link *enlace (m), vínculo–lazar, vincular*
liquidation, dissolution *liquidación, saldo, disolución*
list price *precio de catálogo*
loader *cargador, carguero*
loading point *punto de embarque*
loan *préstamo, empréstito*
lobbyist *cabildero (m)*
locale (establishment, location) *local (m), plaza*
locate *ubicar(se), situar(se)*
location *ubicación*
lockout *cierre patronal (m)*
long *largo*
  haul or run *trayecto largo*
  standing *viejo, antiguo*
  term *a largo plazo*
loss *pérdida*
loudspeaker *portavoz (m), altoparlante (m)*
lower management *bajo mando*
loyalty *lealtad*
lumber *madera*
luxury *lujo*
  goods *bienes de lujo (m/pl)*

M

machinery *maquinaria*
magnesium *magnesio*
mail order sales *venta por correo*
main office *casa matriz, sede (f)*
maintenance *mantenimiento*
manage *administrar, dirigir*
management *administración, gerencia, gestión, dirección, mando*
Management by Objectives (MBO) *Administración por Objetivos*
manager *administrador/a, gerente (m/f), gestor/a, director/a*
managerial *administrativo, gerencial, directivo, empresarial*
  accounting *contabilidad de gestión*
manners, upbringing; schooling, education (in Latin America) *educación*
  good ___ *buenos modales*
manual laborer *obrero/a*
manufacture *elaborar, fabricar*
manufacturer *fabricante, empresa productora*
manufacturer's agent *representante de fábrica (m/f)*
manufacturing *fabricación, manufactura, elaboración*
  plant *planta manufacturera*
marble *mármol (m)*
marital status *estado civil*
maritime, sea *marítimo*
  shipper *fletador marítimo*
mark down (v) *rebajar, reducir*
market *(n) mercado; (v) comercializar*
  entry *entrada al (en el) mercado*
  forces *fuerzas de mercado*
  manager *jefe/a de mercado*
  penetration *penetración del mercado*
  price *precio de mercado*
  segmentation *segmentación del mercado*

marketing *marketing, mercadeo, mercadología, mercadotecnia, comercialización*

mass production *producción en masa (en serie), producción masiva*

   selling *venta en masa*

materials control *control de materiales (m)*

maturity *vencimiento*

   date *fecha de vencimiento*

means *medio*

   of distribution *medio de distribución*

   of transportation *medio de transporte*

measure *(n) medida, gestión; (v) medir (i)*

measurement *medida*

meat-packing plant *frigorífico*

mechanism *mecanismo*

media *medios de comunicación*

mediator *mediador/a*

meet *reunirse*

merchandise *(n) mercancía, mercadería, géneros, efectos; (v) comerciar*

merchant *mercader (m), comerciante (m/f), negociante (m/f)*

mercury *mercurio*

merger *fusión de empresas*

metallurgy *siderurgia*

middleman *intermediario, revendedor, comerciante (m/f)*

middle management *medio mando, mando intermedio*

midsize company *empresa mediana*

midterm *a medio plazo*

mining *(n) minería, (adj) minero*

minor (adj) *de poca importancia, menor*

misunderstanding *malentendido*

molybdenum (metal) *molibdeno*

money *dinero, plata*

   laundering *lavado de dinero*

   box, piggy bank *hucha, alcancía, chanchito*

monitor *controlar, observar*

monthly *mensual*

payment, rent *mensualidad*

mortgage *(n) hipoteca; (v) hipotecar, gravar; (adj) hipotecario*

   bank **banco hipotecario**

   loan *préstamo hipotecario*

motherboard *tarjeta madre*

motor vehicle *vehículo de motor, automóvil*

motto *lema (m), divisa*

mouse *ratón (de computadora)*

move *(n) mudanza, traslado; (v) mudar(se), trasladarse*

multimedia instruction *enseñanza multimedia*

N

national currency *moneda nacional, divisa*

natural resource *recurso natural*

natural source *emanación natural (de petróleo o de gas natural)*

negotiable securities *títulos de crédito*

negotiate *negociar, tramitar*

neon sign *letrero luminoso (de neón)*

net income *ingreso neto*

   profit *utilidad neta*

network *red (f)*

newsletter *boletín informativo*

nickel (metal) *níquel (m)*

night shift *turno nocturno o de noche*

noncompliance insurance (surety) *seguro de falta de cumplimiento*

nonpayment *impago*

non-store retailer *detallista sin almacén*

note *(n) pagaré (m); (v) anotar, asentar (ie)*

   payable *nota (documento) por pagar*

   receivable *nota (documento) por cobrar*

number (figure, code) *cifra, clave (f)*

O

obsolete *anticuado, obsoleto*

office *oficina*

   automation *ofimática*

   worker *oficinista (m/f), funcionario*

official *oficial (m), funcionario*

off-shore branch *sucursal fuera del país (f), sucursal ultramarina*

oil *(n) aceite (m), petróleo; (adj) petrolero*

   refining *refinamiento de petróleo*

   spill *derrame de aceite (de petróleo) (m)*

oilseed *semilla oleaginosa*

olive *aceituna*

   oil *aceite de oliva (m)*

on behalf of *de parte de*

on board *a bordo*

online *en línea (computadoras o Internet)*

   banking *banca en línea*

   meeting *reunión en línea*

operating cost *gasto de operación*

   profit *utilidad de operación*

opinion poll *sondeo, encuesta*

option *opción*

order *orden (m: arrangement; f: command, purchase order), pedido, carta de pedido*

   to pay *orden de pago (f)*

organizational chart *organigrama (m)*

originating in *originario de*

outlay (of cash) *egreso, gasto*

output *producción*

outright *totalmente, completamente; en dinero efectivo*

outskirts *afueras*

outsource *subcontratar*

outsourcing *subcontratación*

overdrawn check (NSF: insufficient funds) *cheque en descubierto (sin fondos)*

overseas *ultramarino*

   branch *sucursal ultramarina, sucursal en ultramar*

over-the-counter market securities (OTC)   valores no vendidos en la bolsa, mercado fuera de la cotización oficial
overtime   horas extra(s) (adicionales)
owner   dueño/a, propietario/a, patrón/a
owner's capital   capital y reservas
   equity   capital y reservas, patrimonio
ox   buey (m)

P

packing, packaging   embalaje (m)
pager   bíper (m), ubicador, buscapersonas (m/f/s/pl), localizador
paid vacation   vacaciones retribuidas
pamphlet   folleto, panfleto, volante (m)
panel   panel
   flat panel (TV)   panel plano
paper clip   presilla, clip (m)
paperwork   papeleo
paralanguage   paralenguaje (m)
parent bank   banco central (matriz)
parish   parroquia
parking   estacionamiento
partial   parcial
partner   socio
partnership   sociedad colectiva (en nombre colectivo), empresa colectiva
party entering into a contract   contratante (m/f), parte (f)
   buying party (real estate)   parte compradora
   selling (real estate)   parte vendedora
pass (v)   rebasar, adelantar (otro carro en la carretera)
password   contraseña
patent royalty   derecho de patente
pattern   patrón (m), pauta

paved   pavimentado (adj)
pay   (n) pago, pagamento; (v) pagar
payable   pagadero
payment in advance   pago por anticipado
payroll   nómina
pea   guisante (m), chícharo
peach   melocotón (m), durazno
peanut   cacahuete (m), maní (m)
penny stock   acción cotizada en menos de un dólar
percentage   porcentaje (m)
perform (carry out)   desempeñar, ejecutar
performance   desempeño, ejecución del trabajo
   control   control de ejecución (m)
periodic accrued interest   intereses periódicos acumulados
perishable   perecedero (adj)
personal income tax   impuesto sobre la renta personal
person in charge   encargado
personnel   personal (m)
person-to-person sales, personal selling   venta personal
petroleum   petróleo
photocopier   fotocopiadora
picket line   piquete laboral (m)
pickup truck   camioneta
piecework   trabajo a destajo
pig (pork)   cerdo
pineapple   piña
pipeline   oleoducto
place   lugar, plaza, colocar
   an order   hacer un pedido, solicitar
placement   colocación
   agency   agencia (empresa) de colocación (de empleo)
plan   (n) plan (m), preparativo; (v) planificar, planear
planning   planificación, planeación
plantain   plátano
pleased: to be ___ to   tener el gusto de
pledge, security   arras, prenda
point of view   punto de vista, opinión

policy   política, póliza (de seguro)
political   político
   bossism   caciquismo
   correctness   progresismo
   unrest   agitación política
poll (opinion)   sondeo, encuesta
population   población
port   puerto
portable   portátil
portfolio   carpeta
post (position)   puesto, cargo
postpone   aplazar, postergar
potash   potasa
potential customer   consumidor presunto
pothole   bache (en la carretera)
poverty   pobreza, miseria
practice   costumbre (f), práctica
predict   pronosticar, prever
preferential   preferente
preferred stock   acción preferida (preferente, prioritaria, privilegiada)
premium   prima
preparation   preparativo
press   prensa
presumed   presunto (adj)
price   precio, importe (m), canon (m)
   quote   cotización (de precios)
pricing   estructuración de precios
principal, capital   principal (m)
print   (n) impresión; (v) imprimir, emitir (dinero)
printed matter   impreso
printer   impresora
private   privado, particular
   carrier   transportista privado
   individual   particular (m)
privatize   privatizar
procedure   procedimiento
processing   procesamiento, elaboración
produce   producir
product   producto
   control   control de fabricación (m)
   liability   responsabilidad del productor
   management   gestión manufacturera
   mix   mezcla de productos

production manager *gerente de producción (m/f)*

productivity *productividad*

professional *(n) profesional (m); (adj) profesional*

profit *(n) beneficio, ganancia, utilidad, renta, lucro; (v) beneficiar*
>**and loss statement** *estado de ganancias y pérdidas*
>**margin** *margen de beneficio (m)*
>**motive** *motivación con fines de lucro*

profitability *rentabilidad*

profitable *beneficioso, rentable, lucrativo*

promissory note (IOU) *pagaré (m)*

promote *promover (ue), patrocinar, fomentar, auspiciar, ascender (ie)*

promotion *promoción, fomento, ascenso (job)*
>**allowance** *descuento por promoción*

proof of origin *certificado de origen*

property *propiedad, terreno, hacienda, patrimonio, caudal (m)*

propose *proponer*

prosperous *próspero (adj)*

protect *proteger, amparar, salvaguardar*

provide *proveer, proporcionar*

proxemics *proxémica*

public *(n) público; (adj) público*
>**health** *sanidad pública*
>**relations** *relaciones públicas*

Public Business Register *Registro Público de Comercio*

publicity *publicidad*

pull (influence) *enchufe (m), palanca*

pump *bomba (para petróleo por un oleoducto)*

purchase (purchasing) *compra*
>**order** *pedido, orden (f)*

purchasing *compra*
>**manager or director** *gerente (m/f) de compras, jefe/a de compras*

policy *política de compras*

purpose *propósito*

put at risk *poner a riesgo, poner en peligro*

pyrite *pirita*

Q

quality *calidad, cualidad*
>**assurance** *garantía de calidad*
>**control** *control de calidad (m)*

quota *cuota, cupo, contingente (m)*

quote (a price) *cotizar*

R

rack *estante (m)*
>**jobber** *mayorista de estanterías (m/f)*

ragged *harapiento, andrajoso (adj)*

railroad *(n) ferrocarril (m); (adj) ferroviario*
>**crossing** *cruce de ferrocarril (m)*

raise (n) *aumento*

random *al azar*

range *variedad, gama*

rate *tasa o tipo (de interés, de cambio de divisa), índice (m), tarifa*
>**of exchange** *tasa de cambio*
>**of growth** *índice de crecimiento*
>**of increase** *tasa de crecimiento*
>**of interest** *tasa de interés*
>**of return (on investment)** *tasa de rendimiento*

ratio *proporción, razón (f)*

raw material *materia prima*

real estate *inmuebles, bienes raíces, bienes inmuebles*
>**bubble** *burbuja inmobiliaria*
>**real estate** *bienes raíces (inmuebles)*
>**broker** *corredor/a de bienes raíces (inmuebles)*

rebate to consumer *rebaja al comprador*

receipt *recibo*

receiver, telephone
>**receiver** *receptor (m), auricular (m)*

receivership *ser declarado en suspensión o en cesación de pagos, entrar en liquidación*

receptionist *recepcionista (m/f)*

reciprocal buying *compra recíproca*

reconstitute *reconstituir*

record (v) *registrar*

recorded transfer of
>**securities** *cesión registrada*

recreation *recreo*

recruit *reclutar*

recruitment *reclutamiento*

redial *remarcación*

redialing *remarcación*

red tape *papeleo, balduque (m)*

re-export *reexportación*

refund (n) *devolución*
>**period** *plazo de devolución*

registered trademark *marca registrada*

regret *sentir (i), lamentar*

regulation *reglamento*

reimbursement *reembolso, reintegro, repago*

reliability *fiabilidad*

reliable *fiable, formal (adj)*

relocation *reubicación*

remittance (of money) *remesa*

remote control *control remoto*

renew *renovar(se) (ue)*

renewal *renuevo*

rent *(n) alquiler (m), arrendamiento; (v) alquilar, arrendar*

renter *arrendante (m/f)*

repair (n) *reparación; (v) reparar*

repayment *reembolso, liquidación, reintegro, pago*

report *(n) informe (m); (v) informar*

requirement *requisito*

resale *reventa*

reschedule *prorrogar, renegociar una deuda*

research and
>**development** *investigación y desarrollo*

resident   *residente, vecino*
resource   *recurso*
résumé   *curriculum vitae (m), expediente personal (m), hoja de vida*
retail   *al detalle, al por menor, al menudeo*
retailer   *detallista (m/f), minorista (m/f), comerciante al por menor (m/f)*
retailing   *venta al detalle (al por menor)*
retain   *retener*
retirement   *jubilación*
return (of goods or merchandise)   *devolución*
revenue   *ingreso, renta, ganancia*
review   *(n) revisión; (v) revisar*
revocable letter of credit   *carta de crédito revocable*
reward   *(n) premio; (v) premiar, recompensar*
risk   *riesgo*
   and reward   *riesgos y beneficios*
   factor   *factor riesgo*
   management   *control (administración) de riesgo*
   of default   *riesgo de impago*
   of non-payment   *riesgo de impago*
road   *calle (en la ciudad), carretera (fuera de la ciudad), calzada, camino*
   related   *vial*
   sign   *cartel de carretera (m), señal de carretera (f), señalización vial*
robot   *autómata (m)*
rock-bottom price   *precio mínimo*
rough draft   *borrador (m)*
route sheet (way bill)   *hoja de ruta*
routing   *ruta, recorrido*
rubber   *caucho, goma*
   band   *goma elástica, liga*
rule   *regla*

S

sabotage   *(n) sabotaje (m)*
safe   *(n) caja fuerte; (adj) seguro*

safeguard   *salvaguardar*
safety deposit box   *caja de seguridad*
salary (weekly, monthly, or annual)   *sueldo*
sale(s)   *venta(s)*
   agent   *agente de ventas (m/f)*
   pitch   *discursito del vendedor, tener buena labia para vender, saber convencer con argumentos, hacer un rollo publicitario*
   promotion   *fomento (promoción) de ventas*
salt   *sal (f)*
salvage   *recuperación (m)*
   value   *valor de recuperación (m)*
sample   *muestra*
sanction   *(n) sanción; (v) sancionar*
sand   *arena*
save   *ahorrar*
savings   *ahorros*
   account   *cuenta de ahorros*
   bank, savings and loan   *caja de ahorros*
   bond   *bono de ahorro*
sawmill   *aserradero*
scarcity (shortage)   *escasez (f)*
schedule   *(n) horario; (v) programar, fijar la hora de, estar citado*
scheduling   *programación*
screen (television, movie, computer) (n)   *pantalla*
   flat screen (TV)   *pantalla plana*
   touch screen   *pantalla táctil*
scroll (v)   *desplazar arriba y abajo*
seafood, shellfish   *marisco*
seamless   *sin fisuras*
secured loan   *préstamo garantizado (prendario)*
securities   *valores (m/pl), títulos de valores*
   exchange   *bolsa de valores*
security   *arras*
seed   *semilla*
selection   *surtido*
self-financing   *autofinanciación*
self-sufficiency   *autosuficiencia*
sell   *vender, comercializar*
seller   *vendedor/a*

selling   *venta, comercialización*
send   *mandar, enviar, remitir, despachar, expedir (i)*
sender   *remitente (m/f), emisor/a*
seniority   *antigüedad, años de servicio*
set   *fijar*
   forth   *exponer*
   up   *montar*
   up obstacles   *poner trabas*
settle (a debt or account)   *solventar, liquidar, saldar*
severance   *cesantía*
   indemnity   *auxilio de cesantía, indemnización por despido, sueldo de despedida*
sewing machine   *máquina de coser*
sexual harassment   *acoso sexual*
share   *acción, participación*
shareholder   *accionista (m/f)*
shelter   *(n) amparo; (v) amparar*
shift premium   *prima por trabajo fuera de turno*
ship (n)   *buque (m), barco, nave (f), vapor (m)*
shipment   *embarque (m), envío*
shipowner   *fletante (m/f)*
shipper   *fletador*
shipping company   *empresa naviera*
   document   *documento de embarque*
shop   *tienda, almacén (m), taller (m)*
shopping center   *centro comercial*
short   *corto*
   haul or run   *trayecto corto*
   term   *a corto plazo*
showcase   *vitrina, escaparate (m)*
shrimp   *camarón (m), gamba*
shutdown   *cierre (m)*
siderurgy   *siderurgia*
sight draft   *giro a la vista*
sign   *letrero, rótulo, cartel, señal; firmar*
   posting   *señalización*
signature loan   *préstamo a sola firma*
silent partner   *socio comanditario*
   partnership   *sociedad comanditaria (en comandita)*

silver *plata*

simulation technique *técnica de simulación*

situation *supuesto*

    technique *técnica de incidente*

skill (ability) *habilidad, destreza, pericia*

skin *piel (f)*

slogan *lema (m), mote (m)*

small *pequeño*

    batch production *producción ordenada (en pequeños lotes)*

    business *pequeña empresa*

snack *merienda*

soft *blando*

    drink (soda) *refresco*

    sell *venta por persuasión*

software *software program*

sole proprietorship *empresa individual o simple, propiedad de una sola persona*

solvency *solvencia*

sorghum *sorgo*

source *emanación (origen)*

sovereign state *estado soberano*

soybean *soja, soya*

Spaceship Earth *nave espacial: la Tierra (f)*

spare part *pieza de repuesto*

specialize *especializar*

specialty *especialidad*

    goods *bienes especiales*

    shop *almacén de artículos de calidad*

specify *precisar, especificar*

speculate *especular*

speculative buying *compra especulativa*

speedbump *tope (México), guardia tumbado (Spain), policía acostado (Colombia), muerto (Costa Rica)*

spill *(n) derrame (m); (v) derramar*

spokesperson *portavoz (m/f)*

sponsor *patrocinar*

spreadsheet *hoja de cálculo*

staff *personal, plantilla*

    member *funcionario*

stakeholder *persona interesada*

standard of living *nivel de vida (m)*

standard production *producción estándar*

staple *(n) grapa; (v) engrapar*

stapler *engrapador/a, abrochador (m)*

stapling *engrapamiento*

state-controlled

    company *empresa estatal*

statement of account *estado de cuenta*

state-run (government-run) *estatal*

statistics *estadística*

stay *estancia*

steel *acero*

step (procedure) *trámite (m), gestión*

stevedore *estibador*

stock *(n) acción, existencia (in stock: en existencia); (adj) bursátil; (v) abastecer, proveer*

    exchange *bolsa (de valores, de comercio)*

    market *bolsa comercial (de valores)*

    portfolio *cartera de acciones*

stockbroker *corredor/a de acciones (de bolsa)*

stockholder *accionista (m/f)*

stoplight *semáforo*

stopping *detenimiento*

storage *almacenaje (m), almacenamiento*

straight-line *lineal*

    depreciation *depreciación lineal*

    method (depreciation) *método lineal*

strategic (adj) *estratégico*

    planning *planificación estratégica*

strategy *estrategia*

strike *(n) huelga, paro; (v) ir a la huelga, declararse en huelga*

strikebreaker (scab) *esquirol (m), rompehuelgas*

striker *huelguista (m/f)*

student intern *asistente de práctica (m/f)*

sublet *subarrendar*

submit *someter*

subsidiary *sucursal (f), filial (f)*

subsidize *subvencionar*

subtract *sustraer*

success *éxito, triunfo*

successful *exitoso (adj)*

successfully *con éxito, exitosamente*

sue *demandar, procesar, pleitar*

sugar *azúcar (m/f)*

    beet *remolacha azucarera*

    cane *caña de azúcar*

    refining *refinamiento de azúcar*

suitable *idóneo*

sulfur *azufre (m)*

summary *minuta*

supplier *proveedor/a, abastecedor/a, suministrador/a*

supplies *bienes de abastecimiento (m/pl), suministros, abastos*

supply *(n) abastecimiento, suministro; (v) abastecer, suministrar, proveer*

    and demand *oferta y demanda*

    chaining *cadena de suministros*

supporter *partidario*

surf (the Internet) *navegar*

surplus *excedente (m), superávit(m); superavitario (adj)*

survey *encuesta*

swivel chair *silla giratoria*

sworn in *prestar juramento (como presidente)*

T

tactful *discreto, diplomático*

take *tomar*

    care of *encargarse de*

    steps or measures *hacer gestiones*

    the census *hacer o levantar el censo*

tariff *(n) tarifa, arancel (m); (adj) arancelario*

taste *(n) sabor (m)*

tax *(n) impuesto, (adj) impositivo*

    accountant *contable fiscal (m/f)*

    accounting *contabilidad fiscal*

liability obligación contributaria, (impositiva)

taxpayer contribuyente (n/m/f)

team equipo

tear down, demolish derrumbar

technology tecnología

  package flow technology tecnología de flujo de pedidos

  transfer transmisión (transferencia) de tecnología

telecommuter teleconmutador/a, trabajador/a a distancia

telemarketing telemarketing (m)

telephone bill cuenta de teléfono

telesales televentas

tenant inquilino

test (n) prueba; (v) probar (ue), poner a prueba

textile tejido, textil (m)

theme, subject tema (m), asunto

third country national nacional de terceros países

time tiempo, vez

  deposit depósito a plazo fijo

  draft giro a plazo

  period plazo

tin estaño

to the bearer al portador

toll road autopista (f) de peaje o de cuota

ton tonelada

tool herramienta

tourism turismo

tow (v) remolcar

  boat remolcador

toxic waste desecho tóxico

trace (a shipment) rastrear

track (a shipment) rastrear

trade (n) comercio, negocio; (v) comerciar, negociar

  deficit, unfavorable balance of trade saldo negativo (desfavorable), balanza comercial negativa o deficitaria

  discount rebaja al revendedor

  fair feria comercial

trademark marca comercial (de fábrica), marca registrada

train (n) ferrocarril, tren; (v) adiestrar, capacitar, entrenar

training adiestramiento, capacitación, entrenamiento

transact negociar, tramitar

transaction transacción

transfer (n) traslado, traspaso (de título de propiedad), trasbordo; v) trasladar, traspasar, trasbordar

  of technology transmisión de tecnología

  payment transferencia (pago de transferencia)

translator traductor/a

transportation transporte (m), acarreo

transport ship buque de transporte (m)

travel allowance viáticos

traveling market mercado ambulante

treasury tesorería

  bond bono del estado, bono del Tesoro (EUA)

treatment, manner of dealing with trato

trial balance balance de comprobación (m)

truck (n) camión (m)

  wholesaler mayorista sin almacén (m/f)

trust (n) confianza; (v) confiar en, fiarse de

try (v) tratar de, probar (clothes, food, drink)

tug (n) remolcador, (v) remolcar

tugboat remolcador

tuition scholarship beca de matrícula

tungsten tungsteno

turkey pavo, guajolote

TV card tarjeta de TV

twin (n/adj) gemelo

  deficits deudas gemelas

  Towers Torres Gemelas (Centro Comercial Mundial en NY); también conocias por su nombre en inglés, World Trade Center

type (v) escribir a máquina

typewriter máquina de escribir

U

ultralight ultraligero

ultrathin ultradelgado

underdeveloped subdesarrollado (adj)

underemployment subempleo

undertake emprender

unemployment desempleo, paro

  rate índice de desempleo (m)

unfinished goods bienes semiacabados

union (n) sindicato; (adj) sindical

  representative representante sindical (m/f)

unlimited sin límites, ilimitado (adj)

unloading descarga (de mercancías)

unsecured loan préstamo no garantizado (sin caución)

upper management alto mando

up-to-date al día, corriente

uranium uranio

user usuario

utilities luz, agua y gas

utility utilidad

V

valuables valores (m), artículos de valor

valuation tasación

value-added ad valorem

  tax impuesto sobre el valor añadido (agregado) (IVA)

van camioneta

varnish (n) barniz

VCR (videocassette) vídeo

vegetable vegetal (m), legumbre (f), verdura

vending machine máquina expendedora, distribuidor automático

video card tarjeta de vídeo

virtual reality   *realidad virtual*
voice   *voz*
   mail   *correo auditivo*
   mailbox   *buzón de voz (m)*
volume discount   *descuento sobre cantidad*

W

wage (hourly)   *jornal (m), salario*
   hike   *aumento de salario*
warehouse   *(n) almacén (m); (v) almacenar*
waste   *(n) desperdicio; (v) desperdiciar*
wealth   *riqueza, caudal (m), patrimonio*
wear out   *desgastar(se), agotar(se)*
web page   *página web*
web site   *sitio*
West Indies, Antilles   *Islas Antillas*
wheat   *trigo*
wholesale   *al por mayor*

wholesaler   *mayorista (m/f), comerciante al por mayor (m/f)*
wholesaling   *venta al por mayor*
will   *testamento*
winegrowing, wine production   *vinicultura*
withdraw   *retirar*
wood   *madera, leña*
wool   *lana*
word processor   *procesador de textos (de palabras) (m)*
work   *(adj) laboral*
   aesthetic, attractiveness of work environment   *estética laboral*
   ethic   *ética laboral*
   place   *lugar de trabajo, oficina, fábrica*
   week   *semana laboral*
worker (n)   *trabajador, obrero, empleado, operario; (adj) laboral*

workshop   *taller (m)*
workstation   *estación de trabajo*
World Trade Organization   *Organización Mundial del Comercio*
worldwide   *mundial*
worship of saints   *santería*
wireless   *inalámbrico*
wrong way (in traffic)   *a, de contramano*

Y

yield (interest)   *devengar*

Z

zinc   *cinc (m)*
zip drive   *disco zip*

Índice temático

La letra cursiva páginas señala términos que aparecen en los gráficos, las tablas, las secciones especiales como las lecturas de «Para pensar», las notas al pie de la página, etc.